Maria i Sverige under tusen år

Föredrag vid symposiet i Vadstena 6 – 10 oktober 1994

Utgivna av
Sven–Erik Brodd och Alf Härdelin

ARTOS
SKELLEFTEÅ

Redaktionssekreterare: Torbjörn Axner, Uppsala universitet

Symposiet "Maria i Sverige under 1000 år". Tvärvetenskapligt symposium i Vadstena 6-10 oktober 1994, genomfördes med bidrag från:

Kungliga Vitterhets Historie och Antikvitets Akademien
Humanistisk Samhällsvetenskapliga Forskningsrådet
Berit Wallenbergs Stiftelse
Konung Gustav VI Adolfs Fond för Svensk Kultur

Boken "Maria i Sverige under 1000 år" är tryckt med bidrag från;

Humanistisk Samhällsvetenskapliga Forskningsrådet
Birgittaföreningen

ARTOS förlag, Skellefteå
Printed in Sweden 1996 by Symposion, Eslöv
ISBN 91 7580 134–5

Maria i Sverige under tusen år

Föredrag vid symposiet i Vadstena 6 – 10 oktober 1994

Bok 1

I Marias ankomst

II Marias blomstringstid

Bok 2

III Marias tillbakaträngande

IV Marias återkomst

Presentation av författarna

Roger Andersson
FD, Fornsvensk predikan, Stockholm

Oloph Bexell
Doc, Kyrkovetenskap, Uppsala

Britta Birnbaum,
Museeiintendent, Konstvetenskap, Stockholm

Gunilla Björkvall
Doc, Tropforskning, Stockholm

Hubertus Brandenburg
TD, Biskop, Stockholm

Nils-Arvid Bringéus
Professor, Folklivsforskning, Lund

Per Beskow
Doc, Teologi, Vadstena

Stephan Borgehammar,
Doc, Medeltida spiritualitet och predikan, Lund

Sven-Erik Brodd,
Professor, Kyrkovetenskap, Uppsala

Jonas Carlquist,
FD, Fornsvensk litteratur, Stockholm

Helena Edgren
FD, Konstvetenskap, Helsingfors

Inger Estham,
TD, Textilhistoria, Stockholm

Biörn Fjärstedt
Biskop Visby

Alf Härdelin
professor, Medeltidens kultur och spiritualitet, Uppsala

Ann M. Hutchison,
Ph.D, Medeltidens litteratur, Toronto, Canada

Carl F. Hallencreutz,
Professor, Missionsvetenskap, Uppsala

Sten Hidal,
Doc, Bibelvetenskap, Lund

Stina Hansson
Professor, Litterturvetenskap, Göteborg

Anders Jarlert
Doc, Modern kyrkohistoria, Lund

Hedvig Brander Jonsson
FD, Konstvetenskap, Uppsala

Ritva Jacobsson
Professor, Tropforskning, Stockholm

Elisabeth Korndahl
Skådespelserska, Stockholm

Sr Karin, Birgittasystrarna
Abbedissa, Vadstena

Torsten Kälvemark
TL, Ortodox kyrkovetenskap, Stockholm

Katarina Lewis
Forsk.stud., Kvinnohistoria, Linköping

Lena Liepe,
FD, Medeltidens konst, Lund

Mereth Lindgren
Doc, Medeltidens konst, Uppsala

Ulla Löfgren
Forsk.stud., Kyrkovetenskap, Uppsala

Ingmar Milveden
Doc, Medeltidens kyrkomusik, Uppsala

Tore Nyberg
FD, Medeltidens historia, Odense

Magnus Nyman
Doc, Lärdomshistoria, Uppsala

Christer Pahlmblad
Forsk.stud., Reformationstidens liturgi, Lund

Ingela Pehrson
Doc, Modern litteratur, Västerås

Sven-Erik Pernler
Doc, Medeltidens kyrkohistoria, Visby

Anders Persson
Forsk.stud., Romantikens litteratur, Umeå

Anders Piltz
Doc, Medeltidens lärdomshistoria, Lund

Marie Louise Ramnefalk
FD, Litteraturvetenskap, Stockholm

Claire L. Sahlin
Forsk.stud., Birgittinsk historia, Harward, USA

Viveca Servatius
FD, Medeltidens kyrkomusik, Uppsala

Cecilia Hildeman Sjölin
Forsk.stud., Medeltidens konst, Lund

Elisabeth Stengård
FD, Modern kyrkokonst, Stockholm

Kristina Stobaeus
Sångerska, Visby

Bengt Stolt
Doc, Kyrkovetenskap, Uppsala

Jan Svensson
TD, Bibelvetenskap, Falun

Henrik Williams,
Doc, Runologi, Uppsala

Inga Lena Ångström
FD, Konstvetenskap, Stockholm

Förord

Förr visste man minsann här i landet, hur det var: Maria hörde den katolska tiden till, men hon avskaffades genom reformationen. Men så visar det sig ganska plötsligt och oförmodat, att den ”sanningen” inte tycks hålla längre. Saker börjar att hända som man tidigare trodde inte kunde hända. Där man på länge inte talat om Maria, blir hon åter nämnd och, konstigt nog kunde man tycka, nu har hon plötsligt fått nya namn och ärotitlar, jämsides med de gamla, eller ibland emot dem. De teologiskt medvetna kan vara benägna att undrande höja sina ögonbryn och fråga vad som står på. Det nya intresset visas ju Maria inte minst från sådana människors sida som inte hör hemma i kyrkor, där man alltid haft plats för henne, utan där man tidigare snarast haft fruktan för henne som för något för den sanna tron farligt.

Man talar nu där om hennes återkomst, men eftersom man inte tidigare, eller åtminstone inte på mycket länge, har ägnat henne någon större teologisk uppmärksamhet, tycks man nu heller inte ha några intellektuella kriterier eller någon beredskap för att kritiskt pröva halten och hållbarheten i de nya, eller nygamla, äretitlarna och i alla de påståenden man nu så ogenerat framkastar om henne. Helt plötsligt säger man på sina håll nu återigen ”behöva” henne, men det är ofta oklart till vad. För att rädda naturen, eller kvinnligheten, eller som ett nytt namn för Moder Jord? Maria verkar ibland bara vara det nya namnet för gamla gudinnor och mytiska väsen med hemort långt utanför den kristna trons gränser. Vem kan svara på, vad är det som håller på att hända?

Eller, litet mera lågmält: var finns – i olika kyrkor och samfund – kompasserna för orienteringen, så att man inte går vilse i snårskogen, ledd bara av tyckandena och de tillfälliga känslorna? På lutherskt och annat icke-katolskt håll finns det ju knappast något sedan länge upparbetat tänkande över Maria att utgå från, att värdera med och att bygga vidare på. Bilder av henne har nu kommit in i kyrkor och gudstjänstlokaler och hem, där sådana inte tidigare, eller inte på länge, har funnits. Men det är väl ofta oklart, med vilka motiveringar och för vilka funktioner? Och, det inte minst egendomliga i situationen, på många katolska håll, där man väl borde veta, tycks tillgivenheten ha mattats betänkligt, intresset svalnat och kunskapen svepts in i dimmor. Där hon förr var självklar för alla, verkar hon nu ha blivit en specialitet för de svärmiska.

Detta tycks, snabbt tecknat, vara läget för dagen. Kanske kan en historisk tillbakablick vara *ett* sätt att nå större klarhet? Även om det inte kan ersätta den teologiskt-principiella eftertanken. I människans och mänsklighetens liv brukar det hjälpa att studera sina rötter, som det numera kan heta. Men bortsett från vad som händer på religionens område kan också något annat konstateras av alla som vet något om seklerna och årtusendena före oss: Maria finns där överallt, även i vår historia, sedan minst tusen år: ibland ärad, ibland ifrågasatt, ibland förkastad – men aldrig helt frånvarande. Det vet alla slag av historiker. Inte bara kyrko-, liturgi- och fromhetshistoriker. Det vet också litteratur-, konst- och musikhistoriker. Och folklivsforskare och andra. Till och med vanliga profanhistoriker har nog mött henne: i lagstiftning och på krigares banér. Och även botaniker, medicinhistoriker och ortnamnsforskare.

Nog är Marias historia också i det sedan århundraden protestantiska Norden och Sverige värd att studera. Fäst vid hennes person och namn är så mycket kulturhistoria. Hon kunde vara värd ett stort symposium, med forskare från en lång rad av vetenskapliga discipliner. Det symposiet kom att äga rum i Vadstena 1994. Och ganska naturligt vid Brittmässotid: Birgitta har som få andra svenskar talat om Maria, och, om kan vi lita på hennes egna uppgifter: också till henne och med henne – och Maria till henne. Det är föredragen vid det tillfället som här publiceras, reviderade och försedda med vederbörlig vetenskaplig dokumentation. Men här finns också några bidrag av forskare som inte hade möjlighet att vara med då, eller som arrangörerna inte då kände till, men som senare uppspårats och övertalats. Vi tackar dem alla för deras villighet att medverka, för deras mödor och för deras generositet. Och naturligtvis tar var och en av dem på sig ansvaret för sitt bidrag.

Vi tackar också Humanistisk-samhällsvetenskapliga Forskningsrådet, akademier och fonder som med sina anslag möjliggjorde symposiet och beviljat anslag till tryckningen av resultaten. Och ett tack till sist, men inte minst, till assistenten Torbjörn Axner, som med datorkunnande och intresse för saken varit till ovärderlig hjälp vid redigeringen, och till bokförläggaren Per Åkerlund och hans förlag Artos som vågat anta den stora utmaningen att publicera den väldiga textmassan och alla bilderna.

Men, avslutningsvis, må nu ingen tro, att vi härmed vet allt vad som är värt att veta och som går att veta om ”Maria i Sverige under tusen år”. De flesta källorna till en sådan kunskap ligger, sanningen att säga, fortfarande obearbetade och outnyttjade. Detta är bara en början och bara några smakprov. Kan de mödor som här presenteras locka till fortsättningar och fördjupningar, har de inte varit förgäves.

Uppsala i januari 1996

Sven-Eric Brodd Professor vid Uppsala Universitet	Alf Härdelin Professor, tidigare forskare vid HSFR

Marias ankomst

Alf Härdelin

Guds Moders vägar till Sverige

Maria, av kyrkan sedan äldsta tid kallad Guds Moder, har inte haft någon annan väg till vårt land än hennes son. Alltifrån begynnelsen av den kristna kyrkans existens finns de två tillsammans. Åskådligt ser vi det i Lukasevangeliets berättelse om bebådelsen. Inte så endast därför att barn alltid förutsätter mödrar, utan även därför att sonen, enligt samma källa, är vad han är: den gudomlige, av Ande födde. Maria har givit kropp, säger Nya Testamentet på ett annat ställe, åt en, i vilken gudomens hela fullhet bor kroppsligen. Det är denna dubbla natur i sonen, för att använda en något senare terminologi, som för den teologiska reflexionen gör också modern till något enastående, ty därigenom blev hon inte endast modern till den enfödde sonen utan, som de troende aldrig har upphört att glädja sig åt och meditera över, även till de många söner och döttrar som genom tron och dopet skulle inlemmas i den kropp som föddes av Maria. Och enligt lovsången i samma evangelium visste hon, att hon aldrig skulle glömmas bort av dem: "Alla släkten skall prisa mig salig".

Men resan hit till oss i Norden började för dem båda sent. Och det som vi brukar kalla för missionstiden är för Nordens del också ovanligt lång. Om man med missionstid menar den tid det tog, innan kyrkan här fått en någotsånär väl utbyggd organisatorisk bas, med stift och församlingar och därtill hörande prästerlig personal, varade missions- eller grundläggningstiden minst 300 år. Ännu längre är den, om vi tänker på den tid det tog att här bygga en kyrka, som inte bara levde på de andliga skatter som fördes hit utifrån utan som själv blev andligen kreativ, inte bara i arkitektur och bild utan också i tankar och ord, fasthållna i bevarad text. Och det är om den långa tiden – bortåt 400 år – det nu i korta drag skall handla. Marias väg till Sverige, tillsammans med sin son och tillsammans med den kristna kulturen, skall här skildras som en resa från tre håll. Ett försök skall göras att ur ett spiritualitetshistoriskt perspektiv framställa de viktigaste impulsvågorna utifrån: de tre geografiska och andliga miljöer, där de hade sin utgångspunkt, och de bärare som impulserna hade hit. Det på grund av källäget strängt taget obevisbara, men ändå tämligen naturliga, antagandet skall då göras, att missionärerna utifrån här i grunden har predikat, och i gudstjänst, själavård och, ville man hoppas, också i sina liv har praktiserat den teologi och den spiritualitet, som vi *kan* veta präglade deras bakgrund och utgångsmiljöer. De har kommit hit med sin kristna tro och kyrka, sådana dessa redan hade formats långt borta från våra landamären. Att de sedan, om de var goda pedagoger, vinnlade sig om att ge budskapet en sådan uttrycksform, att det kunde förstås, bejakas och bli älskat också här, av vår förfäder, är en annan sak.

De tre impulsvägarna med de personer som vandrade på dem är förvisso endast ett urval – det gäller självfallet allt tydligare, ju längre framåt vi kommer i tiden. Men vilken den första av dem är, kan det inte råda någon tvekan om.

Ansgar från Corbie–Corvey

Ansgar, kallad Nordens apostel, har en bakgrund som man sällan brukar fördjupa sig i, men som inte saknar sin betydelse just ur vårt symposietemas synpunkt. Han inträdde nämligen först som munk i ett av karolingertidens, inte endast politiskt utan även andligt och teologiskt sett, viktigaste kloster, nämligen Corbie[1], i Picardie, i det som nu är norra Frankrike. Kanske fanns det i det landet under detta århundrade bara ett annat kloster som i andligt och kulturellt avseende kunde mäta sig med Corbie, nämligen St. Germain, i Auxerre[2]. Det var i Corbie Ansgar fick sin skolning, och först 823, vid circa 23 års ålder, sändes han för att som lärare vid klosterskolan medverka vid uppbyggandet av dotterklostret vid Weser, det "Nya Corbie", Corvey, och det var därifrån som han några år senare skickades som missionär, först till Danmark och sedan till Sverige[3]. I Corbie hade Ansgar som lärare och sedermera medbroder haft den bortåt 15 år äldre Paschasius Radbertus, 800-talets lärdaste och betydelsefullaste frankiske teolog[4]. I den dogmhistoriska litteraturen är denne Radbertus välkänd, men där vanligen uppmärksammad främst som den som i den s.k. första nattvardsstriden stred med en annan medbroder, Ratramnus, i frågan om den eukaristiska närvarons art[5]. För samtiden var han säkerligen främst den djupsinnige bibelutläggaren, inte minst genom sin stora kommentar till Matteusevangeliet[6]. Men uppmärksamheten har på senare tid på nytt riktats mot hans betydelse också som mariolog, och även i den frågan har han en motståndare – denna gång inte namngiven – men det är förmodligen återigen Ratramnus, som i en mariologisk delfråga i en liten skrift givit uttryck åt en annan mening än den som var Radbertus'[7]. Det var den senare som skulle visa sig tillhöra framtiden.

Nu är det visserligen sant, att Radbertus' mariologiska skrifter, åtminstone i den form vi känner dem, alla torde ha avfattats långt efter det att Ansgar lämnat Corbie för Corvey och sedan även Radbertus, som under en tid också vistades där, återvänt till sitt moderkloster i Picardie[8]. Men det stör knappast mitt resonemang här, ty, dels, upprätthölls naturligtvis även i fortsättningen förbindelsern mellan moder- och dotterkloster, och, dels, vill jag inte göra några obevisbara antaganden om lärjungen Ansgars mariologi. Det är något annat och mera grundläggande som här är viktigt, nämligen just att Nordens apostel fått sin grundläggande skolning och hela sin spirituella inriktning i ett kloster, där tidens mest betydande teologiske tänkare, som var hans senior, var munk och lärare för bröderna. Radbertus' insatser bestod heller inte i, att han skulle ha framträtt med några i sak helt nya läror, vare sig i förhållande till den äldre traditionen eller gentemot samtida kombattanter. Så är sällan fallet med teologer under medeltiden. Vad det brukar handla om, även när man har att göra med de verkligt stora och betydelsefulla tänkarna, är en fördjupad reflexion över de grundläggande läror som alla redan delar, en reflexion, som innebär en sakta mognande insikt i sammanhangen, en säkrare bevisning av tidigare antaganden och ett fördjupat grepp om vilka intellektuella och praktiska konsekvenser de redan bekända lärorna bör få. Det brukar, med andra ord, snarare handla om organisk tankeutveckling än om revolutionära traditionsbrott.

Det är sålunda även för den store Radbertus självklart, att mariologin inte är något alldeles för sig utan har ett oupplösligt samband med kristologin. All reflexion över Maria är, med andra ord, en del av reflexionen över vem hennes Son är, och över bådas roller i frälningshistorien. Hon är, och det är för Radbertus den grundläggande utsagan, "den ärorika Gudsmodern" (*Deigenetrix gloriosa*)[9]. Av insikten i Sonens väsen följer att hans födelse som Gud och människa inte är en vanlig händelse som alla andra födslar, utan ett mysterium, lika unikt som Sonen själv är. Men mariologin kan då heller inte endast vara ett stycke kristologi; den måste också vara ett stycke antropologi med viktiga implikationer för uppfattningen om vad människan är. Radbertus framställer sålunda Maria som den återlösta, som den för Sonens skull i allt benådade och rena människan. Det är som den genom nåden och utkorelsen fullkomnade människan som hon har upptagits till himlen. Men handlar det här om människan, så handlar det inte främst om *individen* Maria, utan om *kyrkan* som en gemenskap av troende och helgade människor, av vilka Maria är den främsta och över vilka hon som den förebedjande Drottningen råder.

Ansgar har inte till våra dagar lämnat några skrifter efter sig, som ger någon uppfattning om hans ståndpunkt i de här berörda teologiska stridsfrågorna[10], och om hans ställningstagande i striden mellan de båda medbröderna i hans moderkloster har vi inga underrättelser. Praktiskt taget all vår kunskap om Nordens apostel finns nedlagd i den Levnadsbeskrivning (*Vita*), som hans efterföljare på biskopsstolen i Bremen, Rimbert, författat. Här berättas tämligen utförligt om hans utveckling, andliga liv och fromhetsövningar. I det andra kapitlet talas det just om hans omvändelse, inspirerad, vill det synas, av en vision, där han menade sig ha mött Maria, Guds moder[11]. När han höll på med sina barnsliga lekar, heter det där i den senaste svenska översättningen[12], "fick han en natt en vision, att han var på ett ställe som var så gyttjigt och halt, att han inte kunde komma därifrån annat än med stor svårighet. Men bredvid det stället fanns en mycket vacker väg, och på den såg han en kvinna gå framåt, och hon såg ut som en förnäm dam, som var mycket fint och elegant klädd. Efter henne följde flera andra kvinnor i vita kläder, och bland dem var hans mor. När han kände igen henne, fick han lust att springa fram till henne. Emellertid kunde han inte utan besvär ta sig ifrån det smutsiga och hala stället. Men gruppen av kvinnor kom närmare honom, och då tyckte han, att den som såg ut som de andras härskarinna och som han var säker på var den heliga Maria, sade till honom: 'Min son, vill du komma till din mor?' Då svarade han, att han mycket gärna ville det, och hon sade i sin tur: 'Om du vill vara med i vår gemenskap, måste du ta avstånd från allt som är fåfängligt och sluta upp med barnsliga lekar och leva allvarligt och värdigt. Vi avskyr nämligen all fåfänglighet och lättja, och den som finner nöje i sådant kan inte tillhöra vår krets.' Omedelbart efter denna syn började han leva ett allvarligare liv och undvika sällskap med andra pojkar och började i stället ägna sig mera åt läsning, meditation och andra nyttiga sysselsättningar."

Det var alltså denne allvarlige man – genom en vision av Maria omvänd till ivrigt gudssökande i den andliga läsningen och meditationen[13] – som först predikade kristen tro i vårt land. Men hit förde han inte bara sin tro och sina privata fromhetsövningar utan, det kan vi vara säkra på, också det sätt att fira gudstjänst som var den frankiska kyrkans vid hans tid. Det faktum, att Ansgar och hans medresenärer under resan hit blev anfallna av rövare, som enligt Vitan, kap. 10, tog ifrån dem "nästan fyrtio böcker, som de hade samlat ihop för gudstjänsten", betydde knappast att man under den första tiden i Birka inte skulle ha firat gudstjänst alls. Enligt den goda anekdoten behöver benediktiner för sin gudstjänst strängt taget inga böcker, ty de kan genom lång övning allt utantill. Vad

Ansgar i så fall redan hade inpräglat i sitt minne var, hur man i Frankerriket firade gudstjänst. Hur det gick till är vi ganska väl underrättade om[14]. Vi befinner oss visserligen i en tid, då den liturgiska utvecklingen förlöper i ett raskt tempo, men några fakta av betydelse för vårt tema kan ändå utan vidare slås fast som generella. Det första är, att karolingertiden är en tid av en mycket rik liturgisk diktning: hymner och, något senare, sekvenser och troper[15]. De liturgiska böckerna, i synnerhet de många sakramentarierna, innehållande prästens partier i mässan, upptar i sig under denna tid en lång rad nya marianska orationer (kollektböner), prefationer och formulär för votivmässor (mässor med särskilda temata, avsedda att firas på bestämda dagar), t. ex. en mariamässa för lördagen[16]. Dessa liturgiska texter, med ett innehåll som torde ha stått över stundens kontroverser, uppvisar ofta en mycket rik och pregnant formulerad mariologi[17]. En fast beståndsdel av kyrkoåret var redan sedan 700-talet de fyra mariadagarna: Marie bebådelse, Kyndelsmässan, Upptagandet (*Assumptio*) och Marias födelse. I de många karolingiska predikosamlingarna (homiliarierna) för liturgiskt och enskilt bruk finner man i allmänhet även en mängd predikningar för dessa Maria-dagar[18]; de vore värda ett särskilt och fördjupat studium.

Det är ingen särskilt våghalsig gissning, om man om den första stationens ämne sammanfattningsvis säger, att folket i vårt land redan genom den första missionsvågen under Ansgars ledning med all säkerhet fått del av en kristendom, där Maria som Guds Moder och det kristna folkets förebedjande Härskarinna hade sin givna plats, såväl i den tro som predikades som i den gudstjänst, dit man inbjöds för tillbedjan och lovsång.

Men Ansgars svenska kyrkogrundning hade av allt att döma inga spektakulära och förblivande verkningar. Hans kyrkoprovins, Bremens, hade ännu för lång tid ansvaret för att också de nordiska länderna inlemmades i Kristenheten. Men något på sikt framgångsrikt skedde uppenbarligen inte förrän vid tiden kring det andra årtusendets ingång. Och när Västergötland, kanske 1014, fick sin förste biskop på det nyinrättade biskopssätet – i Husaby och först senare flyttat till Skara –, så var det med en man just från kyrkan i Bremen. Hans namn var Turgot[19]. Men den andra utgångspunkten för Marias väg till Sverige ville jag nu ändå inte förlägga till Bremen utan till det angelsaxiska England och de tre namnkunniga munkmissionärer, tillsammans med följeslagare, som det i olika omgångar sände hit: Sigfrid, Eskil och David[20].

Munkmissionärer från England

Alla har hört de tre namnen. Det första förknippas traditionellt främst med Värend och Västergötland, det andra med det Södermanland, där Eskil sägs ha lidit martyrdöden och det tredje med det västmanländska Munktorp, där man har antagit att David bott och byggt kyrka, rimligen tillsammans med några andra munkar. Men det är inte mycket vi med säkerhet vet om dessa tre. Det går inte ens att mera precist placera in dem i tiden.[21] Man kunde ha önskat, att projektet om Sveriges kristnande skulle ha ägnat någon uppmärksamhet också åt problemen kring dessa missionärer, även om det är möjligt, att de svenska källorna inte har så mycket mera att ge. Och det vill synas, som om inte heller de engelska källorna är särskilt upplysande om dem.

Däremot vet vi en hel del om det England, varifrån de uppenbarligen kom och som rimligen präglat det de hade med sig hit i sitt andliga bagage. Det är därför både möjligt och väl motiverat att ur missions- och spiritualitetshistorisk synpunkt studera det sena angelsaxiska England, som genom sina missionärar varit med om att rota kyrkan i Sverige – även om vi alltså inte vet mycket just om de missionsmunkar som kom hit och om deras exakta personliga bakgrund.

I tidigare forskning var det inte ovanligt att framställa detta England som tämligen isolerat och efterblivet, intill dess att normannerna det berömda året 1066 kom för att reformera örikets folk och dess institutioner efter de kontinentaleuropeiska normerna. Men en mycket intensiv forskning under de senaste decennierna har lyckats att kraftigt revidera den bilden[22]. Det förnormanniska England hade, särskilt under de senare århundradena, alltifrån 700-talet, livliga kulturella och andliga förbindelser med kontinenten, inte endast med det närliggande Bretagne och Frankrike utan även med det tyskromerska – ottonska och saliska – kejsarriket och med Rom och Italien, ja till och med med Bysans[23].

Vid 900-talets mitt började, inspirerad av motsvarigheter på kontinenten, den benediktinska reformrörelse som snart kom att starkt prägla kyrko- och kulturlivet i England i stort, och visst inte bara i klostren. Den leddes av kraftfulla abbotar och munkbiskopar. Att det som brukar kallas för den benediktinska förnyelsen ("the Benedictine revival") fick en så bred verkan även utanför klostren beror inte minst på någonting typiskt engelskt, nämligen på att många av landets katedraler redan under denna tid hade knutna till sig ett kloster, vars munkar var kaniker i domkapitlet. Av betydelse var också – men det är en mera generell företeelse som även gäller om kontinentens kyrka vid denna tid –, att den monastiskt inspirerade förnyelsen stöddes av betydande regenter, såsom kung Edgar och andra, och av deras gemåler. Som denna reformrörelses viktigaste och grundläggande dokument brukar man betrakta en skrift med titeln *Regularis Concordia*, sammanställd vid en synod i Winchester kring år 973, och avsett att reglera livet, inte minst gudstjänstlivet, i de engelska klostren[24].

Slår man upp i de gängse läroböckerna i dogm- eller teologihistoria, skall man finna, att den tid det här är fråga om – tiden mellan den "karolingiska renässansen" och den gregorianska reformrörelsens början vid mitten av 1000-talet – knappast har beaktats alls där. Visserligen spirade alltifrån tiden kring millenieskiftet vid några franska katedralskolor ett nytt intresse för filosofi, och ur några av de skolorna utvecklades litet senare vad vi kallar för universitet[25], men man måste medge att tiden ur dogmhistoriens begränsade synpunkt var mager. Tiden hade inte ens några bibelutläggare av karolingertidens format. Men kanske finns det – hur chockerande det än kan låta i akademiska öron – andra tecken på en vital kristen kultur än spekulativ och filosofiskt präglad teologi. Dessa århundraden, som är så fattiga på dogmatisk och filosofisk, ja till och med på någon originell exegetisk teologi, är desto rikare på vad man kunde kalla en "konsternas teologi", manifesterad i sådant som liturgisk diktning i skilda genrer, i konstfullt formulerade böner, i retoriskt präglad predikan, i hagiografiska verk över förebildliga helgon, i fantasieggande bokilluminationer och i en mäktig arkitektur. I sådant är det som den tid vi nu talar om framför allt uttrycker sig[26]. Men denna konsternas dominans i de kyrkliga uttrycksformernas värld innebär inte ett tankens och troslivets stillastående, och inte heller nödvändigvis ett av teoretisk reflexion och tankereda okontrollerat fromhetsliv. Även konsternas teologiska kultur kan vara intellektuellt väldisciplinerad, något som inte minst en sträng analys av liturgiska texter för lovsång och bön kan ge övertygande bevis på.

Den senangelsaxiska, av den benediktinska reformen präglade, mariologin och mariafromheten i England manifesteras främst just i olika former av "konsternas teologi". Den har nyligen på ett syntetiskt sätt blivit presenterad i en monografi av Mary Clayton[27]. Man kan där se bilden av en kyrklig kultur, som sjuder av liv och som väl inte behöver skämmas över sig själv. Guds Moder spelar i den kulturen en framträdande roll i texter och bilder och byggnader – det blev vid denna tid allt vanligare, att kyrkor dedicerades åt Maria. Och några centra, framför allt den gamla huvudstaden Winchester med sin katedral och sitt kloster, berömt inte minst för de sköna handskrifter som tillkommit i dess *scriptorium*, framträder ganska tydligt, liksom även andra katedralstäder med monastiska domkapitel, exempelvis Canterbury och Exeter[28].

Marias förstärkta ställning i förhållande till karolingertiden kan avläsas inte minst i sådant som hör samman med gudstjänsten, bönen och det kontemplativa livet. Till de fyra mariafesterna från tidig medeltid läggs nu allmänt i den västliga kyrkan, i England strax efter tusenårsskiftet, ett par nya, nämligen de som firar Marie avlelse (8 december) och hennes frambärande i templet (21 november)[29]. Självfallet innebär det också tillkomsten av nydiktade sångtexter och böner. Men viktigare än de nya mariafesterna, väl sent införda för att ha någon betydelse för våra skandinavienresenärer, är spridningen av andra liturgiska observanser. Redan den nyss nämnda *Regularis Concordia* föreskriver en mariamässa för lördagarna, liksom även andra fromhetsövningar med marianskt innehåll[30]. Guds Moder får under denna tid också en förstärkt ställning, såväl i bönböckerna för privat bruk[31] som i dem som var avsedda för den liturgiska, gemensamma tidegärden. Inte minst viktigt blev här det s.k. lilla mariaofficiet[32], belagt i olika varianter alltifrån 900-talet, som först tycks ha skapats för den enskilda andakten men som snart också kunde bedjas som en gemensam bön, exempelvis i klostren, som ett tillägg till den vanliga, kanoniska tidegärden[33]. I ett engelskt manuskript till ett sådant officium från 1000-talets början finns exempelvis följande bön, med begynnelseorden *Sucurre, sancta Genetrix Christi*, som, med varierande lydelser, kom att få en stor popularitet i fortsättningen[34]:

> "Heliga Kristi Moder, bistå de olyckliga som tar sin tillflykt till dig,
> hjälp och uppliva alla som sätter sin förtröstan till dig,
> bed för alla brott som begås i världen,
> träd in för kleresiet,
> bed för munkarnas körer,
> ropa [till Gud] för alla kvinnor."

Här liksom i så många andra böner och hymner är det alltså den förebedjande Maria vi möter. Hon är inte endast den, som en gång spelat en avgörande roll i frälsningshistorien, utan hon är, alltmera tydligt, de kristnas barmhärtiga moder, som man ständigt kan nalkas med bön om hjälp och beskydd i all slags nöd.

Ett särskilt intresse, även ur mariafromhetens synpunkt, tilldrar sig de s.k. episkopala benediktionerna, en genre som var obekant för den klassiska liturgin i Rom, och som först skapades i Gallien under tidig karolingisk tid[35]. Dessa högtidliga välsignelser, ofta tredelade, som skulle läsas, inte vid mässans slut utan strax före kommunionen, har ibland tolkats som något slags ersättning för denna, tillkomna under en tid då folkets kommunion steg efter steg hade blivit undantag snarare än regel[36], men många av dessa välsignelser visar vid en analys, att de snarast, eller lika väl, kan tolkas som kommunionförberedande. De har i varje fall ofta en stor språklig skönhet och ett mättat teologiskt tankeinnehåll. En av dem, avsedd för den nya festen till Marias frambärande i templet, och med stor sannolikhet av engelskt ursprung, lyder så i en översättning, som inte kan göra rättvisa åt det latinska originalets solenna stil[37]:

"Må Herren berika er med de himmelska välsignelsernas regn
och rena era hjärtans helgedomar genom att besöka dem och bo i dem,
han som genom ängelns profetiska ord
bebådade den saliga Marias tillblivelse (*concipiendam*). Amen.
Och må hon, som i sitt sköte aktats värdig att bära honom,
som är änglarnas bröd, hjälpa er att länge leva här
och sedan saligt träda in i de himmelska boningarna. Amen.
Och liksom ni tillsammans gläder er över hennes ära
genom att fira denna dag,
då [hon som är] Guds tempel, den Helige Andes boning,
blev framburen i Guds kungsgård (*aula*),"
(det handlar alltså om hennes vigning till tjänst i Jerusalems tempel)
"så må han låta er renas från syndernas smitta
och frambäras till hans ende Son,
och så värdigt upptas bland de saligas skara. Amen."

Man lägger genast märke till, hur Maria här främst framställs som förebilden, eller urbilden, för kyrkan, om man så vill: som dess första och främsta lem; liksom hon renades för att kunna ta emot den gudomlige Sonen, så måste varje kristen renas för att här i tiden kunna bli en boning för Gud och i evigheten få del av saligheten med henne och alla de heliga.

Från den sena angelsaxiska tiden finns en lång rad samlingar av sådana välsignelser, s.k. benediktionalen, bevarade, och en forskare har betecknat dessa böcker som något av det märkligaste som den angelsaxiska kyrkan lämnat efter sig[38]. Då syftade han inte minst på den stora konsthistoriska betydelse som flera av dem har, främst kanske biskopen Æthelwolds. Just det benediktionalet har betecknats som reformrörelsens främsta manuskript, och det tillkom i dess viktigaste centrum, Winchester, man har velat göra gällande: till kröningen av kung Edgar och hans drottning år 973[39]. Dess magnifika illuminationer, ofta studerade och reproducerade, dokumenterar inte minst den starka ställning som Maria alltmer kom att få under denna tid och, inte minst, just i den engelska monastiska rörelsens verk[40]. Beläggen för det är alltför många, för att det här skulle vara möjligt att ens kortfattat behandla dem ytterligare. Må det vara nog att också peka på de fornengelska prosaverken, exempelvis martyriologierna och predikosamlingarna. Särskilt de senare är här viktiga. På inget folkspråk finns det så mycken predikan från äldre medeltid bevarad till oss som just på fornengelska, och i den mån vi känner upphovsmännen tillhör de givetvis den benediktinska reformrörelsen. Det största namnet är här Ælfric, abboten av Eynsham[41]. Men, som vanligt frestas man att säga, har denna typ av text, som regel avpassad för enkel folkpredikan, hittills inte tilldragit sig mycket uppmärksamhet från forskarnas sida ur det teologiska, eller spirituella innehållets synpunkt[42].

Jag har anfört *exempel* till belysning av Marias ställning i den sena angelsaxiska kulturen. Men av skäl som redan antytts kan de exemplen naturligtvis inte omedelbart användas som bevis på vad just missionärerna från England till oss i Norden i detalj tänkte, trodde, predikade och praktiserade; inte heller av dem finns det nämligen, mig veterligt, ett enda ord bevarat. Och vi vet, som redan betonats, alltför litet om deras individuella bakgrund, och dessutom är det alltid svårt att säga något exakt om våra texters, i synnerhet de liturgiska texternas, tillkomsttid och spridning till olika orter. Exemplen har här haft en blygsammare uppgift, nämligen endast att allmänt belysa den engelska andliga miljön vid den tid kring tusenårsskiftet, då Sveriges kristnande gick in i sin avgörande fas, av allt att döma inte minst genom insatser från engelska missionärer, som måste ha varit präglade av denna sin ursprungsmiljö.

Men fortfarande skulle det dröja ganska länge, innan det tillkom några svenska, i Sverige och, ännu mera, av svenskar författade texter av större betydelse. (Andra föreläsare kommer här att tala om runstenarna och om de äldsta bildkonstverken.) Vi får därför nu fortsätta med att försöka att identifiera utgångsmiljöer för Marias väg utifrån till Sverige, för att på det sättet kultur- och spiritualitetshistoriskt belysa de impulser, som vi kan anta nådde vårt land under dess långa kristningsskede. Och då måste det även i det tredje steget handla om något monastiskt, men denna gång om:

Cisterciensmunkar från Clairvaux

Vi befinner oss nu i 1100-talets förra hälft, ty de första av dem kom hit år 1143, och de grundade, som bekant, sina första kloster i Nydala och Alvastra, båda belägna inom Linköpings stift i dess stora medeltida utsträckning. Hit hade de sänts på tillskyndan bl. a. av ärkebiskopen i Lund, Eskil, som för övrigt själv skulle sluta sina dagar som enkel munk i Clairvaux[43]. Cistercienserna betraktade sig alltifrån början som reformerade benediktiner, och, åtminstone till att börja med, höll de strängare än de "vanliga" benediktiner vi tidigare talat om fast vid, att deras främsta uppgifter låg *inom* klostrets murar. Detta hindrade inte, att när den förste ärkebiskopen i Uppsala skulle utses ett par årtionden senare, år 1164, så hämtades han just från Alvastra. Hans namn var Stefan[44].

Nu är det emellertid cisterciensernas bakgrund och andliga bagage som främst intresserar oss. Men det kan tyckas märkligt: även 1100-talet måste, vad beträffar *texter* som skulle kunna ge oss någon inblick i svenska, eller hit utifrån komna kyrkomäns – eller -kvinnors – tänkesätt eller spiritualitet, i stort sett betraktas som en tystnadens tid. Som vi vet är läget ett annat och betydligt gynnsammare på arkitekturens och bildkonstens område. Att cisterciensernas kyrkor och kloster var helgade till Guds Moder är välkänt, likaså, att deras liturgi allmänt hade en särskild mariansk accent[45]. Av de svenska cistercienserklostrens bibliotek räddades emellertid vid deras upphävande genom reformationen ytterst litet[46]. Från Nydala finns sålunda bara en samling brev, nyligen utgivna[47], men dels härstammar de inte från den allra första tiden av klostrets existens och dels behandlar de mest praktiska, ekonomiska frågor, exempelvis rörande rätten till fiske och kvarnar för brödernas järnhantering[48]. De ger en ganska detaljerad inblick i de fattiga och svåra yttre förhållanden, som munkarna där levde under, och är alltså ur andra historiska synvinklar än våra av stort intresse. Men om deras tro och kult och andliga liv har de inget direkt att säga. Av Alvastra klosters bibliotek finns, förutom några mindre urkunder av liknande slag som de från Nydala, ett par större handskrifter bevarade, den ena är en bibel och den andra är ett band (C 27 i Uppsala Universitetsbiblioteks medeltidssamling), innehållande bl. a. en någon gång vid 1200-talets början av en rutinerad skrivarhand gjord avskrift av en samling av predikningar[49]. Den har hittills inte tilldragit sig något större intresse från forskarnas sida[50]. Det går knappast ens att avgöra, om den är författad/sammanställd och avskriven här i landet, eller om den är förd hit utifrån. Samlingens predikningar finns emellertid inte registrerade i Schneyers stora *Repertorium* över högmedeltidens predikningar[51]. Någon på kontinenten välkänd samling av cisterciensiska predikningar är det alltså inte fråga om, vilket kan öka vår nyfikenhet. Men det längsta vi skulle kunna gå, om vi ett ögonblick ville ge näring åt våra patriotiska känslor är att säga, att *om* dessa predikningar verkligen skulle vara tillkomna i Alvastra – vilket vi inte har några positiva indicier för att anta – är de säkert ett verk av en utifrån kommen munk. Om detta skulle vara ett rimligt eller möjligt antagande, har vi att göra med den tidigaste i vårt land tillkomna text av någon större omfattning och med ett innehåll av nämnvärt teologi- eller spiritualitetshistoriskt intresse. Denna samling på en tämligen sober men knappast särskilt elegant prosa innehåller predikningar för många av kyrkoårets söndagar och viktigare helgdagar, bl. a. för flera mariadagar, men dess mariologi innehåller knappast några nyheter, utan är, såvitt jag förstår, den sedan århundraden traditionella.

Några *tidiga* skriftliga spår av Bernhard – eller för den delen av någon annan av de s. k. cisterciensiska fäderna – finns, mig veterligt, sålunda inte i behåll från några svenska cistercienskloster. Det är tillbaka till Clairvaux själv vi måste gå, om vi vill få någon uppfattning av vilken betydelse de första cistercienserna i Sverige kan ha haft, när det gäller att till vårt land föra Maria och den kult och spiritualitet som hör samman med henne. Och givetvis är det av stor betydelse, att de första cistercienserna i Sverige kom just från Clairvaux, den nya ordensbildningens mest kända kloster, det som hade grundats av Bernhard och fått honom som sin förste abbot. När bröderna sändes i väg till Sverige år 1143 – en grupp till Nydala och en till Alvastra – var den store abboten ännu fullt verksam[52]. Hans långa serie av predikningar över Höga Visan var vid tiden för deras avresa ungefär halvfärdig[53].

Sedan århundraden har mycket sagts om denne vältalares egen och hans munkars hängivenhet för Guds Moder. Av *en* modern författare (Roschini, 1953) har han blivit kallad "Il Dottore Mariano", och av en annan (B. Garcia, 1953) "Cantor de Maria", boktitlar som verkar stödja den gamla uppfattningen, att Bernhard – och hans cistercienser – hade en för sin tid särskilt avancerad mariologi. Den uppfattningen har kommit till många uttryck alltsedan senmedeltiden, inte minst i det sätt, på vilket helgonet brukar framställas i konsten, exempelvis som den som dricker av mjölken från den heliga Jungfruns bröst[54]. Men den traditionella uppfattningen måste nog modifieras och revideras[55]. Och jag följer här den kände franske mariologen Henri Barré, som på ett övertygande sätt har underkastat den traditionella bilden en detaljerad och kritisk granskning[56].

Det är, som vi skall se, ingen tvekan om, att abboten av Clairvaux hade en stor hängivenhet och vördnad för Guds Moder och på det mest glödande och inspirerande sätt talade om – och till – henne[57]. Men här måste man med Barré göra en viktig distinktion: man måste skilja mellan hängivenheten och det glödande språk, med vilket Bernhard talar, å den ena sidan, och, å den andra, det dogmatiska innehållet i detta tal. Och det senare är, såsom många mariologer länge förbryllats av, helt traditionellt, utan några inslag alls av nyvunna dogmatiska insikter. Det är sålunda känt, att Bernhard förhöll sig avvaktande, om inte rent av avvisande, till talet om den heliga Jungfruns "obefläckade avlelse", dvs. till läran – inte förrän långt senare dogmatiserad av det katolska läroämbetet – att hon koncipierats utan arvsyndens besmittelse. I stället delade abboten den gamla, traditionella uppfattningen, att hon efter konceptionen, men före sin födelse, blivit renad från all synd[58]. Vidare talade Bernhard givetvis på traditionellt sätt om Marias upptagande till himlen – det hade man ju under århundraden bekänt och firat i liturgin – men han yppade sin okunnighet i frågan, huruvida detta också innebar hennes kroppsliga upptagande[59]. En sådan återhållsamhet från Bernhards sida antyder nu ingalunda någon allmänt skeptisk hållning utan, tvärtom, hans vördnad inför mysterier, som han menade inte var klart uppenbarade och definierade av kyrkan och som man därför måste tala om med den största återhållsamhet. Som Barré visar tillhörde alltså Bernhard inte de i dogmatiskt avseende mariologiskt avancerade. Vill man söka några sådana under 10- och 1100-talen, finner man dem, såsom var fallet även tidigare, främst bland benediktinerna: Barré pekar på sådana som Odilo, abboten av Cluny, på den store eremitledaren Pier Daminani, på abboten av Bec, sedermera ärkebiskopen av Canterbury, Anselm, på hans lärjunge och levnadstecknare Eadmer och, bland Bernhards samtida, på den store bibelutläggaren Rupert av Deutz, som skrev även skrev en marianskt präglad kommentar till Höga Visan[60].

Vad som gör Bernhard till en mariansk lärare av format är alltså inte hans mariologi utan det intensiva sätt, på vilket han talar om Maria, *när* han nu talar om henne, ty temat berörs påfallande sällan av honom[61]. Vi har nämnt hans predikningar över Höga Visan, kärlekens bok, och det är främst i dem som han framlägger den lära om den mystiska gudskärleken, som väl är hans särskilda och mest betydelsefulla bidrag till den medeltida spiritualiteten[62]. I en av de tidigare predikningarna, nr 29, över Höga Visan finns ett av de få längre ställena hos Bernhard rörande Guds moder. Han talar här om de olika pilar och svärd, som sårar människan, och han fort,sätter[63]:

> En annan pil är Guds levande och verksamma ord, det som tränger djupare än varje svärd, och om vilket Frälsaren säger: 'Jag har inte kommit för att sända fred utan svärd'. En annan, särskilt utvald pil, är Kristi kärlek, som inte blott stack Marias själ utan som trängde rakt igenom den, så att inte en enda del av hennes jungfruliga inre skulle undgå att fyllas av kärlek, utan hon skulle älska av allt sitt hjärta, av all sin själ, med all sin kraft, och så vara full av nåd. Helt visst trängde den så igenom henne, att den skulle nå ända till oss och vi alla få del av denna fullhet. Så skulle hon bli moder till den kärlek, som har Gud till Fader och som själv är kärleken. Och när den föddes, blev hans tabernakel upprättat i solen, så att Skriftens ord skulle uppfyllas, de som säger: 'Jag har givit dig till ett ljus för folken, så att min frälsning skulle nå till världens ände'. Detta ord fick sin uppfyllelse genom Maria, som gav synlig gestalt åt den osynlige, inte av kött eller av köttslig vilja. I allt detta mottog hon ett väldigt och ljuvligt kärlekens sår. Jag skulle sannerligen skatta mig lycklig, om jag åtminstone vid något sällsynt tillfälle finge känna bara ett litet stick, så att min själ, efter att ha fått ett litet kärlekens sår, kunde säga: 'Av kärlek har jag sårats'. Vem vill låta mig inte endast såras på detta sätt, utan helt erövras, så att det kött som för krig mot min själ helt berövas sin lockelse och sin glöd?

Detta är verkligen, vad den dogmatiska substansen beträffar, ingen avancerad mariologi, men stället visar Bernhard som den som förstod att göra den givna, traditionella läran om Maria till en kraft i människors andliga liv. Maria har här sin plats i den kärlekens, den lidande kärlekens, mystik, som dessa predikningar är det viktigaste uttrycket för. Går man för långt, om man i dessa Bernhards ord om den av kärlek sårade Maria, hon som avbildar varje kristen själ, hör ett varsel av vad som ett par århundraden senare skulle sägas också av den heliga Birgitta, hon som gått i lära hos cistercienserna i Alvastra?

Men då var förvisso missionstiden över. Och för oss är det dags att avsluta denna missionshistoria i marianskt perspektiv med en kort överblick över det 1200-tal, som ligger emellan cisterciensernas ankomst och Birgittas tid.

En utblick över 1200-talet

Vägarna har nu blivit alltför många för Maria och det följe av kyrka och kultur som hon står mitt uppe i, för att det skulle vara möjligt att välja ut en enda av dem och hävda den som den viktigaste, eller ens som den mest typiska för det århundradet. Men det är inte bara så, att vägarna nu har blivit så många; det är också så, att trafiken på de vägarna allt mera börjar att gå åt båda hållen. Under hela medeltiden är kyrkan i Sverige inte nationalkyrkligt isolerad, utan den vet sig självklart vara en del av en större Kristenhet. Och om man fortfarande kunde hämta biskopar och andra prelater utifrån, så betraktas dessa knappast som "utlänningar" i en senare tids mening. Men tiden är nu också inne för folk från vårt land att resa till kontinenten, inte minst för att studera vid de universitet, eller, som de kallades vid denna tid, de *studia generalia*, som hade uppstått under det föregående århundradet, först och främst i Italien och Frankrike[64]. Även på det sättet visar det sig tydligt under 1200-talet, att kyrkan nu har fått fast fot också i vårt land. Det är också det århundrade, då de första texterna av större teologisk betydelse, skrivna av infödda svenskar, tar gestalt. Bland dem saknas inte sådana av betydelse också för studiet av temat "Maria i Sverige". Och så en annan viktig förändring: då är förmedlarna till vår del av världen av kristen tro, spiritualitet och kultur inte längre bara, eller främst, folket i de gamla ordnarnas kloster, inte heller de prelater som fått sin utbildning vid kontinentala katedralskolor, utan även, och än mer, predikar- och tiggarbröder, som skolats vid kontinentala universitet, eller vid de nya ordnarnas *studia*.

Man tänker här gärna och i första hand kanske på den man, som blivit kallad för "Sveriges förste författare", Petrus de Dacia, född på Gotland omkring år 1235, som inträdde i dominikanernas nygrundade konvent i Visby och som skickades till ordens *studium* i Köln och sedermera till Paris för vidare utbildning[65]. Ordensuniversitetet i Köln, som kanske något orättvist brukar hamna i skuggan av universitet i Paris, var under sin första tid helt präglat av sin store lärare, Albertus Magnus, en av århundradets mest framstående tänkare, inte minst just över mariologiska frågor[66]. På båda dessa orter lärde Petrus, såväl teoretiskt som praktiskt, känna den kärleks- eller vänskapsmystik, som fått så starka uttryck i hans brev till beginen Christina i den lilla byn Stommeln utanför Köln. I dem finns förvisso Maria med endast i bakgrunden. Men breven har ändå, som Monica Asztalos påpekar, att intressant inslag av mariologisk betydelse. Christina beskrivs nämligen i dem på flera ställen med ett ordval, som vi vanligen möter i talet om Maria[67]. Som en noggrannare analys skulle kunna göra ännu tydligare, är detta inte att betrakta som en barnslig överdrift från den beundrande Petrus' sida, utan som ett faktum av djup teologisk signifikans. Vi förs tillbaka till citatet från Bernhard: Maria är, från en sida sett, inte en isolerad individ utan de älskande och lidande kristnas förebild och prototyp. Och varje sådan kristen, även Christina, är då, från den andra sidan sett, ingenting annat än den Maria som med lydnadens och kärlekens lidande alltid finns vid korsets fot. Petrus' kärleksmystik är sålunda, indirekt och implicit, också ett stycke mariansk spiritualitet i det Sverige som nu fast inlemmats i Kristenheten.

Med denna exemplifiering kan vi låta "Marias väg till Sverige" sluta, ty nu är vi framme vid en tid, då vi börjar att även genom bevarade texter kunna få grepp över vad folk härifrån tänkte om henne och vilken roll hon här kunde spela i det kristna livet. Kyrkan var nu ordentligt planterad i landet och den började att bära frukt inte bara i bildkonst och arkitektur utan även i text, vittnande om stor kunskap i den tro och det tänkande som burits hit utifrån och om stor hängivenhet också för henne som man kallade för Guds och alla kristtrognas moder.

Summary:

The Mother of God comes to Sweden

The christianization of Sweden was a long process, if one thinks of the period beginning with St. Ansgar's mission to Birka in 829 and until the time, when Swedes gave expression in writing to the faith they had first received from abroad. The present paper is an attempt to sketch that long time of christianization from a Marian perspective. Three stations are selected for treatment: first, Corbie, the famous monastery in the Frankish land, which was the background of St. Ansgar, secondly, the English Benedictine revival of the tenth century, which was the home of some at least of the monks which, at the beginning of the eleventh century, more definitely planted the Church in the Swedish soil, and, thirdly, the Cistercian monks from Clairvaux, coming in 1143 to found the first abbeys of the new Order Sweden. The paper ends with an outlook on the thirteenth century, when Swedes known by name for the first time left their Christian faith on record. In outlining the importance of the three selected stations, the author seeks to define the place of Mary in the theology, liturgy, spirituality and culture generally of those milieus, and thus to reconstruct what kind thought and culture that was brought here by those who were sent to our forefathers, but who have left nothing, or almost nothing, on record to posterity.

Noter

1 Om Corbie allmänt, se Corbie 1963; Collins 1981; Ganz 1990.

2 Se härom Auxerre 1991.

3 Se Hägermann 1991, särskilt s. 35-41; Haas 1985, med god bibliografi; om munken Ansgar som missionär och den konflikt som kunde ligga mellan de två kallelserna, se Härdelin, 1986.

4 Om Radbertus allmänt, se Peltier 1938.

5 Se härom Bouhot 1976.

6 Se härom Härdelin 1987 och Härdelin 1991 a.

7 Det grundläggande arbetet härom är Scheffczyk 1959.

8 Den viktigaste torde vara De partu Virginis, av utg. (s. 13f.) daterad till efter 844.

9 Se Scheffczyk 1959, s. 99-115.

10 Om Ansgars författarskap, se Härdelin 1986, s. 155.

11 Om Ansgars av Rimbert omtalade visioner och deras betydelse för tolkningen av Ansgars missionärsgärning, se främst Haas 1985, s. 11-15.

12 Rimbert 1986, s. 17. Denna Rimberts berättelse tog sedermera Nils Hermansson till material såväl för några av lektierna som för laudeshymnen, med begynnelseorden "Uidit puer Ansgarius", i sitt officium till den helige Ansgars ära. Se härom Lundén 1971, s. 119f., och vidare mitt bidrag om Nils Hermansson nedan i denna volym.

13 Om denna *lectio divina* och dess betydelse för den klassiska monanstiska spiritualiteten, se t. ex. Leclercq 1974, passim, och Calati 1981.

14 Om Maria i den latinska liturgin under äldre medeltid, se Frénaud 1951.

15 Om karolingertidens liturgiska diktning, se t. ex. Steinen 1967, s. 132-150.

16 Se härom t. ex. Scheffczyk 1964, särskilt s. 70-72.

17 Se härom Scheffczyk 1959, passim.

18 Se härom Scheffczyk 1964, s. 73f.

19 Se härom Hellström 1979.

20 Se Hallencreutz 1992, som dock på ett ensidigt sätt studerar missionen ur ett rent

allmänhistoriskt och kyrkopolitiskt perspektiv. (Med min kultur- och spiritualitetshistoriska inriktning ansluter jag mig här snarare till forskningsprogrammet hos Staats 1994.) Hallencreutz särskiljer (s. 24), väl anakronistiskt och nationalkyrkligt tänkt, "fem vägar längs vilka kristendomen nådde Sverige. ... den bysantinska, den polska, den tyska, den franska och den engelska vägen". På vilken väg hade då exempelvis Ansgar kommit, kunde man fråga? – Om David, se Lundén 1983, s. 261-269, men denna bok måste alltid brukas med största försiktighet.

[21] Se härom Sawyer 1987.

[22] Se härom, allmänt och introducerande, Härdelin 1992, om litteratur som huvudsakligen behandlar den förnormanniska kulturen, samt Härdelin 1993.

[23] Se härom, detaljrikt och sammanfattande, Ortenberger 1992.

[24] Se härom Dales 1992 och där anförd äldre litteratur.

[25] Se härom Southern 1953, s. 170-218.

[26] Se härom översiktligt Härdelin 1988.

[27] Clayton 1990. För en senare, något modifierad ståndpunkt, se Clayton 1994. Se även Raw 1990.

[28] Se Clayton 1990, s. 87 och passim.

[29] Clayton 1990, s. 38-47.

[30] Clayton 1990, s. 62f.

[31] Se Clayton 1990, s. 104f, som bl. a. behandlar poetiska böner av ärkebiskopen Dunstan, en av reformrörelsens vägröjare.

[32] Om detta *officium parvum Beatæ Mariæ Virginis*, se översiktligt Härdelin 1995, s. 8f. och där anförd litteratur.

[33] Clayton 1990, s. 65-81, och Roper 1993.

[34] Cit. i Clayton 1990, s. 69.

[35] Se härom Prescott 1987, s. 118-158.

[36] Så t. ex. Jungmann 1952, II, s. 364-367.

[37] CBP, I, no. 374.

[38] Prescott 1987, s. 120.

[39] Clayton 1990, s. 159.

[40] Se Clayton 1990, s.159-167.

[41] Om fornengelsk predikan i allmänhet, se t. ex. Clayton 1985; om Ælfric, se Gatch 1978.

[42] Se översikten hos Clayton 1990, s. 217-266, som dock är påfallande mager ur vår synpunkt.

[43] Se Hellström 1981.

[44] Om Stefan och hans biskopsvigning i Sens, se Söderblom 1933.

[45] Om cisterciensk liturgi allmänt, se Johansson 1964. Om Marias plats i de svenska cisterciensernas liturgi, mest utifrån senare källor, se Johansson 1967.

[46] Se Johansson 1964, s. 48-59.

[47] Se Diplomata Novevallensia 1994.

[48] Se härom Götlind 1990.

[49] Jag tackar här lektorn Josef Redfors, som varit mig behjälplig vid transkriptionen och den första filologiska bearbetningen av valda partier av handskriften, och som i brev även gjort mig uppmärksam på att handskriften, bl. a. genom förekomsten av

dittografier, visar sig vara en avskrift.

[50] Se dock Härdelin 1994.

[51] Schneyer, Repertorium der lateinischen sermones ...

[52] För en introduktion till frågan om Bernhard som teolog, se Härdelin 1991.

[53] Se härom Leclercq 1985.

[54] Se t. ex. Squarr 1973, sp. 377-378.

[55] Se sammanfattande Stegmüller & Riedlinger 1988.

[56] Barré 1953, s. 92-113.

[57] Om Bernhards mariapredikan ur litterär synpunkt, se nu Pranger 1994, särskilt s. 145-162.

[58] Barré 1953, s. 100-103.

[59] Barré 1953, s. 103-106.

[60] Barré 1953, s. 96.

[61] Barré 1953, s. 95-98.

[62] Se härom Fassetta 1986.

[63] Bernhard 1957, s. 208-209.

[64] Se härom Sällström 1978.

[65] Den senaste framställningen av Petrus är Asztalos 1991, som även innehåller en kritisk edition av hans brev.

[66] Se härom kortfattat Fries 1958.

[67] Asztalos 1991, s. 154-155.

Tryckta källor och litteratur samt förkortningar

Auxerre 1991 =
L'école Carolingienne d'Auxerre de Murethach à Remi, 830-908. Entretiens d'Auxerre 1989, publ. par D. Iogna-Prat ... , Paris 1991

Asztalos 1991 =
Monica Asztalos, Petrus de Dacia om Christina från Stommeln. En kärleks historia, Uppsala 1991

Barré 1953 =
Henri Barré, Saint Bernard, docteur marial: Saint Bernard théologien. Actes du congrès de Dijon 15-19 septembre 1953, Rome 1953 (Analecta Sacri Ordinis Cisterciensis 9, 1953), s. 92-113

Bernhard 1957 =
Bernardus Clarevallensis, Sermones super Cantica Canticorum 1-35. Ad fidem codicum rec. J. Leclercq ... Romae 1957 (S. Bernardi opera, vol. I)

Bouhot 1976 =
J. P. Bouhot, Ratramne de Corbie. Histoire littéraire et controverses doctrinales, Paris 1976

BTP =

Bibliotheca Theologiae Practicae

Calati 1981 =
Benedetto Calati, La 'lectio divina' nella tradizione monastica benedettina: Benedictina 28 (1981), s. 407-438

CBP 1981 =
Corpus Benedictionum Pontificalium, ed. par Edmond Moeller, I, Turnholti 1981 (CCSL 162)

CCCM =
Corpus Christianorum. Continuatio Medievalis

CCSL =
Corpus Christianorum. Series Latina

Clayton 1985 =
Mary Clayton, Homiliaries and Preaching in Anglo-Saxon England: Peritia 4 (1985), s. 207-242

Clayton 1990 =
Mary Clayton, The Cult of the Virgin Mary in Anglo-Saxon England, Cambridge ... 1990 (Cambride Studies in Anglo-Saxon England 2)

Clayton 1994 =
Mary Clayton, Centralism and Uniformity versus Localism and Diversity. The Virgin and Native Saints in the Monastic Reform: Peritia 8 (1994), s. 95-106

Collins 1981=
Charlemagne's Heir. New Perspectives on the Reign of Louis the Pious, ed. by R. Collins & P. Godman, Oxford 1981

Corbie 1963 =
Corbie, abbaye royal, Lille 1963

Dales 1992 =
D. J. Dales, The Spirit of the Regularis Concordia and the Hand of St Dunstan: St Dunstan. His Life, Times and Cult. Ed. by Nigel Ramsay ... , Woodbridge 1992, s. 45-56

Diplomata Novevallensia 1994 =
Diplomata Novevallensia. The Nydala Charters 1172-1280. A Critical Ed. with an Introd., a Commentary and Indices by Claes Gejrot, Sthlm 1994 (Acta Universitatis Stockholmiensis. Studia Latina Stockholmiensia 37)

Fassetta 1986 =
Raffaele Fassetta, Le mariage spirituel dans les Sermons de saint Bernard sur le Cantique des Cantiques: Collectanea Cisterciensia 48 (1986), s. 155-180, 251-265

Frénaud 1951 =
Georges Frénaud, Marie et l'église d'après les liturgies latines du VIIe au XIe siècle: Études Mariales 11 (1951), s. 39-58

Fries 1958 =
Albert Fries, Vom Denken Alberts des Großen über die Gottesmutter: Freiburger Zeitschrift für Philosophie und Theologie 5 (1958), s. 129-155

Ganz 1990 =
David Ganz, Corbie in the Carolingian Renaissance, Sigmaringen 1990 (Beihefte der Francia 20)

Gatch 1978 =
Milton McC. Gatch, The Achievement of Aelfric & His Collegues in European Perspective: The Old English Homily & Its Background. Ed. with an Introd. by Paul E. Szarmach & Bernard F. Huppé, Albany 1978, s. 43-732

Götlind 1990 =
Anna Götlind, The Messengers of Medieval Technology? Cistercians and Technology in Medieval Scandinavia, Alingsås 1990 (Occasional Papers on Medieval Topics 4)

Haas 1985 =
Wolfdieter Haas, Foris apostolus – intus monachus. Ansgar als Mönch und 'Apostel des Nordens': Journal of Medieval History 11 (1985), s. 1-30

Hallencreutz 1992 =
Carl-Fredrik Hallencreutz, Mission och kyrka på Eskils tid: Öppna gränser. Ekumeniskt och europeiskt i Strängnäs stift genom tiderna. Red. av Samuel Rubenson, Sthlm 1992, s. 19-32

Hellström 1979 =
Jan Arvid Hellström, Reflexioner kring de tidigaste biskoparna i Skara stift: STK 55 (1979), s. 67-71

Hellström 1981 =
Jan Arvid Hellström, Kyrkofursten som blev klosterbroder. En bok om ärkebiskop Eskil, Sthlm 1981

Hägermann 1991 =
Dieter Hägermann, Erzbischof Ansgar – Lehrer und Hirte, Visionär und Glaubensbote: Hospitium Ecclesiae. Forschungen zur Bremischen Kirchengeschichte 18 (1991), s. 33-56

Härdelin 1986 =
Alf Härdelin, Ansgar som munk: Boken om Ansgar ..., Sthlm 1986, s. 147-161

Härdelin 1987 =
Alf Härdelin, Renässans för karolingertiden. Reflexioner kring en nyutgåva av Paschasius Radbertus' Matteuskommentar: KÅ 87 (1987), s. 23-36

Härdelin 1988 =
Alf Härdelin, Kyrka och kultur i 900-talets Europa: KÅ 88 (1988), s. 35-46

Härdelin 1991 a =
An Epithalamium for Nuns. Imagery and Spirituality in Paschasius Radbertus' 'Exposition of Psalm 44(45)': In Quest of the Kingdom. Ten Papers on Medieval Monastic Spirituality. Ed. by A. Härdelin, Sthlm 1991 (BTP 48), s. 79-107

Härdelin 1991 b =
Alf Härdelin, Bernhard av Clairvaux - teolog mellan patristik och skolastik. En föreläsning: Florilegium patristicum. En festskrift till Per Beskow. Sammanställd av Gösta Hallonsten ... Delsbo 1991, s. 107-122

Härdelin 1992 =
Alf Härdelin, Nytt om den engelska medeltidens kyrkliga kultur: Lychnos 1992, s. 192-199

Härdelin 1993 =
Alf Härdelin, Den engelska kyrkan och kontinenten före 1066. En litteraturkrönika: KÅ 93 (1993), s. 181-183

Härdelin 1994 =
Alf Härdelin, art. Schweden: Marienlexikon, Bd 6, 1994, s. 97-101

Härdelin 1995 =
Alf Härdelin, Birgittinsk lovsång. Om den teologiska grundstrukturen i *Cantus Sororum* - den birgittinska systratidegärden, Uppsala 1995 (Scripta Ecclesiologica Minora 1)

Johansson 1964 =
Hilding Johansson, Ritus Cisterciensis. Studier i de svenska cisterciensklostrens liturgi, Lund 1964 (BPT 18)

Johansson 1967 =
Hilding Johansson, Marialiturgin i de svenska cistercienklostren: Kyrka, folk, stat. Till Sven Kjöllerström, Lund 1967, s. 205-215

Jungmann 1952 =
Joseph Andreas Jungmann, Missarum Sollemnia. Eine genetische Erklärung der Römischen Messe, 3., verb. Aufl., Bd I-II, Wien 1952

KLNM =
Kulturhistoriskt Lexikon för Nordisk Medeltid

KÅ =
Kyrkohistorisk Årsskrift

Leclercq 1974 =
Jean Leclercq, The Love of Learning and the Desire for God. A Study of Monastic Culture. Transl. by Catharine Misrahi, 2nd rev. ed.,New York 1974

Leclercq 1985 =
Jean Leclercq, Genèse d'un chef-d'œuvre: Collectanea Cisterciensia 47 (1985), s. 99-10

Lundén 1971 =
Tryggve Lundén, Nikolaus Hermansson, biskop av Linköping. En litteratur- och kyrkohistorisk studie, Lund 1971

Lundén 1983 =
Tryggve Lundén, Sveriges missionärer, helgon och kyrkogrundare. En bok om Sveriges kristnande, Storuman 1983

Marienlexikon =
Marienlexikon. Hrsg. im Auftrag des Institutum Marianum Regensburg von Remigius Bäumer & Leo Scheffczyk, Bd 1- , St. Ottilien 1988-

Ortenberger 1992 =
Veronica Ortenberger, The English Church and the Continent in the Tenth and Eleventh Centuries. Cultural, Spiritual, and Artistic Exchanges, Oxford 1992

Peltier 1938 =
H. Peltier, Pascase Radbert, abbé de Corbie. Contribution à l'étude de la vie monastique et de la pensée chrétienne aux temps carolingiens, Amiens 1938

Pranger 1994 =
M.B. Pranger, Bernard of Clairvaux and the Shape of Monastic Thought. Broken Dreams, Leiden 1944 (Brill's Studies in Intellectual History 56)

Prescott 1987 =
A. Prescott, The Structure of English Pre-Conquest Benedictionals: British Library Journal 13 (1987), s. 118-158

Radbertus 1985 =
Paschasii Radberti De partu Virginis, cura et studio E. Ann Matter, Turnholti 1985 (CCCM 56 C)

Raw 1990 =
Barbara C. Raw, Anglo-Saxon Crucifixion Iconography and the Art of the Monastic Revival, Cambridge ... 1990 (Cambridge Studies in Anglo-Saxon England 1)

Rimbert 1986 =
Boken om Ansgar. Rimbert, Ansgars liv, övers. av Eva Odelman. Med kommentarer av Anders Ekenberg ... , Sthlm 1986

Sawyer 1987 =
Birgit Sawyer, Scandinavian Conversion Histories: The Christianization of Scandinavia. Report of a Symposium ... 1985. Ed. by Birgit Sawyer ... , Alingsås 1987, s. 88-110

Scheffczyk 1959 =
Leo Scheffczyk, Das Mariengeheimnis in Frömmigkeit und Lehre der Karolingerzeit, Leipzig 1959 (Erfurter theologischer Studien 5)

Scheffczyk 1964 =
Leo Scheffczyk, Die Stellung Marias im Kult der Karolingerzeit: Maria im Kult. Hrsg. von der Deutschen Arbeitsgemeinschaft für Mariologie, Essen 1964 (Mariologische Studien 3), s. 67-85

Schneyer 1969-90 =
Johann Baptist Schneyer, Repertorium der lateinischen sermones des Mittelalters ..., Bd 1-11, Münster 1969-1990

Southern 1953 =
R.W. Southern, The Making of the Middle Ages, London ... 1953

Squarr 1973 =
C. Squarr, art. Bernhard von Clairvaux: Lexikon der christlichen Ikonographie. Hrsg. von Wolfgang Braunfels, Bd 5, Rom ... 1973, sp. 371-385

Staats 1994 =
Reinhart Staats, Missionshistoria som "Geistesgeschichte". Ledmotiv i den nordeuropeiska missionshistorien 789-1104: Nordens kristnande i europeiskt perspektiv. Tre uppsatser av Per Beskow & Reinhart Staats, Skara 1994 (Occasional Papers on Medieval Topics 7), s. 3-15.

Stegmüller & Riedlinger 1988 =
O. Stegmüller & H. Riedlinger, art. Bernhard von Clairvaux. Leben und Werk: Marienlexikon, bd 1, s. 445-447

Steinen 1967 =
Wolfram von den Steinen, Der Kosmos des Mittelalters. Von Karl dem Grossen zu Bernhard von Clairvaux, 2., durchges. Aufl., Bern & München 1967

STK =
Svensk Teologisk Kvartalskrift

Sällström 1978 =
Åke Sällström, art. Studieresor: KLNM, bd 17, Khvn 1978, sp. 329-332

Söderblom 1933 =
Nathan Söderblom, Ärkebiskop Stefans invigning i katedralen i Sens år 1164, i förf:s: Svenskars fromhet, Sthlm 1933, s. 325-352

Britta Birnbaum

Mellan himmel och jord - ett panorama av mariabilder

Följande text hör till det ljusbildsföredrag som utarbetades till vadstenasymposiets invigningskväll. Orden skulle tjäna att förtydliga och förklara bilderna. De var avsedda för muntligt framförande, vilket förklarar textens något summariska karaktär. Som antalet bilder här måsts reduceras kraftigt (från föredragets fyrtiosex) har jag med tanke på begripligheten på sina håll reviderat texten. Målet var att med full respekt för ämnets komplexitet ge en orientering bland bilder och föreställningar rörande Jungfru Maria, som en allmän bakgrund till symposiets mer specialiserade perspektiv.

Maria är ingen entydig gestalt. Med henne förflyttas man mellan ytterligheter: mellan kyskhet och fruktbarhet, mellan glädje och sorg, mellan sublimt och trivialt. Som tema här har jag valt himmel och jord, två motpoler som ligger djupt i hela vårt sätt att uppfatta tillvaron. I denna motsättning ligger emellertid inte enbart motsägelse. Redan vid mariadiktningens källa, hos Efraim Syriern, 300-talet, kan man läsa om Gudsmodern som "den mystiska bro som återförenar jorden med himlen".[1] Och i den storslagna österländska Akathistoshymnen, där Maria lovprisas i verser från alpha till omega, kallas hon till yttermera visso "den som förenar motsatser".[2] Vi skall se om vi i konstnärers bilder genom tiderna kan finna belägg för den tanken. Jag tar mig friheten att röra mig kors och tvärs i bildlandskapet genom att dra i en motivisk tråd, utan geografisk eller tidsmässig begränsning. Planen är denna: först tecknas Maria som himmelsk gestalt, sedan följer motiv som knyter henne till

1.Andrea da Bologna: Madonnan i stjärnmantel, 1372. Stadshuset, Pausula

2.Gudsmodern, mosaik, 1200-talet. Torcellodomens absid

jorden och slutligen söker jag vad som kan uppfattas som möten mellan dessa två världar. Med Maria får man lära sig gränsöverskridanden.

Den äldsta kända bevarade mariabilden är från 100-talet och finns i Priscillakatakomben i Rom, snett uppe i en passage. Det är en teckning i rött, enklast tänkbara, en ögonblicksbild av en till synes vanlig mor med barn. Vid hennes sida står en man, av somliga tolkad som Jesaja, av andra som Bileam, den gammaltestamentlige profet som förebådar Kristi födelse som en "stjärna som skall träda fram ur Jacob" (4 Mos.24:17). Stjärnan, som man kan ana ovanför Marias huvud, tyder på den senare. Detta himlatecken, Marias äldsta attribut, finns alltså med från början och förblir hennes tecken tiderna igenom, med många olika innebörder. Stjärnan framför andra är naturligtvis betlehemsstjärnan. Det finns bilder som låter Maria med barnet visa sig mitt i stjärnan som de vise männen följer. Och slutligen har Maria själv hyllats ömsom som morgonstjärnan, den som förebådar solens ankomst, ömsom som havets stjärna, polstjärnan, som visar vägen över villande hav. Stjärnmotivet i hela dess mångfald kan vi betrakta hos en 1300-talsmadonna, Maria i stjärnmantel, i Pausulas stadshus (bild 1). Stjärnkransen runt hennes hjässa är inspirerad av Uppenbarelsebokens text om den himmelska kvinnan, som bär tolv stjärnor kring huvudet och är klädd i solen (Upp.12:1). Maria är här istället iklädd hela himlavalvets stjärnmantel, som en allt omfattande kosmisk moder. Även Augustinus hade på sin tid liknat himlen vid en mor som genom himlaporten föder solen. Även om bilden här är svartvit, behöver ingen tveka vilken färg Marias mantel bär.

Tanken på Maria som allomfattande fann tidigt uttryck i den östliga teologin. Redan på 300-talet skriver Efraim Syriern: "Himmel och jord var för små för att kunna sluta sig om hans gudom. Men Marias liv var vidare än himmel och jord och större än världarna". Vad som österut formulerats så poetiskt, konkretiserades i västerländsk konst. I de öppningsbara skulpturer som kallas skrinmadonnor har Maria fått en dignitet som påminner om de mänskliga urmyternas Stora moder. Hon visar sig i denna gestaltning förutom den skyddssökande mänskligheten hysa hela den treeniga gudomen. Som gudsmoder omfattar hon här alltså både skaparen och skapelsen.

En holländsk 1400-talskonstnär, Geertgen Tot Sint Jans, har i sin utsökta målningen *Jungfrun och barnet* (i Museum Boymans van Beuningen, Rotterdam) på annat sätt gestaltat modern med barnet i förhållande till världsalltet. Svävande i ett bländande ljus utgör de mittpunkt i ett levande kosmos. Med små bjällror slår det späda barnet takten åt den yttre kretsens änglaskara med dess mångfald av musikinstrument. En ängel syns svara med sina plingklockor.. Vad vi ser är alltså hur Maria och barnet dirigerar sfärernas harmoni.

För att nu avrunda sviten om Marias himmelska hemvist vill jag påminna om ett par välkända framställningar av den förhärligade Maria, vanligt tema i öst som i väst. Högt uppe i den mosaikklädda absiden i Torcellodomen utanför Venedig står den bysantinska Gudsmodern med barnet (bild 2), drottninglik, vördnadsbjudande, i överjordisk avskildhet mot en fond av gudomligt guld, utanför tid och rum. Hon är höjd över allt jordiskt, allt tillfälligt - ett tidlöst heligt tecken.

Från motreformationens Spanien slutligen har vi Murillos, Velazques' och Zurbarans populära gestaltningar av tidens speciella vision: Maria som Guds renaste, oskyldigaste skapelse, Immaculata - den obefläckade. Med hemvist i änglarnas sfärer står hon på månen, med den besegrade syndadraken under fötterna. Den bilden av jungfrun, den kyska, vitklädda, betonar inte längre moderskapet. Den visar henne ensam, utan barn. Krönt med stjärnkransen är hon med Höga visans ord "skön såsom månen, strålande såsom solen". Den astrala symboliken är total.

Som den verkliga motpolen tar vi nu fram ett grafiskt blad från medeltidens Italien, Mantegnas *Ödmjukhetens madonna* (bild 3). Bilden av Maria, modern, i all anspråkslöshet hukande direkt på marken med sitt barn i famn var en innovation i franciskansk anda av sienesaren Simone Martini. Med en ordlek har man förbundit jordens humus med ödmjukhetens humilitas. Utgående från denna föreställning skall vi nu orientera oss bland bilder som betonar Marias innerliga förbund med jorden, naturen och det mänskliga livet.[3] I National Gallery i London finns ett verk av venetianaren Giovanni Bellini, *Madonnan på ängen*. Det handlar om en Humilitas insatt i ett landskap som verkar torrt och sönderbränt, ja helt förött. Men ser man närmare efter finner man att runt modern och barnet börjar marken åter att grönska. Budskapet är inte svårt att uppfatta: med Maria kommer liv och hälsa. I samma anda benämnde Hildegard av Bingen Maria "den allragrönaste jungfrun". Konstnärerna under senmedeltid och renässans bjöd generöst på denna idyll med Maria och jesusbarnet i det gröna, ett stycke jordisk verklighet så blomstrande att det leder tanken till det persiska ordet för trädgård - paradis. Dessa bilder, intagande och till synes lättfattliga, är i själva verket ofta bärare av ett digert tankestoff. Sitter hon vid en mur är orten inte tillfälligt vald utan alluderar på Höga visans "slutna lustgård" (Höga visan 4:12) som symbol för jungfruligheten. Och analyserar man motiven närmare skall man förvisso finna en provkarta på blommor och läkeörter, var och en med sin symboliska innebörd.[4] Där prunkar röda rosor och vita liljor, men ett observant öga upptäcker kanske också en liten tusensköna i gräset. Denna oansenliga blomma är med för att lik andra lågväxande just framhålla Marias ödmjukhet, den som hon själv gett uttryck för med sina ord: "Se, jag är Herrens tjänarinna". Bernhard av Clairvaux talade om Maria som ödmjukhetens viol. Och violen och liljekonvaljen trivs i

3.Mantegna: Ödmjukhetens madonna, kopparstick, 1490. Nationalmuseum, Stockholm

4."Hostiekvarnen", Ulmverkstad, c.1460. Museum der Stadt Ulm

5.Maria som präst, Amiensverkstad, 1437. Louvren, Paris

6.Maria och själarna i skärselden, Abruzzerskolan, 1400-tal. Galleriet, Chieti

mariasammanhang, likt allt som hör till våren, den tid då livet spirar på nytt. Hela majmånaden kallas ju Marias månad. Botaniserar vi vidare upptäcker vi kanske också en liten smultronplanta, som med sina tredelade blad talar om treenigheten, som blommar och bär frukt samtidigt, likt jungfrumodern, och som gett upphov till den trösterika legenden om hur Maria på själva midsommarnatten tar alla som dött som småbarn med sig och plockar de ljuvliga smultronen. Av alla konstens och poesins Marior är det väl hon, den älskliga, som längst levat kvar i Sverige. Om detta talar mängden av växter som hos oss ännu bär marianska namn sitt tydliga språk. I sådana bilder av Maria, där hon sitter som skapelsens hjärta, kan hon te sig som en kristnad Flora, eller som Moder jord själv.

Moder jord, den mytiska, som både ger och tar liv, finns också i den kristna konsten. I de senbysantinska väggmålningarna på kyrkan i Voronet i Rumänien möter vi henne som Terra, vilande på marken. Domedagsbasunerna har just ljudit och hon tvingas lämna ifrån sig de döda. Man ser dem resa sig ur gravarna och återfå förlorade lemmar. I denna östliga tradition, i ikonvärlden, ligger den födande Maria just på detta sätt, som i ett sköte, i samma tunna, tunna jordskorpa. Vänder vi på moder jord får vi jordemor. Och tanken på Maria som barnmorska har gamla traditioner. Även i Sverige finns gamla böner bevarade där Maria åberopas i barnsnöd. Heliga Birgitta är en av många som vittnat om den hjälpen.[5] Söker vi kan vi även finna motivet i konsten. Stockholms universitet äger en målning från 1500 av Bugiardini med Maria i ett ovanligt sammanhang, vid Johannes Döparens födelse, med den nyfödde i famn. För den fromma fantasin ligger det ju nära till hands att föreställa sig hur Maria efter besöket hos Elisabeth, just med tanke på deras sammanflätade öden, skulle stanna och hjälpa den till åren komna förstföderskan.

Även vid den andra gränsövergången är Maria verksam. Belysande är en detalj av el Grecos kända målning *Greve Orgaz' begravning* i Toledo. Längst ner i bilden ligger den dödes kropp. Högre upp bevittnar man hur den spädbarnslika själen hjälps upp till de himmelska regionerna, av konstnären helt tydligt gestaltat som en ny förlossning, under Marias beskydd.

Till Moder jords domäner hör allt som växer, och först och främst näringen. Birgitta kallar Maria ”de fattigas livnärerska”.[6] Och i alptrakterna finns en älskad bildtyp som visar Maria med en klädnad full av sädesax. Denna fruktbara jungfru återgår på en vision som en medeltida köpman i Milano mottog. Men redan i kristenhetens början hade Maria på många håll kommit att ärva antikens skördegudinna Demeters uppgifter, i och med att dennas tempel förvandlades till mariakyrkor. Stundom, som i Rom, användes de även just för bröddistribution.[7] Så har Maria också lovsjungits som den goda åkern, den som bar det goda vetet.

Ett alldeles särskilt bröd är naturligtvis nattvardsbrödet. I en mässbok från Salzburg från 1481 finns en märklig bild av Berthold Furtmeyr. Den föreställer ett livets och dödens träd, från vilket på ena sidan Eva bjuder äpplen och på den andra Maria delar ut oblater till villiga mottagare. Genom sin klara symmetri tydliggör den läran om Maria som den nya Eva, Vid trädets fot ligger stackars Adam, som en Herkules vid skiljevägen.

Många mariabilder går direkt till hjärtat. Men det finns också bilder som konstruerats för att gestalta teologiska sammanhang och som kan kräva lärda avhandlingar för att förstås. I Ulms stadsmuseum finns en målning från sent 1400-tal av den s.k. Hostiekvarnen (bild 4). I handfast samarbete tömmer de fyra evangelisterna, den Helige ande och Maria säckar med korn i en väldig kvarn, kring vilken apostlarna samlats för att sköta mekanismen. Ur kvarnen regnar runda oblater ner, som manna, för att inför de fyra kyrkofäderna förvandlas till Kristi kropp, som de fångar upp i ett kärl. Maria är reducerad till enbart leverantör av materialet. Aristoteles' uppfattning av människans reproduktion har här fått teologisk sanktion: kvinnan står för materialet (likt materia av mater) medan form, gestalt, är mannens verk.[8]

I allmänhet vittnar emellertid bildkonsten om en högre uppskattning av Marias insats. Genom sitt moderskap var hon själva instrumentet, en förutsättning, för Guds människoblivande. Så kunde också Hildegard av Bingen bland andra jämställa Marias "ja", hennes samtycke vid bebådelsen, med prästens förvandlingsord vid nattvarden. Och en 1400- talsmålare i Amiens har lämnat oss en, som jag tror, unik bild av Maria som präst, den som i sakramentens form förmedlar Kristi kropp till människorna (bild 5). Hos kyrkofäderna kan man också finna Maria benämnd "prästjungfru".[9]

Men människan behöver inte bara bröd, utan även dryck. Marias gåva till de törstande är först och främst mjölken, som inte bara kom jesusbarnet till del. Många är legenderna om denna läkande och saliggörande dryck. En konstnär i Abruzzerna har gjort en annan ovanlig tolkning av Marias goda verk. Givmilt låter hon sin mjölk strila som ett svalkande regn över alla i skärselden plågade själar (bild 6).

Bilden av den ljuva Maria, den, som Bernhard av Clairvaux sade, helt och hållet milda, är oss alla välbekant. Godhet och skönhet är som systrar i saga och konst. Till och med Martin Luther trädde upp till försvar för mariabildens skönhet: "...precis som de (hedningarna) visade Venus som den vackraste kvinna skall vi kyskt visa samma drag i bilden av den heliga jungfrun, Guds moder".[10] Det har emellertid funnits tider då man mer tytt sig till styrkan, vilket en något manhaftig madonna på en karolingisk elfenbensrelief i Metropolitan Museum, New York, från den offensiva kyrkans tid vittnar om. När det gällde mod, styrka och initiativkraft har

7.Ok.k.: Madonna del Soccorso, 1400-talet. S.Spirito, Florens

8.Maria räddar en målare, ur Miracoli della gloriosa Vergine Maria, inkunabel, 1500. Biblioteca nazionale,Florens

9.Magdalenalegendens mästare: Bebådelsen, 1520. Landesmuseum für Kunst und Kunstgeschichte, Münster

10.Marias och Elisabeths möte, ur Wonnenthaler Graduale.
Landesbibliothek, Karlsruhe

gamla testamentets Judit tjänat som typ. Redan Origines prisade Maria just för hennes tapperhet.[11] Och alltsedan kejsar Herakleios utrustade sina stridsskepp med mariabilder i masttopparna har hennes bild på sigill och banér förts i strid mot motståndare av alla slag.[12] På Albrechtsaltaret i Klosterneuburg finns en Maria i full rustning. Hon står som anförare till potestates, en av de nio änglakategorierna, stridsberedd lik en sentida Minerva.

Maria har inte precis varit galjonsfigur för någon pluralismens tolerans. I S.Eustorgio i Milano finns bland freskerna ett madonnamotiv som i mörkret är svårt att urskilja. Man får titta noga tills man ser det förskräckliga: både Maria och barnet har horn! Vad som skildras är hur Petrus Martyren, inkvisitionsgeneral i Milano, håller upp en hostia och hur den madonna som uppenbarat sig för en "kättersk" församling i samma ögonblick visar sig vara djävulen själv i förklädnad. Det är verkligen en svart sida i historien denna om hur enskilda grupper, städer, länder velat lägga beslag på Marias beskydd - med ensamrätt. Själva symbolen för det speciella skydd Maria som barmhärtighetens moder ger sina skyddslingar, den vida skyddsmanteln, har den inte också ofta fått markera den skarpa gränsen mellan innanför och utanför, de eviga "vi och dom"? Nationalmuseum i Stockholm äger en teckning av Matthias Grünewald föreställande en Skyddsmantelmadonna med speciell uppgift. Där krävs ett skarpt öga för att urskilja vad det är Maria här skyddar de sina emot: det är inget mindre än Guds vredes pilar. Här är alltså Marias kärlek ställd till den ofullkomliga människans försvar gentemot lagen och rättvisan.

Men den verkliga fienden är nog ondskan och djävulen själv. Och där måste t.o.m. Maria ta i! På en målning i Santo Spirito i Florens möter besökaren en madonna med knölpåk, Maria del soccorso kallad (bild 7). Hon räddar genom rådigt ingripande ett åt Hin onde förskrivet barn. Berättelsen hör till de mot senmedeltiden så omtyckta mariamiraklerna, en litterär genre nära förbunden med tidens teater.[13] En annan underbar händelse ur denna undren s värld , den om Målaren och djävulen, finns förevigad i en florentinsk inkunabel från 1500 (bild 8). En konstnär på sin höga byggnadsställning har just förfärdigat en madonna så skön att det retat djävulen, som inte vill finna sig i att själv alltid framställas ful. Han ger sig på den arme målaren som i sista stund räddas genom att den nymålade Maria sträcker ut sin hjälpsamma hand. I denna berättarskatt möter oss en verksam Maria, som engagerar sig i människans förehavanden, i vardagen med alla dess futtigheter och besvärligheter. Hon rör sig i en eländesvärld där ingenting är främmande: incest, barnamord eller kanske mer banalt tjuvenskap. Ett av glasfönstren i Orsanmichele i Florens visar den hängde tjuven Ebbo som räddas då den heliga jungfrun i tre dygn håller honom uppe. Hon visar sig förlåtande intill kravlöshet.

Kärnan i budskapet sammanfattas rart i berättelsen om munken hon räddar fast han, som det hette, "bara kunde halva Ave Maria"! Hon låter den goda viljan väga tyngre än oförmågan. I Bibliotheque Nationale, Paris, finns ett manuskript med teaterpjäser ur ett parisiskt brödraskaps repertoar med en illustration som visar hur påven själv frestats stjäla petersaltarets dyrbara olja. Samtidigt som Maria utverkar Sankte Pers förlåtelse verkar hon inte att direkt hindra de busiga smååanglarnas fräcka bestraffning. Den lätt burleska bilden betonar hur Maria sprider ett försoningens skimmer över de mänskliga svagheter som häcklas. Mirakelberättelsernas brokiga värld tydliggör spännvidden mellan den himmelska, upphöjda Maria och den jordiska, deltagande, så som hon levat i människors medvetande.

Marias hemhörighet både i det jordiska och det himmelska gör henne till förmedlare. Lättast har detta i dikt- och bildkonst uttryckts via tecken: porten, bron, trappan, stegen och andra transcendenssymboler. Men det finns också i berättelsen om hennes liv hållpunkter, episoder, där hennes uppgift som förbindelselänk är tydlig och som därmed utgjort särskilda utmananingar för konstnärerna. En av de mest älskade har varit bebådelsen, vars innebörd poetiskt sammanfattats med orden: "Himlen sänker sig, jorden höjer sig".[14] I bild efter bild kan vi betrakta hur Maria mitt i sin stilla stund vid läspulpeten överraskas av ängeln, Guds sändebud, och hela hennes liv ändras. Marias attityd i detta sammanhang tycks mig ofta ha tolkats alltför ytligt. Hennes skenbara passivitet kan också ses som inre aktivitet, beredskap, vilja att ta emot. Själva livsgnistan konkretiseras ofta genom duvan, som med hänvisning till Jesu dop blivit tecknet för den Helige ande. Duvan följer Maria lika troget som stjärnan. I vissa bebådelsebilder ses duvan uttala Ordet som skall bli kött i Marias öra, som den spiritus som inspirerar (bild 9). Origines är en av dem som menade att bebådelsen tillgick så.[15]

Ett märkligt motiv är Marias och Elisabeths möte, som egentligen handlar om det första mötet mellan Jesus och Johannes, bara osynligt för oss. Det underbara är att johannesbarnet redan i moderlivet känner igen sin mästare och ger sitt tecken, den första rörelsen i moderlivet. Under tidigare medeltid fick många bilder gestalta detta möte rent konkret med barnen hälsande varann ur var sin liten glugg (bild 10). Men senare fick konstnärerna bruka subtilare uttrycksmedel. Genom färgen, Marias himmelsblå och Elisabeths jordiskt gröna, exempelvis, och genom kvinnornas blickar och riktningen av deras händer kunde den verkliga innebörden av detta möte gestaltas.

I Berlins Dahlemsmuseum finns en Havande och spinnande Maria, som först kan tas för en genrebild (bild 11). Josef tittar ett ögonblick till Maria som sitter i ro och spinner, sedan Evas dagar kvinnans eviga syssla. Hon spinner den finaste tråd (på franska kallas spindelväv jungfruträd)

11.Ok.k.: Havande och spinnande Maria, c.1400. Dahlem, Berlin

12.Rohanmästaren: Marias klagan, ur Grandes Heures de Rohan, 1400-tal. Bibl.Nat.,Paris

av ull i purpur och scharlakan, som givit hela rummet färg. Den skall bli till templets nya förlåt, den som genom att gå itu i hans dödsögonblick visar sig förbunden med Jesu liv. Vi ser tråden löpa ovanifrån, genom ljusmedaljongen, och där som livets tråd i Marias sköte väva fram Jesu lekamen. Gud skall bli människa - sannerligen ett möte mellan himmel och jord. En handarbetande Maria finns också i Ängelns besök, av Meister Bertram. Där stickar hon på en tröja, arbetar just med halslinningen. Med inkarnationens röda färg för den återigen tanken till Jesu kropp, även om barnet redan ses leka vid hennes sida. En ängel för, med medeltidens fria tidsblandning, in framtiden genom att visa upp pinoredskapen. Men här är det snarare livklädnaden, som blir till, den som knektarna skulle dra lott om och som enligt evangelisten Johannes var sömlös (snillrikt att tänka på stickningen som medel!). Den innerliga fromhet detta verk utstrålar känns besläktad med Heliga Bigittas. Man tänker på det tillfälle där hon ber Kristus om en än innerligare förening i bönen och han svarar att först måste hon laga dotterns kjortel. Det profana och det sakrala i ett!

Få motiv har väl erbjudit bildskaparen så mycket scenografiskt material som Jesu födelse. Botticelli har i sin *Den mystiska födelsen* i National Gallery, London, komponerat samman både himmel, jord och underjord och samtidigt till fullo utnyttjat julberättelsens rekvisita: den österländska födelsegrottan såväl som det västerländska stallet, änglarna, herdarna, oxen och åsnan. Maria har fött sitt barn, en händelse av kosmisk betydelse och allt är delaktigt.

Modern med gudabarnet - ett tema som inspirerat till många mästerverk. Ett av de vackraste är Matthias Grünewalds *Stuppachermadonna* med sin rikedom på symbolladdade bildelement, på olika sätt belysande Marias gudomliga moderskap. Under sin himmelsblå mantel bär Maria en klänning i livets och kärlekens röda färg, himmel och jord i tydlig förening. Hela bilden formligen skimrar av lycka. En detalj av särskilt intresse för vårt tema är regnbågen i bakgrunden, alltsedan Gamla testamentets syndaflod det givna tecknet för försoning mellan Gud och människa. I Egypten lär regnbågen kallas Marias gördel. Och hos Birgitta möter vi Maria i enträgen bön ovan världen som regnbågen över himmelens skyar. "Med regnbågen menar jag mig själv", är Marias ord till Birgitta .[16]

Mariabilden vore aldrig komplett utan lidandet. I hennes historia ryms både högsta fröjd och djupaste förtvivlan. Men har hon någonsin skildrats mer hjärtskärande än i Rohanmästarens *Marias klagan* (bild 12)? Det är inte utan att Johannes, som Maria just blivit anförtrodd åt, ser förebrående på Gud fader. Så har Marias medlidande av många tänkare också givits nästan samma värde i frälsningsverket som sonens lidande.

Man kan t.ex. påminna om Bonaventuras exalterade uttalande: "Ingen kan komma in i himlen som inte går genom Maria, som är vägen".[17]

Från Sorgens moder till apoteosens. Maria lämnar det jordiska, dock inte på människors vis. Mariologins kärleksfulla logik löper här linan ut. I bilderna av Marie upptagelse får vi för ett ögonblick titta rakt in i den himmelska härligheten, se himlen helt konkret öppna sig för att ta emot jungfrun för den slutliga föreningen. Även i Sverige har firningsdagen, den 15 augusti, behållit ett litet för oss bekant tecken. Den heter Stella - stjärnmotivet igen.

Efter detta definitiva gränsöverskridande ingår Maria i den gudomliga evighetssfären. I Santa Maria in Trasteveres fond tronar hon sedan 1100-talet vid Kristi sida (bild 13). I handen håller hon ett band med texten: "Hans vänstra arm vilar under mitt huvud, och hans högra omfamnar mig" (Höga visan 8:3) och på boken i Kristi knä kan man läsa: "Kom, min utvalda, jag skall sätta dig på min tron". Med förankring i Höga visans kärlekslyrik, med tydlig inspiration från Bernhard av Clairvaux, har Maria krönts som Kristi brud.[18] I Heliga Birgittas uppenbarelser säger Kristus vid ett flertal tillfällen: "...du kan inte förstå det andliga annat än genom kroppsliga bilder".[19] Det himmelska bröllopet är just en av människans eviga, antropomorfa bilder. Bröllopet är symbol för den slutliga harmoni som hägrar efter all jordisk kluvenhet, för drömmen att materia och ande, mänskligt och gudomligt, skall bli ett - himmel och jord förenas.

För att slutligen återigen citera Birgitta säger Guds moder till henne dessa ord: "...lika omöjligt som det är att de tre personerna i Treenigheten kunna skiljas åt, lika omöjligt är det ... att jag, som är Guds moder, skiljes från Gud. Jag hade ju Guds Son i mig med gudom och mandom: därför har Gud Fader mig i sin gudom ... och vi kunna aldrig skiljas åt".[20] Inte anade väl Birgitta hur Marias roll skulle komma att blekna i Sverige.

När det nu i vår tid finns så många tecken på en Marias återkomst i Sverige kan det väcka åtskilliga frågor. Som slutvinjett väljer jag en bild av Treenigheten ur en engelsk handskrift (bild 14), präntad för tusen år sedan, men märkligt aktuell. På regnbågen, inom en gudomlig cirkel, ovan de fördömda, ses tre gestalter. Hur självklar är inte här Faderns och Sonens samförstånd - de är ju lika! Men se på Maria, hur hon som kvinna sitter på sin kant, utvald av duvan och ändå så tydligt vid sidan av. Med tanke på det spektrum av Marior eller rättare sagt mariafunktioner vi funnit gestaltade i konsten låter jag mig frestas att, helt ohistoriskt, med nutida ögon läsa en fråga i hennes ansikte: Vem är jag och får jag vara med?

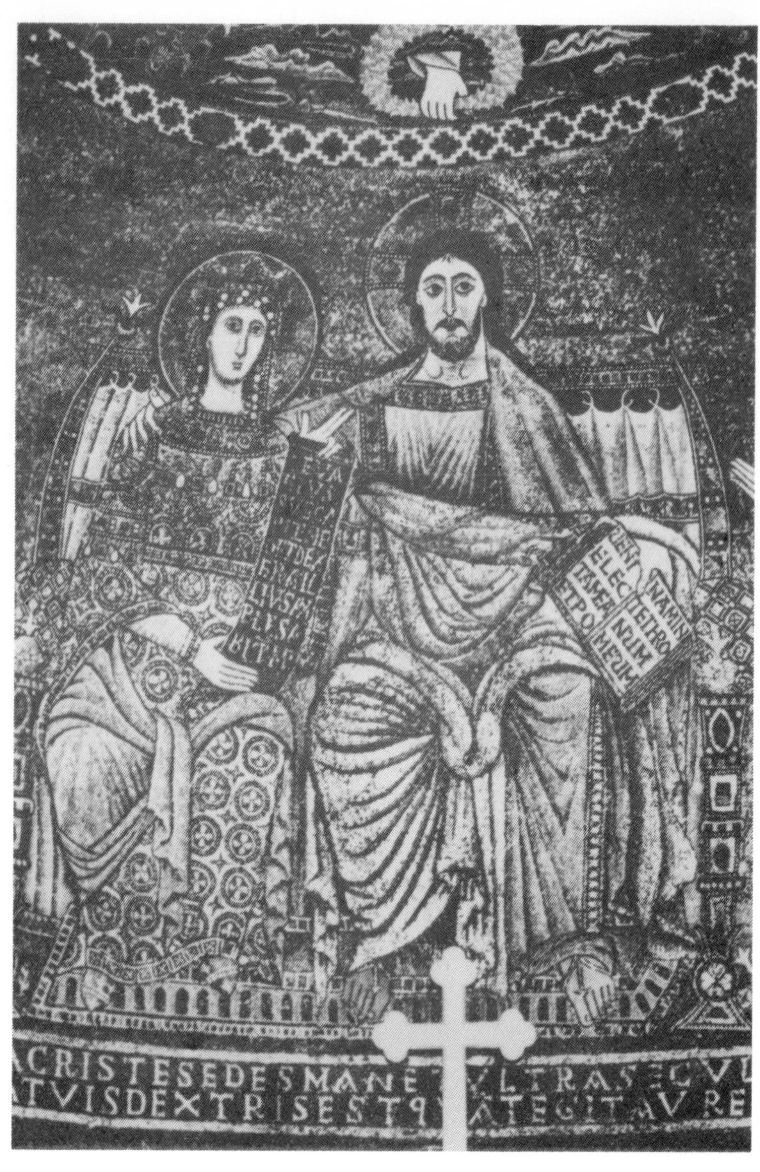

13.Tronande Kristus och Maria, mosaik, 1139. S.Maria in Trastevere, Rom

14.Maria i Treenigheten, ur New Minster Prayer Book, 1023-35.
Brit.Mus.,London

Summary:

Between Heaven and Earth - a Panorama of Marian Images

This paper is a slightly revised version of a slide lecture held on the opening evening of the Vadstena symposium, meant to give a broad introduction to Marian themes, without geographical or chronological limitations.

The image of Virgin Mary, presented through the arts, is a manyfold one, holding contrasts like chastity and fertility, happiness and despair, the sublime and the trivial. Ancient Eastern hymns, like Ephrem's and the Akathistos, praise Mary for overcoming contradictions. The theme for this study is Mary's connection with both "heaven" and "earth", in search for motives where she acts as connecting link and conciliator.

On the one hand Virgin Mary was often shown related to celestial signs, from the very oldest known representation in the catacomb of Priscilla in Rome, with Bileam pointing to the star, to the Spanish Immaculata images of the counter reformation, with their remote angelic spheres. On the other hand Mary was the tool for incarnation, a precondition for God's becoming man. She was mother, and one of the motives most beloved by artists was the Virgin surroundeed by symbols of growth and health in an abundant nature. She has been intimately connected with human childbirth and with nourishment, bread and milk, themes found with great variations.

In works of art of all ages we can see her nature oscillate between beauty and strength, between receptivity and activity. The image of the victorious Virgin has been used on seals and banners with many a party's self-assumed right.

As to Mary's concern with human matters the medieval miracle stories present an inspired source, a rich material for pictures where she is seen helping all sorts of people out. She makes love overrule law and justice.

Finally the author describes some stations in Mary's life, biblical or legendary, where the event obviously associates her with both worlds. Artists have found different means to express this. At times by transcendental symbols like arches, windows, ladders, rain or a rainbow. The dove flies easily between God and man and accompanies Mary like the star. Other times have asked for more "realism". Heavens opened up to receive Mary's human body centuries before the Church defined this as dogma 1950.

The Virgin reaches definite glorification as bride in an eternal heavenly wedding, symbol of unification between opposities, spirit and matter, God and man, heaven and earth.

Giving visible form to the idea of Trinity is an intriguing task, combining it with the image of Mother of God even more so. Squeezing the missing feminine aspect into the male trinity was seldom a visual success, rather quite a significant problem.

It came natural in Vadstena to quote Saint Birgitta. Not only was the Virgin central for her, but she had unusual understanding for the significance of symbolic presentation, the material metaphores for spiritual things, that you find in art.

Noter

[1] Régamey 1946 s.72

[2] "...unversöhnliches hast du versöhnt..." (Zumbroich), resp."...du förenar motsatser till ett..." (Beskow).

Akathistoshymnen använder i hög grad just paradoxen som uttrycksmedel. Ursprunget till denna inom den ortodoxa kyrkan på sina håll ännu dagligen sjungna bön är okänd. Ofta tillskriven Romanos Melodos (död c.560) har den av andra forskare förlagts till 400-talet (Meersseman s.37)

[3] Madonnan i stjärnmantel på bild 1 visar hur Martinis bildidé, som visade stor genomslagskraft, även kunde varieras genom att t.ex. låta den sittande modern med barnet som en "klippdocka" iklädas himlaattributen.

[4] För en ingående analys av den kristna växtsymboliken se Behling 1957

[5] Birgitta 1980 del I s.22

[6] Birgitta 1980 del IV s.49

[7] T.ex. S.Maria Antiqua och S.Maria in Cosmedin, se Warner 1985 s.106 och s.110

[8] Hur kvinnan bidrar till barnets arvsanlag var inte känt förrän på 1800-talet.

[9] Delius 1963 s.261

[10] Panofsky 1967 s.70

[11] Delius 1963 s.73

[12] År 610, se Delius 1963 s.119 och Warner s.304

[13] De äldsta går tillbaks till Gregorius av Tours, 500-talet. En utmärkt introduktion

ges i Lemner 1981 med kommentarer och Nachwort. Se även Miélot 1885 och Beissel 1909 s.488 ff.

[14]av Cornelius a Lapide, enl.Hirn s.289

[15]Warner 1976 s.37. Augustinus och många andra anammade idén

Litteratur:

Behling 1957 =
Lottlisa Behling, Die Pflanze in der mittelalterlichen Tafelmalerei, Weimar 1957

Beissel 1909 =
S.Beissel, Geschichte der Verehrung Marias in Deutschland während des Mittelalters,Freiburg 1909

Beskow 1993 =
Per Beskow, Akathistoshymnen, privat tryck 1993

Birgitta 1980 =
Den Heliga Birgitta, Himmelska uppenbarelser, Allhem 1957

Christus und Maria, Menschensohn und Gottesmutter, utst.kat.Berlin 1980

Delius 1963 =
Walter Delius, Geschichte der Marienverehrung, München und Basel 1963

Hirn 1909 =
Yrjö Hirn, Det heliga skrinet, Stockholm 1909

Lechner 1981=
Martin Lechner, Maria Gravida, zum Schwangerschaftsmotiv in der bildenden Kunst, München 1981

Lemner 1987 =
Manfred Lemmer, Mutter der Barmherzigkeit. Mittelalterliche deutsche Mirakelerzählungen von der Gottesmutter, Graz 1987

Meersseman 1958 =
G.G.Meersseman , Der Hymnos Akathistos im Abendland, Freiburg 1958

Miélot 1885 =
Jean Miélot, Les miracles de la glorieuse Vierge Marie, handskrift, Bodleian Library, Oxford. Faksimilutgåva med kommentar av George Warner, Westminster 1885

Panofsky 1967 =
Erwin Panofsky, Studies in Iconology, New York 1967

Régamey 1946=
Pie Régamey, Les plus beaux textes sur la Vierge Marie, Paris 1946 Warner 1985 =
Marina Warner, Alone of all her Sex. The Myth and Cult of the Virgin Mary, London 1985

Zumbroich 1970 =
Eberhard Maria Zumbroich, Das Geheimnis der Gottesmutter - Hymnos Akathistos, Gaildorf 1970

Carl F. Hallencreutz

Jungfru Maria i nordisk missionstid

Inledning

Mot bakgrund av Alf Härdelins framställning av den europeiska bakgrunden för Jungfru Marias möte med våra nordiska vikingasamhällen skall jag nu gå vidare och illustrera hur hon togs emot av våra vikingatida förfäder. Uppgiften är inte helt lätt. Källäget är ojämnt och förhållandena växlar i de olika nordiska länderna — mer kanske än vi är benägna att medge. Men frågan om Jungfru Maria i nordisk missionstid är ställd och den är värd att ta på allvar. Först något om källorna.

Källäget

När en missionsvetare studerar trosskiftet i en bygd finner hon/han det ändamålsenligt att indela det material som står till buds i främst två grupper. Till den första förs sådana källor som direkt rör missionsinitiativen, till den andra sådant som talar om tillägnelsen och tillämpningen av den nya tron i den nya miljön. Den indelningen är lämplig att pröva också vid studiet av Jungfru Maria i nordisk missionstid.

Det är otvivelaktigt så att det rent missionshistoriska material som belyser Nordens kristnande är mycket ojämnt. Strängt taget har vi bara sekundärkällor och indirekt material, som vittnar om de engelska missionsinitiativen.[1] Danska förhållanden är i detta stycke något bättre än läget i de andra nordiska länderna. Ej heller har vi några primärkällor som bekräftar den bysantinska påverkan på Nordens kristnande som jag får anledning att återkomma till. Nestorskrönikan ger visserligen intressant lokalfärg åt de nordiska vikingakontakterna med fr.a. Novgorod och Kiev. Men den säger ingenting direkt om bysantinska missionsinitiativ i Norden. Försök har gjorts att identifiera den produktive mellansvenske runristaren Öpir med prästen Pop Upir Lichoy från Novgorod. Men det tolkningsförslaget är nog lika omöjligt som tidigare mer etablerade försök att se samman den engelske biskop Osmund med runmästaren Åsmund Kareson.[2] Icke desto mindre menar jag att vi också i ett marianskt perspektiv har att räkna med en bysantinsk faktor i fr.a. Sveriges och Norges kristnande — säkert också i utvecklingen i Baltikum. Men den vet vi ännu mindre om.

När det gäller rent missionshistoriska primärkällor har vi dock två huvudtraditioner företrädda. Den ena är Hamburg-Bremenmissionen från Ansgars tid till inrättandet av det nordiska ärkesätet i Lund 1104. Den andra företräds av den direkta påvliga korrespondensen med nordiska makthavare. Ett tidigt prov är Alexander II:s kritiska brev till Harald Hårdråde från tidigt 1060-tal.[3]

För vårt vidkommande är materialet från Hamburg-Bremenmissionen rikare. Alf Härdelin har med rätta framhållit den starkt marianska tonen i ärkebiskop Rimberts Ansgarsvita. Jag får anledning att återkomma till den liksom till Adam av Bremens *Gesta* från 1070-talet.

Går vi vidare och inventerar den andra materialgruppen, som belyser mottagarsidan, finner vi snart att också den är förhållandevis ojämn, eller rättare sagt påfallande varierad. Jag tänker först på de stora norsk-isländska och danska historieverken Snorri Sturlussons *Heimskringla* från tidigt 1200-tal och den något äldre latinska *Gesta* som bär Saxo Grammaticus namn. Några sådana stora historieverk har vi inte från Sverige. Vi får nöja oss med de samtida stiftslegendorna.

Ser vi närmare på Snorris och Saxos storverk upptäcker vi snart betydande olikheter i de två författarnas underlag. Där så ter sig lämpligt följer Saxo Adam. Samtidigt gör han bruk av annalistiskt material från t.ex. Lund och Roskilde. Snorri däremot för vidare och överför till historisk prosa den rika norsk-isländska skaldediktningen.[4]

För svenskt vidkommande har vi dock en källgrupp som gör oss direkt samtida med Jungfru Marias möte med svenska vikingafamiljer. Jag tänker på runinskrifterna som är särskilt rika från Mälarlandskapen och Västergötland. Det är bara Bornholm som i detta stycke kan mäta sig med södra Uppland.[5]

Efter denna karaktäristik av källäget skall jag först säga något ytterligare om den marianska accenten i Ansgars- och Hamburg-Bremenmissionen. Därefter skall jag snudda vid den rika marianska symboliken i den isländska skaldediktningen och något beröra norska förhållanden, där Hellig Olav länge tycks ha varit viktigare än Jungfru Maria. Jag avslutar med några notiser om runstenarnas Maria.

Maria och Hamburg-Bremenmissionen

Det är faktiskt inte bara materialläget som gör det motiverat att ägna särskild uppmärksamhet åt den tyska Hamburg-Bremenmissionen. Som ännu Alexander II:s brev till Harald Hårdråde från tidigt 1060-tal bekräftade var det ärkestiftet i Bremen som från Ansgars tid hade *ius missionis* över öarna norr om Europa.

Maria spelade som redan antytts en central roll i ärkebiskop Ansgars monastiska spiritualitet. I detta sammanhang kan det vara motiverat att erinra om att också Ansgars kallelse till missionär rymmer en mariansk dimension.[6]

Till synes bröt Ansgars missionärskallelse mot den benediktinska *stabilitas loci*-principen. Ansgar åtog sig sina nya uppgifter i lydnad mot abbot Wala i Corvey. Han betonade dock enligt Rimbert att han valt sin nya livsuppgift av fri vilja. ”Han var beredd att tjäna Gud i allt som han blev ålagd i lydnadens namn”.[7] Formuleringen bär släktskap med Marias egen vid hennes möte med ängeln: ”Jag är Herrens tjänarinna. Må det ske med mig som Du har sagt” (Luk. 1, 36).

Inför Ansgars andra resa till Danmark och Sverige år 852 är det den gamle Corbie-abboten Adaldag som bekräftar uppdraget. Då låter Rimbert andra bibliska motiv förstärka missionärskallelsen. Han antyder det bibliska sambandet mellan missionen till världens ände och tidens slut och framhåller, att ”världens ände ligger norr i svearnas land”.[8] Detta suggestiva nordliga perspektiv skulle fortsätta att inspirera Hamburg-Bremenmissionen också efter ärkebiskoparna Ansgar och Rimbert.

Både detta apokalyptiskt laddade geografiska perspektiv och Ansgars marianska referensramar är nödvändiga förutsättningar också för Adam av Bremens stora stiftshistoria.[9] Adam är mer summarisk än Rimbert när han tecknar Ansgars missionärskallelse.[10] Han konstaterar dock att Ansgar ”i Herrens år 865 begravts i St Peters domkyrka framför den heliga Guds Moder Marias altare”.[11]

På motsvarande sätt kan Adam markera hur den ambitiöse ärkebiskop Adalbert — 200 år senare — var trogen sin missions marianska arv. Adam framhåller hur Hamburg-Bremens och Nordens frejdade primas var angelägen om att vid restaureringen av Bremendômen tillägna högaltaret i östkoret ”den heliga Marias ära”.[12]

Adams missionsvetenskapligt sett mest intressanta marianska markering görs dock i ett helt annat sammanhang. Det gör vi bäst att återkomma till, när vi blivit förtrogna med runstenarnas Maria. För att få perspektiv på henne skall vi dock först lyssna på det marianska symbolspråket i den isländska skaldediktningen.

De isländska skaldernas Maria

Tiden medger inte någon mer ingående behandling av drivkrafterna i Islands kristnande före och efter alltingsbeslutet år 1000 som vanligtvis uppfattas som avgörande kyrko- och missionshistorisk gräns. Här skall vi i stället med kännaren Jonas Kristjansson som vägvisare följa Marias väg i den tidiga isländska skaldediktningen.[13]

Redan i de fragment av tidig kristen diktning från tiden både före och efter alltinget år 1000 finner vi referenser till Maria. Vi hör ett eko av *Ave maris stella*, när en tidig isländsk skald kallar Maria *sævar stjärna.* Mer inhemskt ljuder nog kenningen *sprunda gimstein,* ”juvelen bland kvinnor”.[14]

Det är emellertid från 1100-talet och framåt som vi finner de mest övertygande proven på självständiga inhemska kristenhymner från Island. Då framträder Einar Skulasson, som med sin *Geisli* besjunger Hellig Olav, kort efter att Nidaros blivit eget ärkesäte. Sannolikt något yngre är *Solarljod,* som fortfarande ter sig gåtfull för många nordister.[15]

Marianskt ännu mer laddade är *Lilja* och *Rosa*, vars författare inte är slutgiltigt fastlagda. Här spelar ljussymboliken samma roll som i *Geisli* och *Solarljod*, om än den ännu mer explicit knyts också till Maria.

Lilja är strängt taget en versifierad tolkning av den kristna frälsningshistorien. Dess höjdpunkt är tolkningen av inkarnationen och korsfästelsen. Marias samband därmed understryks medvetet.

Du, den korsfäste och högste,
Kristus, som de fyra spikarna
genomborrade.
Till Dig och till Din
Moder
skänker jag denna hyllningsdikt

Efter framställningen av Jesu seger går diktaren vidare och betraktar Maria som sin *Lilja.* Han gör sina marianska markeringar på gammalt isländskt versmått (*hrynhenda*) men följer samtidigt etablerad katolsk konvention: en vers per bokstav i *Ave Maria*.[16]

Den senare *Rosa* söker följa *Lilja* i spåren. Enligt Kristjansson når den inte samma hymniska kvaliteter. Också häri finns dock antytt bönen om Marias bistånd vid Yttersta domen.

Hellig Olav, Maria, Harald Hårdråde — norsk spänning och samspel

Jungfru Marias möte med Norge kom att erbjuda en särskild komplikation. Här var det Hellig Olav som kort efter slaget vid Stiklastad 1030 skulle dominera scenen. Därtill kom ett bysantinskt inslag som ofta förbises.

Det var Olav Haraldssons engelske hovbiskop Grimkjel och de isländska skalderna Tormod Kolbrunarskald och den från Rom återvände Sigvat Thordarson, som först gav teologisk och liturgisk substans åt händelserna i samband med kung Olavs död i slaget vid Stiklastad. Här fann för första gången den engelska föreställningen om kungahelgonet som *rex et martyr* ett nordiskt uttryck. Grimkjel inledde för övrigt den process enligt vilken prerogativ som tillföll Jesus Kristus direkt överfördes och fick ge färg och tyngd åt bilden av Hellig Olav. Sigvat skald framhöll kung Olavs roll som rättvis lagstiftare.[17]

I den tidiga Olavstraditionen förnekades inte att det var hos sin svåger, Storfurst Jaroslav av Novgorod och Kiev, som Olav laddade upp inför återtåget mot Norge. Detta motiv skulle emellertid tonas ned efterhand.

Snorri Sturlusson bygger vidare på ett tidigt skikt i Olavstraditionen. Enligt denne skall Olav Tryggvasson ha visat sig för kung Olav och manat honom att ta makten i Norge: "Du kan resa till ditt land med gott mod för Gud vill vara Ditt vittne och stå upp för Din sak".[18] Adam förbigår dock Hellig Olavs tid i Novgorod.[19]

Senare formuleras Olavs kallelse om. Mest tydligt kommer motivförskjutningen till uttryck i den rätt sena Lübeck-traditionen. Där är det Jesus själv som kallar Olav att "för min och Dina bröders skull bära detta kors och denna krona, så som jag har burit den för Dig." Samtidigt kontrasteras Hellig Olav mot Harald Hårdråde.[20]

Den framväxande Olavskulten i Nidaros stöddes av såväl Olavs son Magnus den gode, som av Harald Hårdråde och dennes son Olav Kyrre. Harald Hårdråde hade stått sin halvbror Olav nära men inlett sin karriär i kejsarens väringagarde i Konstantinopel redan före 1030.[21] Han hade besökt Jerusalem som pilgrim och upprätthållit Olavstraditionen i Konstantinopel.[22] Innan sitt återtåg till Norge hade han ingått äktenskap med storfurst Jaroslavs äldsta dotter Ellisiv. Med henne fick han dottern Maria. Åter i Nidaros lät han uppföra en Mariakyrka för att ytterligare befästa Olavskulten. Han markerade dock självständighet vis á vis Hamburg-Bremenmissionen och rönte, som vi sett, kritik av både Alexander II och Adam — liksom av Saxo Grammaticus.

Som jag redan antytt förstärktes Olavskulten ytterligare när Nidaros år 1152 blev biskopssäte. Einar Skulassons *Geisli* är ett prov på det.[23] Det var emellertid ärkebiskop Eystein som under 1160-talet sammanställde både den officiella latinska Olavslegenden och mirakelsamlingen *Passio et miracula Beati Olavi*. Här befästes bilden av Hellig Olav som *rex perpetuum Norvegiae*. Samtidigt bekräftades den kritiska bild av Harald Hårdråde som vi fann hos Alexander II och Adam.[24]

Sedan sambandet mellan Hellig Olav och Nidaros ärkestift klargjorts, erbjöds nya möjligheter för vidareutveckling av både Olavskulten och Olavstraditionen. Å ena sidan blev bilden av Harald Hårdråde allt mörkare till dess han framstod som Hellig Olavs egentlige vedersakare. Å den andra framstod Maria allt tydligare vid det norska kungahelgonets sida. Utvecklingen kan följas i både folklig poesi och i motivval i senmedeltida kyrkokonst.[25] Den är inte en exklusiv norsk process. Vi känner prov på motivförskjutningen också från Sverige.[26] Där har emellertid den heliga jungfrun redan vunnit fast ställning som runstenarnas Maria.

Runstenarnas Maria

Det är allom bekant att vi i Sverige har ovanligt många runinskrifter bevarade från 1000-talet. Strukturellt sett präglas de flesta av dem av ett tredelat innehåll. De rymmer

i) uppgifter om den eller de döda som runminnet hugfäster. Ibland sägs något om vad den/de döda sysslat med och var och hur de dött;

ii) uppgifter om efterlevande släktingar som ombesörjt runminnet och givit det dess form. Ibland sägs också något om vad dessa gjort för att befrämja den/de dödas saliga hädanfärd. Ofta omnämnds brobyggen;

iii) en bön för den/de dödas välbefinnande i en annan värld.[27]

Dessa runstensböner har en förhållandevis enhetlig struktur, även om de kan varieras i enskildheter. Som bl.a. Per Beskow och senast Anders Piltz framhållit kan man i runstensbönerna spåra "reminescenser av den romerska canon-bönens önskan om att alla som insomnat i Kristus skall nå vederkvickelsens, ljusets och fridens ort".[28]

Den tydligaste marianska referensen i runsvenska är bönen "Gud och Guds Moder hjälpe hans ande och själ." Den aktualiserar tre viktiga frågor:

i) vilken missionspåverkan röjer den *ii)* vilken funktion har den marianska referensen i runstensbönen och *iii)* röjer runstensbönen prov på det slags inkulturering som vi sett prov på i de isländska skaldernas betraktelse av Maria?

När det först gäller frågan om missionspåverkan ser vi snart att runinskrifter från olika delar av Sverige vittnar om vikingakontakter i både öster- och västerled. Jag nöjer mig med tre tänkvärda exempel på östliga kontakter. Den första är den runsten som Åsa från Kölaby i Västergötland låtit resa efter sin man. Han har dött i Grekland.[29] De två andra kommer från Sigtunatrakten.

I Ed, sydöst om Sigtuna, finner vi en innehållsrik runinskrift på ett väldigt stenblock. Där har en Ragnvald hugfäst minnet av sin mor Fastvi. Han ber att Gud må hjälpa hennes själ. Samtidigt tillägger han att han själv haft viktigt uppgifter i väringagardet. Han har alltså återvänt från Grekland och framträtt som kristet vittne i sin bygd.[30]

Mitt tredje exempel finner vi på den så kallade Sjustahällen i Skokloster. Där läser vi om Spjallbude, som dog i Olavs kyrka i Holmgård, dvs. Novgorod.[31]

På motsvarande sätt finner vi Englandsstenar i både Västergötland och Mälardalen. I både danska och svenska runinskrifer läser vi om *thengar.* Det är medlemmar i den dansk-engelske imperiebyggaren Knut den Stores hird. Vi kan nämna om Gere från Häggeby i Uppland eller Skälder från Råby i Södermanland. Båda har tillhört thingalidet.[32]

Ulv från Borresta, sydöst om Uppsala, framstår som den tidigare nämnde Ragnvalds like. Han har återvänt efter lyckosam karriär i England och trätt fram som kristet vittne i sin trakt.[33]

Dessa exempel visar att vi inte utan vidare kan säga att den missionspåverkan som runstensbönerna förutsätter har sina rötter i österled eller västerled. Inflytanden kan ha kommit från båda hållen. Däremot är det intressant att runinskrifterna mer talar om engelska kontakter än om direkta samband med Hamburg-Bremenmissionen.

Min andra fråga gällde vilken funktion som hänvisningarna till Guds Moder har i runstensbönerna. Den aktualiserar bl.a. de traditionella referensramar som bestämt våra nordiska förfäders sätt att tillgodogöra sig talet om Jungfru Maria.

Det är tänkvärt att ordet Gud är förkristet i Norden. Det har närmast stått för garanten för den kosmiska rättsordningen. Därmed tillhör det en annan — om man så vill högre — kategori än asarna och vanerna, de fornnordiska gudomligheterna som också kunde kallas tivar eller regin men inte *kuth*.[34]

Mot denna bakgrund är det tydligt att runstensbönen till Guds Moder rymmer en särskilt poäng. Den röjer samma strävan att hålla samman Jesus Kristus och Maria, som vi sett i den isländska *Lilja*-dikten. Genom att tala om Guds Moder klargör den kristne runstensbonden att Kristus är Gud och Gud är Kristus, upphöjd över och av annan art än tidigare gudomligheter.[35]

Därmed har vi redan kommit in i min tredje fråga. Den gällde i hur hög grad runstensbönens tal om Guds Moder röjer medveten inkulturation. Förutom vad jag redan sagt därom kan vi tillägga två iakttagelser.

Den första har att göra med att föreställningen om en gudamoder inte var främmande för nordmännen. De hade sin Frigg eller Freja, mer frodig och vällustig än den skira Jungfru Maria, men icke desto mindre ljusgestalten Balders moder. Jämförd med henne framstod Maria som mer trovärdig Guds Moder. Samtidigt var hon säkrare som garant för en salig hädanfärd. Därvid framstod hon i den isländska skaldediktningen, liksom i runstensbönen, som den kristnes valkyria.[36]

Mot denna bakgrund av samtida vittnesbörd om hur Jungru Maria tagits emot i svenska vikingafamiljer är det nu hög tid att återvända till Adam av Bremen och hans särskilda marianska markering.

Uppsalagodens Mariavision

Av de fyra delar som sammanfogade utgör Adams *Gesta* har den fjärde sin särskilda karaktär. Den redovisar en mer synkront anlagd beskrivning av Nordens öar och hur långt kristningsverket nått. Kapitel 21-30 av denna beskrivning ägnas förhållandena i det Adam kallar *Sveonia*. Efter några mer etnologiska notiser i kapitel 21-25 når framställningen sin höjdpunkt i kontrasteringen av Uppsalatemplet och det framväxande Sigtuna stift. Mellan dessa två avsnitt för Adam in sin programmatiska beskrivning av Uppsalagodens Mariavision.[37]

En blind kulttjänare vid Uppsalatemplet möter i drömmen Jungfru Maria som lovar honom att han skulle återfå sin syn "om han avsvor sig de gudar som han förut dyrkade." Samtidigt förutsäger Maria att den plats, "där nu så mycket oskyldigt blod utgjutes snart kommer att helgas till min ära." Så återfår goden sin syn och blir ett kristet vittne i sin bygd.[38]

Vi vet inget mer om denna Uppsalapräst. Adam kan ha hört om honom av Sigtunabiskopen Adalvard den yngre. Men Marias förutsägelse skulle gå i uppfyllelse om än det dröjde till 1164 förrän Gamla Uppsala blev ärkesäte.[39] Spiritualitetshistoriskt sett kan vi därtill konstatera att det är i kapitlet om Uppsalagodens Mariavision som Adam kommer närmast vad som rört sig bland folket nedanför de kyrkliga och politiska makthavare som den nordtyske stiftshistorikern främst sysslar med i sin *Gesta*.

Noter

[1] Det är emellertid påfallande att de engelska missionsinitiativen betonas i flertalet av de svenska stiftslegenderna som i detta avseende kan röja påverkan från den benediktiska renässans, som Härdelin belyser i sitt bidrag till min volym. Stiftslegendorna presenteras i Lundén 1983, där kommentarerna dock måste läsas med försiktighet.

[2] Se därom vidare Hallencreutz 1993, 26-37.

[3] Se därom Adam av Bremens stora stiftshistoria, III, 17 och skl 69.

[4] En mer fullständig källinventering redovisas i den kommande slutvolymen från forskningsprojektet Sveriges kristnande.

[5] Se vidare Hallencreutz 1982 och Piltz 1994, 31-33. — Se även Beskow 1994, 16-36.

[6] Den klassiska utgåvan av *Vita Anskarii* är Waitz 1884. Den senaste svenska översättningen med kommentarer är gjord av E. Odelman m.fl. och utkom under titeln *Boken om Ansgar* 1986.

[7] VA 7.

[8] VA 25.

[9] Den klassiska utgåvan av *Gesta Hammaburgensis Ecclesiae Pontificum* är Schmeidler 1917. Den svenska översättningen med kommentarer är gjord av E. Svenberg m.fl. och utgiven under titeln *Historien om Hamburgstiftet och dess biskopar* 1984.

[10] Adam I, 15 och 26.

[11] Adam I, 34.

[12] Adam III, 4.

[13] Kristjansson 1988. Se även Paasche 1914 och 1948.

[14] Kristjansson 1988, 111f.

[15] Kristjansson 1988, 113f. och Paasche 1914.

[16] Kristjansson 1988, 87f. och 385-389. Jfr Paasche 1914, där texten återges i norsk översättning.

[17] Om den tidigaste utvecklingen av Olavstraditionen och legendan se Blindheim 1981 och senast Krötzl 1994.

[18] Olafs saga helga i *Heimskringla*, kap. 188.

[19] Jfr Adam II, 57 och 61.

[20] Se Blindheim 1981, 66-68 och Lindgren 1981, 137-150.

[21] En populär sammanfattning av Harald Sigurdsens tid i Konstantinopel ges i Larsson 1991, 44-61. — Om den norska utvecklingen under 1000-talet, se vidare Gunnes 1976.

[22] Detta framhålls i Haralds saga hardrada i *Heimskringla*, kap. 12-16. — Snorri sätter in Haralds förhållande till Hellig Olav i Konstantinopel i ett dramatiskt sammanhang. Kejsarinnan Zoe hade fattat tycke för Harald Sigurdsen men detta motsatte sig kejsaren, som satte Harald i fängelse. Harald själv var emellertid fäst vid drottningen Zoes unga släkting Maria. I fängelset har Hellig Olav visat sig för Harald. Haralds män lyckades därefter göra ett fritagningsförsök som resulterade i att Harald lämnade Konstantinopel och begav sig till Novgorod. Där tog han Jaroslavs och Ingegärds dotter Ellisiv till hustru. Med henne fick han bl.a. dottern Maria. —Larsson 1991, 54-59, håller sig kritisk till Snorris skröna om Zoes intresse för Harald, men han framhåller att det var under Konstantin Monomachos tid som Harald lämnade Konstantinopel.

[23] Se därom Kristjansson 1988, 112, och Paasche 1914.

[24] Jfr Krötzl 1994, 61-64.

[25] Jfr Blindheim 1981, 66-68.

[26] Se t.ex. Lindgren 1981, 137-150.

[27] Se vidare Hallencreutz 1982, 49-51.

[28] Piltz 1994, 33 och Beskow 1994, 29f.

[29] Jag anför åberopade runinskrifter enligt klassificeringen i det klassiska sammelverket *Sveriges Runinskrifter*. I det aktuella fallet gäller det Vg 178.

[30] U 112.

[31] U 687.

[32] U 668 resp. Sö 160.

[33] U 344.

[34] Jfr Hallencreutz 1982, 52-53.

[35] Hallencreutz 1982, 53-54.

[36] Se vidare Hallencreutz 1982, 53-54 och Beskow 1994, 25-27. Sen senare betonar starkare missionspåverkan på runinskrifternas teologiska referenser. Till diskussionen om ev. bysantinska influenser hänvisas även till Herschend 1994. Se även H. Williams bidrag i denna volym.

[37] Adam IV, 26-30.

[38] Adam IV, 28.

[39] Se därom senast Hallencreutz 1993, 78-94.

Litteraturförteckning

Adam I-IV =
Magistri Adam Bremensis Gesta Hammaburgensis ecclesiae pontificum. Ed. B. Schmeidler. (Monumenta Germaniae Histores Scriptores rerur Germanicorum Historica. Hannover-Leipzig 1917). I svensk översättning: Adam av Bremen, Historien om Hamburgstiftet och dess biskopar. Stockholm 1984.

Beskow 1994 =
Per Beskow. Runor och liturgi: Nordens kristnande i europeiskt perspektiv. (Occasional papers on Medieval Topics.) Skara 1994, s. 16-36.

Blindheim 1981 =
Martin Blindheim, St. Olav — ein Skandinavischer Oberheiliger. Einige Beispiele der Literatur und der Bildkunst: St. Olav, Seine Zeit und Sein Kult. Ed. G. Svahnström (Acta Visbyensia VI). Uddevalla 1981, s. 53-68.

Gunnes 1976 =
Erik Gunnes, Rikssamling og kristning 800-1177: (Norges historie, 2) Oslo 1976.

Hallencreutz 1982 =
Carl Fredrik Hallencreutz, Runstenarnas teologi; våra första uttryck för inhemsk kristendomstolkning: (Religion och Bibel 1982), s. 47-56.

Hallencreutz 1993 =
Carl Fredrik Hallencreutz, När Sverige blev europeiskt. Till frågan om Sveriges kristnande: (Vitterhetsakademiens skriftserie om Europa). Borås 1993.

Heimskringla =
Snorri Sturlusons nordiska kungasagor, här åberopade i Anne Holtsmarks översättning till norska. Oslo 1942.

Herschend 1994 =
Frands Herschend, The Recasting of a symbolic Value — Three Case-studies on Rune-stones: (Societas Archæologia Upsaliensis) Uppsala 1994.

Kristiansson 1988 =
Jonas Kristiansson, Eddas and Sagas. Iceland's Medieval Literature. Translated by P. Foote. Reykjavik 1988.

Krötzl 1994 =
Christian Krötzl. Pilger, Mirakel und Alltag. Formen des Verhaltens im Skandinavischen Mittelalter. Helsingfors 1994 (Studia Historica 46).

Lindgren =
Mereth Lindgren, Die Legende vom heiligen Olav in der mittelalterlichen Malerei Mitteschwedens: (St Olav, seine Zeit und sein Kult. Ed. G. Svahnström. [Acta Visbyensis VI].) Uddevalla 1981, 2. 135-150.

Paasche 1914 =
Fredrik Paasche, Kristendom og kvad. En studie i norrön middelalder. Kristiania 1914.

Paasche 1948 =
Fredrik Paasche, Hedenskap og kristendom. Studier i norrön middelalder. Oslo 1948.

Piltz 1994 =
Communicantes. Aspekter på kyrkan som solidarisk gemenskap i svensk högmedeltid: Svensk spiritualitet. Tio studier av förhållandet tro-kyrka-praxis. Ed. A. Härdelin: (Tro & tanke, 1994: 1-2). Uppsala 1994, s. 15-55.

Sveriges runinskrifter =
Sveriges runinskrifter. Utgivna av Kungl. Vitterhets Historie och Antikvitetsakademien. Stockholm 1911-1981.

Sö =
Södermanlands runinskrifter. Granskade och tolkade av Erik Brahe och Elias Wessén: (Sveriges runinskrifter III) Stockholm 1924-36.

U =
Upplands runinskrifter. Granskade och tolkade av Elias Wessén och Sven B.F. Jansson: (Sveriges runinskrifter VI-IX) Stockholm 1943-1959.

VA =
Vita Anskarii auctore Rimberta. Ed. G. Waitz (Scriptores rerum Germanicorum in usum Scholarum ex monumentis Germaniae historicis rerecensi. Hannover 1884). I svensk översättning. Boken om Ansgar. Rimbert: Ansgars liv. Stockholm 1986.

Vg =
Västergötlands runinskrifter. Granskade och tolkade av H. Jungner och Elisabeth Svärdström: (Sveriges runinskrifter V). Stockholm 1940-1970.

Henrik Williams

Maria i Sverige på 1000-talet

Den svenska Maria-fromheten har djupa rötter. Maria mö stod i första ledet när kristendomen etablerades i vårt land mot slutet av vikingatiden. Marias ställning under missionens infiltrationsfas under tidig vikingatid vet vi ingenting om, men det finns ingen anledning att tro att förhållandena skulle skilja sig drastiskt i detta avseende; när den kristna tron skulle presenteras för svenskarna var Maria en av förgrundsgestalterna.

Dessa kategoriska uttalanden grundar sig på de tidigaste texter på svenska språket vi över huvud känner: de vikingatida runinskrifterna. I dem spelar det kristna budskapet en större roll än de flesta kanske känner till.

Denna lilla uppsats syftar till att lyfta fram ett för många kanske mindre välkänt primärmaterial till missionshistorien. Mer specifikt är avsikten att studera Sankta Marias roll i det svenska runinskriftsmaterialet. Utifrån detta kan det sägas något om hur hon lanserades inför de första kristna svenskarna.

Jag är ingalunda den förste att uppmärksamma frågan om runinskrifternas Maria, den har tidigare behandlats av framförallt Eric Segelberg[1] och Carl F. Hallencreutz[2]. Mitt bidrag består i att uppmärksamma ytterligare en del material samt att kritiskt granska den tidigare forskningen.

Det är lämpligt att börja med en materialredovisning. Jag ämnar koncentrera mig på 1000-talets runinskrifter. Det bör nämligen vara av intresse att urskilja den allra första tidens teologiska skikt. I tidigare forskning har man inte alltid gjort en sträng skillnad mellan senvikingatida kristna nedslag och dem som gör sig gällande under tidig medeltid och senare.[3] Materialen är emellertid mycket olika runologiskt, och det finns anledning att förutsätta att de kan bara det även kyrkohistoriskt.

I de senvikingatida runtexterna döljer sig Jesu moder Maria i ett flertal olika gestalter. I motsättning till Eric Segelbergs påstående om motsatsen[4] nämns hon uttryckligen några gånger vid namn. I en fragmentarisk inskrift i Köpings kyrka på Öland[5] återstår inskriften ... uk x santa x mari x auk x sant..., d.v.s. ... ok Sankta Maria ok Sankt[a] ... Huruvida de sista runorna utgör inledningen till ett Sankta eller ett Sankt är naturligtvis omöjligt att veta.

Från Västergötland känner vi två något skadade inskrifter som åkallar den heliga Maria. Runstenen vid Särestads gamla kyrka[6] avslutas: ... : halbi : ut : hans : auk : su : hlka : sata * maria, [Guð] hialpi and hans ok sú hælga Sankta Maria ' Gud och den heliga Sankta Maria hjälpe hans ande' och på stenen från Abrahamstorp[7] ber resaren i sin illa utförda runinskrift: kuþ : ialbi : ... : sunl : ok : su : kilka : sata marki, Guð hialpi ... sálu ok sú hælga Sankta Maria 'Gud och den heliga Sankta Maria hjälpe ... själ'.

Slutligen återfinner vi även i inskriften vid Husby-Lyhundra prästgård i Uppland[8] en runsten som inleds: kuþ + hialbi + auk + mar-a + ant + sib-... Guð hialpi ok Maria and Sibb[a](?) 'Gud och Maria hjälpe Sibbes(?) ande.

För alla de här nämnda runmonumenten finns det anledning att räkna med en relativt sen datering. Runmonumenten i Köpings kyrka tillhör generellt en yngre typ, i övergången mellan vikingatid och medeltid, d.v.s. slutet av 1000-talet och början av 1100-talet. Särestadsstenen tillhör samma period[9] och Abrahamstorpsstenen tillhör inte Västergötlands äldre runstenar[10]. Äldst, om än inte med nödvändighet särskilt gammal, verkar Husby-Lyhundrastenen vara, vilket öppnar intressanta perspektiv då man betänker att Maria här helt saknar något bestämmande epitet.

Vanligast är att Maria åkallas under benämningen 'Guds moder', alltid i uttrycket 'Gud och Guds moder' (se nedan). I inte mindre än 45 svenska runinskrifter möter vi 'Guds moder' och i ytterligare fyra från Bornholm, som åtminstone i runologiskt hänseende rönt starkt inflytande från svenskt område vid tiden ifråga. Utrrycket är däremot inte känt från de vikingatida runinskrifterna i Egentliga Danmark eller Norge.

Epitetet 'Guds moder' har antagits vara förmedlat via den bysantinska kristendomen. Eric Segelberg uttrycker saken på följande sätt: "It is well known that the cult of the mother of God was much more widespread and in the focus of the worship of the Byzantine church".[11] Han vill vidare göra gällande att "The general impression is that the Western church stressed the semper virgo rather than mater Dei.[12]

Nu förhåller det sig så att det tidigare antagandet av ett starkt bysantinskt inflytande i den runsvenska missionen inte har kunnat styrkas. Per Beskow har påpekat Marias roll som "Gudsföderska" är befäst i både öst- och västkyrkan och att det inte finns anledning "att som Segelberg och Hallencreutz härleda formeln från nordiska vikingars kontakter med Bysans.[13]

Det måste dessutom påpekas att Marias egenskap av semper virgo inte är okänd i det vikingatida runtextmaterialet. Enligt min egen tolkning av runstenen från Över-Järva gård i Solna socken, Danderyds skeppslag, Uppland, avslutas dess traditionella minnesinskrift med bönen [kuþ : h1il2b1i —t : þisa : auk kus * mas : kuþ], d.v.s. Guð hialpi and þæiʀa ok Guðs máʀ góð 'Gud och Guds goda mö hjälpe deras ande'.[14] Epitetet "Guds mö" är väl känt från tyskt område och i något fall också från västnordiskt, men det är ovisst om mö skall tolkas som 'jungfru' eller 'dotter'.[15] Jag har själv väckt tanken om man i över-Järvastenens inskrift "möjligtvis [kan] se ett konkurrerande inflytande som kanske har sitt ursprung i den västliga kyrkans mission".[16] Inskriften tillhör både språkligt och ornamentalt ett äldre skikt i Uppland och visar att Marie jungfruskap tillhört det teologiska allmängodset väl så tidigt som hennes modersskap.

Den runsvenska formeln Guð hialpi and hans ok Guðs móðiʀ har en ordföljd som befunnits anmärkningsvärd. Richard Wehner skriver: "det är ett filologiskt krav att vid översättningen inte ändra den unika ordställningen." Han ser nämligen ordföljden som ett bevis för att det föreligger en hierarkisk åtskillnad mellan de två subjekten i satsen. "De runkristna fick genom förkunnelsen blicken öppnad för artskillnaden mellan Guds frälsande nåd och Guds moders bistånd".[17] Jag känner mig frestad att fråga om inte Wehners påstående är grundat på den moderna katolska kyrkans lära snarare än på en välgrundad uppfattning om runsvensk teologi. Det är svårt att bli övertygad av hans tänkta upplösning av frasen. Den aktuella ordföljden är inte så avvikande i runsvenskan som Wehner menar.

Det naturliga för en filolog är att uppfatta frasen Guð hialpi and hans ok Guðs móðiʀ som innehållande två subjekt, nämligen Gud och Guds moder. Genom en slags omramning ställs subjekten på ömse sidor av predikatsverbet, vilket böjs i singularis i kongruens med att bara ett subjekt föregår.[18] Utrycket är fullt parallelt med till exempel resarformeln på en runsten från Älvsunda, Uppland: tirui * risti * runar * auk * þorkar * þair * litu hkua * stain eftiʀ bryþr * sina, Tirvi rísti rúnaʀ, ok þórgæiʀʀ, þæiʀ létu haggva stæin æftiʀ brøðr sína 'Tyrve ristade runorna, och han och Torger läto hugga stenen efter sina bröder'.[19] Översättningen i SRI är enligt min mening något missvisande. På modern svenska skulle vi kanske hellre uttrycka detta 'Tyrve och Torger ristade runorna; de lät hugga stenen efter sina bröder'.[20] Denna typ av ordföljd är också känd från fornisländskan. Ett exempel kan hämtas ur inledningen till berättelsen om Islands kristnande: En Hallr á Síþo, Þorsteins sonr, lét skírask snimhendes ok Hialte, Skeggia sonr, ´yr Þiórsárdale ok Gizorr enn huíte, Teits sonr, Ketelbiarnar sonar frá Mosfelle, ok marger hôfþingiar aþrer.[21] Om man utesluter släktskaps- och härstamningsangivelserna kan stycket översättas: 'Och Hall lät tidigt döpa sig och Hjalte och Gisurr den vite och många andra hövdingar [gjorde detsamma]'.

Denna lilla utredning fastställer att det från språklig synpunkt inte föreligger något hinder att uppfatta frasen Guð hialpi and hans ok Guð s móðiʀ och liknande som att både Gud och Guds moder antas kunna hjälpa den avlidnes själ. Som icke-teolog finner jag detta föga förvånande, även om det är intressant att konstatera att ordföljden uppenbarligen har fastställts i denna form, vilket tyder på att uttrycket fått en fast rot inom runsvenskt religiöst språk, "resultatet av en medveten formalisering av den kristna runsvenskans bönespråk".[22] Det är att märka att Maria eller Guds moder aldrig ensam åkallas utan alltid tillsammans med 'Gud', medan däremot motsatsen ofta är fallet. Maria står därför självklart i ett beroendeförhållande, men det är av intresse för en studie i missionsteologi att kunna konstatera att både Gud och Guds moder förutsätts kunna medverka i den direkta hjälphandlingen, audiatrix och hjälparinna är f.ö. vanliga Maria-epitet under missionstiden.[23]

När den "forna seden" i Sverige byts ut mot den kristna religionen förändras samhället i grunden, om än långsamt och stegvis. De nordiska gudarna utsätts för en slags konkurrens, men en "asymmetrisk" sådan. Den nya teologin hade varken samma syfte, medel eller innehåll som den gamla. Man bör därför inte vara alltför angelägen om att söka finna kristna motsvarigheter till icke-kristna gudomar, även om det kunde finnas behov av detta på det rent funktionella planet. Icke-kristna guð (plur.), gudar, det vill säga asar och vaner och möjligen andra, skulle i nordbornas sinnen ersättas av en enda gud. Enligt treenighetsläran manifesterar sig Gud som Fader, Son och Helig Ande. I den runsvenska kontexten lyser denna uppdelning med sin frånvaro.

Richard Wehner vill göra gällande att runstenarnas budskap "teologiskt sett [är] entydigt. Läran om den ende sanne Guden, en i sitt väsen och trefaldig i person, framläggs."[24] Men Wehner är själv medveten om att "de tre gudomliga personerna nämns uttryckligt först i yngre runinskrifter"[25] och han berör tanken på att det är Sonen som skall förstås i ordet Guð.[26] Carl F. Hallencreutz är mer explicit i identifikationen mellan Kristus och Guð, även om han, såvitt jag förstår, inte direkt exkluderar att de övriga ingredienserna i treenigheten ingår i Guð.[27]

Per Beskow har tagit ytterligare ett steg och analyserar "kristomonismen" under missionsskedet: "I missionsförkunnelsen var det angeläget att inskärpa Guds enhet i kontrast till den forngermanska religionens mångguderi. En förkunnelse om Fadern, Sonen och Anden kunde lätt leda till missuppfattningen att kristendomen räknade med tre gudar. I pastoralt intresse förenklade man därför budskapet genom att tills vidare identifiera Gud och Kristus." Beskow för också fram senare nordiska källor som tecken på att teologin tycks ha varit "Vi tror på en enda Gud, och hans namn är Kristus." Han citerar bland annat Södermannalagens kyrkobalk som "i en teologiskt sett absurd formulering" lyder: "Var kristen man, som vill bära Kristi namn, skall tro på Krist allena, ty han är enarådade i gudom och trefaldig i namn, Fader, Son och den Helge Ande."[28]

I Beskows framställning förtydligas Marias teologiska roll ytterligare: "Kristus är Gud och Maria är hans moder — utifrån denna förenklade trinitetslära är formeln begriplig. Samma tanke möter i uttrycket 'Gud, Marias son' [...] i en småländsk 1100-talsinskrift."[29]

Beskows åsikt har god täckning i runstensmaterialet. Såvitt man kan bedöma utgörs det allra äldsta skiktet av Gud, men lika gammalt verkar Guds moder vara. Så småningom namnbestäms Guds moder till (den heliga Sankta) Maria, och det är också i något senare inskrifter man finner Kristus. Den Helige Ande åkallas aldrig i materialet, inte heller explicit Fadern. Utvecklingen inom den runsvenska missionen verkar vara att först lanserades Gud (i betydelsen Kristus), men att Guds moder också var med från början, eller i alla fall mycket tidigt. Att så är fallet bör tydligt understryka Marias oerhörda betydelse inom kyrkan.[30] Efter en tid var förkunnelsen mogen för att specifikt nämna Kristus och Maria; det öppnade också dörrarna för en fortsatt analys och komplettering av begreppet Gud.

Man måste trots Beskows övertygande framställning introducera ytterligare en komplikation, nämligen den teologiska genre inom vilken vi rör oss. Beskows övertygande antagande om en tidig kristomonism är på ett plan ett radikalt brott mot den trinitetslära som inte kan ha varit mindre väl förankrad i den tidens kyrka än till exempel dess vördnad för Maria. Beskow anger själv sitt undersökningsmaterial som runinskrifternas själaböner och konstaterar att deras bakgrund utgörs av kyrkans latinska dödsliturgi.[31] Han kunde ha nämnt att dessa själaböner i själva verket är hela det teologiska innehållet i runstenstexterna, något som för övrigt ingen annan forskare heller har gjort. Vi har alltså att göra med en bestämd kontext, nämligen bönen för den som har dött, och man kan fövänta sig att detta skall påverka textens innehåll, inte minst teologiskt.

Kastar man en blick på de religiösa gestalter som dyker upp för övrigt i materialet, förutom Gud och Guds moder med sina olika epitet, är det bara fråga om ytterligare en person, Mikael. Han uppträder bara i en runsvensk inskrift, på den uppländska Ängbystenen, i den avslutande bönen mihel : kati : at : hans, Míchael gætti and hans, d.v.s. 'Mikael tage vård om hans ande'.[32] Mikael finns belagd i andra runinskrifter från

Gotland och Danmark. Han uppfattades som kyrkans och kristenhetens försvarare och särskilt av enskilda kristna i dödsstunden, den som leder den rättfärdiga själen till paradiset. Han är också själavägaren och nämns först i syndabekännelsen efter Maria själv.[33] Det är självklart inte en tillfällighet att Mikael kompletterar Kristus och Maria som de enda explicit omnämnda förbönsgestalterna. Det var här de nykristna hade sitt främsta hopp inför övergången till livet efter detta. Övriga delar av treenigheten och andra religiösa gestalter spelar inte den aktiva rollen på den yttersta domen. Den kristomonism Beskow beskriver måste ha förstärkts i just själamässans teologi, och Marias starka ställning måste delvis ges samma förklaring.

Under runsvensk missionstid spelade Maria en viktig roll. Hon var ett trumfkort i teologin, inte minst verksamt beträffande kvinnorna, men främst på grund av föreställningarna kring döden. Den upptog tydligen den tidens människor i mycket hög grad. "Jorden skall rämna och himlen därovan" skaldas det på den sörmländska Skarpåkersstenen[34] med en tydlig referens till både den gamla ragnarökstanken och den nya domedagstron, kanske särskilt aktuell eftersom det samtida "år 1000" gavs en sinister innebörd. I sådana tider gällde det att ha den bästa möjliga hjälp. Efter Kristus själv kom bara hans moder Maria ifråga: kuþ * ilbi * ons * at * uk * salu * uk * kusþ muþiʀ * li anum lus * uk baratis Guð hialpi hans and ok sálu ok Guðs móðiʀ, lé hanum liús ok paradis, 'Gud och Guds moder hjälpe hans ande och själ, förläne honom ljus och paradis' som det står på en runsten vid Risbyle i Uppland,[35] en bön som inspirerats av den kristna dödsliturgin.[36]

Först sedan vikingatiden är slut och de egentliga runstenarnas epok är över vittnar runinskrifterna också mer livsbejakande om Marias betydelse; från särskilt kyrkklockor men också dopfuntar, gravhällar och andra, mer vardagliga föremål möter oss då hälsningen Ave Maria.

Summary

Mary in eleventh century Sweden

The Virgin Mary is first attested in some 50 runic inscriptions on runestones from viking age Sweden. Four of these occurrences involve calling her by name: Mary, Saint Mary, and the holy Saint Mary (twice). In other cases she is referred to in the context God and the Mother of God or (once) God and the Good Virgin of God. The meaning of God in these cases is quite specifically Christ, with whom Mary evidently shares the power to assist the souls of deceased persons. Theologically, it seems as if the Christ persona of God was stressed at the expense of the Father and Holy Ghost persona, respectively. This has been given the explanation that the first missionaries were afraid to encourage the resident polyteism inherent in the Scandinavian society. There is, however, a stronger reason, since Christ and Mary together with the archangel Michael supposedly have a special position at the Last Judgment. Incidently only these three are mentioned in eleventh century runestone texts, no other God persona or ordinary saints. Presumably this is due to the fact that all Christan runestone texts from the viking age consist of prayers for the souls of the people commemorated in the inscriptions.

As for the Virgin Mary, it seems likely that her cult was introduced very early in the missionary work in Sweden: God and the Mother of God are the foremost exponents of the Christian theology. At a somewhat later point in time we find a more personal formulation of this couple: they are also mentioned as Christ and (the holy Saint) Mary. The strong position of Mary in eleventh century Sweden was in concordance with her cult within the contemporary Christian church, and probably a very efficient missionary instrument.

Noter

[1] Segelberg 1972, s. 165 ff.

[2] Hallencreutz 1982a.

[3] Detta får olyckliga konsekvenser för Rickard Wehners (Wehner 1981) framställning.

[4] Segelberg 1972, s. 163.

[5] Nilsson 1973, nr 127 s. 252.

[6] Vg 105 i SRI 5, s. 175.

[7] Vg 122 i SRI 5, s. 232 ff.

[7] U 558 i SRI 7, s. 437; se också Fv 1984, s.???

[8] SRI 5, s. LV.

[9] SRI 5, s. LIV.

[10] Segelberg 1972, s. 166.

[11] Segelberg 1972, s. 167.

[12] Beskow 1994, s. 25.

[13] Williams 1989.

[14] Williams 1989, s. 42 f.

[15] Williams 1989, s. 44.

[16] Wehner 1981, s. 34 f.

[17] Heusler 1921, § 445 a; jfr Wessén 1965, § 78.

[18] U 116 i SRI 6, s. 173 f.

[19] Liknande uttryck uppvisar U 304 i SRI 7, s. 11 f. (jfr Fv 1953, s. 278) och U 320 i SRI 7, s. 37 f. samt möjligen U 1039, se SRI 9, s. 288.

[20] Heusler 1921, s. 198.

[21] Hallencreutz 1982b, s. 52.

[22] Beskow 1994, s. 23.

[23] Wehner 1981, s. 22.

[24] Wehner 1981, s. 24.

[25] Wehner 1981, s. 25.

[26] Hallencreutz 1982a, s. 18 ff.

[27] Beskow 1994, s. 22.

[28] Beskow 1994. s. 26 f.

[29] Konstaterandet ger också anledning att uppmärksamma den jämna könsfördelning som blir fallet med en manlig och en kvinnlig religiös storhet. Man kan erinra om den stora roll de svenska, i alla fall svealändska, kvinnorna har spelat i kristningsskedet, se Gräslund 1988–89 med litt.

[30] Beskow 1994, s. 18.

[31] U 478 i SRI 7, s. 297 ff.

[32] KL 11, sp. 616 f.

[33] Se Lönnroth 1981.

[34] U 160 i SRI 6, s. 237 f.

[35] Beskow 1994, s. 27.

Litteraturförteckning och förkortningar

Beskow 1994 =
Per Beskow, Runor och liturgi: Nordens kristnande i europeiskt perspektiv. Tre uppsatser av Per Beskow & Reinhart Staats, Skara (Occasional Papers on Medieval Topics 7), s. 16–36.

Fv =
Fornvännen, Tidskrift för antikvarisk forskning, Utg. av Kungl. Vitterhets Historie och Antikvitets Akademien, 1–, Stockholm 1906 ff.

Gräslund 1988–89 =
Anne-Sofie Gräslund, "Gud hjälpe nu väl hennes själ". Om runstens-kvinnorna, deras roll vid kristnandet och deras plats i familj och samhälle: Tor 22 (1988–89), s. 223–244.

Hallencreutz 1982a =
Carl F. Hallencreutz, Runstenarnas Maria. En studie av kristendomens översättning till runsvenska: Svensk missionstidskrift 70:2 (1982), s. 12–22.

Hallencreutz 1982b =
Runstenarnas teologi; våra första uttryck för inhemsk kristendomstolkning: Religion och Bibel (1982), s. 47–56.

Heusler 1973 =
Andreas Heusler, Altisländisches elementarbuch, Zweite Auflage, Heidelberg (Germanische Bibliothek, 1. Sammlung germanischer Elementar- und Handbücher, 1. Reihe: Grammatiken, Dritter Band) 1973.

KL =
Kulturhistoriskt lexikon för nordisk medeltid från vikingatid till reformationstid 1–22, Malmö, 1926–78.

Lönnroth 1981 =
Lars Lönnroth, Iôrð fannz æva né upphiminn. A formula analysis: Speculum Norroenum. Norse Studies in Memory of Gabriel Turville-Petre, ed. by U. Dronke et. al, Odense, 1981, s. 311–327.

Nilsson 1973 =
Bruce Eugene Nilsson, The Runic Inscriptions of Öland, University Microfilms, Ann Arbor, Michigan 1973.

Segelberg 1972 =
E[ric] Segelberg, God help his soul: Ex Orbe Religionicum. Studia Geo Widengren ... 2, Luduni Batavorum (Studies in the History of Religions. Supplements to Numen 22), s. 161–176.

SRI =
Sveriges runinskrifter, Utg. av Kungl. Vitterhets Historie och Antikvitets Akademien 1–, Stockholm, 1900 ff.

Wehner 1981 =
Richard Wehner SJ, Svenska runor vittnar. Svenska runstenars vittnesbörd om landets äldsta historia, Stockholm, 1981.

Wessén 1965 =
Elias Wessén, Svensk språkhistoria 3. Gundlinjer till en historisk syntax, Andra upplagan, Stockholm–Göteborg–Uppsala, 1965.

Williams 1989 =
Henrik Williams, Åsgisl och Guds moder? En bön och ett mansnamn i U 126: Projektet de vikingatida runinskrifternas kronologi, Uppsala (Runrön 1), s. 39–50.

Lena Liepe

Tidiga bilder av Maria i nordisk kristen konst

Den som söker bilden av Maria i Nordens äldsta kristna konst, finner - ingenting. Birkakrucifixet från omkring 900, och Jellingestenen i Danmark från 900-talets andra hälft, bär fram ett kristet motiv av ett förkristet formspråk. Dessa båda korsfästelseframställningar ger, bokstavligt talat, en bild av brytningstiden mellan hedendom och kristendom på nordiskt område: stilen är fornnordisk, medan motivet - korsfästelsen - är kristendomens centralaste bild. Bilder som på motsvarande sätt kan vittna om i vilken skepnad nordborna först mötte Jesu moder, finns inte bevarade.

Det dröjer ända till början av 1100-talet innan Maria börjar förekomma i Nordens kristna konst. Jag skall här presentera några av dessa mariabilder: ett litet urval tidiga mariaframställningar från olika delar av Norden (de flesta välkända för den som är bekant med den äldre medeltidens konsthistoria), av säkert eller åtminstone antaget skandinaviskt ursprung. Jag bortser således i detta sammanhang från mariabilder som på olika vägar har kommit till Norden från utlandet, som motiv på processionskors, smycken, beslag och liknande. Den frågeställning som jag skall försöka belysa, handlar om huruvida det i de tidiga, inhemskt tillverkade mariabilderna är möjligt att spåra mötet mellan gammal kult och ny religion - ett möte som ännu vid 1100-talets början var en levande realitet på flera håll i Norden.

1. Krucifix från Birka, Sverige, omkring 900. Crucifix from Birka, Sweden, ca. 900. Statens Historiska Museum, Stockholm (Foto: ATA, Stockholm).

2. Runsten i Jellinge, Danmark, 900-talets andra hälft. Runic stone in Jellinge, Denmark, second half of 10th century (Foto: Nationalmuseet, København).

När blotfesterna till de gamla gudarnas ära vid 1000-talets slut upphörde att firas i Gamla Uppsala, den hedniska religionens sista utpost, hade kristendomen segrat i hela Skandinavien. De nordiska länderna kristnades inte samtidigt: i Danmark hävdar Jellingestenens inskrift från 965 att Harald Blåtand då hade gjort danerna kristna, i Norge och på Island skedde övergången till den nya tron under 1000-talets första hälft, medan de nordligare delarna av Sverige var övervägande hedniska ännu under 1000-talets senare hälft.

Även om trosskiftet från och med 1100 kan betraktas som officiellt genomfört i de nordiska länderna, finns det många belägg för att förkristna traditioner länge levde kvar i de djupare folklagren. Den engelske munken Ælnoth i Odense beskriver i en krönika från 1120-talet hur befolkningen i Norge och på Island vägrade överge sina hävdvunna lagar och sedvänjor, både världsliga och religiösa. På Gotland och i Dalarna förekom hedniska gravskick under hela 1100-talet, och ännu under 1200-talet ansågs det nödvändigt att ta med förbud mot blot och forna, hedniska seder i flera svenska landskapslagar och i den isländska rätten. I en uppsats som på ett mera teoretiskt plan behandlar begreppet religionsskifte sätter Jens Peter Schjødt slutpunkten för Nordens kristnande så sent som omkring 1200. Denna tidpunkt föregicks, enligt Schjødt, av en gradvis övergång från hedendom till kristendom under 400 år.[1]

De ovan nämnda exemplen på kvarlevande förkristna bruk skulle kunna definieras som yttringar av en inhemsk och med kristendomen konkurrerande ideologi i religiös form, som så småningom besegrades av den allt starkare kyrkan och gick under. Men man kan också, vilket många av de forskare som på senare år har sysslat med trosskiftet har valt att göra, betrakta den fortsatta förekomsten av hedniska bruk och attityder ända in i högmedeltiden som ett utslag av en mentalitetsrelaterad kontinuitet mellan gammalt och nytt. Denna kontinuitet kan för den enskilda individen ha tagit sig formen av en religiös synkretism, där den övergripande föreställningsvärld som formulerades med hjälp av religionen förblev mer eller mindre oförändrad, men med en successiv omstöpning av gudsuppfattning, myter och ritualer i en kristen form.[2]

Stora omvälvningar i historien äger rum med mycket varierande hastighet på olika plan av det historiska skeendet. Något som för eftervärlden framstår som ett dramatiskt och genomgripande ideologiskifte i det förflutna, kan på individnivå ha upplevts som en knappt märkbar förändringsprocess. Från ett skede som den tidiga medeltiden, från vilket källorna är så ytterst knapphändiga och alla redogörelser för förkristna bruk är förmedlade av kristna auktorer, är det i praktiken mycket svårt att göra några närmare bestämningar av i vilken utsträckning kvarlevande hedniska föreställningar har präglat ett specifikt sammanhang. Det är här som bevarade bilder kan vara till hjälp: ett materiellt föremål, framställt för ett konkret kultsyfte, manifesterar ofta ett mera påtagligt och direkt formulerat betydelseinnehåll än det skrivna ordet.

En av de äldsta mariabilderna från svenskt område är den lilla madonnastatyn från Mosjö kyrka i Närke, daterad till 1100-talets mitt. Mosjömadonnan saknar direkta motsvarigheter i övrig skandinavisk tidigmedeltida träskulptur: den tunna, platta kroppen, det framskjutna huvudet med de stora, diagonalt placerade ögonrundlarna och de neddragna mungiporna, samt den höga rundade huvudbonaden med flätornamentik i relief, ger Mosjömadonnan ett egenartat uttryck som inte har mycket gemensamt med de något yngre och betydligt blidare krönta madonnor som finns bevarade från framför allt svenskt område.

Det kan förefalla naturligt att söka rötterna till Mosjömadonnans bistra framtoning i en förkristen träskärartradition. Bevarade exempel på hednisk träskulptur som skulle kunna belägga en sådan stilmässig härkomst för Mosjömadonnan, saknas emellertid på nordiskt område. Aron Andersson har i stället påvisat övertygande paralleller i engelsk stenskulptur från 1100-talet, där i sin tur nordspanska stilinfluenser kan spåras.[3] Trots detta måste Mosjömadonnan betraktas som ett inhemskt arbete med en, för att använda Anderssons uttryck, provinsiell särprägel.[4]

En lika fascinerande och mystisk madonnafigur hittades på 1800-talet i Randers fjord på Jyllands östkust. Randersmadonnan är gjuten i brons, med rester av förgyllning på klädnaden. Madonnan har daterats till 1100-talets första hälft, och företer drag som i viss mån påminner om Mosjömadonnan: den framåtlutade attityden, fysionomins stränga uttryck och dräktens stiliserade, lamellartade veckning förenar de båda figurerna, även om Randersmadonnan i andra avseenden skiljer sig betydligt från den svenska madonnan. I likhet med denna anses den danska figuren numera vara ett inhemskt verk, men inte heller här finns de stilmässiga rötterna primärt i en förkristen nordisk konsttradition.[5] Randersmadonnan skall, återigen enligt Aron Andersson, snarare sättas i samband med västtysk skulptur från 1100-talets första hälft.[6]

Randersmadonnan har sannolikt suttit som mittfigur i ett antemensale, det vill säga en altarprydnad i metall, av en typ som finns i flera exemplar just från Jylland där en betydande inhemsk tillverkning av allt att döma har ägt rum. Praktverket bland dessa är Lisbjergaltaret från 1100-talets mitt. I dess centrum tronar Maria med Jesusbarnet, omgiven av änglar och keruber och scener från Marie levnad. Lisbjergaltaret är det enda av de bevarade gyllene altarena på nuvarande danskt område som har ett mariologiskt centralmotiv - på övriga altaren tronar Kristus som världsdomare i mitten. Längs Lisbjergaltarets nederkant löper en bred bård i nordisk djurstil, och på ramverket som omger antemensalets

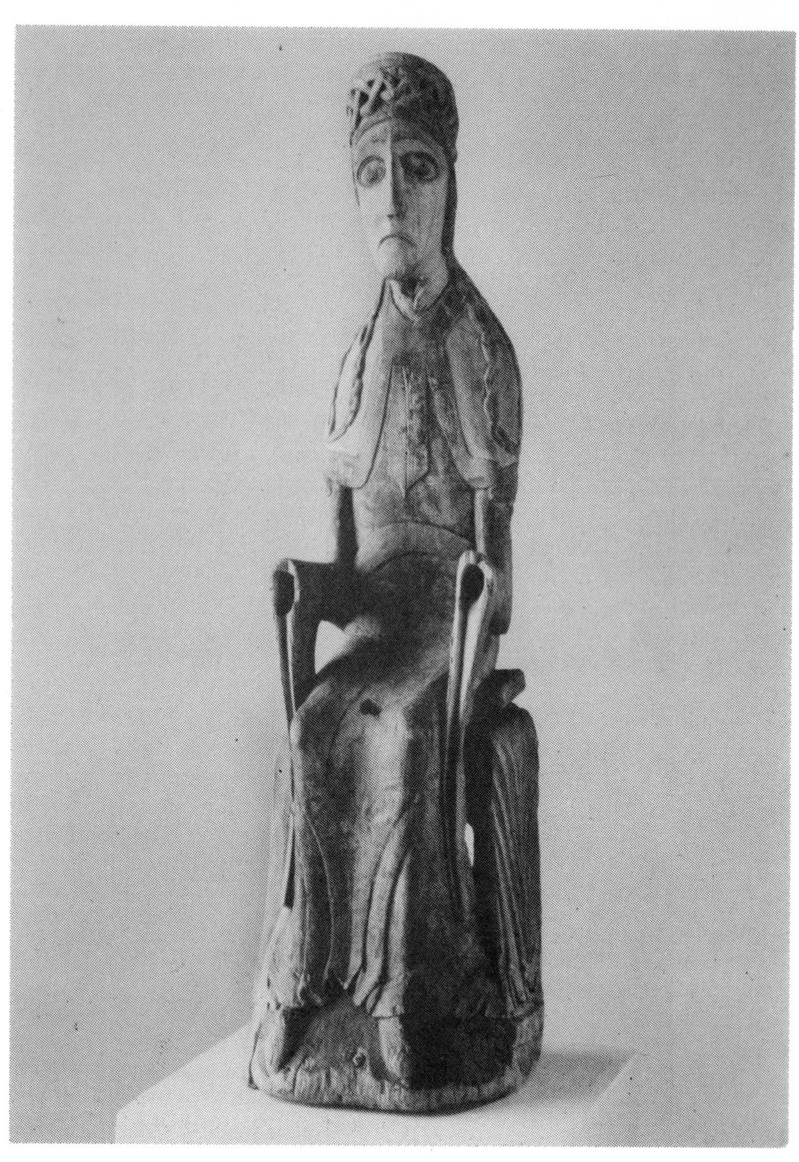

3. Madonna från Mosjö, Sverige, 1100-talets mitt. Virgin and Child from Mosjö, Sweden, mid 12th century (Child lost). Statens Historiska Museum, Stockholm. (Foto: Henrik Hultgren, ATA, Stockholm).

4. Madonna från Randers, Danmark, 1100-talets första hälft. Virgin and Child from Randers, Denmark, first half of 12th century. Nationalmuseet, København (Foto: Nationalmuseet, København).

figurer kombineras den romanska ornamentiken med nordiska element. I gestaltningen av själva madonnan, liksom av övriga figurer, finns emellertid ingen påtaglig anknytning till ett fornnordiskt formspråk: här kan i stället engelska influenser spåras, framför allt i drapering och veckbehandling.[7]

Av de nordiska länderna är det framför allt i Norge som en påverkan från England är tydlig i konsten under äldre medeltid. I Norge är det emellertid ont om tidiga madonnabilder, och dateringen av de som är bevarade är något osäker. Till de äldre (1100-talets senare hälft eller slut) hör en tronande madonna från Urnes kyrka. Urnesmadonnan är av en helt annan, monumental resning är den tunna Mosjömadonnan, och saknar dennas barska uttryck. Det finns emellertid även drag som är gemensamma för de båda figurerna, framför allt dräktens stiliserade veckning framför underbenen och fötterna, samt den korta manteln över skuldrorna. I likhet med Mosjömadonnan har Urnesmadonnan jämförts med engelska arbeten, framför allt reliefer på sigill där en liknande utformning av dräktens veckfall kommer till synes.[8]

Ett område som framstår som särskilt intressant i sammanhanget är Gotland, där förekomsten av hedniska bruk i form av gravskick kan påvisas under hela 1100-talet.[9] De äldsta gotländska kultbilderna av Maria (omkring 1100-talets mitt) är två ganska likartade träskulpturer från Träkumla och Hall. Figurernas framåtlutade attityd påminner om Mosjömadonnan, och flätmönstret framtill på Hallmadonnans livklädnad är snarlikt ornamenteringen på Mosjömadonnans huvudbonad. Enligt Johnny Roosval, och senare Aron Andersson, är Träkumlamadonnan ett fransk importarbete, medan Hallmadonnan är en lokal gotländsk efterbildning av den madonnatyp som Träkumlafiguren representerar.[10] Någon kvardröjande påverkan från en äldre, inhemsk formtradition är alltså inte heller här aktuell.

Mitt sista exempel kommer från Island, som är ytterligare ett område där förkristna attityder och traditioner länge levde kvar jämsides med det kristna inflytandet. Den äldsta Mariaframställningen på Island är särskilt intressant: en ristning på trä från en Yttersta domsframställning från 1100-talets början från Bjarnastadhalíd (sannolikt från början från en träkyrka, möjligen domkyrkan i Hólar).[11] Mariafigurens huvud är täckt av ett dok, och hon står med händerna lyftade i förbön. Träskärningstekniken är av ett slag som återfinns i ett antal nordiska träarbeten från vendeltid och vikingatid, t.ex. de norska skeppen från Oseberga och Gokstad från 800-talets början. Men även om upphovsmannen av allt att döma var islänning, använde han sig av främmande modeller: den direkta förebilden för motivet måste vara en importerad, bysantinskt präglad framställning från senare delen av 1000-talet.

En analys av vad dessa madonnabilder eventuellt kan säga oss om den tidiga kristendomen i förhållande till förkristna traditioner, bygger på förutsättningen att form motsvarar innehåll: det vill säga att förekomsten av element från den fornnordiska formvärlden i en madonnaskulptur speglar en relation av något slag mellan gammal och ny religion. Man kan betrakta denna relation i termer av kvardröjande förhållningssätt och mentala attityder, eller - i anknytning till mitt inledande resonemang - som ett successivt skifte från ett religiöst system till ett annat. Det är inte svårt att placera t.ex. Jellingestenen i ett sådant sammanhang, med dess slående motivblandning av hedendom och kristendom i kombination med ett fornnordiskt formspråk.

I de här beskrivna madonnaskulpturerna, som samtliga är mellan ett och ett och ett halvt sekel yngre än Jellingestenen, går det inte att påvisa någon motsvarighet till detta. Det är endast Lisbjergaltaret som uttryckligen kombinerar fornnordiska och romanska motiv, men då endast i ornamentiken och inte i figurframställningen. Det är kanske mindre förvånande att det i det tidigt kristnade Danmark inte går att belägga drag från en äldre, inhemsk formtradition ens i de tidigaste mariabilderna. Men inte heller på Gotland eller Island, där förekomsten av hedniska bruk kan påvisas ännu under 1100-talet, finns något som tyder på en synkretism i visuell form av det slag som möter oss i Jellingestenen.

Det stora problemet i all forskning kring den äldsta medeltidens materiella kultur är de bevarade objektens representativitet: hur stort har bortfallet av äldremedeltida mariabilder varit under seklernas lopp, och hur representativa är de bilder som finns kvar i dag för dem som en gång har funnits? Det faktum att frågan måste ställas, innebär samtidigt att den är omöjlig att besvara: man kan röra sig med antaganden och sannolikhetsresonemang, men i princip är de bevarade bilderna det enda som finns att utgå från i analysen. Detta är en förutsättning för möjligheten att alls dra några slutsatser.

En annan avgörande fråga är av vem kultbilderna skapades. De här presenterade mariabilderna är sådana som i tidigare forskning har bestämts som inhemska verk, något som i och för sig inte innebär att hantverkaren också måste vara av nordisk härkomst. Även detta är emellertid en fråga som för detta tidiga skede bara kan besvaras hypotetiskt, eftersom signaturer eller andra skriftliga upplysningar om upphovsmännen bakom enskilda arbeten saknas.

Mera meningsfullt är att vrida en aning på resonemanget, och konstatera att trots att skulpturerna framställdes i en nordisk miljö, och var avsedda för brukare med rötter bakåt till en fornnordisk, inte alltför avlägsen och i flera fall fortfarande delvis närvarande världsuppfattning, fann man uppenbarligen inte anledning att anknyta till dessa föreställningar i gestaltningen av den nya religionens kultbilder. I stället valde

5. Altarutsmyckning från Lisbjerg, Danmark, 1100-talets mitt. Altar from Lisbjerg, Denmark, mid 12th century. Nationalmuseet, København (Foto: Nationalmuseet, København).

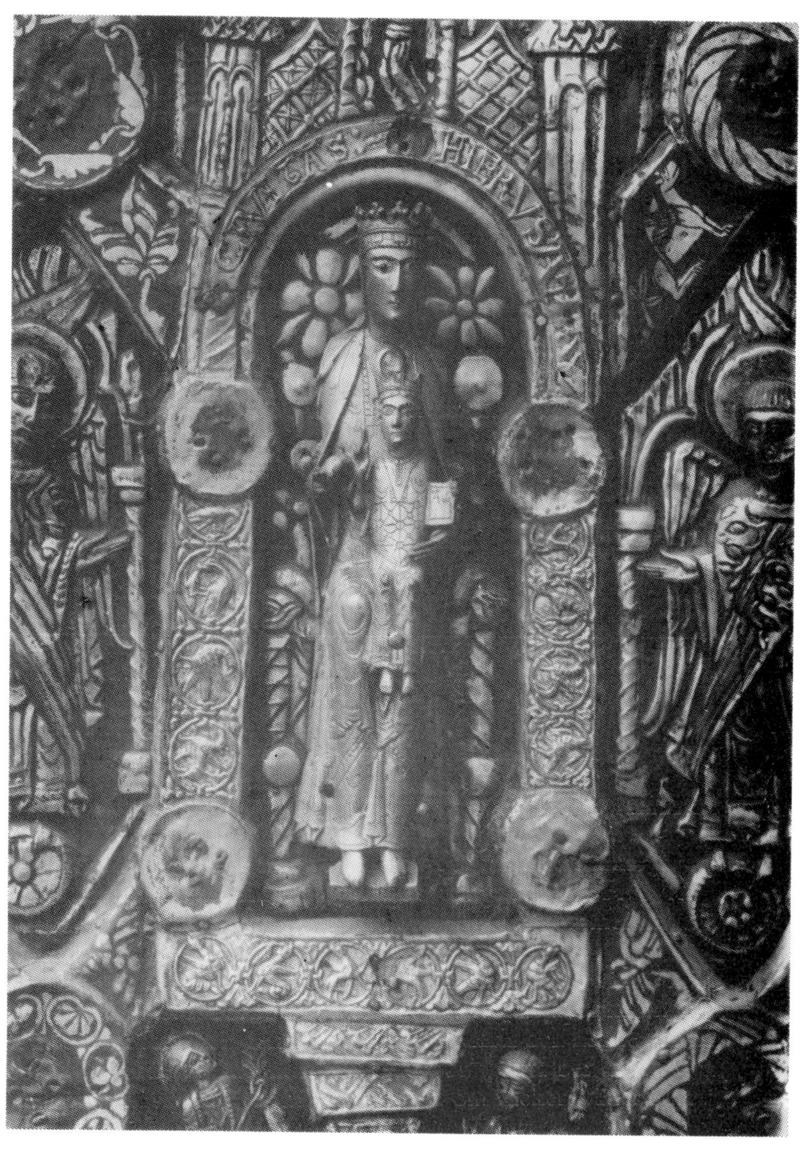

6. Madonna, altarutsmyckning från Lisbjerg, Danmark, 1100-talets mitt.
Virgin and Child, altar from Lisbjerg, Denmark, mid 12th century.
Nationalmuseet, København (Foto: Nationalmuseet, København).

kyrkan ett för nordiska sammanhang främmande bildspråk. De visuella uttrycken för religionsskiftet utgjorde ett eftertryckligt brott med en äldre tradition, med kultbilder som inte bara till innehållet, utan även till formen, för en ordinär kyrkobesökare vid 1100-talets början måste ha representerat något nytt och dittills okänt.

7. Madonna från Urnes, Norge, 1100-talets slut. Virgin and Child from Urnes, Norway, end of 12th century (Child lost). Historisk Museum, Bergen (Foto: Ann-Mari Olsen, Historisk Museum, Bergen ©).

Summary

This paper deals with early cult images of the Virgin and Child of Scandinavian provenance. The question posed is whether it is possible to trace the confrontation of the old pagan cult and the new Christian religion, in the images of proven or assumed Scandinavian production; and whether they, in their visual configuration, reflect something of pre-Christian tradition, in a similar way to the Crucifixion scene on the Danish Jellinge stone, or the Swedish Birka crucifix, both from the 10th century.

It is well known that although the Christian religion was officially recognized from ca. 1100, pagan uses and traditions lived on well into the 13th century - in some areas even longer - in many parts of Scandinavia. In modern studies of the shift from pagan to Christian religion, this phenomenon is often described in terms of continuity between the old and new. For the individual, this process rather took the shape of a religious syncretism where the general conception of the world and its spiritual structure remained more or less the same, but where the concrete manifestations of religion - deities, myths, rituals - were remoulded according to Christian notions. Possibly, an image that was produced with the purpose of being used in the cult of the new church, in surroundings where many aspects of the old religion were still extant, can reflect this encounter of old and new religion in another and more manifest way than a written text.

The paper presents seven images of the Virgin and Child from Sweden, Denmark, Norway and Iceland. They all belong to the 12th century, the earliest period from which cult images of the madonna (that is, not minor objects for private use, i.e. pendant crosses, book covers, ivory tablets and the like) can be found. Although several of the images present traits that can be traced back to a pre-Christian origin, either in ornamentation (the Lisbjerg altar) or technique (the wooden relief from Bjarnastadhalíd), as regards both style and motif they all adhere more or less closely to continental models. Not even the images from Gotland (the Virgin and Child from the church of Hall) or Iceland (the relief from Bjarnastadhalíd) show any stronger influence from pagan visual traditions, in spite of the long-lived pre-Christian practices of those areas.

The conclusion is that the church deliberately chose art forms that were foreign, not only in motif but also visually. This choice was made despite - or perhaps rather because of - the fact that the images were to be used in a milieu where the shift from the old cult to the new religion was a recent event, and probably in many ways still an on-going process.

8. Madonna från Hall, Gotland, 1100-talets mitt. Virgin and Child from Hall, Gotland (Child lost). Gotlands Fornsal, Visby (Foto: Raymond Hejdström, Gotlands Fornsal, Visby).

9. Reliefer från Bjarnastadhalíd, Island, 1100-talets början. Reliefs from Bjarnastadhalíd, Iceland, beginning of 12th century. Islands Nationalmuseum, Reykavik (Foto: Islands Nationalmuseum, Reykavik).

10. Relief med Maria från Bjarnastadhalíd, Island, 1100-talets början. Relief with the Virgin from Bjarnastadhalíd, Iceland, beginning of 12th century. Islands Nationalmuseum, Reykavik (Foto: Islands Nationalmuseum, Reykavik).

Noter

[1] Schjødt 1989

[2] Sawyer 1992 s. 80; Schjødt 1989. I en uppsats i den första publikationen från projektet Sveriges kristnande ser Anders Hultgård olika, mer eller mindre folkliga bruk (formuleringar i predikosamlingar från 1100-talet, vallfärder och votivgåvor under medeltiden, processioner med kultbilder på åkrarna ända in i nyare tid) som yttringar av hedendom införlivad i kristendomen (Hultgård 1992).

[3] Andersson 1957; Andersson 1968 s. 318; Norberg 1941

[4] Andersson 1957 s. 121 n 4, s. 125

[5] Fillitz 1969 s 252; Langberg 1982 s 34

[6] Andersson 1963 s. 26ff

[7] Nørlund 1926 s. 73ff

[8] Andersson 1957 s. 128ff; af Ugglas 1919 s. 70 n 3

[9] Thunmark-Nylén 1989

[10] Andersson 1957 s. 120f; Roosval 1925 s. 18

[11] Jónsdóttir 1959; Mageröy 1961

Tryckta källor och litteratur

Andersson 1957 =
Aron Andersson, Madonnabilden i Rö: Fornvännen. Tidskrift för svensk antikvarisk forskning (52) 1957, s. 116-136

Andersson 1963 =
Aron Andersson, Madonnan i Bäck och den äldsta medeltida träskulpturen i Västergötland, Stockholm 1963 (KVHAA Antikvariskt arkiv 22, 1963)

Andersson 1968 =
Aron Andersson, L'Art Scandinave 2, La-Pierre-qui-Vire 1968

Beskow 1994 =
Per Beskow, Runor och liturgi: Nordens kristnande i ett europeiskt perspektiv, Skara 1994 (Occasional Papers on Medieval Topics 7, 1994), s. 16-36

Fillitz 1969 =
Hermann Fillitz, Das Mittelalter 1, Berlin 1969 (Propyläen Kunstgeschichte 5)

Hultgård 1992 =
Anders Hultgård, Religiös förändring, kontinuitet och ackulturation/ synkretism i vikingatidens och medeltidens skandinaviska religion: Kontinuitet i kult och tro från vikingatid till medeltid, Uppsala 1992 (Projektet Sveriges Kristnande, Publikationer 1, 1992), s.49-103

Jónsdóttir 1959 =
Selma Jónsdóttir, An 11th Century Byzantine Last Judgement in Iceland, Reykavik 1959

Langberg 1982 =
Harald Langberg, Gunhildkorset. Gunhild's Cross and Medieval Court Art in Denmark, Köpenhamn 1982

Mageröy 1961 =
Ellen Marie Mageröy, Flatatunga Problems: Acta Archaeologica (32) 1961, s. 153-172

Norberg 1941 =
Rune Norberg, Mosjömadonnan: Meddelanden från Föreningen Örebro läns museum (13) 1941, s. 27-39

Nørlund 1926 =
Poul Nørlund, Gyldne Altre. Jysk metalkunst fra Valdemarstiden, Köpenhamn 1926

Roosval 1925 =
Johnny Roosval, Medeltida skulptur i Gotlands fornsal, Stockholm 1925

Sawyer 1992 =
Bibi Sawyer, Kvinnor och familj i det forn- och medeltida Skandinavien, Skara 1992 (Occasional Papers on Medieval Topics 6, 1992)

Sawyer 1985 =
Peter Sawyer, The process of Scandinavian Christianization in the tenth and eleventh centuries: The Christianization of Scandinavia. Report of a Symposium held at Kungälv, Sweden 4-9 August 1985, Alingsås 1985, s. 68-87

Schjødt 1989 =
Jens Peter Schjødt, Nogle overvejelser over begrebet "Religionsskifte" med henblik på en problematisering af termens brug i forbindelse med overgangen til kristendommen i Norden: Medeltidens födelse, u o 1989 (Symposier på Krapperups borg 1, 1989), s. 187-201

Thunmark-Nylén 1989 =
Lena Thunmark-Nylén, Samfund och tro på religionsskiftets Gotland: Medeltidens födelse, u o 1989 (Symposier på Krapperups borg 1, 1989), s. 213-232

af Ugglas 1919 =
Carl R af Ugglas, Studier i svensk medeltidsskulptur 1. Marginalanteckningar i ett par utställningskataloger: Tidskrift för konstvetenskap 1919, s. 65-80

Viking og Hvidekrist. Norden og Europa 800-1200 (utställningskatalog), Köpenhamn 1992

Inger Estham

Maria i medeltidens och den nyare tidens paramentik i Sverige
En översikt

Behovet av paramentik, d v s för gudstjänstens firande nödvändiga textilier, var omfattande i den medeltida kyrkan. Särskilt stort var behovet under senmedeltiden. Textilierna ingick som en del i den liturgiska helheten och det var noga med form, ikonografiskt innehåll och hur de användes. Ofta pryddes textilierna med broderade bilder, vilka illustrerade berättelser ur evangeliet, enskilda heliga personer, helgonlegender och teologiska tankegångar. Maria, Jesu moder, var givetvis en av huvudpersonerna. Min inventering av Mariabilder visar att vi kan följa bilden av Maria i bevarade broderier från svenska kyrkor från 1100-talets senare hälft till medeltidens slut omkring 1520. Men Maria försvann inte från mässhakarnas ryggstycken och korkåpornas ryggsköldar i och med reformationen eftersom bruket att bära skrud aldrig upphörde i Sverige. Det är den främsta orsaken till att en i internationellt perspektiv mycket rik textilskatt har blivit bevarad i våra kyrkor. Denna textilskatt, med sina oändligt många ikonografiskt värdefulla broderade bilder, är intressant ur olika forskningsaspekter. Flertalet arbeten är dokumenterade textil- och konsthistoriskt, många även ikonografiskt. Däremot har knappast någon forskning alls skett rörande de många olika ikonografiska motivens användning, sammanställningen av de olika motiven eller motiven i kombination med föremålens bruk. Säkerligen skulle sådana undersökningar ge oss värdefull kunskap sett ur både teologisk och konsthistorisk synpunkt. Sådana undersökningar skulle emellertid bli omfattande och ligger utanför möjligheternas gräns i detta sammanhang. Det följande blir därför ett försök till översikt och presentation av ett omfattande och för många kanske både svåråtkomligt och delvis okänt material.

Min hittills gjorda genomgång visar att det i bevarat medeltida material är sällsynt med Mariabilder invävda som mönster i tyger. Ett exempel kan nämnas, nämligen en mässhake från 1400-talet av italiensk s k Luccabrokad med Bebådelsen som upprepningsmönster. På s k Kölnerbårder, ofta brukade som stolor, kunde namnen Jesus och Maria jämte symboler som pelikanen, stjärnan, rosen och ett träd (livsträdet eller vinträdet?) vävas in. Ett exempel från tidigt 1400-tal tillhör Uppsala domkyrka (Domkyrkomuseet). Från Vadstena kloster finns exempel på smala kantband med invävda Mariamonogram och rosor.

Mariabilder och Mariasymboler återfinner vi främst inom den högt utvecklade internationella broderikonst, som pryder medeltida liturgiska textilier. I det i Sverige bevarade materialet kan vi följa skillnader i uttryckssätt konstnärligt, ikonografiskt, teologiskt men även geografiskt under mer än 350 år. Broderierna tillkom i professionella verkstäder här hemma och utomlands men även inom vissa klosterordnar. I våra svenska kyrkor har bevarats exempel från Frankrike, England, Nederländerna (Holland och Flandern), Tyskland, östra Centraleuropa, Italien och Sverige. Av de i Sverige verksamma klosterordnarnas textiltillverkning är det endast den i Vadstena kloster som är känd.

På broderierna skildras evangeliernas berättelser, teologiska tankar och legender, helgon och apostlar i genomtänkta program. I en bildsvit av stort intresse från 1100-talets andra hälft bestående av tjugofyra cirkelrunda broderier åskådliggörs evangeliet från Bebådelsen till Pingstundret. Varje bild omges av en förklarande text på hexameter (Biskopskullarundlarna, Statens historiska museum). På många arbeten skildras Jesu barndomshistoria. I regel ingår scener som Bebådelsen, Marias och Elisabets möte, Födelsen, Herdarna på marken, Heliga tre konungar och Frambärandet, ibland endast några av dem, då och då kombinerade med motiv som Anna själv tredje eller apostla- och helgonbilder. Vi möter också enstaka scener som huvudmotiv på en mässhakes eller korkåpas praktfullt arbetade ryggkors eller ryggsköld. Skildringen av Maria är betydelsefull.

Korsfästelsen är ett annat motiv rikligt företrätt på bevarade medeltida mässhakar. I flertalet korsfästelsescener står Maria till vänster om korset men exempel finns också på att Maria och Johannes placeras nedanför korset i starkt känsloladdade scener. Korsfästelsescener med Maria och Johannes broderades kontinuerligt på otaliga mässhakar under hela 15- och 1600-talen.

Från senmedeltiden har vi ett antal broderier bevarade som skildrar Madonnan - Maria med sin son. Så t ex möter vi Maria, krönt och med liljespira, stående med barnet på sin arm i en rosenträdgård som på biskop Tomas kåpa bevarad i Strängnäs domkyrka. Vi har många exempel på den tronande Maria med barnet i sitt knä, så t ex på Flisbykorset (nu i Statens historiska museum) eller på en ryggsköld av Vadstenautförande från Skara domkyrka (nu i Länsmuseet). Maria som den apokalyptiska kvinnan klädd i solens strålar och med månen under sina fötter återfinner vi på både mässhakskors och ryggsköldar i skilda sammanhang. Mest känd torde Mariamässhaken i Uppsala domkyrka (Domkyrkomuseet) vara. Ytterligare exempel på Mariamotiv är t ex Marie kröning, Marie himmelsfärd, Johannes uppenbarelse på Patmos och Marias och Josefs trolovning.

I de till Vadstena kloster attribuerade broderierna kan vi följa både Annas och Joakims historia och Marias historia, Födelsen enligt Birgittas uppenbarelse, Pietá samt en rikedom av symboler; liljan, rosen, stjärnan och Marias namn som monogram eller utskrivet.

Gemensamt för de romanska 1100-talsbroderierna från Frankrike (Biskopskullarundlarna), de bysantinskt präglade broderierna på ärkebiskop Nils Allessons skrud inköpt i Rom 1295 och de franska och engelska höggotiska broderierna från 12- och 1300-talen (Uppsala domkyrka respektive Strängnäs domkyrka) är bl a bilden av den allvarliga Maria i regel iförd hustrudok eller slöja, på 1100-talsbroderierna korsprytt i pannan, och med Jesusbarnet lindat. Under 1400-talet förändras skildringen. Maria framställs som en ung, mycket vacker kvinna med långt utslaget hår i alla bilder utom i korsfästelsescenerna. Hon knäfaller med händerna lyftade i tillbedjan inför det nyfödda nakna Jesusbarnet, som ligger på marken eller stengolvet omsluten av en gyllene strålkrans - i enlighet med den heliga Birgittas uppenbarelse. I andra scener ser vi henne med det oftast nakna och livligt gestikulerande Jesusbarnet i sin famn. Maria bär blå eller gyllene mantel med rött respektive blått foder. Kjorteln kan vara blå, vit, röd eller gyllene. I många arbeten förhöjs bilden av Marias helighet och skönhet genom rika pärlbroderier. Scenerierna utgörs av utblickar mot mer eller mindre naturalistiskt skildrade landskap nedanför praktfulla, gyllene gotiska kyrkovalv.

Den senmedeltida bilden av Maria vid korset iförd dok, med ansiktet präglat av djup förtvivlan och innerlighet och med händerna lyftade i tillbedjan förblir en obruten tradition under reformationstiden, d v s under resten av 1500-talet samt hela 1600-talet även om ansiktsåtergivning och figurteckning undan för undan kommer att präglas av för renässansen och barocken karakteristiska drag.

Bild 1-4.

Bebådelsen, Födelsen, Vinundret och Korsfästelsen. Broderier i guld, silver och silke på rött siden (samitum). Detaljer från ärkebiskopsskrud sannolikt brukad i Gamla Uppsala domkyrka. Franskt arbete från 1100-talets senare hälft. Fyra av tjugofyra rundlar som utgör illustrationer till evangeliet, de s k Biskopskulla-rundlarna. Biskopskulla kyrka, nu i Statens historiska museum. Foto ATA.

The Annunciation, the Nativity, the Vine miracle and the Crucifixion. Four of twenry-four embroidered roundels which are a continuous illustration of the Gospel story. French work, second half of the 12th century. From canonicals woek by one of Sweden's first achbishops. Biskopskulla church, now in the Historical Museum of Stockholm.

Bild 2

Maria i evangeliet

Biskopskullabroderierna

I Statens historiska museums textilkammare kan vi följa evangeliet berättat på tjugofyra cirkelrunda broderier, de s k Biskopskullarundlarna, utförda av guld- och silverlan med detaljer i silkebroderi mot en bakgrund av rött siden (samitum). Broderierna, som dateras till 1100-talets senare hälft, är förmodligen av franskt ursprung[1]. De är klippta ur ett eller flera liturgiska plagg, troligen en ärkebiskopskrud brukad i vår första domkyrka i Gamla Uppsala. De har blivit bevarade i prebendekyrkan i Biskopskulla där de under 1600-talet monterades på ett antependium. Tyvärr måste det tills vidare förbli ett önsketänkande att skruden ursprungligen ägdes av vår förste ärkebiskop Stefan, som vigdes till sitt ämbete i Sens i Frankrike 1164 eftersom detta inte går att bevisa. Broderierna beskriver i bild evangeliet från Bebådelsen (rundel nr 1) till Pingstundret (rundel nr 24). Rundlarna varierar något i storlek så att de sex första är större än de övriga. Maria avbildas på alla scener där evangeliet berättar om hennes närvaro. Varje scen omramas av en bård med text vilken inte utgör citat ur evangeliet men beskriver bildens innehåll. Dessutom förekommer rikligt med språkband. Maria bär på samtliga bilder ett korsprytt huvuddok, som täcker håret.

Kring Bebådelsescenen läses texten CONCIPIT AURE DEUM PROMISSI CREDULA VIRGO GABRIEL S. MARIA (Troende löftet, blir jungfrun genom örat havande med Gud). På språkbanden läses AVE MARIA G(RACIA) samt ECCE ANCILLA DOM(INI). Omkring bilden av Maria och Elisabets möte läses APPLAVDIT DOMINO PRECURSOR CONDITUS ALVO MARIA ELISABET. (Herren hälsas av förelöparen, som är gömd i moderns sköte.) På två språkband står skrivet EXALTAVIT INFANS samt MAGNIFICAT ANIMA MEA. Födelsescenens text lyder SORDIDA FULGENTEM CAPIUNT PRESEPIA REGEM. IOSEPH. S. MARIA (Den simpla krubban omsluter den strålande konungen.) Maria vilar på en bädd. Det lindade barnet ligger i en krubba placerad framför henne, bredvid står oxen och åsnan. Till vänster sitter Josef. Ängeln Gabriel syns i skyn hållande ett språkband med texten GLORIA IN EXELCIS. På den femte rundeln framställs Heliga tre konungars tillbedjan. Maria ses till höger i bilden sittande på en tron, d v s en gyllene bänk med dyna och med en gyllene pall under sina fötter. Barnet sitter i hennes knä sträckande sig mot gåvorna. Maria gör en välkomnande gest mot konungarna. I skyn ovanför lyser en stor niouddig stjärna inom ett molnornament. Den sjunde rundeln berättar om flykten till Egypten. Maria, mitt i bilden, rider på en åsna sittande sidledes och med det lindade barnet framför sig. Hennes högra hand är lyft som till en välsignande gest. Josef går bredvid med packningen hängande på en käpp över axeln. Han leder åsnan. I ett molnornament i skyn ser vi en ängel som med sitt vänstra pekfinger tydligt anger färdriktningen. Med sin högra hand håller ängeln ett språkband.

På den elfte rundeln framställes bröllopet i Kana. Den omgivande texten lyder VNDA PEREGRINO LARGITUR VINA RUBORE (Vattnet bjuder på vin med främmande rodnad). Maria i orantställning står i bildens mitt. Från varje hand utgår ett språkband genom vilka hon talar till dels sin son, dels en tjänare. Sonen står till vänster vid ett bord, bredvid detta ser vi stora kärl. Till sin son säger Maria VINUM NO(N HABENT). Sonen svarar QVID MI(HI) E(T) TIB(I) E(ST) MVLIER). Till tjänaren säger Maria QVODCV MQVE DIXERIT (VOBIS FACITE).

I korsfästelsescenen, den tjugonde rundeln, står Maria till vänster om korset, kroppen är något vänd från korset men blicken riktas mot Kristus, händerna är lyftade i bön. Bårdens text lyder PRINCIPIS IMPERIO SERVATUR VIRGINE VIRGO (På furstens befallning vårdas jungfrun av en jungfru). Texten syftar på Maria och Johannes, som var ogift.

Kristi himmelsfärd återfinner vi på den tjugotredje rundeln. Här står Maria försjunken i bön tillsammans med sex apostlar till vänster om den klippavsats från vilken Kristus bärs till himlen. De övriga sex apostlarna står till höger. Maria saknas på den tjugofjärde rundeln, det broderi som föreställer Pingstundret, där endast elva apostlar avbildas.[2]

Jesu barndomshistoria

Två paruror från 1200-talets andra hälft i Uppsala domkyrkomuseum

På två paruror, daterade till 1200-talets andra hälft och sannolikt av franskt ursprung, kan vi i scen efter scen - alla framställda under gotiska valv uppburna av smäckra pelare, som också skiljer scenerna åt - följa evangeliets berättelse om Bebådelsen, Födelsen och Herdarna på den ena

Bild 3

Bild 4

av parurorna samt på den andra Heliga tre konungar och Frambärandet i templet.

I födelsescenen ser vi hur Maria vilar på en bädd. Barnet ligger i en krubba som är placerad bakom Maria. Där står också oxen och åsnan. Josef sitter snett bakom bädden. I valvet ovanför hänger en brinnande oljelampa. I den scen, som föreställer Konungarnas tillbedjan, ser vi Maria med barnet i den mittersta arkaden, således i centrum. Hon sitter på en tron frontalt med överkroppen en aning vänd mot konungarna. Hon sitter rak och drottninglik, krönt, med barnet på sitt vänstra knä och med en liljestängel i sin högra hand. Bakom henne på tronen står en ljusstake med ett tänt ljus, som syftar på barnet - världens ljus. Över scenen lyser en stjärna.[3]

Ett engelskt arbete från 1300-talet i Strängnäs domkyrka

Detta broderi, vilket tillhör en stor grupp arbeten vars internationella beteckning är opus anglicanum, har daterats till 1320-1340. Arbetet är delvis sönderklippt och den ursprungliga funktionen är okänd. Under tre valvbågar uppburna av pelare med fialer, som skiljer scenerna åt, följer vi från vänster Bebådelsen, Marias och Elisabets möte samt Födelsen. Här vilar Maria på en bädd med det lindade Jesusbarnet i sina armar. Krubban står bakom Marias bädd, där finns också oxen och åsnan. Vid bäddens fotända knäböjer Josef. Både Maria och Josef ser med stolthet på barnet. I valvet ovanför hänger en brinnande oljelampa. I samtliga tre scener bär Maria dok.[4]

Jesu barndomshistoria på en senmedeltida mässhake från Mjölby kyrka

Mässhaken är av djupblå granatäpplemönstrad silkesammet från Italien. På ryggsidan pryds den av ett figurbroderat kors vilket kan dateras till omkring 1500 och är av tyskt ursprung. På den förnämsta platsen i korsmitten avbildas Maria knäböjande med händerna lyftade i bön inför det nyfödda Jesusbarnet, som ligger naket på marken omstrålat av en lysande gloria. Maria är framställd som en ung kvinna med långt utslaget hår. Hennes klänning, nu röd, var ursprungligen skiftande i rött och guld liksom hela den virvelmönstrade himlen bakom. I höger korsarm, bakom Maria, står krubban och bakom denna oxen och åsnan. I vänster korsarm avbildas de tre heliga konungarna, som tillbeder det nyfödda barnet i korsmitten. Ovanför korsmitten är en svårt skadad och sönderklippt bild somn ursprungligen visade en ängel med en uppslagen bok. Nedanför

Bild 5. Bebådelsen, Maria och Elisabets möte samt Födelsen. Yttäckande broderi i silke och guld på linnelärft. Opus anglicanum, d v s engelskt broderi, daterat till 1320-1340. Ursprungligt bruk okänt. Strängnäs domkyrka. Foto Gabriel Hildebrand.

The Annunciation, the Vicitation and the Nativity. Embroidery so called opus angelicanum. England 1320–1340. Strängnäs cathedral.

Bild 6.
Födelsen
Detalj av mässhakskors. Yttäckande broderi i silke och guld. Nederländerna, troligen Flandern. 1400-talet. Uppsala domkyrkomuseum. Foto ATA.

The Nativity and the Sheperds. Detail of an embroidered cross orphry. Flemish, second half of the 15th century. Uppsala cathedral.

Bild 7.

Korsfästelsen
Maria och Johannes nedanför Kristi kors. Detalj av mässhakskors. Yttäckande broderi i silke och guld på underlag av linnelärft. Svenskt arbete. 1400-talets senare hälft. Uppsala domkyrkomuseum. Foto ATA.

St Mary and St John. Detail of an embroidered cross orphry. Sweden, second half of the 15th century. Uppsala cathedral.

den centrala mittscenen ser vi Frambärandet och nederst Bebådelsen där Maria är helt klädd i blått.[5]

Ett mässhakskors från omkring 1460 i Mariefreds kyrka

Också i Mariefreds kyrka har en mässhake bevarats där Jesu barndomshistoria berättas scen för scen. Broderiet är av svenskt ursprung och kan dateras tämligen exakt tack vare kombinationen av två vapensköldar nämligen biskop Kettil Karlsson Vasas familjevapen samt Linköpings domkyrkas vapen. Kettil Karsson var biskop i Linköping 1459-1465. Mässhaken skänktes till Mariefreds kyrka 1627 av drottning Maria Eleonora, vilket betyder att broderiet aldrig brukades i Mariefred under medeltiden men säkerligen av biskopen i Linköpings domkyrka. På ryggkorset ser vi i vänster korsarm Bebådelsen, i höger korsarm Födelsen, på korsstammen överst Marias och Elisabets möte samt i själva korsmitten Heliga tre konungars tillbedjan. Nedanför denna centrala scen följer så Frambärandet samt nederst Jesus vid tolv års ålder i templet. Maria framställs som en mycket ung kvinna med långt utslaget gult hår. På samtliga bilder bär hon vit kjortel och blå mantel.[6]

Födelsen och Heliga tre konungar på nederländska mässhakskors och ryggsköldar

Många mässhakskors av nederländskt ursprung - både från norra Nederländerna d v s Holland och från Flandern - daterande sig från 1400-talet och omkring 1500 - har en utvidgad, praktfullt arbetad korsmitt i trappstegsform med en stor huvudscen, vilken helt dominerar ryggsidan och ger mässhaken dess liturgiska innehåll. I korsstammen nedanför ses i regel två heliga placerade i gotiska arkader. På ett sådant kors i Uppsala domkyrka (Domkyrkomuseet) återges Födelsen. Maria knäböjer i bön inför det nyfödda nakna barnet med gloria. Barnet ligger i en vagga på en flik av Marias blå mantel med rött foder. Maria framställs som en ung kvinna med utslaget hår. Till höger knäböjer Josef, praktfullt klädd i röd rock. Bakom en mur framför ett böljande landskap står två herdar och betraktar det nyfödda barnet. Oxen och åsnan finns inne i stallet.[7] På en korkåpsköld av flandriskt ursprung i Söderala kyrka, daterande sig från 1400-talet, ser vi en delvis annorlunda födelsescen. Maria knäfaller i bön inför det nyfödda barnet, som ligger på ett stycke veckat tyg och med en liten korsgloria kring huvudet. Maria har också här utslaget brunrött hår och är klädd i blå mantel och en ursprungligen troligen röd klänning. Josef knäböjer till höger. Scenen utspelar sig innanför ett tresidigt plank under ett gotiskt valv. Inne i rummet står två änglar och tittar förundrat på medan Gud Fader överblickar scenen från ett moln uppe under kyrkovalvet.

På en stor ryggsköld på en korkåpa i Järvsö kyrka berättas om Heliga tre konungar. Maria med långt blont hår, blå mantel och en ursprungligen guldskimrande röd klänning sitter med barnet i knäet. Barnet sträcker sig nyfiket mot den första gåvan. Konungarna iförda dyrbara modedräkter ses till höger, Josef i röd fotsid rock och blå hatt står snett bakom Maria. Krubban, oxen och åsnan skymtar bakom. Scenen utspelar sig under rikt gyllene och stjärnbeströdda blå kyrkovalv med gyllene fond, golvet är stenlagt och fonden öppnar sig mot ett böljande grönt ängslandskap. Arbetet kan dateras till början av 1500-talet.

Korsfästelsen

Liksom i måleriet kan de broderade korsfästelsescenerna utformas mycket olika. Ofta möter vi bilden där Maria står till vänster om korset. Som exempel kan nämnas den ovan beskrivna Biskopskullarundeln från 1100-talets senare hälft. Jag har inte funnit någon korsfästelsescen bland de få bevarade broderierna daterande sig från 1200- och 1300-talen. På den dramatiska passionsberättelsen på ett korkåpsbräm från Skå kyrka, ett opus anglicanum från 1300-talet, saknas korsfästelsescenen. Den torde ha funnits på den ej bevarade ryggskölden.[8]

Ett korporaldukskrin från 1400-talets senare hälft i Åbo domkyrka

Skrinet, som i övrigt är klätt med röd, mönstrad silkesammet, har på locket ett broderi föreställande Korsfästelsen. Broderiet är av svenskt ursprung. Maria står med knäppta händer till vänster om korset. Hon har ljust, utslaget hår men en vit slöja är lagd över hjässan. Hon bär blå kjortel och mantel. Sorgen kommer tydligt till uttryck i hennes förstelnade ansikte.[9]

Två mässhakar med Korsfästelsen i Hedesunda kyrka och Uppsala domkyrka

Korsfästelsen återges på mässhakarnas ryggkors och fyller helt respektive korsform. På båda broderierna återfinner vi Maria och Johannes

Bild 8.
Korsfästelsen
Maria och Johannes samt Maria Magdalena nedanför Kristi kors. Detalj av mässhakskors. Yttäckande broderi i silke och guld på underlag av linnelärft. Flandern, 1400-talet. Styrstads kyrka, Östergötland. Foto ATA.

The Crucifixion. St Mary, St John and St Mary Magdalene. Embroidered cross orphry. Flemish, 15th century. Styrstads church.

Bild 9.

Marie trolovning.
Ryggsköld på korkåpa. Yttäckande broderi av nu mörknat membranguld med detaljer i silke på underlag av linnelärft. Möjligen efter en förlaga av Meister der heiligen Sippen. Västra Tyskland, troligen Köln. Omkring 1500. Uppsala domkyrkomuseum. Foto ATA.

The Betrothal of the Virgin. Detail of embroidered hood of a cope. Probably Cologne, c. 1500. Uppsala cathedral.

placerade nedanför korset. På Hedesundamässhaken står Johannes snett bakom Maria, som är förkrossad av sorg. Han stöder henne med sin hand vid hennes armbåge. På Uppsalabroderiet står Maria till vänster, Johannes till höger. Maria sjunker ihop, huvudet faller framåt och Johannes stöder henne genom att lägga sin högra hand runt hennes rygg och med sin vänstra hand stöttar han henne framifrån. Maria är helt klädd i blått och med gyllene huvuddok.

Hedesundabroderiet är troligen av tyskt ursprung. Uppsalamässhakens broderi är av svenskt ursprung.[10]

Korsfästelsen på en mässhake i Styrstads kyrka

På det i Flandern utförda broderiet i Styrstads kyrka, också det daterat till 1400-talet, ser vi hur Maria sjunker ihop av smärta och sorg medan Johannes håller henne i ett stadigt grepp under armarna. Broderiet visar stor släktskap med flamländskt måleri, t ex Roger van der Weydens altartriptyker. I de ovan beskrivna broderierna utgör Marias sorg ett starkt förtätat inslag i korsfästelsescenerna.

Marias historia

Maria och Josef på en korkåpa i Uppsala domkyrka

I broderierna på en korkåpa från tiden omkring 1500 i Uppsala domkyrkomuseum möter vi Maria och Josef. Andreas Lindblom har attribuerat broderierna till Köln och Meister der Heiligen Sippe. Arbetet broderades ursprungligen i guld medan detaljer som t ex karnationerna är i silke, guldet är nu brunviolett i färg eftersom membranernas förgyllning är bortnött vilket delvis gör broderiernas detaljer svårtolkade. På kåpan ser vi fem scener framställda under gotiska valvbågar. Två scener, de översta bilderna på brämets båda sidor, saknas.

På den stora ryggskölden återges Trolovningen; Översteprästen för tillsammans Marias och Josefs händer. Bakom Maria står två unga kvinnor, säkerligen medsystrar från tempelunder-visningen (jmfr nedan). Bakom Josef står några män, troligen de försmådda friarna. På det högra brämet från betraktaren sett ser vi nederst hur Maria uppfostras i templet. Maria håller en bok, bakom henne står Anna i hustrudok, översteprästen är delvis skymd bakom Anna, dessutom två unga kvinnor, desamma som i Trolovningsscenen. Längst till vänster ses en ängel räcka något till Maria, möjligen en skål med mat (broderiet är otydligt). Scenen ovanför torde föreställa det s k "vattenprovet". Maria knäböjer framför översteprästen, som räcker henne ett föremål, troligen en bägare. Vi ser också Anna och Joakim, bakom dem står Josef. På det andra brämet ser vi nederst hur översteprästen delar ut stavar till friarna. Josef får sin stav. På bilden ovanför visar Josef sin grönskande stav för översteprästen. Kåpan torde ha brukats vid vigslar.[11]

Marias kröning

Martyrkåpan från 1200-talets andra hälft i Uppsala domkyrka

Martyrkåpan, utställd i Uppsala domkyrkomuseum, har daterats till 1200-talets senare hälft, möjligen omkring 1273 med hänsyn till överflyttningen av St Eriks reliker från Gamla Uppsala till den nya domkyrkan i Uppsala. Arbetet torde vara av franskt ursprung, troligen utfört i Paris. På den förnämsta platsen på kåpans ryggsida nedanför den lilla spetsiga ryggskölden inom en cirkel återfinns bilden av Marie kröning. Maria till vänster, Kristus till höger, sitter på var sin tron vända mot varandra. Maria har händerna lyftade i tillbedjan. En ängel kommer ned från skyn och kröner henne genom att sätta en krona på hennes hjässa. Även Kristus bär krona, han har sin högra hand lyft till en välsignande gest, i sin vänstra hand håller han en bok. Ovanför i skyn svänger en ängel sitt rökelsekar. Broderierna är utförda på rött siden (samitum).[12]

En mässhake från 1200-talets slut i Skara domkyrka

Också detta plagg är av franskt ursprung, säkerligen utfört i Paris under 1200-talets andra hälft. Det kan inte bevisas att mässhaken tillhörde biskop Brynolf Algotsson men det förefaller troligt med hänsyn till hans många års vistelse i Paris och hans nära kontakter med Parisuniversitetet. Mässhaken är nu deponerad i Länsmuseet i Skara.

Utplacerade över mässhakens hela yta återfinner vi broderade apostlar, helgon och änglar, som svänger sina rökelsekar. Många av helgonen är franska, t ex St Denis, St Rusticus, St Victor och St Germain. På den

Bild 10.

Marie kröning.
Maria till vänster, Kristus till höger sitter på var sin tron. En ängel kommer ned från skyn och kröner Maria. Detalj från martyrkåpan i Uppsala domkyrka. Broderi i guld och silke på rött siden (samitum). Franskt arbete, troligen Paris. 1200-talets senare hälft. Uppsala domkyrkomuseum. Foto ATA.

The Coronation of the Virgin. Detail of an embroidered cope. French, probably Paris, second half of the 13th century. Uppsala cathedral.

Bild 11 a-b.

Marie kröning.
Den krönta Maria och Kristus sitter på var sin tron. Detalj av broderi i guld och silke på rött siden (samitum) på biskop Brynolf Algotssons mässhake. Franskt arbete, troligen Paris, 1200-talets andra hälft. Svårt skadat. Skara domkyrka, deponerad i Skara länsmuseum. Foto Gabriel Hildebrand.

The Coronation of the Virgin. Detail of an embroidered cope. French, probably Paris, second half of the 13th century. Skara cathedral.

förnämsta platsen, högst upp på ryggsidan ser vi på ömse sida om mittbården till vänster Maria, till höger Kristus. De sitter på var sin tron vända mot varandra. Maria, som är krönt, håller händerna lyftade i bön. Kristus, som också bär krona, håller sin högra hand lyft i en välsignande gest, i sin vänstra håller han en bok.[13]

Marie himmelsfärd och kröning på Mariamässhaken från 1400-talet i Uppsala domkyrka

Mariamässhaken beskrives närmare nedan i avsnittet om Maria som den apokalyptiska kvinnan men det finns anledning att redan här påpeka motivet med Marie kröning, som utgör Marias sjunde glädjeämne i ryggsidans bildframställning. Bilden visar hur Maria bärs till himlen av sex änglar. De två översta, som har röd karnation till tecken på uppståndelsen, kröner Maria med en gyllene krona. Maria är framställd som en ung flicka med utslaget hår, hon bär en gyllene klänning och håller händerna knäppta i bön.

Ett velum daterat 1509 i Lunds domkyrka

Detta velum tillhör visserligen inte den svenska kyrkans medeltidshistoria men det finns ändå skäl att omnämna det. I en serie broderade bilder av nederländskt ursprung återfinner vi även Marie kröning framställd enligt senmedeltidens tradition; Maria knäfaller frontalt i bildens centrum. På en gyllene tron sitter till höger Gud Fader, till vänster Kristus. Båda bär gyllene mantlar, knäppta med stora spännen som på medeltidens korkåpor. Gud Fader bär kungakrona samt håller en korskrönt världsglob, Kristus är krönt med en törnekrona och håller segerfanan i sin högra hand. Gemensamt kröner de Maria med en stor gyllene krona, däröver den Helige Andes duva. Maria framställes som en ung kvinna med utslaget långt hår. Hon bär gyllene kjortel och blå mantel. En närbesläktad framställning återfinns på en korkåpssköld från Tvings kyrka i Blekinge (Länsmuseet i Karlskrona), som också var danskt under medeltiden.

Maria och barnet

Maria på biskop Tomas kåpa i Strängnäs domkyrka

Biskop Tomas kåpa från omkring 1430 i Strängnäs domkyrka har brämet indelat i tolv fält med en apostel i varje fält. På ryggskölden framställs Maria stående på den gröna markplatta från vilken växer upp blomrankor med stora gyllene blommor - kanske är det rosor - mot en bakgrund av ursprungligen rött siden, nu endast fragmentariskt bevarat. Maria bär en stor gyllene krona över det utslagna håret, gyllene mantel med blått foder och grön kjortel. Hon håller det nakna barnet på sin vänstra arm, i sin högra hand har hon en liljespira med tre blommor, en symbol för treenigheten.

Den tronande Maria på ett kors från Flisby kyrka

På Flisbykorset, nu i Statens historiska museum, möter vi den tronande Maria med barnet. Maria sitter på en gyllene tron placerad upphöjt på ett podium. Tre änglar håller en baldakin bakom och över henne. Hon bär en praktfull krona, hennes långa, vågiga hår faller ned, den blå manteln är rikt veckad, kjorteln under är mönstrad i violbrunt och guld. Hon håller barnet med sin vänstra arm, i sin högra hand håller hon en frukt. Barnet med korsgloria har gyllene lockar och en gyllene kolt med mönster av små granatäpplen. Scenen uppfyller hela korsmitten och korsarmarna utom korsstammen nedåt som saknas. Broderiet, som kan dateras till 1400-talet, är av svenskt ursprung.

Maria som den apokalyptiska kvinnan

Johannes´ uppenbarelse på Patmos på ett mässhakskors från Vadstena klosterkyrka

På ett kors av nederländskt ursprung, daterat till 1400-talet, i Vadstena klosterkyrka (nu i dormitoriet) avbildas Johannes på Patmos. Johannes faller på knä i ett landskap med en stadsmur i fonden. Han skuggar ögonen med handen inför den bländande synen; Maria i skyn, omgiven

Bild 12.

Maria med barnet på sin vänstra arm, i höger hand en liljespira med tre blommor, stående i en trädgård, kanske en rosengård.
Detalj av ryggsköld på biskop Thomas kåpa. Broderi i silke och guld samt applikationer av grönt ylletyg (marken) och ursprungligen bakgrund av rött siden, nu fragmentariskt bevarat, på underlag av linnelärft. Omkring 1430. Strängnäs domkyrka. Foto Gabriel Hildebrand.

The Virgin and Christ Child. Detail of an embroidered hood of bishop Tomas' cope. Possibly Sweden, c. 1430. Strängnäs cathedral.

Bild 13.

Mariamässhaken i Uppsala domkyrka.
Detalj av ryggsidan. Maria som den apokalyptiska kvinnan klädd i solens strålar och med månen under sina fötter. Omgiven av sju fyrpass föreställande Marias sju glädjeämnen: Bebådelsen, Födelsen, Heliga tre konungar, Kristi uppståndelse, Kristi himmelsfärd, Pingstundret samt Marias himmelsfärd och kröning. Helt broderad i silke och guld samt ursprungligen sötvattenspärlor. Tillskriven Albert pärlstickare i Stockholm, 1400-talets senare hälft. Uppsala domkyrkomuseum. Foto ATA.

The Virgin as the apocalyotic woman and the Christ Child. Round the main figure are seven quatrofoils depicting the Annunciation, the Nativity, the Adoration of the Kings, the Resurrection, the Ascension ochd Coronation af the Virgin. Detail of an all–over embroidered chasuble. Sweden, second half of the 15th century. Uppsala cathedral.

av gyllene strålar, buren av fyra änglar och dessutom en musicerande ängel på var sida. Maria bär gyllene krona och blå klädnad.

Ett till utförandet något enklare nederländskt kors med samma motiv och med samma datering tillhör Grebo kyrka.

Maria på korset på en mässhake från Drevs kyrka

Ett i svenskt bevarat material unikt motiv möter vi på en senmedeltida mässhake av blå granatäpplemönstrad silkesammet. På ryggsidan ser vi ett kors med avhuggna grenar, Arbor vitae, broderat i ursprungligen guld med lysande rött silke i grensnitten. I korsmitten ser vi Maria som den apokalyptiska kvinnan omgiven av solens strålar och med en månskära under sina fötter. Maria bär krona. Barnet håller hon på sin vänstra arm, i sin högra hand håller hon en drottningspira. Hon står inom en rosenkrans av små vita rosor och fem större röda rosor. Enligt Tryggve Lundén skulle motivet kunna tolkas som Jungfru Maria som medåterlösarinna.[14]

Mariamässhaken i Uppsala domkyrka

På den magnifika, helt broderade Mariamässhaken i Uppsala domkyrka (Domkyrkomuseet) ser vi som huvudmotiv på ryggsidan en storslagen bild av Maria som den apokalyptiska kvinnan klädd i solens strålar och med månen under sina fötter. Maria tronar omgiven av en gyllene strålkrans mot röd grund, vid den rikt veckade mantelns nederkant ser vi månskäran i silver med mångubbens ansikte broderat i relief. Maria bär en praktfull krona, ursprungligen helt besatt med sötvattenspärlor liksom brämet på mantel och klänning samt kransen kring glorian var en gång. Maria bär en gyllene klänning och en mantel skimrande i guld, blått och rött med stora mönster i upphöjt broderi, fodrad med mörkt blått tyg med smala röda ränder. Maria håller ett stadigt grepp med sin högra hand om det nakna barnet som står i hennes knä. I sin vänstra hand håller hon en frukt. I sju fyrpass grupperade runt omkring Madonnan framställes Marias sju glädjeämnen: Bebådelsen, Födelsen, Heliga tre konungar, Kristi uppståndelse, Kristi himmelsfärd, Den helige andes utgjutelse samt högst upp till höger Marias himmelsfärd och kröning. I samtliga dessa scener utom Marie himmelsfärd ser vi Maria med ljust, utslaget hår och blå klädsel. I himmelsfärdsbilden bär Maria gyllene klänning. Hon bäres av fyra änglar och krönes av ytterligare två änglar med röd karnation som symbol för uppståndelsen.

På mässhakens framsida återfinns evangelistsymbolerna samt heliga personer. Inskjuten i mitten finns en bård, som inte torde vara på ursprunglig plats. På denna ser vi Anna själv tredje, i mitten Marias och Elisabets möte i ett ovanligt utförande med fostren synliga. Den krullhårige Johannes faller på knä och lyfter händerna i bön inför Jesusbarnet, som också är krullhårigt men sitter litet vårdslöst på huk vänd mot Johannes. Nederst ser vi Johannes döparen. Broderierna är av svenskt ursprung. Genom att jämföra broderi och måleri har arbetet av Andreas Lindblom och Agnes Geijer tillskrivits Albert pärlstickare och målare. De daterar mässhaken till 1480-talet.[15] Säkerligen har mässhaken varit avsedd för domkyrkans Mariakor.

Mariabroderier från Vadstena kloster

Enligt den Heliga Birgittas klosterregler skulle de textilier, vilka behövdes för gudstjänsterna i klosterkyrkan, tillverkas i klostret. Birgitta skriver också att dessa kunde vara broderade med silke, guld och pärlor till Guds ära och kyrkans prydning, en uppmaning som följdes inte minst när det gäller framställningar av Maria och hennes son. De i klostret tillverkade broderierna, såsom vi känner dem genom bevarat material, visar på en broderi- och berättarglädje av stora mått där enligt Vår Frälsares ordens liturgi en klar och entydig Mariaikonografi genomsyrar allt.

Marias historia

Tre altarbrun av närbesläktat utförande

Av de tre altarbrunen tillhörde två Vadstena klosterkyrka. Det tredje, det s k Hvittisbrunet, har sitt ursprung i Nådendals klosterkyrka. Av de två svenska brunen finns det ena i Vadstena (utställt i dormitoriet), det andra tillhör Statens historiska museum i Stockholm. Hvittisbrunet tillhör Finlands nationalmuseum. Altarbrunen kan dateras till 1400-talets förra hälft.

På altarbrunet bevarat i Vadstena följer vi Marias historia. Scenerna framställes under medeltida valv och åtskiljes genom pelare, som bär upp valven. Berättelsen börjar från vänster med ängeln som först uppenbarar sig för Marias far Joakim och sedan för Anna, Marias mor. Tredje bilden visar Anna och Joakim utanför den gyllene porten. Därefter följer Marias

Bild 14.

Den tronande Maria.
Ryggsköld från korkåpa som tillhörde kaniken Magnus Ambjörnsson och dekanen Johan Johansson i Skara. Yttäckande broderi i guld, silke och ursprungligen sötvattenspärlor på underlag av linnelärft. Utförd i Vadstena kloster omkring 1508. Skara domkyrka, deponerad i Skara länsmuseum. Foto Gabriel Hildebrand.

The Virgi seated with the Christ Child. A wide border with the blessing tor Thursday nocturn in the office of Our Lady in Vadstena convent church. Embroidered hood of cope from the Bridgettine convent of Vadstena, c. 1500. Skara cathedral.

födelse, Marias tempelgång, Anna själv tredje, Bebådelsen, Födelsen, Heliga tre konungars tillbedjan och Kristi korsfästelse där Maria står till vänster om korset med ett svärd genom sitt hjärta. Slutligen följer två bilder med fyra heliga personer nämligen Petrus och Maria Magdalena samt Sa Katarina av Alexandria och Sa Birgitta.

Hvittisbrunet är nära besläktat med det ovan beskrivna Vadstenabroderiet bildmässigt och tekniskt men avviker delvis vad gäller bildernas ikonografi. Från vänster ser vi Sa Birgitta och hennes dotter Sa Katarina. Därefter följer bilderna med ängeln som uppenbarar sig för Joakim och Anna, Marias födelse, Marias tempelgång, Bebådelsen, Marias och Elisabets möte, Födelsen, Heliga tre konungar, Jesu frambärande i templet, Korsfästelsen med Maria till vänster om korset med ett svärd genom sitt hjärta, stödd av Johannes som står snett bakom henne. Därefter följer Kristi uppståndelse, den Helige Andes utgjutelse samt Marias kröning. Raden av bilder avslutas med två heliga munkar med var sin abbotstav.

På det tredje besläktade altarbrunet, nu i Statens historiska museum, kan vi inte entydigt följa det ikonografiska mönstret även om scener som Anna själv tredje, Bebådelsen, Födelsen och Marie kröning ingår. Den löpande texten längs altarbrunets övre och nedre kant däremot hänsyftar tydligt på Maria. Texten är hämtad ur tisdagens kompletorium och utgöres av antifon och versikel: Speciosa facta es et suavis in delicijs Virginitatis, sancta Dei Genitrix, quam videntes filie Sion, vernamtem in floribus rosarum et lilijs convallium, beatissimam predicaverunt, et regine laudaverunt eam. Ora pro nobis sancta Dei Genitrix Virgo Maria (Skön och ljuvlig har du blivit i jungfrulighetens behag, Guds heliga moder. När Sions döttrar se henne blomstra i rosornas lustgård och bland dalarnas liljor, prisa de henne salig, och drottningarna lovprisa henne. Bed för oss, heliga Guds moder, Jungfru Maria. Enligt Tryggve Lundéns översättning.)[16]

Ett altarbrun i Linköpings domkyrka

Det äldsta bevarade broderiet, som har attribuerats till Vadstena klosters broderiverksamhet, tillhör Linköpings domkyrka. Det är daterat till slutet av 1300-talet eller omkring år 1400. Andreas Lindblom hävdar att det ursprungligen skulle ha tillhört det då instiftade Birgittaaltaret. Emellertid har altarbrunet samma längdmått som domkyrkans högaltare varför det är troligare att broderiet tillhörde detta altare. Altarbrunet har tre bildscener; längst till vänster Bebådelsen, längst till höger Kristi födelse samt som mittscen Pietá. Mellan bilderna ses stora gyllene rundlar med i mitten en pärlbroderad vit lilja med en liten ros på ömse sida samt omskriven av en vinranka. Emellan rundlarna vapensköldar, som ej är med säkerhet tolkade. I Bebådelsescenen ser vi till vänster den knäfallande ängeln Gabriel med sin högra hand lyft i en välsignande gest. Maria åhör budskapet stående med händerna lyftade i tillbedjan. Maria bär krona och gyllene dräkt. Båda har språkband. Scenen avtecknar sig mot högröd bakgrund. Födelsescenen bygger på Birgittas uppenbarelse i Betlehem. I bildens centrum ligger det nyfödda nakna Jesusbarnet på marken inom en strålgloria. Barnets karnation var ursprungligen helt pärlbroderat. Uppe i skyn inom en gyllene molnkrans ser vi Gud Faders ansikte omgivet av en stor korsgloria. Från Fadern går en gyllene stråle till barnet, dessutom ett språkband. Maria knäböjer med händerna lyftade i bön. Hon bär gyllene dräkt, ursprungligen även pärlbesatt, hon har utslaget gult hår. Till höger om Maria och barnet återfinner vi Sa Birgitta knäböjande och i bön inför barnet. Även denna scen avtecknar sig mot röd bakgrund. Mittbilden visar Pietá där Maria sitter med sin döde son i knäet. Frälsarens karnation var ursprungligen helt pärlstickad med en fin konturteckning och andra detaljer i brun silkesöm. Hans praktfulla korsgloria är broderad i guld och pärlor. Maria bär en vit kjortel med vecken markerade med pärlor samt en gyllene mantel med blått foder. Hon har ljust, utslaget hår som en ung kvinna samt gyllene gloria. Maria sitter på något som närmast kan beskrivas som en gyllene klippa. Gruppen omges av pinoredskapen, allt tecknat mot gul bakgrund. Scenerna är placerade i gyllene arkader.[17]

Bebådelsen

Biskop Kettil Karlsson Vasas mitra

Mitran bör ha tillkommit under åren 1459-1465, de år då Kettil Karlsson var biskop i Linköping. Mitrans förnämsta prydnad utgöres av ett stort antal förgyllda silverplattor med emaljarbeten daterade till 1100-talet och sannolikt överflyttade från en äldre mitra. I svicklarna både på fram- och nacksida på den nya mitran återfinns rika pärlbroderier mot guldbroderad botten. På nacksidan ser vi domkyrkans skyddshelgon Petrus och Paulus inom elegant tecknade vinträd slingrande sig i knutornamentik. På framsidan ser vi Bebådelsen med ängeln i vänster svickel och Maria i den högra, båda omslutes av uppväxande liljestänglar med stora blommor - allt utfört i pärlbroderi mot en grund skimrande i guld och rött.[18] (Mitran utställd i Statens historiska museum.)

Altarbrun med ängelns hälsning

På ett skadat altarbrun från Skara domkyrka (Länsmuseet i Skara) läses i nederkanten AVE MARI(A) (GRA)TIA PLEN(A). Dekoren i övrigt består av cirkelformiga rankor med stora fantasiblommor mot ursprungligen röd grund av applicerad sidendamast.[19]

Marias himmelsfärd och kröning

Biskop Beldenackes mässhakskors

På ett svårt skadat mässhakskors från Skara domkyrka (Länsmuseet i Skara) framställes i den ursprungliga korsmitten Marias kröning och himmelsfärd. Maria som bärs till himlen av fyra änglar är iklädd en blå djupt veckad klänning ursprungligen med pärlbroderat bräm och halslinning, dessutom prydd med gyllene stjärnor. Hon har stort utslaget gyllene hår och en stor krona. Korsstammen nedanför uppfylls av en växande vinstam med druvklasar. Maria liknas vid ett vinträd som bär sin frukt. Ett liknande vinträd men med blommorna ersatta av Mariamonogram återfinns också i Skara, se nedan. Enligt en inbroderad vapensköld tillhörde mässhaken biskop Vincentius Beldenacke, biskop i Skara 1505-1520.[20]

Madonnan

En korkåpssköld i Skara domkyrka

I Skara domkyrka har en korkåpssköld bevarats med framställning av den tronande Maria (Länsmuseet i Skara). Maria sitter på en gyllene tron med gotisk ornamentik, bredvid henne ligger en bok. Barnet ligger i hennes knä. Hennes rikt veckade klänning var ursprungligen helt pärlbroderad med dekor av små gyllene hjärtan strödda över ytan, dessutom bär hon en gyllene mantel med ursprungligen rött foder. Nedanför tronen återfinnes ett språkband med bokstäverna MA (Maria). Bakgrunden är högröd. Texten i ryggsköldens bård utgöres av välsignelsen i

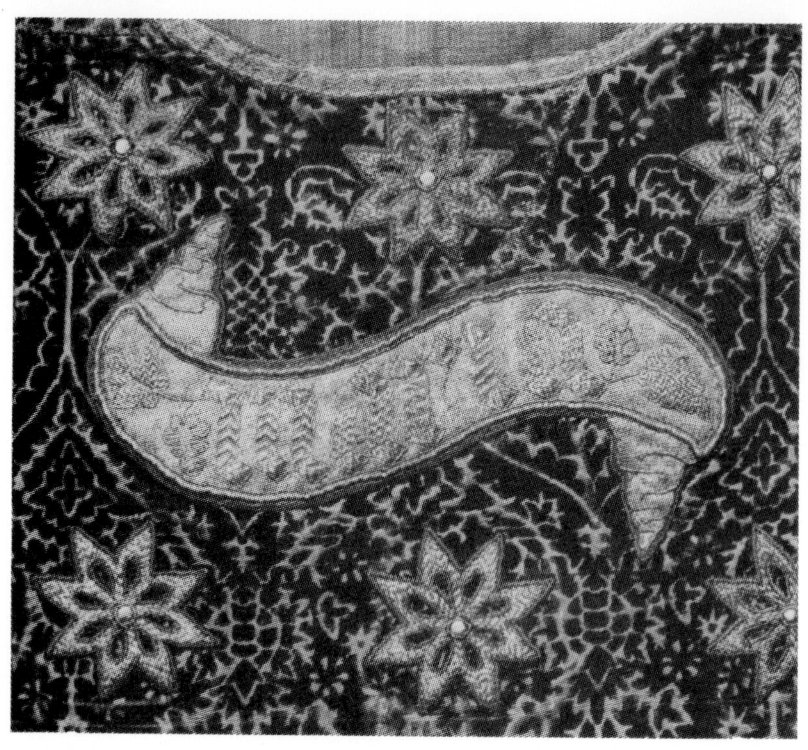

Bild 15.

Språkband med namnet Maria och vinblad samt strödda stjärnor. Detalj av mässhake, ursprungligen dalmatika. Namnet Maria och vinbladen broderat i guld mot grönt silkebroderi. Stjärnorna broderade i guld och applicerade. Vadstena kloster, troligen slutet av 1400-talet. Björklinge kyrka, Uppland. Foto Gabriel Hildebrand.

Detail of a chasuble decorated with embroidered golden stars and text with the name of St Mary. Vadstena convent, second half of the 15th century. Björklinge church.

Bild 16.

Maria och Johannes nedanför Kristi kors.
Detalj av mässhakskors. Broderi i silke nu mörknat guld och sidenapplikation arbetat i medeltida tradition. Omkring 1600. Svårt skadat. Norrfällsvikens fiskarekapell, Ångermanland. Foto Sören Hallgren.

St Mary and St John. Detail of a Crucifixion. Embroidered cross orphry. Swedish, provincial work, c. 1600. Norrfällsvikens fishermen's chapel.

torsdagens nokturn i Vår Frus tidegärd i klosterkyrkan: NOS CUM PROLE PIA B(E)N(E)DICAT VIRGO M (Måtte Jungfru Maria i förening med sin hulde son välsigna oss). Inbroderade vapen på brämet visar att kåpan tillhörde dekanen Johan Johansson och kaniken Magnus Ambjörnsson.[21]

Två altarbrun från början av 1500-talet

Två altarbrun, dels det s k Norrsundabrunet (Statens historiska museum), dels ett i Vadstena bevarat brun (utställt i dormitoriet) pryds av kraftiga i relief broderade vågformiga rankor med stora fantasiblommor, vindruvsklasar och vinblad mot röd grund. Rankorna växer in mot centrum, mot Marias bild. På båda brunen framställs Maria som den apokalyptiska kvinnan klädd i solens strålar och med månen under sina fötter. På Vadstenabrunet bär Maria barnet på sin högra arm, hon har gyllene klänning och ursprungligen röd mantel, nu blekt. Hon är omgiven av en gyllene strålgloria och har en silverne månskära under sina fötter. På var sida om det inramade, rektangulära fältet läses M A (Maria).

På Norrsundabrunet är Maria broderad i relief, hon bär blå veckad klänning med ursprungligen pärlbesatt bräm och prydd med gyllene stjärnor av samma utförande som ovan beskrivits på biskop Beldenackes mässhakskors i Skara. Barnet sitter på hennes vänstra arm. Hon är omgiven av en gyllene strålgloria och har en silverne halvmåne under sina fötter. På var sida om Maria läses bokstäverna IN respektive RI. Vi ser också parställda pelikaner som när sina ungar med sitt hjärteblod och parställda enhörningar vilket allt syftar på Kristus. Mellan rankornas vindruvsklasar och vinblad ser vi ytterligare Kristussymboler, nämligen lejon och hjort. Brunet torde ursprungligen ha tillhört klosterkyrkans högaltare.[22]

Vinträdet

Vinträdet på en mitra i Västerås domkyrka

I Västerås domkyrka har bevarats en mitra som tyvärr inte har något vapen eller annat emblem som skulle kunna identifiera den ursprungliga ägaren. Det måste ändå hållas för troligt att denna dyrbarhet tillhörde Vadstenabrodern och biskopen Åke Johansson och kan ha varit en gåva från klostret vid hans biskopsvigning 1442. Denna datering passar också på mitrans utförande. Som centralt motiv på båda sidor återfinner vi vinträdet med vinblad och druvklasar. Motivet syftar på Maria, som bär sin frukt Kristus. "Välsignad är din livsfrukt Jesus Kristus". Vinträdet växer upp ur marken, i trädets topp har pelikanen byggt sitt rede och när sina ungar med sitt hjärteblod, en symbol för Kristus. Parställda kring trädet återfinner vi ytterligare Kristussymboler, nämligen hjorten och enhörningen. Mellan grenarna lyser också små röda hjärtan.[23]

Mariamonogram, rosor, liljor och stjärnor

På alla till Vadstena kloster attribuerade broderier förekommer någon form av hänsyftning på Maria. På många av dessa arbeten består Mariaikonografien av symboler, enstaka eller upprepade som ett mönster. De liturgiska broderierna överensstämmer också väl med många av texterna i Vår Frus tidegärd där Maria liknas vid en ros, en lilja, morgonens stjärna eller havets stjärna.

Marias monogram

Ovan har kortfattat omtalats ett mässhakskors i Skara domkyrka (Länsmuseet i Skara) med vinträdets blommor ersatta med stora Mariamonogram. I korsstammen ser vi ett växande vinträd uppbyggt av cirkelliknande rankor med ett stort Mariamonogram i varje rankas topp. Monogrammen var ursprungligen helt broderade med sötvattenspärlor, turkoser och små förgyllda silverströningar (silverbleck). Vinrankan förgrenar sig till korsarmarna med druvklasar och blad som omsluter IHS. Broderiets bakgrund av sidendamast var ursprungligen röd. Korset kantas av cirka 1 cm breda blå bland med invävda gyllene Mariamonogram växlande med rosor i silver. En liten inbroderad vapensköld visar att korset ursprungligen tillhörde kaniken Magnus Ambjörnsson i Skara.[24]

Mariamonogram på ärkebiskop Jakob Ulvssons sudarium

På ett sudarium (en svetteduk för biskopens eller abbotens stav) bevarat i Uppsala domkyrka (Domkyrkomuseet) har på överstyckets ena sida broderats ett stort Mariamonogram i guldtråd i läggsöm nedsydd med rött silke mot ursprungligen en bakgrund av rött siden, nu fragmenta-

Bild 17.

Maria vid Kristi kors.
Detalj av mässhaksbroderi med kalvariegrupp i högt reliefbroderi i guld och silver utfört av hovbrodören Paul Grell. Daterat 1674. Rättviks kyrka, Dalarna. Foto Sören Hallgren.

St Mary. Detail of a crucifixion. Embroidered chasuble by Paul Grell, embroiderer to H.M the King. Dated 1674. Rättviks church.

riskt bevarat. Ovanför monogrammet ses Vadstena klosters emblem, ett mantuanskt kors. Sudariet torde ha tillhört ärkebiskop Jakob Ulvsson, som hade många kontakter med klostret i Vadstena. Kanske kan det dateras till 1489 då Sa Birgittas dotter Katarina skrinlades i klosterkyrkan.

Rosen, liljan och stjärnan

Tidigare i detta arbete har citerats texten på ett altarbrun: "Sions döttrar se henne blomstra i rosornas lustgård och bland dalarnas liljor" ur tisdagens kompletorium. Exemplen kan mångfaldigas. "Ja med rätta liknades hon vid en blommande ros och allra bäst vid rosen i Jeriko" (ur fredagens nokturn). "En ros som med sin fägring gläder både Gud och änglarna" (ur lördagens vesper). "Du är i sanning en doftande lilja" (ur onsdagens laudes), "Havets stjärna, hell dig du Guds moder (ur onsdagens vesper). "Var hälsad morgonstjärna" (ur onsdagens kompletorium).[25] De broderade exemplen är många;

Tre mässhakskors i Vadstena, Normlösa och Statens historiska museum

På ett elegant utfört smalt mässhakskors av italiensk röd sidendamast växlar rosor och liljor i guld-respektive silverbroderi. På en altardyna i Normlösa kyrka återfinner vi ett sönderklippt mässhakskors av karmosinröd sidendamast med växlande liljor i silverläggsöm och stjärnor i guldläggsöm. Det tredje korset inköptes i konsthandeln av Johnny Roosval år 1919 och skänktes senare till Statens historiska museum. Till skillnad från de ovan beskrivna korsen är grunden av grönt taftliknande siden. Liljorna är broderade i silver, stjärnorna i guld.

Strödda liljor och stjärnor

På en mässhake och tunika av grön silkesammet bevarade i Linköpings domkyrka ser vi gyllene liljor broderade i relief strödda över sammeten. Mässhakens ryggsida pryds av ett kors av purpurfärgat siden med växlande guldbroderade blad och reliefbroderade liljor ursprungligen av sötvattenspärlor, koraller och förgyllda silverströningar.

En mässhake av senmedeltida italiensk mönstrad silkesammet, ursprungligen en dalmatika, i Björklinge kyrka uppvisar gyllene stjärnor strödda över hela ytan. På både rygg- och framsida ses dessutom ett språkband med namnet MARIA. Också en mässhake samt en till täcke omsydd dalmatika från Skara domkyrka (Länsmuseet) pryds av strödda gyllene stjärnor.

På en korkåpa i Vadstena (dormitoriet) med bräm och ryggsköld av praktfulla flandriska broderier skänkta 1489 av Sten Sture d ä och hans hustru Ingeborg Tott ses över hela ytan utströdda ornament som löv, liljor, rosor och stjärnor i enkelt guldbroderi. Till och med på det stora kalvariebroderiet, troligen av flandriskt ursprung men säkerligen monterat mot djuplila siden i Vadstena, har systrarna strött små applicerade rosor över hela ytan.[26]

Ytterligare mariasymboler

Det genomstungna hjärtat

Ett s k guldskinnstäcke sammansatt på traditionellt medeltida vis av växlande blå och röda vadmalskvadrater med konturbroderi av ursprungligen förgyllda skinnremsor har en delvis svårtolkad ikonografi. I en kvadrat återfinns ett lejon som är en Kristussymbol omgivet av namnet MARIA. Nedanför lejonet ses ett hjärta genomstunget av en pil vilket eventuellt kan tolkas som en Mariasymbol. I ytterligare en kvadrat ser vi ett krönt och bevingat hjärta genomstunget av två korslagda pilar. I hjärtat ses initialerna M r samt möjligen ett B, dessutom utanför hjärtat i och b. I ett tidigare arbete (Estham 1984) gjordes försök till tolkning. Bilden skulle möjligen kunna tolkas som Marias glädjerika, ärofulla och smärtfyllda mysterier. Bokstäverna i hjärtat skulle kunna tolkas som Maria (M r) eller Maria regina samt Birgitta (B). I utanför hjärtat skulle kunna syfta på IHESUS. Det av pilar genomstungna hjärtat förekommer i några Vadstenahandskrifter (C 443 UUB samt A3 KB).[27]

Reformationstiden och århundradena därefter

Vid medeltidens slut var kyrkornas sakristiskåp fyllda med textilier. Landet hade ingen bildstorm, textilierna blev kvar i kyrkorna och brukades. Laurentius Petri ansåg det inte fel att bära skrud förutsatt att man gjorde det med måtta (Kyrkoordningen 1571). Vissa plagg togs ur bruk, så t ex dalmatikor och tunikor, men mycket blev kvar. Bruket förändrades långsamt. Härom vittnar det mycket stora antal bevarade medeltida textilier och de många uppgifterna i kyrkornas äldre inventarieförteckningar. När åren gick slets mycket ut. Annat syddes om. Så t ex innehöll dalmatikor och tunikor mycket tyg och blev därför utmärkta mässhakar. Broderier med Maria och helgon kasserades inte. De fick sitta kvar även om ett och annat broderi av praktiska skäl klipptes itu. En Mariabild kunde skäras ut och placeras för sig. Inget hindrade att man flyttade över en medeltida Mariabild till en helt ny mässhake under 1600-talet. Många Mariabilder kan också identifieras i kyrkoinventarierna från 16- och 1700-talen. "......med Marias bild på ryggen " är ingen ovanlig kommentar. Samtidigt fortsatte brodörerna att utföra Marias bild i de många kalvariegrupper för mässhakar, som tillkom under 1600-talet. Under slutet av 1500-talet och 1600-talets första hälft utfördes många mässhakskors i medeltida stil, inte som pastischer utan i en sedan senmedeltiden levande tradition. Många detaljer i stildrag visar dock att de tillkom under renässans och barock. Maria placerades oftast nedanför korset i en arkad antingen bredvid eller ovanför Johannes. Senare under 1600-talet avlöstes detta slag av broderier med enstaka undantag av kalvariegrupper utformade efter barockens ideal men fortfarande med Maria stående till vänster om korset med händerna lyftade i tillbedjan och med kläder i senmedeltida stil.

Brodörerna under 1600-talets förra hälft är i de flesta fall okända. De representerar både professionella och mera folkliga tillverkare. Av de brodörer, som var verksamma under 1600-talets senare hälft och som broderade kalvariegrupper eller mässhakskors och korkåpsbräm i enmedeltida stil, vill jag särskilt nämna tre stycken. År 1666 broderade "borderskan" Karin Hansdotter i Falun bräm och ryggsköld helt i medeltida stil med en kalvariegrupp på ryggskölden. Maria i medeltida klädsel står med händerna lyftade i bön till vänster om korset. Kåpan, som var en kyrkoherdekåpa, beställdes till den nybyggda Falu Kristine kyrkas invigning. Den från kontinenten inflyttade pärlstickaren och sedermera hovbrodören Paul Grell har broderat kalvariegrupper i barockstil för elva mässhakar i Jämtland, Härjedalen, Hälsingland och Dalarna åren 1669-1674. Maria och Johannes bär kläder i senmedeltida stil. Hans Mariabilder uttrycker både sorg och tillbedjan. Broderier av ett helt annat slag utfördes av "borderskan" Helena Larsdotter Lindelia verksam i Eksjö under 1600-talets sista fjärdedel och 1700-talets allra första år. Hennes många beställningar utfördes för kyrkor i Småland och Skåne. Många mässhakar pryddes med kors i medeltida stil där Maria ofta återfinns i korsarmen till vänster om Kristi kors. Flertalet av Helena Larsdotters arbeten kan karakteriseras som folkliga.[28]

Vid tiden omkring 1700 försvann den kvardröjande medeltida traditionen med Maria och Johannes vid Kristi kors på mässhakarnas ryggsidor och biskopskåpornas ryggsköldar (biskoparna var nu de enda som brukade kåpa). Kvar blev det ensamma krucifixet. Mot slutet av 1700-talet upphörde allt figurbroderi, mässhakarna pryddes med Crux nuda, det nakna korset, med klara enkla symboler som syftade på Kristi lidande, korsfästelse och uppståndelse.[29] Inte förrän under början av 1900-talet möter vi ånyo enstaka Mariabilder skapade av senmedeltids-inspirerade konstnärer t ex för Gustav Vasa kyrka i Stockholm 1906 (Sofia Gisberg), Saltsjöbadens kyrka 1913 (Ferdinand Boberg), Helgesta kyrka 1915 (Agnes Branting), Vreta klosters kyrka 1917 (Agnes Branting) samt Lidingö kyrka 1919 (Oscar Brandtberg).[30]

Summary

In common with the pictorial art of the Church, liturgical vestments and textiles too were decorated with representations of the Virgin. This was above all the case with medieval embroidery. To judge from the surviving material, Marian images in woven fabrics were uncommon. Such depictions occur mainly on the backs of chasubles and the clipeus of copes, but also on altar frontlets and occasionally other liturgical objects. In the textile treasures of Swedish churches we can follow changes in the mode of depicting the Virgin from the latter part of the 12th century until the end of the 17th, and then again in isolated works from the early decades of the 20th century. We can follow changes of style, iconography and theology, but even geographical variations.

The churches of Sweden contain examples of 12th and 13th century French work, Italian embroideries of the 1290s (showing a great deal of Byzantine influence), specimens of Opus Anglicanum from the 14th century, and late medieval embroidery from the Low Countries, Germany, England, Eastern Central Europe and Sweden.

The great majority of Marian embroideries date from the late medieval period, i. e. the 15th and early 16th centuries. But the Reformation in the 16th century did not spell the disappearance of Mary from ecclesiastical textiles. The medieval textiles were to a great extent retained and used. New Marian images were added in the 17th century, but always together with Calvary groups. After the 17th century, all depiction of Mary ceased: textiles were adorned with the crucifix only. During the latter half of the 18th century, all figurative embroidery gradually died out. Not until the beginning of the 20th century was it resumed, on a very small scale, by artists deriving inspiration from the Middle Ages.

The medieval embroideries depict the life of Mary as described in the gospels but also in legends or in theological treatises. Other works show Mary enthroned with the child on her knee, or else standing with the child on her arm. Often we meet her as the woman of the Apocalypse or in the Coronation of the Virgin. Embroideries from Vadstena Convent show a clear correspondence between the convent´s theological emphasis and the Bridgetine canonical hours. Mary is shown in pictures, but many textile works are decorated, for example, with individual quotations from the office, with the name or monogram of Mary or with such symbols as the rose, the lily and the star.

Noter

1 Enligt Branting & Lindblom II, 1929, skulle Biskopskullabroderierna vara av antingen rhenländskt eller franskt ursprung. Professor Aron Andersson hävdade med bestämdhet broderiernas franska ursprung i samband med planeringen av den nya Textilkammaren i Statens historiska museum. Se även Andersson 1976, s. 15.

2 Samtliga citerade texter med översättningar är hämtade ur Branting & Lindblom II, 1929, s. 9-15. Jmf även planscherna 112-116. Texter som ej berör Maria har ej citerats.

3 Geijer 1964, kat. nr 2.

4 Opus Anglicanum 1963, kat. nr 87. Branting & Lindblom 1929, s. 37 samt undertecknads dokumentation i samband med konserveringen hos Textilenheten vid Riksantikvarieämbetet och Statens historiska museum, Pietas nr 6844/1993.

5 Statens historiska museum. Ett nära nog identiskt lika broderi tillhör Schnütgen Museum i Köln. Enligt aktuell forskning är gruppen utförd vid någon verkstad i centrala Tyskland. Jag tackar fil.dr Karen Stolleis, Frankfurt, för denna information.

6 Mariefreds kyrka, Södermanland. Enligt inventarieförteckningen i Uppsala landsarkiv.

7 Enligt Branting & Lindblom II, 1929, s. 48, skulle förlagan kunna vara av den flamländske målaren Albert Bouts, verksam i Louvain.

8 Opus Anglicanum 1963, kat. nr 82. Broderiet tillhör Statens historiska museum.

9 Pylkkänen 1976.

10 Hedesunda kyrka, Gästrikland. Konserverad 1994 hos Textilenheten vid Riksantikvarieämbetet och Statens historiska museum. Angående Uppsalamässhaken, se Geijer 1964, kat. nr 19.

11 Olika tolkningar av brämets scener föreligger. Branting & Lindblom II, 1929, s. 80 samt Geijer 1964, kat. nr 18, anser att scenerna föreställer Marie tempelgång respektive Joakim avvisas vid templet. Jag har valt att följa Pegelows tolkning som måste anses vara den korrekta; Pegelow 1985, s. 222-229.

12 Branting & Lindblom II, 1929, s. 21-27, anser kåpan vara fransk, sannolikt utförd i Paris. Geijer 1964, kat. nr 1, hävdar att den skulle vara utförd i Lyon. Franska och engelska specialister anser den vara ett Parisarbete.

[13] Estham 1986, s. 373-379. Branting & Lindblom II, 1929, S. 24.

[14] Enligt Sveriges kyrkor, Drevs och Hornaryds kyrkor 1968, s. 11-113, skulle korset och Mariabilden ursprungligen ej ha hört tillsammans. En förnyad undersökning visar att broderiet med största sannolikhet är ursprungligt. Se också Lundén 1979, s. 32-60. Mässhaken deponerad i Smålands museum, Växjö.

[15] Branting & Lindblom I, 1928, s. 118. Geijer 1949, kat. nr 13. Geijer 1964, kat, nr 23.

[16] Branting & Lindblom I, 1928, s. 92. Nordman 1943, s. 3-7. Estham 1984, s. 17-18. Estham 1991, s. 22-23. Lundén 1976, s. 133-139.

[17] Branting & Lindblom I, 1928, s. 90. Estham 1991, s. 14.

[18] Branting & Lindblom I, 1928, s. 103. Estham 1991, s. 24-25.

[19] Estham 1991, s. 50-51.

[20] Estham 1986, s. 382.

[21] Estham 1986, s. 379-380. Estham 1991, s. 48-49.

[22] Estham 1984, s. 30-31. Estham 1984, s. 18-20.

[23] Branting & Lindblom I, 1928, s. 94. Estham 1991, s. 16-19. Ekström 1976, s. 75.

[24] Estham 1986, s. 380-381. Estham 1991, s. 44-47.

[25] Enligt Tryggve Lundéns översättning. Lundén 1976, I-II.

[26] Estham 1984, s. 4-8. Estham 1991, s. 36-43.

[27] Estham 1984, s. 31-35. Estham 1991, s. 54-55.

[28] Estham 1976.

[29] Estham 1983 och 1992.

[30] Branting 1920. För ytterligare information om dessa arbeten tackar jag Margareta Ridderstedt.

Litteratur

Andersson 1976=
Aron Andersson, Kyrklig konst från svensk medeltid. Vägledning till samlingarna i Statens historiska museum. Stockholm 1976.

Branting 1920=
Agnes Branting, Textil skrud i svenska kyrkor från äldre tid till 1900. Stockholm 1920.

Branting & Lindblom 1928-1929=
Agnes Branting och Andreas Lindblom, Medeltida vävnader och broderier i Sverige. Del I-II. Stockholm 1928-1929.

Dahlby 1963=
Frithiof Dahlby, De heliga tecknens hemlighet. Om symboler och attribut. Stockholm 1963.

Ekström 1976=
Gunnar Ekström, Västerås domkyrkas inventarier genom tiderna. Västerås

1976.

Estham 1976=
Inger Estham, Figurbroderade mässhakar från reformationstidens och 1600-talets Sverige. Kungliga Vitterhets Historie och Antikvitetsakademien, Antikvariska serien 27, Stockholm 1974.

Estham 1983=
Inger Estham, Anteckningar kring korset som symbol på mässhakar. Imagines Medievales. Studier i medeltida ikonografi, arkitektur, skulptur, måleri och konsthantverk utgivna av Rudolf Zeitler och Jan O.M. Karlsson. Acta Universitatis Upsaliensis. Ars Suetica 7. Uppsala 1983.

Estham 1984=
Inger Estham, Textilier i Vadstena klosterkyrka, Riksantikvarieämbetet. Stockholm 1984.

Estham 1984=
Inger Estham, Birgittinska broderier. Den ljusa medeltiden. Studier tillägnade Aron Andersson. Statens historiska museum/The museum of national antiquities. Studies 4. Stockholm 1984.

Estham 1986=
Inger Estham, Medeltida textilier i Skara domkyrka. Skara I. Före 1700. Staden i stiftet. Skara 1986.

Estham 1991=
Inger Estham, Birgittinska textilier/Bridgettine textiles. Klenoder/Treasures 1. Statens historiska museum/The museum of national antiquities. Stockholm 1991.

Estham 1992=
Inger Estham, Från kungens slott till nyklassicismens sockenkyrka. Några tankar kring den mässhake, som brukar kallas "psalmbokspärm". Från romanik till nygotik. Studier i kyrklig konst och arkitektur tillägnade Evald Gustafsson. Sveriges kyrkor/Riksantikvarieämbetet. Stockholm 1992.

Geijer 1949=
Agnes Geijer, Albertus Pictor Målare och pärlstickare. Riksantikvarieämbetet och Statens historiska museum. Utställningar nr 7. Stockholm 1949.

Geijer 1964=
Agnes Geijer, Textila skatter i Uppsala domkyrka från åtta århundraden. Uppsala 1964.

Lexikon der Christlichen ikonographie. Rom, Freiburg, Basel, Wien 1968.

Lundén 1976=
Tryggve Lundén, Den heliga Birgitta och den helige Petrus av Skänninge. Officium parvum beate Marie Virginis. Vår Frus tidegärd utgiven med inledning och översättning. I-II. Acta universitatis Uppsaliensis. Studia Historico-Ecclesiastica Upsaliensia 27. Uppsala 1976.

Lundén 1979=
Tryggve Lundén, Jungfru Maria såsom corredemptrix eller medåterlösarinna. Framställd i liturgisk diktning och bildkonst från Sveriges medeltid. Kyrkohistorisk årsskrift 1979. Uppsala 1979.

Nordman 1943=
C.A. Nordman, Klosterarbeten från Nådendal. Finskt museum, L, Finska

fornminnesföreningen 1943. Helsingfors 1944.

Opus Anglicaum. English Medieval Embroidering. The Victoria and Albert Museum. The Arts Council, London 1963.

Pegelow 1985=
Inga-Lill Pegelow, Marie tempelgång eller vattenprovet. Ikonografiska problem på en korkåpa i Uppsala. Taidehistoriallisia tutkimuksia/Konsthistoriska studier 8. Taidehistorian seura/Föreningen för konsthistoria. Helsingfors 1985.

Pylkkänen 1976=
Riitta Pylkkänen, Ars Sacra/Ornamenta Sancta Cathedralis Aboensis. Utställningskatalog. Åbo 1976.

Sveriges kyrkor 1968=
Sveriges kyrkor: Drevs och Hornaryds kyrkor. Uppvidinge härad, Småland band II:2. Volym 120. Av Marian Ullén. Stockholm 1968.

Marias blomstringstid

Jonas Carlquist

"*Nymære af vare fru*" Jungfru Maria i äldre fornsvensk litteratur

1. Inledning

Vid en genomgång av fornsvenskt religiöst material visar det sig ganska snart att Marialitteraturen är mycket textrik. Maria förekommer som huvudperson i ett flertal legender, mirakel, passionsframställningar etc. Maria är också den person, bortsett från Jesus Kristus, som flest fornsvenska böner är riktade till. Vidare berättas det om jungfrun i en mängd uppbygglig fornsvensk litteratur, exempelvis översättningar av Bonaventura, Mechthild och Suso. Maria spelar också en viktig roll i Birgittas uppenbarelser.

Merparten av den fornsvenska religiösa litteraturen är tillkommen i Vadstena kloster för internt bruk. Givetvis hör också den större delen av Marialitteraturen hemma här. I fornsvenska handskrifter från Vadstena kloster skrivna för externt bruk är Mariatexter inte lika vanliga. Sporadiskt förekommer dock mirakel och böner. I handskrifter som inte kan kopplas till Vadstena kloster är Mariatexter sällsynta. I de fall de förekommer rör det sig om enskilda mirakeltexter. Detta betyder givetvis inte att Maria var ointressant utanför klostret eller att hon inte vördades. Att svenska lekmän hedrat Maria omtalas exempelvis i Erikskrönikan; hertig Valdemar vallfärdar till en Mariakyrka.[1] Orsaken till att det finns så få bevarade icke-vadstenensiska Mariatexter är troligen att berättelser om Maria i första hand förmedlades genom muntlig kommunikation till lekfolket, men även via kyrkmålningar etc.[2]

Om man skall presentera Jungfru Maria i en fornsvensk kontext så tvingas man gå till skrivna texter, och vi får acceptera att från och med slutet av 1300-talet blir texterna mycket birgittinskt färgade. I det följande kommer jag kortfattat att gå igenom vilka texttyper som Maria är huvudperson i, för att sedan jämföra två olika Mariaöversättningar från *Legenda aurea*; den ena förbirgittinsk, den andra birgittinsk.

2. Fornsvensk litteratur om Jungfru Maria

De äldsta svenska Mariatexterna förekommer på senvikingatida runstenar. På Kimstadsstenen i Östergötland läses t.ex. i översättning *Sven och hans bröder reste stenen efter sin fader Jarl.* ***Gud och Guds moder*** *hjälpe hans ande till ljuset.*[3] Särestadsstenen och Barne-Åsakastenen från Västergötland avslutas båda med förböner där Maria nämns vid namn: *Gud hjälpe hans själ och* ***den heliga Sankta Maria***,[4] ett på runstenar ovanligt uttryck. Maria omnämns vanligen med uttrycket *Guds moder*.[5]

På runstenarna berättas inget om Maria, man endast ber om hennes nåd. Den äldsta nordiska källan som verkligen berättar om Maria är den rikt ornamenterade Åkirkebyfunten från Bornholm, ett stycke gotländsk stenhuggarkonst från 1200-talet. Här framställs en mängd nytestamentliga scener omramade av runinskrift. Bl.a. berättas att *Detta är Sankt Gabriel, som sade till Sankta Maria, att hon skulle föda barn...*, *Detta är Elisabet och Maria, som hälsa varandra...*, *Här vilar Maria, just som hon födde barnet, himmels och jords skapare, som oss förlöste...*[6] Inskriften är som synes inte apokryfisk, utan biblisk.

Runmaterialet bevisar ingen tidig svensk Mariakult, det visar bara att jungfrun var väl känd under vikingatid och tidig svensk medeltid.

Den äldsta svenska text på latinskt alfabet som berättar om Maria är det s.k. Fornsvenska legendariet (FL), en fri *Legenda aurea*-översättning från sekelskiftet 1200/1300.[7] Marialegenden inleder legendariet och berättar om Marias födsel, barnaår, om varför man firar Kyndelsmässa och om Marie upptagande till himmelriket. Till legenden är 20 mirakel anförda.

FL:s Marialegend blev sedan använd medeltiden igenom. Av FL känner vi idag fyra handskrifter men legendariets Marialegend återfinns också fragmentariskt i Vadstenalektionariet från 1502.[8]

Birgit Klockars menar att skildringen av Marias födelse och död i Birgittas uppenbarelser i alla huvuddrag överensstämmer med Marialegenden i FL, vilket får Klockars att dra slutsatsen att Birgitta skulle haft tillgång till FL.[9] Något som jag ställer mig tveksam till. Jag finner inte detaljöverensstämmelserna så övertygande att man nödvändigtvis måste anta att Birgitta läst FL — åtminstone inte för uppenbarelsernas Mariaskildring. Likheterna beror snarare på en allmän Mariakunskap.[10]

FL:s text är den enda fornsvenska Marialegend som vi med säkerhet kan anta vara skriven före grundandet av Vadstena kloster. Den näst äldsta Mariatexten dateras till ca 1385 och är en samling av 66 olika Mariamirakel, ingående i den s.k. *Järteckensbok* (Jb),[11] vilken eventuellt är översatt från en franciskansk källa.[12] I dessa 66 Mariamirakel sker sammanlagt 72 underverk, den högre siffran beror på att vissa mirakel innehåller mer än ett underverk.

Det vanligaste Mariatemat i Jb rör förhållandet mellan Maria och den troende, dvs. hur Maria på olika sätt visar sin uppskattning över att folk ber *Ave Maria*, fastar på hennes festdagar etc. Vanligen är den troende en man (t.ex. munk, riddare, biskop), och Maria visar liksom Kristus emellanåt sin uppskattning genom en uppenbarelse.[13]

I tre fall visas uppskattningen först efter den troendes död. I sådana fall uppmärksammas ovanliga eller ovanligt vackra blommor vid graven efter begravningen. När man så gräver efter dessa blommors rötter finner man att de utgår från den dödes tunga, dvs. det organ med vilket den döde prisat Maria, eller från den dödes hjärta, symboliserande exempelvis troheten och kärleken till Maria.[14]

Övriga mirakler är av mer allmän typ, det rör sig framför allt om att någon räddas från en fara eller att någon botas. Speciellt ofta hjälper Maria unga jungfrur att behålla sin oskuld.[15]

I ett flertal helbrägdamirakler räddar Maria en hungrande man genom att låta honom dricka mjölk från hennes bröst.[16] Detta tema skall ha sitt ursprung i de mirakel som nedtecknades kring ett relikskrin i Laon, och som sedan spreds till en mängd samlingar, både latinska och folkspråkliga.[17]

Relativt vanliga är också mirakel som räddar en själ från helvetet.[18] Det rör sig här framför allt om s.k. domstolsscener där Kristus sköter vågen. Vanligtvis överväger den vågskål som uppbär själens synder men efter att Maria ingripit väger den vågskål som innehåller själens goda gärningar över. Maria framställs således som försvarsadvokat inför sin son, den stränga domaren.[19] Temat finns också i bönböcker, t.ex. läser man i Cod. Ups. C 50: *O sankta Maria, vår Herre Jesu Kristi moder, mild och evig jungfru, himmelrikets drottning, misskundsamhetens moder, nedlåt dig tillsammans med alla Guds helgon och utvalda, att bedja för oss usla syndare till vår Herre Gud allsmäktig fader att vi må förtjäna att hjälpas, frälsas, helas, beskärmas och värnas av honom som lever och styr i fullkomlig trefaldighet för evigt och utan ända.*[20]

Mer ovanliga Mariateman i Jb är utdelande av straff mot syndare, uppväckelser från de döda, omvändelser av kättare eller räddning av någon ur materiell nöd.

Vi kan således se att Jb, den största fornsvenska samlingen av Mariamirakler, framför allt lär ut att det går väl för den som håller sig väl med Maria. Maria framställs som den milda modern, vilken ställer upp på alla människor — syndare som munkar — och det enda hon begär i gengäld är ett *Ave Maria.*[21] Ett exempel på detta är Jb 98 som handlar om en kvinna som spann på en av Marias högtidsdagar. För detta straffas hon på så sätt att hennes mun sys igen. Hon förs till en S. Egidii kyrka i vilken hon inte får hjälp. Då går hon till en Vårfru kyrka. Maria ser hennes problem och hör hennes vänner ropa *Sankta Maria, fräls henne.* Genast befrias hennes läppar. Därefter läste kvinnan ideligt och ödmjukt *Ave Maria.* Temat är vanligt i alla europeiska samlingar av Mariamirakel.[22]

Under 1400-talets första hälft översattes *Själens tröst* (ST) från medellågtyskans *Seehlenthrost.*[23] Den innehåller bl.a. en utläggning av de tio budorden kryddad med legender och mirakler.[24] I ST förekommer 22 Mariamirakel, ett par Mariaböner samt en utläggning om Marie sju fröjder.

Mariamirakel förekommer i samband med utläggningen av det andra budet och tjänar som en varning mot dels mened (ett gift par har lovat att leva i kyskhet men trots detta avlas en son, vilken döms till djävulen. Maria räddar dock barnet[25] dels vanhelgande av Guds eller Marie namn (bl.a. om en dobblare som efter en stor spelförlust förbannar Kristus och Maria, vilket medför döden)·[26] ST skriver bl.a.: *Ty min käre son, vakta dig väl för sådan synd, och vanhedra icke Guds moder Jungfru Maria, vars hjälp vi alltid behöver.*[27]

I samband med utläggningen av andra budordet finns också exempel på Kristi och Marie namns magiska kraft. I ett mirakel frestas en kvinna av djävulen. Hon får rådet att ta ett spö och skriva Jesus Kristus på ena sidan, Maria på den andra. Sedan är det fritt fram att straffa djävulen.[28]

Flest Mariamirakel uppträder i samband med tredje budet. Den som t.ex. lyssnar uppriktigt till predikan hedras av Maria. Flera mirakel talar också om vikten av att läsa *Ave Maria, Salve regina* e.d. Observera att man också lär ut hur bönerna skall läsas. I ett mirakel omtalas hur Maria tillrättavisar en from kvinna som läser *Ave Maria* alltför fort.[29] Märk också att bönen *Salve regina* verkar ha en god inverkan mot oväder. Bl.a. blir en präst lovad att han inte skall drabbas av tordön eller ljungblixtar när han läser denna bön.[30]

I samband med behandlingen av det tredje budordet återfinns en utläggning om Marie sju fröjder vilken följs av tio mirakel.[31] I denna utläggnings förklarande del återfinns en mängd Mariametaforer. Vid bebådelsen liknas Maria vid ett skrin som aldrig ruttnar, i samband med *visitatio* liknas Maria vid den brinnande busken som inte förstörs samt vid Abisagh, den kvinna som sov hos David under hans ålderdom. Vid Kristi födelse liknas Maria vid ett berg, ur vilken en sten huggs ut utan hjälp av någon hand. I samband med de tre konungarnas uppvaktning av Jesusbarnet liknas Maria vid en ledstjärna för folket och i samband med Marie himmelsfärd liknas hon vid Ester.

I äldre fornsvenskt material används inga metaforer för Maria, bara en omskrivning; *Guds moder*. Under senmedeltiden däremot är Mariametaforer mycket vanliga. Ett par exempel från uppbyggelselitteraturen: Maria liknas vid blommor: *blomstrande ros, lilje blomma*, vid renheten personifierad: *skinande dygdernas kar, den mest osmittade jungfrun*, vid ljus *havets stjärna*, vid en drottning e.d.: *kejsarinna över helvetet, patriarkernas drottning, mästarinna över evangelisterna, apostlarnas lärarinna, martyrernas styrkerska, bekännarnas källa och fägring, glädjens drottning och himmelrikets port, himmelrikets drottning*, vid en hjälpare i nöden: *hugsvalerska, trösterska, hjälparinna.*[32]

I mirakel förekommer metaforer inte lika ofta som i uppbyggelselitteratur. Men ibland presenterar Maria sig bildligt. T.ex. *Jag är den som offrade guldet på altaret* eller *Se här är jag misskundsamhetens moder.*[33] Miraklens böner kan också innehålla Mariametaforer, exempelvis *Guds hemliga kammare, solens ljus* m.m.

Till utläggningen om det femte budordet i ST återfinns ett Mariamirakel som handlar om hur en rik präst önskar bli biskop. När det verkar dröja, tar han saken i egna händer och pallar upp en tung sten utanför biskopens bostad. När biskopen kommer ut faller den ned och dödar honom. Prästen blir nu vald till biskop men hans glädje är inte långvarig. Maria ser till att han straffas med döden.[34]

Från början av 1400-talet finner vi också ett par Mariatexter i en svensk-latinsk handskrift som troligen tillhört en sockenkyrka i Linköpings stift.[35] Här möter bl.a. en översättning av Lukas andra kapitel vilket berättar om Jesu födelse, samt två Mariamirakel.[36] Dessa mirakel behandlar Marias omsorg om de fattiga i samhället. Bl.a. skildras en präst som får två bud om stundande dödsfall. Han väljer själv att ge sista smörjelsen till den rike, men skickar sin kaplan till den fattige. Maria prisar kaplanen och straffar prästen.

Från ungefär samma tid har vi också en ny, längre Marialegend i handskriften Cod. Holm. D 4. Legenden, som är en kompilation av Pseudo-Mattheus evangelium och *Legenda aurea*, omtalar Marias möte med Josef, Jesu födelse, flykten till Egypten, Marias död och upptagelse. För att bevisa sanningshalten om upptagningen anförs ett mirakel om Marias efterlämnade kjortel. Efter detta följer en kort utläggning om Marias fem sorger.

Fram till ca 1450 är sålunda nästan alla fornsvenska Mariatexter narrativa. Det rör sig nästan uteslutande om levnadsskildringar och mirakel. Under andra hälften av 1400-talet börjar dock Mariatexterna att få en ny karaktär. Mirakel och levnadsberättelser översattes inte alls i samma utsträckning, narrativa Mariatexter försvann nästan ur den fornsvenska korpusen.

De Mariatexter på fornsvenska som nu blir vanliga, och för fornsvenska mått massproducerade, är exempelvis *Jungfru Marias fem salutiones*, vilket är en traktat innehållande böner och utläggningar över *de goda gärningar som Jesus Kristus bevisade för oss i vår återlösning och av de särskilda privilegier frihet, fröjder och glädje som den ärofulla Jungfru Maria är särskilt unnad och given först här i jorderiket och nu i himmelrikets eviga ära.*[37]

Vi finner också meditativa texter om Marias vandring till de 15 stationerna där Jesus lidit och skildringar av Marie sorger. Det rör sig i vissa fall om en uttalad anvisning för Vadstenanunnor, hur de inför vart och ett av klosterkyrkans altare skulle — med fromma böner eller betraktelser — erinra sig Kristi pina och de ställen där Kristus lidit.[38] Skildringarna är oftast naturalistiska och vanligen besläktade med Birgittas uppenbarelser.[39]

Passionstemat möter redan i en av de äldsta Mariatexterna, en s.k. Mariaklagan, skriven med runor är daterad till början av 1400-talet. Texten betonar Jesu lidande sett ur Marias ögon. Observera att stora delar av texten är i första person:

> *Jag kom då helt sorgsen till min kära son och strax såg jag honom slås med knytnävar, slås med örfilar, spottas i ansiktet och krönas med törne till alla människors åsyn, oss till skam. Då dröfdes allt mitt liv och jag ville undslippa andningen och varken röst eller sinne var hos mig. Där var mina systrar och andra mäns kvinnor gråtande för min egen son, där var också Maria Magdalena.*[40]

Passionsskildringar på fornsvenska blir mycket vanliga, och Maria uppträder mot senmedeltiden i stort sett uteslutande som den lidande modern.[41] Passionstexterna är meditativa snarare än narrativa. Spridningen av denna typ av Mariatexter kan sättas i samband med den år 1413 i Köln proklamerade Marie smärtors fest (*Compassio Mariae*). Den stora spridningen av passionstexterna kan också förklaras ur birgittinernas teologi. Ett vanligt tema i Birgittas uppenbarelser är just Kristi återlösande lidande.[42]

Skildringen av passionshistorien sprider sig från berättelser till böner. I Heliga Birgittas bön till Jungfru Maria läses bl.a.: *Lovad vare du min Jungfru Maria, som såg din son hänga död på korset, och helt blodig från hjässa och till tår, och händer, fötter och bröst genomborrade, och huden sönderriven av törne.*[43]

Efter 1450 dyker narrativa Mariatexter upp mycket sporadiskt. Framför allt rör det sig då om längre mirakler som beskriver Marias mildhet eller argumenterar för någon fest. Ett exempel på det sistnämnda finns i Vadstenalektionariet från år 1502 där fyra mirakel samlats till festen för Marias obefläckade avlelse. Miraklen syftar alla till att höja festens status.[44] Festens vara eller inte vara diskuterades under medeltiden — speciellt mellan franciskaner och dominikaner — men den befordrades inom birgittinerorden med argument från Birgitta.[45] I Vadstenalektionariet återfinns till läsning denna festdag (8/12) följande texter: Birgittas uppenbarelse bok VI:55,[46] en utläggning om äktenskapet mellan Joakim och Anna[47] och de fyra Mariamiraklen.[48]

Mariamiraklen handlar om personer som i svårigheter får uppenbarelser av Maria där hon lovar att hjälpa mot att man i gengäld firar hennes obefläckade avlelsedag, t.ex. *Och ber jag dig, att du hedrar och ärar min avlelses högtid årligen, på den åttonde dagen i december månad. Och att du befordrar den samma min högtid det mesta som du förmår.*[49] Två av de fyra mirakler som här används återgår på den äldsta engelska konceptionstraditionen, först om abbot Elsins underbara räddning ur sjönöd, sedan om en djäkne som avstår från sitt jordiska äktenskap till förmån för Maria som himmelsk brud.[50] Miraklena har troligen spritts till Sverige via samlingarna från Rocamadour.

Vidare förekommer Mariamirakel i handskrifter som tillhört adeln, men också i fornsvenska postillor, något som behandlas av fil. dr. Roger Andersson i föreliggande volym.

3. Framställningen av Jungfru Maria i äldre fornsvensk litteratur

3.1 Jungfru Maria i Fornsvenska legendariet

Som tidigare nämnts finns den äldsta fornsvenska Marialegenden i det s.k. Fornsvenska legendariet. Texten är en på många sätt förenklad översättning av *Legenda aurea*. Jag bortser här från skillnader mellan latinet och svenskan och koncentrerar mig på den fornsvenska texten och skildringen av Maria.

FL är en kronologiskt uppställd samling av legender kryddad med historiska uppgifter om påvar och kejsare. Legendariet inleds med Marialegenden, uppdelad i 8 delar:

1. Marias födelse
2. Maria i templet
3. Marias bebådelse
4. 2 mirakel
5. Om kyndelsmässan
6. Mirakel
7. Marias upptagelse
8. 17 mirakel

Man följer sålunda inte kyrkoårets festordning utan händelsernas kronologiska ordning. Vi ska se lite närmare på var och en av de olika delarna. Som redskap för analysen har jag använt William Labovs schema för narrativa strukturer. Schemat utvecklades från början för arbete med muntliga narrativer men har sedan framgångsrikt kunnat användas för analys av skriftliga berättelser, både historiska och moderna.[51] Användningen av Labovs schema ger en enkel och användbar struktur för textanalysen.

Enligt Labov består en berättelse av följande avsnitt som följer i anförd ordning: *Abstrakt* (abstract): berättelsens huvudhändelse och huvudpoäng, *Orientering* (orientation): berättelsesituationen presenteras (tid, plats, aktörer), *Förveckling* (complicating action): själva händelseförloppet, *Värdering* (evaluation): poängen med berättelserna, *Upplösning* (resolution): de avslutade händelserna, *Slutvinjett* (coda): växling från berättelsesituation tillbaka till den dialogiska situationen.[52] Obligatoriska avsnitt för de medeltida legenderna är endast orientering, förveckling och upplösning, de övriga är fakultativa.

3.1.1 Marie födelse

Berättelsen om Marie födelse kan i enlighet med Labovs schema ovan indelas orientering, förveckling, och upplösning.

Orientering (FL 4, s. 1:7-2:3)

Den förste som presenteras är Joakim — han beskrivs som jude från Nasaret.[53] Mer emfas ges åt hans hustru Anna som presenteras som god och from, från Betlehem, av kung Davids ätt och släkt. Hennes person beskrivs med hjälp av adverbial som *guþleka, medh mykle dyght, allom tel gangn ok ænghom tel genværþo* (vedermöda), eller med verb som *baþo, louaþo*.

Just Anna och Joakims fromhet ter sig som det mest väsentliga i orienteringen. Av orienteringens 84 ord rör 50 st. dygderna.

Förveckling (FL 4, s. 2:4-4:7)

Förvecklingen inleds med en hänvisning till den mosaiska lagens påbud att äkta par blev förbannade om de inte kunde få barn vilket skall förklara varför Joakim "avsnoppas" då han vill offra i Jerusalems tempel. Joakim flyr p.g.a. detta till öknen.

I öknen uppenbarar sig Guds ängel för Joakim. Ängeln talar i direkt anföring med huvudbudskapet att *Guds nåd ger bättre barn än köttslig lusta.*[54] Ängelns uttalande står i motsättning till den tidigare anförda mosaiska lagen. Ängeln ger sedan också exempel på kvinnor som välsignats med barn på sin ålder, Sara, Rebecka, Rakel, eller stora män som blivit födda av äldre kvinnor, Simson och Samuel. Ängeln utbrister i retoriska frågor, bl.a. *vem var starkare än Simson, heligare än Samuel?*[55] och imperativiska fraser; *Tro, Joakim, bevis och domar!*[56] Ängeln avslutar sitt tal med att *Gud ger eder en god dotter. Hennes namn skall vara Maria. Hon skall varda helig i moderslivet och sedan fostras i Guds tjänst och i hans tempel med renlevnadslöfte.*[57]

Avsnittet om Joakim i templet är mycket snart avklarat, det är uttryckt endast som en logisk följd av den mosaiska lagen. Judarnas gärningar beskrivs i termer som *Joakim fick blygsel och hån av judarna* och Joakim blev *kastad från offeraltaret.*[58]

När Maria omnämns så är det ängeln som utstakar hennes liv, hennes namn *skall* vara Maria, hon *skall* vara helig som spädbarn och hon *skall* uppfödas i Guds tjänst.

Upplösning (FL 4, 4:8-4:9)

Avsnittet avslutas med Joakim och Annas möte vid den gyllene porten. Joakim har lämnat sitt eremitliv.

3.1.2 Maria i templet och Marias bebådelse

Detta avsnitt av legenden inleds med orientering, vilken följs av förveckling, upplösning, värdering och slutvinjett.

Orientering (FL 4, 4:11-5:7)

Här ges de yttre förutsättningarna, Maria är tre år gammal och hon förs till Jerusalem. Orienteringen ger också en inblick i jungfruns dagliga liv under de år som hon lever i templet. Mellan gryningen och tredje timmen ber Maria — utan att tala med någon. Den ensamma bönen betonar Marias ständiga kontakt med Gud, berättaren säger bl.a. att Maria uppmärksammas mer av Gud och hans änglar än någon annan människa. Mellan tredje och nionde timmen arbetar Maria med textilier.[59] Från nionde timmen ber Maria återigen tills Guds ängel kommer med hennes föda.

Återigen är det dygderna som lyfts fram i orienteringen men man vill här också argumentera för Marias helighet redan vid späd ålder. Marias låga ålder betonas genom ett inskott mellan subjektet *Maria* och det finita verbet *gick*, samt genom den inbäddade relativsatsen i frasen *Maria, **tre år gammal**, gick ensam, **som om hon vore vuxen**, upp för 15 trappsteg till Guds altare.*[60]

Förveckling (FL 4, 5:9-6:11)

Huvudhandlingen i detta avsnitt gäller Marias trolovning med Josef. Komplikationen införs i och med att templets överstepräst befaller att alla templets jungfrur skall fara hem för att gifta sig. Maria ställs i kontrast till alla andra när hon nekar. Hon kan varken bryta sina föräldrars eller sitt eget löfte.[61] Översteprästen överlåter ärendet i Guds händer. En röst från himmeln svarar: *Varje ogift man av konung Davids släkt och ätt skall föra en torr stav i sina händer till Guds tempel, och den, vars stav börjar blomstra och en duva kommer flygande över honom, han skall fästa den fagra jungfrun, hon som redan som möbarn lovade Gud att leva i renhet.*[62]

Upplösning (FL 4, 6:11-6:12)

Upplösningen infaller när Josef visar sig och undret sker: *Han* [Josef] *bar blommor på den torra grenen, och en duva flög från himmelriket och satta sig vid blomsterkvisten.*[63]

Värdering (FL 4, 6:12-6:14)

På detta följer en värdering, dvs. *Maria förstod Guds järtecken och trolovades i förtröstan att Gud också i framtiden skulle göra under med henne och hjälpa henne att hålla vad hon lovat om renlevnad.*[64] Genom hela denna del av legenden går Marias löfte om att leva i osmittad renhet som en röd tråd. Det är ängelns befallning till Joakim och Anna, det är p.g.a. detta löfte hon inte vill följa översteprästens befallning. Det hela avslutas med Marias förtröstan till Gud om att slippa bryta löftet om renlevnad. Det hela kan tolkas som en argumentation för jungfrufödseln.

Språkligt uttrycks Marias fromhet framför allt i verbfraser: *hon satt vid väven, sländan eller nålen* — något som här symboliserar fromt tempelarbete —, *Maria förstod Guds järtecken* eller i adverbial: *Maria gik* ***ensamen*** *vp at xv trappom, var hon* ***stаþleka*** *enom staþ* ***þiænande a bønom****, hon* ***ægte*** *orþ viþ folk talaþe, var hon* ***atar*** *ii bønom, hon* ***sialf*** *louaþe Guþi renliue.*

Gud framstår på samma sätt som ängeln, den som har den reella makten. Guds ord är profetior uttryckta med hjälpverbet *skal*, exempelvis *han* ***skal*** *fæsta faghara iugfru.*

Härefter sker en paus i den narrativa berättelsen. För den som vill läsa om Marie bebådelse och Jesu födelse hänvisar legenden till Bibeln. Legendariet säger sig vilja berätta *de ting om Vår fru som inte finns skrivna i Bibeln men är fullkomligt sanna och prövade med de vittnen som nämns före.*[65]

Efter detta följer sedan två mirakel. Det ena handlar om en riddare som endast kunde läsa *Ave Maria*. När han dör och blivit begraven växer från hans tunga upp en vän lilja på vars blad *Ave Maria* är skrivet med guldbokstäver.[66]

Det andra miraklet handlar också om kraften i bönen *Ave Maria*. Huvudpersonen är en riddare som länge levde som rövare men eftersom han varje dag läser *Ave Maria* kan inte djävulen få makt över honom.[67] Båda miraklen omtalar sålunda att för Marias gunst räcker det med att be *Ave Maria*.

3.1.3 Om Kyndelsmässan (FL 4, 10:1-16:8)

Efter dessa mirakel övergår legenden till att förklara varför man firar Kyndelsmässa. För det teologiska motivet till festen hänvisas till Bibeln. FL vill istället berätta om varför helgen heter Kyndelsmässa och varför ljuständning har ett samband med Kyndelsmässodagen. Observera att texten talar här i 1:a person plural (*Vi suarum først þær tel første* ...). Berättaren framställs på detta sätt som en auktoritet — det är berättaren som sitter inne med nödvändig och sann kunskap. Detta avsnitt av legenden har mer karaktär av en didaktisk utläggning och kommer därför inte att analyseras i enlighet med Labovs schema ovan.

Legendariet inleder med att ge en etymologi till *Kyndelsmässa*. Man berättar att *ljus* på latin heter *candela*.

Skälet till att bära ljus på Kyndelsmässan förklaras på tre sätt. Man börjar i den förkristna tiden, helgen är enligt legendariet ett exempel på hur man vänt hedniskt oförstånd till Guds heder. Det berättas att romarna hade för sed att den första februari gå med brinnande ljus för att hedra guden *Februam*, Mars moder. Legenden berättar vidare om att hedningar också på den första februarinatten lät bränna ljus för att hedra avguden *Februus Pluto*. Denna Februus Pluto skulle ha tagit en jordisk kvinna till maka, *Proserpina*. Proserpinas föräldrar skall vid sökandet efter sin dotter använt ljus. Efter att ha berättat dessa hedniska berättelser tvingas berättaren till en värdering: *dylika och så hemska var de hedniska villfarelserna och så värdiga hedningarna* (obs. ironin), *och inte var det lätt att avvänja dem från deras fäders seder utan att använda list.*[68]

Den hedniska seden skall sedan av påven Sergius ha utnyttjats till Jungfru Marias ära. Att ljuständning tilltalar Maria förklaras med 3 exempel.

1. Maria var ren mö såsom solens ljus
2. Maria var som ett ljus i moderlivet
3. Jesu Kristi välsignade sol sken genom henne så att hennes dygders solstrålar släckte var mans syndiga lusta

Detta anses vara prövat av judarna själva. Man skriver *dessa vittnesmål bar de judiska hedningarna själva, hennes sons och hennes ovänner; och ovänners bifall ger sant vittne.*[69]

Ytterligare ett skäl till att bära ljus på Kyndelsmässodagen är enligt legenden att det är en påminnelse över hur Maria och Josef bar vår Herre till templet. Ljuset tecknar Kristi tre naturer. Vaxet tecknar hans kropp, ty bina gör vax utan naturlig inblandning liksom Maria födde Jesus utan köttslig fader, veken tecknar själen, skenet tecknar hans lysande gudom.[70]

Sedan följer ett mirakel om en kvinna som gärna tjänade Jungfru Maria. En kyndelsmässodag är kvinnans privata präst bortrest vilket betyder att hon missar mässan. Hon gråter sig till sömns men får i drömmen delta i en mässa över Vår fru, där Kristus uppträder som präst och Laurentius och Vincentius som djäknar.[71]

3.1.4 Jungfru Marias upptagelse

Efter den historiska utläggningen om Kyndelsmässan övergår FL till att berätta om Marias sista dagar och hennes himmelsfärd. Detta avsnitt av legenden innehåller narrativens alla delar. Berättelsen inleds med abstrakt, vilken följs av orientering och förveckling. Legenden avslutas med upplösning, värdering och slutvinjett.

Abstrakt (FL 4, 16:10-16:13)

Inledningsvis berättas att denna högtid är den vackraste och mest underbara av Marias fester.

Orientering (FL 4, 16:13-17:8)

I orienteringen berättas kortfattat om Marias liv efter Jesu död, att hon gick omkring i landet besökande de platser där Jesus varit (även detta kan ses som en emfas av dygden). Här berättas också om att Maria var 72 år enligt Epiphanius (av Salamis) vid sin död. Man lär ut att Maria var fjorton år då hon blev havande, hon födde femton år gammal, levde med sin son 33 år och ytterligare 24 år efter Jesu död och uppståndelse.

Förveckling (FL 4, 17:10-23:1)

Huvudhandlingen inleds med att en ängel omtalar för Maria att hennes son väntar. Ängeln ger henne en palmkvist vilken skall bäras framför hennes grav. Maria ber ängeln bl.a. om att få möta apostlarna igen, vilket beviljas. Först kommer Johannes, sedan de övriga. Kristus kommer och Maria dör. Apostlarna bär Marias lik till Josafats dal för att begrava henne. Judarna attackerar båren men straffas.

Texten uppvisar ett tendentiöst drag; en svartmålning av judarna, vilka här symboliserar det onda, mot idealbilden av Maria. Legendariet tecknar genomgående judar mycket svart, men tydligast i denna del av Marialegenden. Först varnar Maria Johannes för att judarna kommer att försöka vanhedra Guds härbärge, dvs. bränna hennes ben. Johannes varnar i sin tur de andra apostlarna för att gråta när de bär Marias lik. Han anar att judarna i så fall kommer att tänka: *Varför fruktar dessa döden, de som brukar predika om ett mer underbart liv i en annan värld?*[72] Judarna attackerar också begravningståget. Berättaren utbrister *Iuþa biscopar var galin*. För detta straffas judarna, deras ledare fastnar vid likbåren, de andra blir blinda. Judabiskopen säger då till Petrus: *Sankte Petrus, hjälp mig, du brukar hjälpa folk i nöd.*[73] Petrus säger sig vara upptagen men biskopen kan rädda sig själv genom att omvända sig, vilket han också gör. Även många av de andra judar får synen tillbaka under förutsättning att de går med på att omvändas.

Maria och andra heliga personer skönmålas genom idealiserande adverbiella eller attributiva fraser. I dessa skildras Marias helighet och de under som sker kring henne, t.ex. Marias sorg över minnet av hennes sons lidande gör att tårarna rinner *som bäckar av blod*, Guds ängel visar sig för Maria *ljus som sol*, Kristus väntar på Maria *med heder och ära*, enligt ängeln skall apostlarna *på ett hedersamt sätt* föra Maria till hennes grav, den från himmelriket hämtade palmkvistens blad tecknas *skinande som stjärnor*, apostlarna står framför Marias dörr *undrande och förvånade* (över Guds makt), Kristus och änglarnas sång till Marias lov var mer underbar *än vad något öra tidigare hade hört*, Marias moderliv beskrivs som *Guds härbärge*. Dessa idealiserande fraser hejdar berättelsens tempo och skapar emfas.

Man kan se en tydlig auktoritetsskillnad i dialogernas utformning. I dialog mellan Guds ängel och Maria är ängelns utsagor förutsägande, Maria finner sig i vad som skall ske och ber ödmjukt. Ängeln säger t.ex. *Han* ***skal*** *bæras for þinne likbaar a þriþia dagh fra þenna; alle apostoli ...* ***skulu*** *þik ærlek tel graua føra; þo* ***skal*** *vara, som þu vilt; Ængen diæuul* ***skal*** *diruaz tel coma þæn tima for þina øghon.* Maria svarar, *Iak* ***beþes*** *aff minom syni tua bøne...*[74]

Endast i ett fall bryter ängeln mönstret, vilket bör ses som en stegring så att poängen får eftertryck. Det är när Maria ber om att slippa få se någon djävul i dödsriket. Förvånad utbrister ängeln: *Men varför behöver du frukta för djävulen? Du har brutit hans huvud under din fot och berövat honom hans rike och makt.*[75]

I dialog mellan Maria och apostlar är det Maria som uppbär rollen av auktoritet. Hon använder sig av imperativ: ***Minis*** *þik, son min, þins mæstara orþ...*, och hjälpverbet **skall** *Æn min likama* ***skalt*** *þu gøma ok gørla gøma; þænna paradis palm* ***skalt*** *þu føra firi mino like.*[76]

Detta överensstämmer också med hur Maria talar i mirakelberättelsernas uppenbarelser. När Gudsmodern talar till sina troende framställs Maria som auktoriteten, vanliga är imperativsatser (t.ex.: ***Scripta*** *thik....*, ***Gak ok læs***, ***Bliff*** *stadhlika...*) och *skall*-fraser (exempelvis: *Thy at æftir thre dagha* ***scalt*** *thu dø, tha* ***scal*** *thu hawa mik til brudh j himerike*; *Jak førdhe thik aff mins sons liggiande fæ en mæsso hakol. medh hulkum thu*

scalt *sighia mæsso*). I dialog med Kristus, t.ex. i domstolsscener är modern mer ödmjuk.[77]

Upplösning (FL 4, 23:1-23:6)

Legendens upplöses när Maria, 15 dagar efter begravningen i Josafats dal, uppstår, blir lekamlig och upptagen till himmelriket.

Värdering (FL 4, 23:6-23:12)

I legendens värdering diskuteras hur Maria kunde uppstå både till kropp och själ. Detta förklaras och bevisas med att *Vår fru, Guds moder, härbärgerade Gud i jorderiket, inte endast andligen inför domedagen som andra kristna, utan också kroppsligen i sitt renaste jungfrurum. Är det då väl skäligt att Gud härbärgerar Maria också före domedagen, inte bara hennes själ och ande, utan också kroppen i det bästa och sitt närmaste himmelriks rum.*[78]

Slutvinjett (FL 4, 23:12-24:2)

I slutvinjetten berättas att detta bara är en del av vad som skrivits om Marias död och likfärd. Legendens sanningsvärde bevisas dock av att hennes kläder återfanns i graven efter det att hon farit till himmelriket.

På detta följer en mängd mirakel, i vilka Maria framställs som straffande mot dem som missbrukar hennes hjälp, men framför allt som snar till hjälp. Maria beskrivs som starkare än både kors och vigt vatten. En kvinna, som plågas av en djävul, blir av med sin plågoande först när hon ropar *Sancta Maria! Hialp mik.* Korstecken och annat har djävulen kunnat stå emot.[79]

Sammanfattningsvis kan sägas att Maria i den äldsta fornsvenska legenden beskrivs på ett enkelt och lättfattligt sätt. Det narrativa tempot hålls vanligen högt och dras ned endast när man vill framhäva Marias helighet och de underverk som sker kring jungfrun. De olika textdelarna inleds vanligen med en orientering där man beskriver huvudpersonernas dygder, härpå följer en längre förveckling där Maria vanligen ställs i kontrast mot de hedniska judarna. Upplösningar är korta men kan i vissa fall följas av värderingar, i vilka det mest väsentliga i legenden lyfts fram. Ett undantag från denna struktur är berättelsen om Kyndelsmässan där legendariet istället undervisar om festens förhistoria och ger tre skäl till varför man firar den till Marias ära.

3.2 Jungfru Maria i Cod. Holm. D 4[80]

För analysen av Marialegenden i Cod. Holm. D 4 frångår jag Labovs schema för att istället ge ett par exempel på hur en birgittinsk översättning av Marialegenden skiljer sig från den äldsta legenden. D 4:s Marialegend är troligen översatt i Vadstena kloster för en hovdam.[81] Inledningen är fragmentarisk och vi kommer in i handlingen när Josef utses av Gud till Marias make. Sedan följer Marie bebådelse. I detta avsnitt koncentreras texten på Josef. Joakim och Anna, Marias föräldrar, berättar för Josef att Maria är havande vilket han tycker illa vara, det skrivs *därför att så var det förr i Moses lagar, att den mö som lönnligen tog man och fick barn, hon skulle stenas ihjäl.*[82] Jämfört med den äldsta legenden ställs inte Maria längre i kontrast mot den judiska lagen. Här är istället Josefs roll som Marias make och som jude det centrala. Situationen räddas av Guds ängel som uppenbarar sig för Josef. Därefter berättas om Jesu födelse, herdarnas och konungarnas uppvaktning, flykten till Egypten samt Herodes barnamord. Maria är nu inte längre huvudperson, handlingen har koncentrerats till barnet.

Maria blir emellertid ånyo huvudperson i avsnittet om hennes död och upptagning. Från och med detta avsnitt följer legenden nära *Legenda aurea* och kan jämföras med FL-legenden. Handlingen är densamma som i FL.[83] Men man har ändrat vissa uppgifter, t.ex. uppgiften om Marias ålder vid hennes död. FL följer här *Legenda aurea*, 72 år,[84] medan D 4 använder Birgittas uppenbarelser (bok VII:26) och hävdar att hon var 63 år.[85] Däremot använder D 4 sig inte av Birgittas uppgift att Maria skulle ha tillbringat 15 dagar i dödsriket. D 4 berättar istället att Jesus kommer på tredje dagen och befaller Maria att uppstå.[86]

En annan innehållslig skillnad gäller användandet av teologiska argument för att bevisa sanningshalten. Som vi såg ovan motiverade man i FL Marias kroppsliga upptagning med en teologisk argumentation, D 4 låter istället ett mirakel bevisa sanningshalten. Det berättas att aposteln Tomas inte var närvarande vid Marias upptagning och därför tvivlar på lärjungarnas berättelse. Maria gör honom då den ynnesten att hon sänder en linda till honom från himmelriket. Då tror Tomas.[87]

Ytterligare en skillnad är att D 4:s legend är betydligt längre. Detta beror bl.a. på att dialogerna i D 4 är omfångsrikare och omständigare. I dialogen mellan Guds ängel och Maria kommer detta tydligt till uttryck. Ängeln inleder i FL med: *Se min fru, denna palmkvist förde jag till dig från paradiset. Den skall bäras framför din likbår på tredje dagen från denna. Din käre son väntar dig med heder och ära.*[88] I D 4 säger ängeln följande: *Hälsad är du Maria, välsignad över alla kvinnor. Du skall ta Jesus Kristus välsignelse, som han gav profeten Jakob. Din käre son har sänt en palm till dig. Den har jag fört från paradiset. Den skall du låta föra framför din likbår, ty du skall fara från din lekamen om tre dagar. Och din käre son han bidar dig med hela himmelrikets herrskap.*[89] I D 4 berättar ängeln för Maria att hon skall få Kristi välsignelse på samma sätt som Jakob, detta saknas i FL, och att inte bara sonen väntar på henne utan alla himmelrikets invånare.

Marias svar i FL lyder: *Jag ber om två ynnestar av min son, den första är att alla mina bröder apostlarna måtte vara hos mig när jag ger upp min anda. Den andra är att ingen djävul skall djärvas komma nära mina säng eller inför min syn.*[90] Detta är ett betydligt kortare svar än det i D 4; *Jag ber dig att du säger mig ditt namn och ber jag dig att min käre sons apostlar kommer till mig, så att jag måtte få se dem med mina ögon innan jag dör och innan jag ger upp min anda inför Vår Herre. Därnäst ber jag dig, att då min själ lämnar min lekamen, så skall hon inte se någon fruktansvärd ande, och djävulens våld skall inte komma mot mig.*[91] I D 4 ber Maria om 3 ting, frågan om ängelns namn saknas i FL. Vidare är bilden mer abstrakt i D 4, Maria talar här om sin själ, i FL talar Maria om sin dödsbädd.

Slutligen följer ängelns svar, först FL:s version: *Min fru, alla apostlarna kommer idag till dig och de skall föra dig hedersamt till graven. Men varför behöver du frukta för djävulen? Du har brutit hans huvud under din fot och berövat honom hans rike och makt. Dock skall det bli som du vill, ingen djävul skall djärvas komma inför dina ögon vid den tidpunkten.*[92] Sedan D 4:s: *Ädla jungfru, varför önskar du veta mitt namn, det som är underbart och stort. Men din sons apostlar skall samlas för att ge dig en hedersam jordafärd. Varför skulle helvetets änglar eller djävulens våld göra dig rädd, medan du har brutit hans huvud och berövat honom all hans makt? Din vilja skall varda, så att du skall inte se de onda djävlarna!*[93] Återigen gäller skillnaden ängelns namn.

D 4 använder sig också av dialog där FL endast refererar. T.ex. skriver FL endast att då Maria och Jesus träffas strax före Marias död *hördes där vackrare sång, hans och hennes, än några öron tidigare hade hört.*[94] Detta uttrycks i D 4 på följande sätt:

> Hennes dyra son sjöng så före:
> -Kom min utvalda brud, i dig skall jag inrätta min tron.
> Då svarade Maria:
> -Min käre son, jag är redo att göra din helga vilja.
> Då det var sagt sjöng de alla som hade kommit med honom:
> -Detta är den som ingen synd förföljt.
> Så sade sankta Maria så:
> -Alla de som i världen är, skall kalla mig säll.
> Då sjöng den ärofulla mästaren högst av dem alla:
> -Kom min kära brud och kom min uppriktiga duva.

Då svarade hon:
-Jag kommer, min son och min Gud och min käre Herre, du som är all min hälsa.[95]

Innehållsliga skillnader i dialogerna återfinns också när judarnas ledare ber Petrus om hjälp. I FL svarar Petrus surt att han inte har tid med underverk.[96] I D 4 är Petrus mer tillmötesgående. Han säger: *Jag ber gärna för dig om du tror på Jesus Kristus och hans välsignade moder, jungfru sankta Maria.*[97]

Om dialogerna är utbyggda i D 4, är däremot de berättande partierna förkortade. T.ex. saknas de många beskrivande adverbial som vi mötte i FL. Man drar också ihop biberättelser. I FL berättas följande strax efter Marias död: *Ett ljus uppstod omkring liket, så skinande att tre jungfrur, som tvättade liket, fick känna liket med händerna, ty de kunde inte se med ögonen. Ljuset sken länge, tills liket var tvättat och klätt.*[98] Avsnittet är kraftigt förenklat i D 4, ljuset eller skenet förekommer inte alls. Här står bara *Tre möar var där som klädde av hennes lekamen, tvättade den och svepte.*[99]

Sammanfattningsvis kan sägas att den birgittinska översättningen står mycket närmre latinet än vad FL gör. I likhet med FL vill man berätta en historia, men historiens innehåll var troligen bekant för textens publik. Därför avstår man från en detaljrik framställning och låter istället dialogen bli central för handlingsförloppet. I denna hedras Maria och Gud fader.

Observera också att den birgittinska legenden inte utnyttjar legendens poänger på ett lika smidigt sätt som den äldsta legenden. Jag tänker här framför allt på skenet kring Marias lik och på Petrus motvilja till att hjälpa judarna. Genom skenet kring liket gör FL:s berättelse Maria än mer underbar. Temat är också vanligt i andra helgonlegender, det finns t.ex. i legenden om S. Olaf. Petrus motvilja mot att hjälpa judarna i FL bidrar till att ge en mer utmejslad bild av aposteln, samt förstärker den anti-judiska tendensen.

4. Sammanfattning

I fornsvensk litteratur visar sig Maria till en början på många sätt mänskligare, om ni förlåter uttrycket, än änglar och Jesus. Dessa är de himmelska auktoriteter som uttalar profetior etc. Maria uppträder som en bro mellan den enkla människan och Gud fader. Detta är också det centrala temat i de Mariamirakel som finns översatta till fornsvenska.

Med tiden förändras dock Mariabilden och hon framställs alltmer som den sörjande Gudsmodern.

I legendmaterialet kan vi också se en utveckling. Den rappa berättelsen i den äldsta legenden försvinner i den birgittinska översättningen där framställningen fördröjs genom ett rikt användande av dialog. Dock blir den äldsta legenden den vanligast förekommande på fornsvenska. Just dess tempo och emfas på underverk tror jag är det som gör att den äldsta legenden kom att användas medeltiden igenom. När man år 1502 samlar texter till ett folkspråkligt lektionarium i Vadstena kloster, då används inte den birgittinska berättelsen om Jungfru Marias liv utan den förbirgittinska. Dock är det utrymme denna legend får i lektionariet obetydligt om man ser till de sidor som upptas av utläggningar om Marias sorger. Det Mariatema som är det mest väsentliga under senmedeltiden.

Summary:

"Nymære af vare fru". The Blessed Virgin in Old Swedish Literature.

The corpus of Old Swedish literature includes a great number of texts about the Blessed Virgin. Most of those texts are written in Vadstena abbey but there are a few examples from other places, mostly miracles. The oldest texts mentioning the Virgin Mary are runic inscriptions including a prayer devoted to the Virgin.

The oldest text written with Latin script is the life of the Blessed Virgin in the Old Swedish Legendary written about 1300. The oldest text written in Vadstena abbey is from about 1385. This is a compilation of 66 miracles of the Virgin. Lots of those miracles deal with the relationship between the Virgin Mary and her believers but one also finds stories about how the Blessed Virgin saves people in distress, saves people from hell etc.

There is a Swedish translation of the Middle Low German *Seehlenthrost*. This is an exposition about the Ten commandments of the Lord, including among other texts, miracles of and prayers to the Virgin Mary. The miracles of the Virgin are used as *exempla* of different commandments. Rather common are miracles where Mary punishes sinful people who break the Law of God.

With some exceptions, the texts about the Blessed Virgin up to the middle of the 15th century are exclusively narratives, commonly lives and miracles. Then something happens. From the mid 15th century the texts about God's mother grow meditative. We find a mass production of naturalistic expositions, mostly about the sorrows of the Virgin. Some of these texts introduce them selves mentioning their purpose; a help for meditation in front of the altars in the Vadstena abbey church. The later mediaeval texts emphasize the passion and the Virgin Mary as the suffering mother before her crucified son. Explanations for the popularity of this genre can be sought in the proclamation of *Compassio Mariae* in 1413 or in the ideology of Saint Bridgets revelations.

A comparison between the life of the Blessed Virgin in the Old Swedish Legendary and in a Bridgettine translation from the beginning of the 15th century shows that the older translation describes the Virgin in an easily understandable way. The text pictures Mary as holy in childhood, perfect in virtues and as an ideal for all mankind. The tempo of the text is rather high but halts to lay stress upon the holiness of the Virgin Mary or upon the miracles which happens to her. The Virgin is the heroine of the story, while the Jews are her enemies. The Bridgettine translation stays much closer to its Latin source. Its emphasis is on dialogues, especially between angels and the Virgin or between Our Lord and his mother.

While the oldest life is a sharp narrative, spiced with fantastic miracles, the younger life is an unobtrusive devotional and edificatorial tale of a well-known queen of saints. The oldest text is being used all through the Middle ages, but in the shadow of the dominating Marian genre about the suffering Virgin Mary.

Noter

1 Vers 2505f.

2 Om framställningar av Jungfru Maria i kyrkomålningar, se t.ex. Söderberg 1951 samt Mereth Lindgrens och Britta Birnbaums bidrag i denna volym.

3 Ög 161.

4 Vg 105 och 122.

5 Fil. dr. Rune Palm har vänligen låtit mig ta del av hans rundatabas. En genomgång av de förböner som förekommer på vikingatida runstenar visar först att Maria sällan omnämns, och, om hon omnämns, då med uttrycket *Guds moder* i kombination med *Gud*, dvs. *Gud och Guds moder hjälpe denna själ...*

6 DR 373 läses: **þita : iR : saNti gabrel : ok : sehþi : saNta maria : at han skuLdi : barn : fyþa : þita : iR : elizabeþ : ok : maria : ok : hailsas : hiar : huilis : maria sum : han : barn :**

fydi : skapera : himiz : ok : iorþaR : sum os : leysti þita : iRu : þaiR : þriR : kunuGaR : sum : fyrsti : giarþu : ofr : uarum : drotNi : hiar : tok : haN : [**uiþ**]**r :** [**kunuG**]**a : ofri : uar drotiN hiar : riþu : þaiR : burt : þriR : kunuGaR : siþan þaiR : ofrat : hafa : orum · drotNi TaiR : þet : hiar : fram : s- -u : ioþar : toku uarn : drotin : ok ...N : uiþr tre : ok : getu siþan : ladu : þaiR : haN : burt : þiaþaN : buNdiN ok : nehldu : hiar : ioþar : iesus : a krus : si : fram : a þita sihrafR :** [m] **e**[**st**]**e**[**ri**]. Efter Jansson 1984:177f.

7 Om FL:s datering och källor, se Geber 1905.

8 Cod. Holm. A 3, fol. $109v^{1}$-$110r^{2}$, $156r^{1-2}$.

9 Se härom Klockars 1966:167f.

10 Den enda egentliga överensstämmelsen mellan FL och *Birgittas uppenbarelser* som skiljer sig från flertalet latinska Marialegender är uppgiften om att Maria låg död i femton dagar innan hennes upptagning till himmelriket. Birgitta skriver: *Et tunc mortua iacui in isto sepulchro per XV dies*, se BR 7:26.

11 I Cod. Holm. A 110.

12 Se härom Odenius 1981:44. Samlingen är utgiven i *Klosterläsning*. Samtliga järtecken är numrerade.

13 Jfr Jb 92, 97, 103, 105, 115, 121, 126, 130, 142, 144, 148, 155 och 156. Kristus visar sig i en uppenbarelse i Jb 96, 144 och 149.

14 Jfr Jb 99, 100 och 119.

15 Jfr Jb 100, 108, 109, 127, 131 och 137.

16 Jfr Jb 95 och 132.

17 Se Ward 1987:138 och Widding & Bekker-Nielsen 1961.

18 Jfr Jb 101, 123, 128 och 156.

19 Maria som förmedlerska mellan den troende och Gud uttrycks ofta i den uppbyggliga Marialitteraturen. I den fornsvenska översättningen av *Speculum Virginum* står bl.a.: *for thy at mällan thet högxsta ok diwpasta, är hon en fridzsam midhliska* (Speculum Virginum, s. 182).

20 *O sancta Maria waars härra ihesu christi modhir mildh oc äwärdelikin jomfru himmerikis drothning miskunninna modhir wärdughis mädh allom gudz hälghanom ok vtwaldom bidhia för oss vslom syndarom til waan härra gudh alzmäktoghan fadhir at wj maghom försculla hielpas frälsas helas beskermas oc wärnas aff hanom som liffwer oc styre j fulkomplighо trefallogheeth äwärdeligha oc ä för vtan ända AmeN* (Bön nr 95 ur Svenska böner från medeltiden).

21 Detta är också den funktion som Mariamiraklen har i FL och i *Legenda aurea*, se Gad 1961:138ff.

22 Se Ward 1987:162.

23 ST är utgiven av Sam. Henning efter Cod. Holm. A 108. I uppsatsens hänvisas till sidor i utgåvan.

24 Om ST, se Thorén 1942, Andersson-Schmitt 1989. Om ST som källa för hur lekfolket kan ha deltagit i mässans firande, se Pernler 1993.

25 Se ST s. 52f.

26 Se ST s. 55f. Jfr också Jb 153.

27 *Thy min kære son wakta thik wel for sliko falle / oc wanhedhra ekke gudz modher iomfru mariam hwilkra hielp wi altidh widher thorfwom.* (ST s. 56).

28 Se ST s. 63.

[29] Se ST s. 119.

[30] Se ST s. 148. Jfr också det härpå följande miraklet.

[31] Se ST s. 149ff.

[32] *blomstrandis roos, lilia bloma, skinande dyghdinna kaar, aldra osmittoghasta iomfru, haffsins stiärna, kesarinna offwer heluite, patriarchanna drotningh, ewangelistarwm mästarinna, apostlana läriska, martyra styrkirska, confessorum källa oc fäghrind, glädhinna drotningh och hymmerikes porth, himmerikes drotningh, hughsvalirska, tröstirska* och *hiälparinna.*

Rik på Mariametaforer är den fornsvenska översättningen av *Speculum Virginum* från andra hälften av 1400-talet, vars femte bok handlar om Jungfru Maria (om det latinska verket, se Piltz bidrag till denna volym). Metaforerna används här för att bevisa Marias avgörande betydelse för kristendomen, t.ex. *Hon är ok patriarchis rothin ok bolin, aff hwilko framgik äwärdhelika wälsignilsin, sädhin ok blomstridh allom till äwinnelikit liff, som foresedhe äru Äpthir thet hon är modhir ok jomfru, wtteknas hon i the hälgha figura, ällir liknilse j buskanom loghandhe, ok tha likawäl oskaddhom ok obrändom* (Speculum Virginum, s. 183).

[33] *Jak är thän som gullit offradhe a altareno* (Jb 157), *See her är iak miskunninna modher* (ur Cod. Holm. A 3, FL 3 s. 53).

[34] Se ST s. 260.

[35] Cod. Holm. A 54.

[36] Översättningen av Lukas 2 återfinns på fol. 57v, inc. *Exiit edictum a cesare augusto vt describeretur vniuersus etc lucas et sanctus lucas sigher i ewangelio som nu j mæssone hafdhis at j them tima vt gik budh af kesara augusto at...* Texten är utgiven i FL 1, s. 45f.

Mariamiraklena som återfinns på fol. 80r-v är outgivna.

[37] *tha börias här en godher ok geen modus ath betractan ok bidhian ower theem goodhgärningom som jhesus christus oss beuiisthe J waare aaterlösningh Ok aff thöm eenkannerligha fordeelom friihet fröghdom ok glädhi som the ärofulle jumffrune Jumffru Marie ärw eenkanneligha wnth ok giffuen här j jordhrike först Ok nw j hymerikis äro äwärdhelica* (efter Cod. Holm. A 49, utg. i Skrifter till uppbyggelse s. 349ff).

[38] *Merkiande är at swa som scriffwas i sancte Birgitte bokom* [bok VII:26] *jomfru maria liffdhe eptir sins kärista sons ihesu christi opfärdh här j wärldinne xv aar oc allan then timan sökte hon the städhirna j hwilkom han war pinter oc giordhe sin iärtekne oc mintis gudhlica widh hwan stadhen oc haffde hon ihesu christi pina swa inthrykta i sino hiärta at hwat hon ellir aat ellir ärffw*[*odh*]*adhe tha war hon altidh färsk j hennes minne Thy gör thu sammuledh mädh thinom idkelighom oc gudhlighom bönom ellir betractilsom enkannelica betractandis j bland the ihesu christi pino oc hans iärtekne städhir thessa xv här äptir scripna swa som meer enkanneligha merkiasculande Oc at thw maghe faa thes fructsammaren oc margskona afflat oc synda fforlatilse som giffwin är til thessen xv altaren som äru xiij ihesu christi apostla thät fiortunda sancte trinitatis ällir sancte Birgitte thät xv jomfru marie* (efter Cod. Ups. C 50, utg. i Skrifter till uppbyggelse s. 387f).

Det naturalistiska draget behöver dock inte alltid röra passionen, här är ett exempel på en bild av Maria tillsammans med det nyfödda barnet: *ok j söthom anda frögdandhe aff barneno, hwilkit hon haffdhe j sinom fampn, sighiandis thet som scriffwat är Min älskelike kysse mik medh sins muns kws Min älskelike är mik swa som mirre kärfwin* [jfr Höga Visan 1:1], *j mällan mina spena skal han haffwa sin hwilo... Jak är murin, ok mine spena äru swa som tornith* [jfr Höga Visan 8:10]...

(Speculum Virginum, s. 186).

[39] Jämför en passionsberättelse med *Birgittas uppenbarelser*: *O swa bleeff war herre dödher tha seegh hans hwffwdh nidher aa brysten, ok hans helgha mwndh fyltis op medh blodh, twngan war all blodhog näsan war ffalnath ok saman ffallyn, hans kynben waaro inswnkin til tenderna, hans öghon wora omwenda i huffwdith, hans haar oc skegh war alth blodhoth, ok anlitet war bliknath oc blanadh ok alth blodhokth hans ryff syntis swa ath the mottä tälyas hans bwker war inswnken til rygen ok wädhskan war all borth torkath i honum oc syntis som han ey haffde inälffwa i sigh oc aller hans helga licame waar aller blaar oc blodhuger oc bort tranadher* (ur. Cod. Holm. A 118, fol. 28r-v, texten är utgiven i FL 3, s. 69ff).

Tha syntis dödzsins litir a hans licamma ther som han gat syns for blodheno, kindirna varo insänkta til tändirna, Rifwin syntis bar sua at the matto al tälias Quidhin sank in til ryggin thy at al väzskan var vtflutin aff honum Näsana syntis bleka oc thunna, oc allir licammin skalff tha hiärtat sprak Ok tha fiöl hans haka ok skäg nidhir a brystit Ok tha fiöl jak nidhir a jordhinna sua som dödh, Hans mundir bleff ypin sua som tha han gaff vp andan Swa at tungan oc tändirna oc blodhit matte synas j munnenom Ögonin varo ypin til halffs oc vare nidhiruänd, Ok allir dödhe licammen drogh sik nidhir, Knän bögdho sik wt annan väghin ok annan väghin fötirne owir jarnspikana (BU 2, s. 133f, bok IV:70).

[40] **iak : kom : þa : fuul : sörihilika : til : miin : kära : sun : ok : þahar : iak : sa : hanum : slaas : mäþ : näua : pustas : mäþ : loua : ok : ok : spyttas : i : antät : ok : kronas : mäþ : þorna : ok : til : alla : manna : a : syn : oos : til : skamma : þa : dröþes : olt : miit : liif : ok : uildä : slippä : andän : af : mik : ok : huärkän : röst : ällär : sinni : uar : i : mik : þär : uaro : mina : systär : ok : andra : manha : kuinna : grätände : for : miin : kära : ehing : sun : þär : uar : ok : mariä : magdälena** : (efter Småstycken på fornsvenska, s. 163ff).

[41] Så också i Danmark, se Jörgensen 1909:93f.

[42] Se härom Klockars 1966:84, Fogelqvist 1993:135ff. Jfr också Härdelin 1993:207. Här omtalas att ett standar bärs framför en nunneaspirant vid invigningen. På standarets ena sida är Kristi lidande kropp målat, på den andre Maria.

[43] *Loff wari thic min iomfru maria, thär saa thin son a korsseno hängia dödhan, oc fra hans iässa oc til hans ylia allan blodhoghan oc ginom händir oc föthir oc bryst stungin, oc hudhin aff thornom sundir rifwin* (ur Cod. RA E 9068, utg. i Svenska böner från medeltiden, s. 221).

[44] Cod. Holm. A 3, fol. 103v[2]-107r[1].

Även vissa uppbyggliga verk argumenterar för den obefläckade avlelsen, exv. *Speculum Virginum* på fornsvenska, t.ex.: *Sannelika hon som foresedh ok foreskikkat war, at afla äwärdheligha ordhit, for än hon föddis, fulkomnadis hon sidhan hon födh war, medh alzskona wälsignilse ok fulbordilse* (s. 181) och *Thänna är äwinneligha konungsins brwdh, hon är modher ok jomfru, dotther, dwffwa, syster ok wen, ensams gudz ensamen modhir, j himlomen gudz sons modhir, foreskipadh förra än hon war födh* (s. 182).

[45] Märk också att franciskanen Kanutus Johannis försvarade festen med argument hämtade från Birgittas skrifter, se Johansson 1966:358.

[46] Inc.: *Jn concepcione beate marie virgine Maria gudz modher taladhe Naar min fadher oc min modher kommo saman i hionalag* / (fol. 101v[1]).

[47] Inc.: *lectio prima feria quarta. Erant hodies ante legem datam moysi Mænnena waaro langhan thima for laghin giffwin moysi / ey witande huru the skuldo styra sigh oc sina gærninga....* (fol. 101v[2]).

48 Närliggande teman tas upp till läsning följande dag, den 9/12, S. Annadagen, nämligen en legend om S. Joakim (inc.: *Kærista systra medh hwat hedher oc werdogha loffui os tilbör, at hedhra oc wphöghia ärofullasta iomfrunna marie fadher sancte ioachim...*, fol. 107r[2], texten är utgiven i FL 3, s. 38ff) och två legender om S. Anna med sex järtecken. Den första legenden är en avskrift från FL. I marginalen står *thetta skal ey læsas.* Den andra legenden är en avskrift av Cod. Ups. C 9 (se Carlquist 1992:42f), inc: *Jacobus de voragine sigher / aff sancta anna / iomfru maria modher Jbland andra qwinor / hiølz hon oc war aldra ærlikasta qwinna,* fol. 110r[1].

49 *Oc bidher iak tik at thu hedhra oc ära mina concepcionis högtidh aarlika, wppa attonda daghin decembri maanadh Oc wtwidh the samma mina högtidh thet mästa thu formaa...* (FL 3, s. 59).

50 Se Ward 1987:158f.

51 Schemat beskrivs i Labov 1972. Ett exempel på en undersökning av en historisk narrativ, se Nyholm 1988, av moderna narrativer, se Ledin 1993.

52 Uppställningen följer Ledin (1993:39).

53 *War en iuþe Ioachim at namne i Nazareth* (FL 4, s. 1).

54 *Betre barn giua Guz naþe æn kiøtleka[r lu]ste* (FL 4, s. 3).

55 *Hua war starkare æn Samson, hælagare æn Samuel?* (FL 4, s. 3).

56 *Tro, Ioacim, skælum ok domom!* (FL 4, s. 3).

57 *Guþ giuar iþar goþa dotor. Hæna nampn skal vara Maria. Hon skal hælagh warþa u moþor liue ok si[þan] vp føþas ii [Gudz] þiænist ok ii [hans] mønstre mæþ renliuis louan.* (FL 4, s. 3f).

58 *fik Ioakim blyght ok snybbo af iuþom, wrækin fra ofre* (FL 4, s. 2).

59 *sat hon viþ væf ælla ten ælla naal* (FL 4, s. 5).

60 *Maria, þrigia ara gamalt barn, gik ensamen, som væxen vare, vp at [xv] trappom tel Guz altare* (FL 4, s. 4).

61 Återigen ett brott mot de judiska lagarna. Maria tecknas i legenden genomgående som en symbol för övergången från det gamla till det nya förbundet.

62 *Huar o giptar man af Dauit konogs slækt [ok] æt føre þørran vand ii hænde tel Guz mønstar ok af huilikins þera vande blomstar vt spriggar ok duua cumbar ivi flygandhe, han skal fæsta faghara iugfru, som første møbarna louaþe Guþi liua ii renliue.* (FL 4, s. 6).

63 *Han bar blomstar a þør[ro]m grenom, ok duua fløgh af himirike ok sattes iui blomster quisten.* (FL 4, s. 6).

64 *Maria for stoþ Guz iartighne ok fæstes mæþ trøst, at Guþ monde ok gøra frammer iartigine mæþ hanne ok naþer at halda louat renliue.* (FL 4, s. 6).

65 *þe þingh vilium vi hær af vare fru visa, som eigh finnas ii biblia scriueth ok æru þo fulkumleka san ok prøuaþ mæþ þøm vitnum firi næpnas.* (FL 4, s. 7).

66 Jfr FL 4, s. 7f.

67 Jfr FL 4, s. 8f.

68 *þolika ok sua hemska varo heþna villor ok sua værþogha þem heþno, ok eigh war lææt lætha þøm af fæþerssens siþum vtan mæþ listom* (FL 4, s. 12).

69 *þæs vitne baro heþne iuþa siælue, hænna sons [o] vini ok hænna, ok ær ovina lof fast vitne.* (FL 4, s. 13)

70 Se också Jörgensen 1909:93f.

71 Jfr FL 4, s. 14ff.

72 *Hui ræþas þæsse døþen, som prædica sælare liif annars hems?* (FL 4, s. 20).

73 *Sancte Petre, h[i]alp mik! þu est van at h[i]alpa nøþstadom.* (FL 4, s. 22).

74 FL 4, s. 18.

75 *Æn hui þorf þu viþ diæuul stygias? þu hauar han[s] howþ vndi fote brutit ok rænt han rikez ok valdz.* (FL 4, s. 18).

76 FL 4, s. 19.

77 Exv.: *O min käraste son miskunna hanum for thet blodhit som thu tokt aff minom likama. ok vtgötz for syndogha manna skuld. ok atirgält nu them vsla at han gladdis aff minne äro Ok giff hanum nokan tima til bättring...*, ur Jb 101.

78 *Var fru, Guz moþer, hærbærghiaþe Guþ ii iorþ[r]ike eigh at eno andeleca firi domadagh som andre cristne vtan ok licamleka ii sino renasto mødoms rume. Ær þæt þa væl skælekt, at Guþ hærbærgiar ok firi doma dagh eigh at enost hænna sial ok anda vtan ok licaman ii bæzto ok sic næsto himirikiz rume.* (FL 4, s. 23).

79 Jfr FL 4, s. 35.

80 Utgiven i FL 1, s. 31ff.

81 Se härom Ronge 1957:71.

82 *for thy at swa war tha i moyses laghom. at hwilkin mø ther lønlika toghe man oc finge barn hon skulle stenas i hææl.* (FL 1, s. 32).

83 D 4:s berättelse om Marias upptagning saknar abstrakt och slutvinjett. I övrigt är de narrativa avsnitten desamma som i FL. Observera dock vissa innehålsliga skillnader. I orienteringen ger D 4 en auctorsuppgift (Johannes evangelist) och värderingen är annorlunda. I D 4 ges här ett mirakel om aposteln Thomas.

84 Se *Legenda aurea* s. 505.

85 *Ther aff sigher en man hetir epiphanius. at hon war fiortan aara gamul tha hon wardh hafwande medh sinom dyra son ihesu christo. oc a thet fæmptanda aarith tha fødde hon han. oc thry aar oc thrætighi war hon medh honum til thæs han dødh tholde. oc æptir hans dødh lifdhe hon siæxtan aar swa mykin war henna aldir thry aar oc siæxtighi* (FL 1, s. 36f).

86 *A thridhia daghin kom war herra ihesus christus medh mykin ængla skara til sinna apostla... Tha sagdhe war herra Stat op miin kæra modher thit herbærghe ær thik til redho i thet ewerdhelikith liiff himerikis mønster swa som thu giordhe ænga synd swa skal thu op standa vtan alla mødho...* (FL 1, s. 42).

87 Se FL 1, s. 42. Märk att just i uppståndelseepisoden visar legenden på många paralleller till Bibelns framställning av Jesu uppståndelse (tre dagar i dödsriket, Tomas tvivlaren etc.).

88 *Se, min fru, þænna palm quist førþe iak þik aff paradis. Han skal bæras for þinne likbaar a þriþia dagh fra þænne. þin kære son biþar þin mæþ heþar ok aro* (FL 4, s. 18).

89 *Heel se thu maria signadh owir alla quinnor. thu skal tagha ihesu christi signilse. som han gaff iacob propheta. thin kære son haffwir thik sænt en palm. han hafwir iakført aff paradiis. then skal thu læta føra fore thinne baar. fore thy at thu skal fara aff thinom likama aa thridhia dagh. oc thin kære son han bidhar thik medh alt himerikis herskap* (FL 1, s. 37).

90 *Iak beþes aff minom syni tua bøne. þe første ar þesse, at alle mine brøþar apostoli mate nær mi[k] vara þæn tima iak giuar min anda up. Annur, [ath] ængen diæuul*

derues coma nær minne siæng ælla syn. (FL 4, s. 18).

91 *Jak bidher thik at thu sigh mik thit nampn. oc bidher iak thik at mins kæra sons apostla komo til mik. at iak matte them se medh minom øghom. før æn iak døør. oc før æn iak gifwir warom herra op min anda Ther næst bidher iak thik. at tha miin siæl far wt aff minom likama. at hon skal ey se nakan rædhelikin anda. oc diæwlsins wald kome ey mot mik* (FL 1, s. 37).

92 *Min fru, alle apostoli coma en [j] dagh tel þin ok skulu þik ærlek tel graua føra. Æn hui þorf þu viþ diæuul stygias? þu hauar han[s] howþ vndi fote brutit ok rænt han rikez ok valdz. þo skal vara, som þu vilt. Ængen diæuul skal diruaz tel coma þæn tima for þin øghon.* (FL 4, s. 18).

93 *Ædhla iomfru hwi girnas thu mit nampn at wita. thet som ær vndirlikt oc mykith. æn thins sons apostla skulu sampnas ther thik skulu gøra ærlika iordha færdh. Hwi skulu hæluitis ængla eller diæwlsins wald thik til nakan ræddogha koma. mædhan thu haffwir hans hoffwdh brwtith. oc rænt aff honum alt hans wald. thin wili skal wardha at the onda diæffla skal thu ey se* (FL 1, s. 37f).

94 *hørþes þær søtare sang hans ok hænna, æn nocor øron før hørþo.* (FL 4, s. 20).

95 *at henne dyre son swa fore sang Kom miin wtwald brwdh. oc i thik skal iak skipa min stooll Tha swaradhe sancta maria Min kære son iak ær redhoboen at gøra thin hælgha wilia Tha thet war saght tha swngo the alle medh honum som thiit waro medh honum kompne Thetta ær the som ængin synd følgdhe Tha sagdhe sancta maria swa Alle the i wærldinne ærw skulu mik kalla sæla Tha sang then ærlika mæstarin høgxt owir alla Kom miin kæra brwdh oc kom miin enfald duwa Tha swaradhe hon Jak kombir min son oc min gudh oc min kære herra som all miin helsa æst* (FL 1, s. 39).

96 *Vi ærum alle tomløse ii vara fru þienist ok gitum nu eigh iartingne giort.* (FL 4, s. 22).

97 *Jak bidher gerna fore thik æn thu tror a ihesum christum oc hans signadha modher iomfru sanctam mariam* (FL 1, s. 41).

98 *Lius com vm kring liket sua skinande, at [tre] iuffru som liket þuaþo, kiændo liket mæþ handom ok gato eigh seet mæþ øghom. Sua længge sken liuset, tel liket var þuaghit ok klæt.* (FL 4, s. 21).

99 *Thre møia waro ther som henna likama førdho aff klædhom oc thwogho han oc swepto.* (FL 1, s. 40).

4. Litteraturförteckning

Otryckta källor

Stockholm, Kungliga Biblioteket
Cod. Holm. A 3
Cod. Holm. A 49

Cod. Holm. A 54
Cod. Holm. A 108
Cod. Holm. A 110
Cod. Holm. A 118
Cod. Holm. D 4

Stockholm, Riksarkivet

Cos. RA E 9068

Uppsala, Universitetsbiblioteket

Cod. Ups. C 9
Cod. Ups. C 50

Tryckta källor och litteratur samt förkortningar

Andersson-Schmitt 1989 =
Margarete Andersson-Schmitt, "Själens tröst". Om teologins popularisering i uppbyggelselitteraturen: Från hymn till skröna, utg. av Alf Härdelin, Stockholm 1989

BR 7 =
Birgitta, Den Heliga Birgittas Revelaciones bok VII, utg. av Birger Bergh, Uppsala 1967 (SFSS II VII:7)

BU 2 =
Heliga Birgittas uppenbarelser II, utg. av G.E. Klemming, Stockholm 1860 (SFSS 14:2)

Carlquist 1992 =
Jonas Carlquist, Cod. Holm A 3 – en svensk lektiehandskrifts texthistoria: Leve mångfalden, Stockholm 1992 (Meddelanden från Institutionen för nordiska språk vid Stockholms universitet 37)

Erikskrönikan =
Erikskrönikan: enligt cod. Holm. D2 jämte avvikande läsarter ur andra handskrifter, utg. av Rolf Pipping, Stockholm 1963 (SFSS 68)

FL 1 =
Ett Forn-svenskt legendarium I, utg. av George Stephens, Stockholm 1847 (SFSS 7:1)

FL 3 =
Ett Forn-svenskt legendarium III, utg. av George Stephens, Stockholm 1874 (SFSS 7:3)

FL 4 =
Fornsvenska legendariet, utg. av Valter Jansson, Stockholm 1938 (SFSS 55)

Fogelqvist 1993 =
Ingvar Fogelqvist, Apostasy and Reform in the Revelations of St. Birgitta, Stockholm 1993 (Bibliotheca Theologiæ Practicæ 51)

Gad 1961 =
Tue Gad, Legenden i dansk middelalder, Köpenhamn 1961

Geber 1905 =
Nils Geber, Till dateringen af det fornsvenska legendariet: Studier tillägnade Henrik Schück, Stockholm 1905, s. 258-267

Härdelin 1993 =
Alf Härdelin, "Guds brud och egendom." Om "nunnebilden" i Birgittinregelns nunneinvigningsrit: Heliga Birgitta — budskapet och förebilden, utg. av Alf Härdelin..., Stockholm 1993 (KVHAA Konferenser 28), s. 203-212

Jansson 1984 =
Sven B. F. Jansson, Runinskrifter i Sverige, AWE/Gebers 1984

Johansson 1966 =
Hilding Johansson, Maria: Kulturhistoriskt lexikon för nordisk medeltid XI, Malmö 1966

Jörgensen 1909 =
Ellen Jörgensen, Helgendyrkelse i Danmark, Köpenhamn 1909

Klockars 1966 =
Birgit Klockars, Birgitta och böckerna, Stockholm 1966 (KVHAAH. Hist. ser. 11)

Klosterläsning (Jb) =
Klosterläsning: Järteckensbok, Apostla gerningar, Helga manna lefverne, legender, Nichodemi evangelium, utg. av G.E. Klemming, Stockholm 1877,78 (SFSS 22)

Labov 1972 =
William Labov, The transformation of experience in narrative syntax: Language in the inner city, utg. av W. Labov, Philadelphia 1972, s. 354-396

Ledin 1993 =
Per Ledin, Den skenande spårvagnen: en sociosemiotisk stilanalys av en nyhetsberättelse i tre kvällstidningar: Språk & stil 3 (Uppsala 1993), s. 35-55

Legenda aurea =
Jacobi a Voragine, Legenda Aurea, utg. av Th. Graesse, Osnabrück 1969

Nyholm 1988 =
Leif Nyholm, »Ödmiukast til Protocollet». Ett stilistiskt experiment med Labov och Quintilianus. Nysvenska studier 68 (Uppsala 1988), s. 19-39

Odenius 1981 =
Oloph Odenius, Some remarks on the Old Swedish miracle collection Cod. Holm. A 110: Hagiography and Medieval Literature, Odense University Press 1981, s. 37-65

Pernler 1993 =
Sven-Erik Pernler, En mässa för folket? — om lekmännen i sockenkyrkans

gudstjänstliv under senmedeltiden: Mässa i Medeltida Socken. En Studiebok av Sven Helander, Sven-Erik Pernler, Anders Piltz och Bengt Stolt, Skellefteå 1993, s. 102-134

Ronge 1957 =
Hans H. Ronge, Konung Alexander. Filologiska studier i en fornsvensk text, Uppsala 1957

SFSS =
Svenska Fornskrift-Sällskapets samlingar

Själens tröst (ST) =
Siælinna Thrøst..., utg. av Sam. Henning, Uppsala 1954 (SFSS 59)

Skrifter till uppbyggelse =
Skrifter till uppbyggelse från medeltiden, utg. av Robert Geete, Stockholm 1904-05 (SFSS 35)

Småstycken på fornsvenska =
Småstycken på fornsvenska, utg. av G.E. Klemming, Stockholm 1868-81 (SFSS Bilagor till Fornskriftsällskapets årsberättelser 25-39)

Speculum Virginum =
Speculum Virginum, utg. av Robert Geete, Stockholm 1897-98 (SFSS 31)

Svenska böner från medeltiden
Svenska böner från medeltiden, utg. av Robert Geete, Stockholm 1907-09 (SFSS 38)

Söderberg 1951 =
Bengt Söderberg, Svenska kyrkomålningar från medeltiden, Stockholm 1951

Thorén 1942 =
Ivar Thorén, Studier över Själens Tröst, Stockholm 1942 (Nordiska texter och undersökningar 14)

Ward 1987 =
Benedicta Ward, Miracles and the Medieval mind, Scolar Press 1987

Widding & Bekker-Nielsen 1961 =
Ole Widding & Hans Bekker-Nielsen, The Virgin bares her Breast: Bibliotheca Arnamagnæana XXV, 1 Opuscula II,1, (Köpenhamn 1961), s. 76-79

Ingmar Milveden

Stella Maria maris paris expers
Om och kring Pseudo-Brynolfs Mariahystoria

Grundläggning.

För hystorian i fråga används i det följande siglet *SteM*.[1]

SteM ingår *de facto*, ehuru utan omedelbart preciserande textincipit, i den grupp om fyra hystorior som i vår huvudkälla *Vita Brynolphi*, de 1492 tryckta handlingarna från den förberedande kanonisationsprocessen i Skara/Vadstena 1417, hypotetiskt tillskrivs Skarabiskopen Brynolf I (1278-1317); själva tillskrivningen formuleras så: [...] *cantum et hystorias de Spinea corona* [...] / *ac eciam de beata virgine / De sancto Eskillo martire / et de sancta Helena martire* [...].[2]

Hypotetiskt tillskrivs – därför att det sker i en av processens *articuli interrogatorii* och varje sådan utfrågningspunkt i enlighet med den kanoniska lagens bokstav är utformad som ett ”låt oss förutsätta”, ”låt oss antaga”: i den hela processen igenom ständigt närvarande artikelingressen heter det att de verkställande mötesansvarige *ponunt et probare intendunt*, 'framkastar tesen, antagandet, påståendet och är sinnade att få saken prövad, diskuterad, bevisad'.[3]

Det är ovan anförda och kommenterade passus i processprotokollet som utgör fästpunkten för eller grundbulten i ”författartraditionen

Brynolf", den åsikt inom klassisk och hittillsvarande Brynolfsforskning som blivit allmän eller nästan allmän consensus.

Avsikten med föreliggande rapport är tvåfaldig. Dels att genom särbelysning av några betecknande enskildheter i ett komplext liturgiskt bruksmaterial locka till fördjupade studier i detta som helhet – det är skandinaviskt, sannolikt franciskansk-skandinaviskt, och dess texter utmärks alltigenom av andlig erfarenhet, teologisk skärpa och retorisk-poetisk handaskicklighet på hög nivå. Dels också att samtidigt föra till torgs några nyare forskningsrön till – som det vill synas – solitt stöd för min redan 1972 framlagda teori om detta materials härkomst, en teori som går stick i stäv mot just nämnda allmänna eller nästan allmänna consensus (se Milveden 1972, s. 27-44 och *passim*).

Bakom frågeartiklarnas *officiella* uppräkning av våra hystorior hade legat en *officiös* sådan. Därmed avser jag den som meddelats i den preliminära Brynolfsbiografi som enligt rutinen i dylika affärer några år före Skaramötet sänts till Konstanzkonciliet, och ur vilken ett grättet utvalt lag höglärde teologer, bland dem en Gerson, sedermera utvunnit ett hanterligt processmaterial i form av strategiska förhörspunkter.

En av de främsta tillskyndarna till, ingenjörerna bakom och vittnena vid 1417 års process var den *episcopus modernus* som vid tiden för denna innehade Skarastolen, helgonkandidatens namne Brynolf II [Karlsson]. Denne blir i fortsättningen härnedan kallad "processbiskopen" – han är visserligen inte den biskop processen handlar om men väl den biskop som handlar i processen som en av dess vitalaste och fackkunnigaste aktörer. Den förberedande biografin hade han sammanställt med sina kapitularers råde och i nära samarbete med de högsta Vadstenakretsarna av Gudsvänner och unionspolitiker; Vadstenaklostret, Skandinaviens andliga centrum, är för övrigt att betrakta som själva primärmiljön för det unga 1400-talets initiativ till kanonisationsbemödanden om biskoparna Brynolf I av Skara, Hemming av Åbo och Nils av Linköping samt dominikansystern Ingrid. Ett juridisk-källkritiskt dilemma tycks föreligga i det förhållandet att författargruppen bakom Brynolfsbiografin och gruppen av vittnen i Skara och Vadstena i inte ringa utsträckning formas av samma personer.[4]

Som framgår av underrubriken behandlas *SteM* som *pseudepigraf*.[5]

Framställningen är tredelad.

(1) Första delen är ägnad synpunkter av närmast *lärdomshistorisk* art. Vad som här i korthet berörs kan etiketteras som historiografin om vår hystoria. Vi får observera några stadier på vägen mot ett definitivt likhetstecken mellan hystorian *de beata virgine* och *SteM*.

(2) I den andra är det materier av *litteraturhistorisk* natur som blir belysta. De hör till hystorians s. k. poetiska formulär, till dess poetiska teknik eller

teknologi: hur ser antifonerna och responsorierna versifikatoriskt egentligen ut inuti? Som avslutning reflekteras här över ett enkelt akrostikon som smugits in i hystorians laudesantifoner.

(3) Det i strikt mening *liturgihistoriska* stoffet har sparats till del tre. I dess första hälft ges en glimt av det recenta källäget: två nya fragmentfynd av radikal innebörd dras fram samtidigt som ett äldre fynd blir föremål för en omvärdering i anseende till sin proveniens. I dess senare hälft koncentreras så uppmärksamheten på den i tidigare forskning något styvmoderligt behandlade *legendan* och på vilka slutsatser om hystorians liturgiska primärmiljö som rimligen kan dras ur där konstaterade textlån.

Avgränsning.
Av främst utrymmesskäl måste här avstås från behandling av det ovan nämnda elementet *cantus*, den ena av de båda huvudbeståndsdelarna i hystoriornas *koraliska* verklighet, det element som finns förankrat i nottext. Inom något nyare musikologi talar man när det gäller här aktuellt historiskt skede i detta avseende om *medeltida* koral, inte så gärna *gregoriansk* (härom t. ex. Milveden 1974 b, sp. 695, r. 23 ff.). Diskussionen om samspelet mellan ordtext och nottext blir avgjort bättre underbyggd i en samedition av de bägge texturerna genom ständig närhet till nödvändigt precist jämförelsematerial.

Vetenskaplig-korrekta editioner av dylikt slag är sedan långliga tider efterlysta i hithöriga forskningskretsar och är också under starkt kommande.[6]

1.

[...] *ac eciam de beata virgine*, 'och även om den saliga Jungfrun'. Så knappt tilltaget är vad som yppas i vår huvudkälla *Vita Brynolphi* om den Mariahystoria vars autenticitet som Brynolfstext var uppsatt som diskussionspunkt i Skaraprocessen men som aldrig kom att diskuteras: intet vittne tycks på den punkten ha haft något att andraga. Ingen textbörjan ges oss till sökinstrument efter heortologiskt läge eller regulär/sekulär spiritualitet.

Inte heller i någon annan medeltidskälla har det hittills gått att belägga några direkta – *explicita* – uppgifter med vars hjälp processens *de-una-virgine*-material låter sig länkas till *SteM*."[7]

Men kanske – och till den möjligheten skall vi återkomma nedan – kan det uppbringas *implicita*?

1.1 *SteM anonym text intill 1926.*

I hymnologisk lärdom alltifrån 1600-talsantikvarianism till 1800-talsromantik möter å ena sidan i Brynolfssammanhang hystorian *de beata virgine* oidentifierad, ansiktslös, å den andra *SteM* såsom anonym, med Brynolfsprocessen icke sammanförd text. Den romantiska historiska skolan med dess insamlingsfascination och utgivningsentusiasm gör sig i hög grad märkbar på det liturgihistorisk-hymnologiska fältet. Med utgångspunkt i frågan om *SteM* skall 1800-talsutvecklingen framemot tidigt 1900-tal här antydas genom fyra representativa namn.

1.1.1 *Dreves.*

Mastodontkollektionen AH, vars utgivning avbröts efter 36 år och 55 band, var i anläggningen tänkt att täcka in allt vad till hymnologiska genrer räknas kunde från världens alla hörn. Med AH införlivades *SteM* 1889.[8] Den tyske hymnologen och gregorianikern *Dreves* stod vid den tiden i spetsen för editionsarbetet.

I sin kritiska apparat anger denne som källor till *SteM* tre danska *breviaria impressa*, dels Breviarium (i det följande Brev.) Lundense 1517, dels Brev. Roschildense med samma tryckår och dels också Brev. Aarhusiense 1519. Om författarfrågan spekuleras inte.

Det är blott det s.k. poetiska formuläret som ederas: antifonerna och responsorierna. AH blev stannande vid den typen av editioner. Av storkontextuella ambitioner syns för övrigt nästan inga spår i denna tids hymnologiska utgivningsverksamhet.

1.1.2 *Chevalier.*

Mellan Dreves och Chevalier förs en lång och bitter polemik som rör den senares vetenskapliga akribi. Den gällde i första hand Chevaliers breda incipitkatalog Repertorium Hymnologicum. I denna förtecknas som anonymt incipit *SteM*.

Hos Chevalier deklareras fyra skandinaviska breviarietryck som källor till *SteM*: utöver AH:s tre danska har nu tillkommit också ett svenskt, Brev. Strengnense 1495.[9] Chevalier refererar i sammanhanget också till *Klemming*.

1.1.3 *Klemming.*

Chevaliers referens syftar på den originelle stockholmske bibliognosten och kongl. bibliotekarien Klemmings redan i tidigt 1880-tal fullbordade och snartnog internationellt uppmärksammade generalmönstring av allt vad hymn på den tiden hette (och "hymn" hette på den tiden aningslöst så gott som de flesta av de liturgiska sångkategorierna).[10]

I Klemmings antologi avtrycks *SteM* till allra största delen på grundval av en i Uppsalakodexen C 23 (fol. 94r - 97 v) inhäftad binio eller duern, vars närmast trådlika brevkursiv av editionen att döma berett paleografen Klemming månget svåröverstigligt hinder.[11] Det skall dock inte lämnas osagt att första vespern med dess titelgivande första psalmantifon helt korrekt ederas efter Brev. Strengnense 1495.

1.1.4 *Westman.*

Som åsiktsbildare har ett lands stora, välspridda litteraturhistoriska handböcker på akademisk nivå visat sig besitta en enastående genomslagskraft. Omkring sekelskiftet 1900 hade hos Schück och Warburg diktaren Brynolf litet nymornat blivit *en vogue.*[12] Frågan om "rimofficierna" hade blivit hetare, angelägnare. Som ett nedslag härav kan inte minst en Westmans och en Blancks insatser ses.

I första bandet av Svenskt biografiskt lexikon har stort utrymme lämnats åt en redogörelse för den medeltida västgötska högfrälsesläkt som av en sen tid kommit att benämnas Algotssönerna. Huvudparten av artikeln skrevs av språkforskaren, Göteborgsprofessorn och inte minst Västgötakännaren av Guds nåde *Beckman.* Det i Beckmans storartikel inlemmade bidraget om den mest namnkunnige av Algotssönerna, den beatificerade Skarabiskopen, anförtroddes emellertid åt en teolog av facket, nämligen kyrko- och missionshistorikern Westman, kanske mest känd för sina uppslagsrika Birgittastudier.[13]

Det bidraget är särskilt minnesvärt. I det läggs nämligen för första gången fram ett djärvt, konkret förslag angående identifikationen av hystorian *de beata virgine.*

På sin sökarstråt genom 1498 års tryckta Skarabreviarium hade *Westman* gjort halt vid det firningsmaterial som där bjuds för den 2 juli, Marie Besökelses dag, *Visitatio*-festen. Med facit i hand kan vi konstatera att det formulär han fastnat för var *Sacerdos nove gracie*, den Mariahystoria som enligt våra senmedeltida tryckta stiftsbreviarier är utmärkande för dels just Skara, dels också Västerås på den dagen.[14]

Det blir nu i *Sacerdos* som Westman är böjd att se processartikelns så gåtfullt knappt presenterade Mariatext återfunnen: "Maria-officiet synes höra till Visitatio Mariae (2 juli)".[15]

Men han tar miste.

Vad den framstående kyrkohistorikern här märkligt nog råkar förbise är kronologin beträffande införandet av Mariaårets stora märkesdagar inom den svenska kyrkoprovinsen. Marie besök hör i det avseendet till de sena. Inte förrän bortemot ca 100 år efter Brynolf I:s död föreligger den festen säkrad i svensk sekulär rit.[16]

1.2 *Blancks bravad.*

Det är inte utan att Westmans val bland Skaratexterna kan verka träffat mest på känn. Långt mer systematisk ter sig då den letningsmetod som knappt ett decennium senare prövas av Westmans jämnårige upsaliensiske professorskollega *Blanck*, den frejdade, i analysen skärpte litteraturhistorikern.[17] Mig veterligt är detta Blancks enda bidrag till liturgiforskningen – som sin egentliga forskningsdomän hade han som bekant inmutat den svenska 1700-talsdiktningen.

Den metod som Blanck på spaning efter den ännu oidentifierade hystorian tillämpar i sin minutiösa punktundersökning av text efter text samma Skarainkunabel igenom hade han utvunnit ur en passus i *Vita Brynolphi.* Den ingår som tung vittnesutsaga (egentligen med utgångspunkt i Törnehystorian men förallmänligad) i den deposition som i förarbetet inför 1417 års process utarbetats av och under processen kommenterades av vår processbiskop. Det är den passus i vilken denne i åskådningsundervisningens form detaljerat och retorikkunnigt beskriver vad han uppfattar vara helgonkandidatens särskilda *modus dictandi*, dvs. sättet att utöva det förmenta liturgiska författarskapet på. Helgonkandidaten, hävdas det,

> [...] *in responsorijs semper vsus ricmo trimembri/*
> *Et loco quarti membri quod versus dicitur*
> *semper vt dixit solitus est ponere unum metrum*
> *predicto trimembri Ricmo in terminatione conforme.*[18]

I denna så flitigt citerade passus är det, skulle man kunna påstå, som myten om Brynolf Diktaren får sin första offentliga auktorisation. Själva planritningen till den med tiden alltmer påbyggda etiologiska sägnen om hystoriorna föreligger här fix och färdig med processbiskopen som kompetent arkitekt.

Sökmetoden ger i Blancks händer väntat utslag. Hystorian *de beata virgine* har plötsligt fått ett ansikte. Till de tre längesedan identifierade hystoriorna kan hädanefter läggas också *SteM*. Såtillvida har Blanck med sin bravad radikalt ruckat det dittills gällande forskningsläget.

Men i den mån Blanck också är ute efter autenticitetsfrågans lösning – att så verkligen är fallet ger redan hans rubrik vid handen – *har han förvisso ställt sitt problem fel*!

Vad metoden duger till är naturligtvis ingenting annat än att inringa vilken Mariatext som 1417 års kanonisationsvänner i gammal god disputationstes-stil antar, påstår (*ponunt*) vara av Brynolfs hand och vars äkthet de är sinnade att ställa under debatt och såvitt möjligt bevisa (*probare intendunt*). Samtliga vittnen förhåller sig dock under hela processen tysta vad gäller hystorian ifråga.

I upphovsmannafrågan, autenticitetsfrågan, står Blanck 1926 helt och hållet kvar på 1417 års vetandeståndpunkt.

1.3 *Tørkils textberikning.*

Ingressen till denna första del av rapporten fick mynna i en retorisk fråga. Kunde det uppbringas någon *implicit* uppgift till uppklarande av *de-beata-virgine*-frågan?

Svaret är ja – i den vadstenensiska översättningslitteraturen har en notis av sådant slag kunnat vaskas fram. Stället ifråga är en *glossa*, en i kontexten sekundärt inbakad kommenterande textberikning. Den har efterspanats och slutligen också påträffats i ett speciellt Brynolfs-sammanhang, nämligen i ett aktstycke som gemenligen kallats en svensk-översättning av *Vita Brynolphi*.

Ännu ett stycke in på 1800-talet tycks en helt originalnära kopia av levnadsteckningen ha funnits i sinnevärlden. Sedermera har denna gått förlorad.[19] Men som en lycklig verkan av 1600-talsantikvarianismen existerar texten detta till trots den dag i dag är. Redan på 1680-talet, när handskriften i sin helhet ännu var tillfinnandes, förfärdigade nämligen den namnkunnige upsaliensiske historieprofessorn och akademi-bibliotekarien, tillika rikshistoriografen och assessorn i Antikvitets-kollegium *Arrhenius-Örnhielm* (*Örnhjälm*) en kopia av den, och det är denna som nu finns tillgänglig för forskning i Uppsala universitetsbiblioteks sammelhandskrift E 206 med huvudrubriken *Svecia Sancta seu Hagiologia Sveo-Gothica*.[20] Utgiven av trycket blev denna avskrift tack vare *Schröder* i form av en handfull dissertationshäften under titeln *Vita S. Brynolphi Svethice ex apographo Örnhjelmiano*.[21]

Den som vände skriften från latin till yngre fornsvenska nämns ”vår käre fader herr Torkel”. Titeln ”herr” i förening med ”fader” signalerar att en präst fört pennan. Genom sin identifikation av denne ledde oss emellertid Schröder direkt på villovägar, detta med förödande långtidsverkan. Till *Translator Vitae S. Brynolphi* utser han utan prut en av Skarakapitlets och processens förnämste prelater, *prepositus Scarensis* Torkillus [Tostonis].[22]

Uppgiften tas okritiskt över hos Annerstedt.[23] Den skulle sedermera komma att cementeras genom *Lundéns* många skrifter i ämnet Brynolf.[24]

En närläsning av glossan ger dock ett annat svar. Den Torkel som Schröder och Schröderskolan satsar på är *fel* Torkel, och den liturgiska verklighet glossan speglar är ingalunda Skarakatedralen utan fastmer brödrakoret i Vadstena blåkyrka.

Rätter man är i stället tveklöst prästbrodern i Vadstena kloster *Tørkillus Elavi*, flitig i skrivarstugan både som kopist och försvenskare av latintext och slutligen till respektingivande ålder hunnen. I Vadstenadiariets obiturialnotis för den 2/4 1513 blir han ihågkommen som *immense devocionis senior noster ffrater* – hela femtio år hade då förrunnit sedan hans profess.[25]

Tack vare detaljjämförelse mellan latinoriginalet och dess bearbetning på yngre fornsvenska har det kunnat göras gällande att Tørkillus i skrivande stund måste ha haft 1492 års Gothaninkunabel *Vita Brynolphi* för ögonen; boken bör tämligen omgående ha tillställts Vadstenalibrariet.

Detta förhållande ger oss en *terminus post* för dateringen av bearbetningen. För mer precis tidfästning öppnar sig därifrån ett tidsgap på drygt 20 år. Ett kriterium för *sen* sådan utgör tilltalet ”fader”, ett tilltal som i Vadstenafamilian normalt endast kom generalkonfessorn till del. Särskilt som *senior cleri* kan Tørkil dock mycket väl ha kallats så. Därmed förs vi nära vår absoluta *terminus ante*, dödsåret.

Någon ”översättning” är det nu inte fader Tørkil lagt fram; att åstadkomma någon sådan hade heller inte huvudavsikten med arbetet varit.

Frågeartiklarnas envetet hamrande ingress *ponunt et probare intendunt* har skalats bort. Tørkil har helt enkelt systematiskt ”hagiograferat” processprotokollet. Av frågesats har blivit positiv påståendesats. Med bortklippningar och isättningar har han sytt om sin förlagas språkdräkt. Kvar har blivit ett stycke stilenlig hagiografi och själaryktande saga, allt väl lämpat t. ex. som meditativ bordsläsning eller med en mer signifikant term bords-*kantillation* i systrakonventets refektorium.[26]

Vad ger då vår nya kunskapskälla?

Stället i den f. d. frågeparagrafen citeras här med glossans ord kursiverade:

[...] han satte och samman

den sången *vij siunge var*
løgerdagh af Jungfru Maria
tå eij ähr annor
høgtidh af
någrom helgom Men
medh lexone [...][27]

Likaledes – så förklarar Tørkil situationen – satte beatus Brynolf samman den Mariasång eller Mariahystoria som "vi" (dvs. de liturgiska funktionärerna i brödrakoret) sjunger principiellt varenda lördag; principen har dock en hake.

Nu har *glossator* redan visat vägen till *de-una-virgine*-problemets lösning. Den tas lämpligen via Birgittas Regula. Jämlikt Regulan ägde klostrens brödrakonvent, som inte var exempta, att liturgiskt rätta sig efter katedraltraditionen i det stift i vilket klostret var beläget. Vadstenabröderna skulle alltså sjunga enligt *usus Lincopensis*.

Den votivhystoria *in sabbatis* som vid här aktuell tid föreskrivs i lincopensiska tjänstböcker är inte någon annan än just vår *SteM*.[28]

Men huvudprincipen är som sagt villkorad, försedd med förbehåll. Förutsättningen för att *SteM* skulle bedjas var att någon högrerangig firning inte kom i vägen, kom i liturgiskt konkurrens- eller ockurrensläge. Det är det förbehållet Tørkil uppmärksammar med glossans ord "lexone": den kolliderande hystorian måste i så fall vara av såpass hög festgrad att den ägde egenläxor eller -lektier i matutin–legendan.

2.

Hystorior – liksom sekvenser, troper, *versus alleluiatici*, hymner, kort sagt det mesta av all liturgisk poesi – har, skulle man kunna mena, sitt eget språk, sitt eget hemspråk, sina egna interna, dialektala uttryckssätt. Det går ett evigt eko texterna emellan. De står i intimt samspråk med varandra. Det nya begreppet *intertextualitet* har befunnits särdeles användbart, öppnande, vägvisande och förståelsefrämjande också på vår liturgihistoriska sida av litteraturforskningen.

Att kalla *SteM* en symbolkatalog vore en truism. Praktiskt taget alla Mariahystorior på liknande skaparhöjd utgör kataloger över en obligatorisk uppsättning marianska symboler, metaforer, topoi, epitet osv. med hemmahörighet i Bibeln och hos *patres*. På samma sätt är praktiskt taget alla liturgiska texter på liknande nivå kataloger eller provkartor också över den litterära retorikens hela sortiment av slugt uträknade konstgrepp: *adnominatio, allitteration, polyptoton, cursus, akrostikon* med mera sådant.[29]

I denna rapportdel frågas, med avgränsning till antifon- och responsorietexterna, hur – med hjälp av vilka versifikatoriska medel – *SteM* struktureras och presenteras.[30] Två stickprov tas. Det första rör hexameter, det andra dels vagantvers, dels 'vagantstrof *cum auctoritate*'. Slutligen presenteras det ovan i Grundläggning förutskickade akrostiket.

2.1 *Versstrukturen 1: kvantiterande hexameter med rim.*

SteM:s antifoner och responsorier presenteras poetisk-tekniskt sett i både accentuerande och kvantiterande verskonst, i såväl *rhytmi* som *versus*, dessa *modi* isolerade för sig eller förenade i den rytmisk-metriska blandteknik för vilken tyska filologer och litteraturhistoriker på 1800-talet med utgångspunkt i den s. k. vagantpoesin myntat termen 'vagantstrof *cum auctoritate*' (en term som sedermera kommit att prövas även ifråga om andra latinska poesigenrer).

I hela första vespern är det hexametern som råder.[31]

Med samma versmått formas också själva öppnandet av den följande tidebönen, nattgudstjänsten, matutinen. Det sker i invitatoriet, inbjudan att stämma upp psaltarpsalmen Vulgatanr 94, *Venite exsulte–mus*. I hela matutinen är hexametern sedan närvarande som en underström i det att som fjärde och sista rad i varje *responsorium prolixum*, långresponsorium, på sätt som nedan närmare skall visas satts in en slutvers på imiterad klassisk hexameter (en *auctoritas*, om man vill anknyta till den term som just anförts).

Tillägget "med rim" görs ovan i mellanrubriken. Det är väsentligt. Det är rimbunden hexameter vi har att göra med. De många utstuderade sätten att i detta slags medeltidspoesi spela med olika rimmöjligheter utgör för övrigt som bekant något av ett forskningsfält för sig (i varje fall underbygger t. ex. Meyer 1905 den uppfattningen). Av några i *SteM* exponerade sätt skall här ges en glimt. Därvid har befunnits praktiskt att gå från enklare till mera komplicerat.

2.1.1

Början tas med invitatoriet. *Venite*-uppmaningen är lagd i en enda hexameterantifon som, hel eller uppdelad, inleder, genomkorsar och avslutar psaltarpsalmen. Den lyder:

Uotis voce pie / plebs christi psalle marie.[32]

Som synes föreligger här en leoninsk hexameter. Rim äger således rum mellan cesur och versslut.

Åter andra iakttagelser kan göras. Allitterationstätheten är t.ex. högst påtaglig.[33] Inte heller att förbigå är det välbalanserade klangspelet mellan o-, a-, e- och i-vokalerna.

En rimtätare hexameter möter vi i förstavespern, dels i antifonen till det för vespern kännetecknande *canticum*, Marie lovsång i Luk 1:46-55, dels – och där når vi en versifikatorisk höjdpunkt – i de fem psalm-antifonerna.

2.1.2

Vad först antifonen *super Magnificat* beträffar, blir den utbredd över tre hela verser för att dess Mariavördning skall bli färdigsjungen. Dessa är såväl cesur/versslut-rimmade (*leonini*) som därtill sinsemellan rimmade (*caudati*). Den tredje av dessa verser stannar vid den leoninska hexameterns båda rim. Men i det inledande versparet ses fogat ännu ett rim utöver leoninens. Antifonen lyder som följer:

O fons ortorum / flos florum / gemma polorum/
gloria sanctorum / vas morum / spes miserorum/
splendor celorum / nos duc ad lumen eorum.[34]

I antifonens rimuppbyggning spelas genomgående med plurala genitivändelser på *-orum*. I ett brett unisono samklingar inte färre än åtta sådana.

2.1.2.1 *Kopplingar mellan SteM:s antifoner/responsorier och legenda.*

Till ovan påpekade serie av grammatiska ändelserim har i vårt material observerats ett snarlikt motstycke. Det återfinns i *SteM*:s legenda, närmare bestämt i första nokturnen, den s.k. *Sacrosanctam*-nokturnen, tredje lektien, period 1. I tät konstprosa står där följande rimgrupp att finna:

lux seculorum/
congratulatio angelorum/
consolatio miserorum/
refugium peccatorum.[35]

Av denna sorts mekaniska grammatiska rim överflödar visserligen våra liturgiska genrer. Detta till trots skulle jag ändå vilja hävda att den påvisade parallellen kan stödja antagandet att *SteM*:s legenda och poetiska formulär från början varit tänkta som en enhet.

En analog koppling mellan å ena sidan responsorier, å den andra lektier, är påvisbar också vad gäller den s. k. *Bernardus*-nokturnen.[36] *SteM* förefaller mig som helhet vara inriktad på en särskild Mariafirning (men möjlig att nyttjas också i dogmatiskt närstående Mariasammanhang; stabila källstöd finns för att hystorian använts för både *Conceptio* och *Assumptio*).[37]

2.1.3

Med ett tredje steg har vi nu hamnat i den på vesperns fem psaltarpsalmer fininställda antifongrupp som tillskapats för att i ett sjungande nu förvandla dessa urgamla psalmer till gudstjänstaktuellt marianska. Var och en av dessa antifoner utgör sin egen avrundade hexameter, en hexameter betydligt hårdare strukturerad än de i 2.1.1 och 2.1.2 nämnda.

I vesperns psalmantifoner utgörs det bestämmande kriteriet av två med versslutet rimmande inrim och av det förhållandet att dessa hela serien igenom placerats på ett ovanligt ställe i verskonstruktionen, nämligen i trängsel i och kring tredje och fjärde versfoten.

Ett exempel, men ett signifikativt sådant; det är av mer än ett skäl som följande val träffats (tredje vesperantifonen):

Sis lumen mentis / gentis solamen egentis.

Utom det för rimarten utmärkande inrimsparet *mentis – gentis* spelar här ytterligare rimstavelser med i klangspelet: det inledande verbet *sis* t.ex. jämte ordslutet *-men* (*lumen*, *solamen*).[38]

En översikt över korrespondensen mellan inrimspar och slutrim tillika i antifonerna 1-2 och 4-5 kan ytterligare belysa tekniken:

maris/paris →	*tuearis*,
maris/paris →	*dominaris*,
munda/munda (homonymrim) →	*vnda*,
propicia/pia →	*maria*.

2.1.3.1 *Ett Anglia docens?*

En serie i liturgisk kontext bevisligen fungerande hexameterverser har nyligen dragits fram i *SteM*-forskningen. Den tycks vetta åt gammalengelsk liturgi, t.o.m. så gammal som från tiden före 1066, angelsaxisk tid, vilket skulle betyda att vi försätts till efterverkningarna av den stora benediktinska *revival*-rörelsen. Vad det är fråga om är en uppsättning *benedictiones*. Här skall återges några få exempel som speglar *usus ecclesie Eboracensis*, bruket i det gamla Yorkstiftet. De är inriktade på olika Mariafester och oktaver till Mariafester.[39] Hexametern är av leoninsk typ. En benediktion på Marie Upptagelses fest lyder:

Stella maria maris; / succurre pijssima nobis.

På Bebådelsedagen kunde bedjas på följande vis:

Virgo fecunda; / pia nos a crimine munda,

under Mariaoktaver sålunda:

Ortus solamen: / det nobis virginis amen.

Paralleller som slumpvis gått i dagen? Eller är de på något sätt att betrakta som förebilder till våra vesperantifoner? Eller ses här blott prov på den inomliturgiska intertextualiteten?

2.1.3.2 *Ett Dacia docens?*

SteM kallas ovan i huvudinledningen för ett skandinaviskt liturgiskt bruksmaterial. I detta saknas inte drag som vetter åt Danmark.[40]

Texterna präglas i lika mån av teologisk tankeskärpa, hemmastaddhet i Bibel och *patres* och frapperande behärskning av medlen att uttrycka allt detta på. Speglas i vår *SteM* någonting av själva lärdomsklimatet – det teologiska, det litterär-retoriska – i danskt 1300-tal? Att något reflektera över hur detta var beskaffat kan här vara platsen.

Frågan kan på ett belärande sätt belysas genom att man lyfter fram en av aktörerna i den efterfrågade miljön.

Hans namn är *Iacobus Nicholai de Dacia.*

Han är dansk. Han är präst. Han är lärd, han är retorisk-poetiskt mäkta lärd.

Om Iacobus Nicholais antecedentia har *Kabell* i företalet till sin ståtliga edition av hans *magnum opus*, *Liber de distinccione metrorum*, gett en vittblickande orientering.[41] Med Iacobus förflyttas vi till den högborg för dansk 1300-talsintelligentia som utgjordes av triangeln domkyrka-domkapitel-domskola i Roskilde.

Men märkligt nog förs vi med samme Iacobus samtidigt till ett *Anglia docens*, ett lärande England, som ju i ett danskt politiskt förflutet legat mindre fjärran, ja, rentav varit en dansk provins. Iacobus Nicholais universitetsår och kyrklig-liturgiska gärning kom nämligen att förläggas dit.

Var vi framförallt kan lära känna Iacobus är just i hans nämnda *magnum opus*.

Där framstår han som en latinskald av rang men allra främst som en outtröttlig läromästare i att uppfinna och kombinera, ja, komplicera, de mest sofistikerade hexameterhändelser. *De distinccione* är en guldgruva för den som söker skaffa sig en första överblick över alla i tiden och ämnet upptänkliga – i ordets finaste mening – konstgrepp.[42]

2.2 *Versstrukturen 2: en rytmisk modell och en rytmisk-metrisk.*

Det konstitutiva strukturelementet i hela den återstående delen av *SteM*:s poetiska formulär är av rytmisk-accentuerad art: vi möter här *vagantversen*, *vagantraden* (ofta ses förleden utbytt mot synonymen *goliard-*).[43]

Det är på detta slags *rhytmus* som samtliga psalmantifoner i matutin och laudes formats liksom också *Benedictus*-antifonen, antifonen till det för laudes betecknande *canticum* (Sakarias´ lovsång i Luk 1:67-79). Samma rytmidé styr också huvuddelen, dvs. de tre första av de inalles fyra leden eller *membra*, i var och en av matutinens nio storresponsorier; denna responsoriedel benämns liturgiskt *corpus* eller *responsum*.

I responsoriernas fjärde *membrum* är det den redan omskrivna teknikväxlingen sker i det att *metriken* i hexameterns form här hyllas (se nedan 2.2.2).

2.2.1 *Den rytmiska modellen.*

En fullständig vagantrad är en 13-staving som genom fast cesur delas upp i en sjustavig vagant-*långvers* med manligt slutfall (∼ ∼̀) plus en sexstavig vagant-k*ortvers* med kvinnligt: (∼́ ∼). Det rytmisk-accentuerade händelseförloppet kan mera utförligt tecknas så:

(∼́ ∼ ∼́ ∼ ∼́ ∼ ∼̀ / ∼́ ∼ ∼́ ∼ ∼́ ∼)

eller helt kort så:

7 pp + 6 p.[44]

Vagantrader i par eller i en klunga på exempelvis tre gör en *vagantstrof*.[45] Samtliga psaltarpsalmantifoner i *SteM* består av två fullständiga vagantrader, *Benedictus*-antifonen åter av tre. I alla rimmar långversernas manliga slutfall sinsemellan, likaså kortversernas kvinnliga.

Som exempel på psalmantifonerna ges här den andra antifonen i laudes, en paradistopos och Höga-Visan-allusion i vars textutmejsling åtskilliga av de i inledningen till del 2 åberopade retoriska konstgreppen kan upptäckas:

Ortus es aromatum / delectans dilectum/
dulcis fons charismatum / dulcorans affectum.[46]

2.2.1.1

Termerna med förleden vagant/goliard har som sagt (se n. 45) fått bred giltighet. De har kommit att bilda något av en vägskylt, en riktningsvisare att följa när det gällt att söka efter vår rytmmodells egentliga primärmiljö.

Skäl finns dock för att inte aningslöst slå in på den så utpekade vägen. Bevisat faktum är nämligen att rytmmodellen ofta, för att inte säga oftare, städslats i *kyrklig* tjänst som textlig stötta för åtskilliga av den heliga liturgins olika sångkategorier.

Vad särskilt gäller genren *hystoria* skall här hänvisas till ett vida känt fall. Efter exakt samma rytmiska mönster som i mängden av vagantsånger är nämligen huvuddelar av den engelska 1100-talshystorian om och för den helige martyrbiskopen *Thomas Becket* kompilerade. Spridningscentrum för Thomashystorian har tack vare nyare handskriftsfynd kunnat lokaliseras; det var i det berömda benediktinklostret i Peterborough den gavs gestalt, och man har t.o.m. ansett sig kunna namnge en tänkbar upphovsman. Viktigt i vårt sammanhang är att erinra om att Thomashystorian just på nordisk botten, inte minst i vårt eget land, kommit att flitigt kalkeras som parodikförlaga för lokala festhystorior eller delar av sådana.[47]

Termerna i all ära – de speglar först och främst den tyska romantiska historieskolan och ungt 1800-tal. Men själva det rytmiska gestaltningsschemat? Skall vi bli stannande vid åsikten att prästerliga kompilatorer av sådant kyrkligt-liturgiskt stoff som Thomashystorian hämtat det schemat *extra muros ecclesie*, från *ordo vagorum*? Vagantdiktarna å sin sida, dessa – enligt ganska vedertagen syn – i studiesyfte vagabonderande missivlösa teol. stud. med en eller annan av de kyrkliga *ordines* bakom sig: hade inte de som skolarer/koraler i prästtrivium vid sina hemstifts domskolor redligen gnuggats i grammatikens och retorikens fria konster? Kunde de inte ha medfört rytmidén som reskost?

En något brydsam reciprocitet tycks föreligga när det gäller att bestämma vagantversens sociala primärmiljö. Några ord fällda av *Nor-*

berg kan det här finnas all anledning att dröja vid: "[...] *c'est probablement dans la poésie religieuse qu'il faut en chercher l'origine"*.[48]

2.2.2 *Den rytmisk-metriska modellen.*

Knyts nu var och en av de i en vagantstrof ingående tre hela vagantraderna medelst ett gemensamt rimband *in terminatione* (se ovan 1.3) samman med en som strofens fjärde rad insatt hexameter, har manövern resulterat i den ovan redan flera gånger nämnda rytmisk-metriska hybridmodellen 'vagantstrof *cum auctoritate*'.[49] Mer differentierat än så beskriver inte vår processbiskop i sin åskådningsundervisning den *modus dictandi* han och hans handgångne män upptäckt: det är honom nog att varje rytmisk 13-stavings kvinnliga slutfall (~́ ~) rimmar med eller, som hans ord faller, är "konform" med den kvantiterande tilläggsversens sluttroké eller slutspondé (–́ ⏑ eller –́ –).

Rimflätningen i denna rytmisk-metriska modell kan dock genomföras på ett betydligt tätare sätt. Rim kan t. ex. inflikas också mellan sjustavingarnas manliga slutfall (~ ~́) och hexameter*cesuren*. Sistnämnda rimflätningstyp är det vi återfinner i samtliga *SteM*-responsorier.[50] Som exempel därpå meddelas här med detaljkommentar *SteM*:s åttonde matutinresponsorium, *Miris rex*:[51]

[R:] *Miris rex ethereus / te ditauit donis/*
thronus est eburneus / celi prestans thronis/
Expers flos virgineus / fuit lesionis/

(*Vagantstrofen.* Här rimmar å ena sidan sjustavingarnas manliga slut sinsemellan, å den andra sexstavingarnas kvinnliga. Tredje raden, inledd med versal, utgör responsoriets *repetenda* (den del som tas om efter *versus*).)

[V:] *Uellere quando deus / se vestiuit gedeonis.*

(*Hexametern.* Observera att de rytmiska sjustavingarna i den föregående responsoriekorpus slutrimmar med hexameterns cesur liksom sexstavingarna med dess slut.)

2.2.2.1 *Vem är att räkna som denna rytmisk-metriska modells uppfinnare?*

En medeltida helgonvita får i första hand ses som en uppbyggelseskrift: själarykt långt mer än historicitet är dess huvudsyfte. Att till ett s. k. legendarbete knyta förundrans- och beundransvärda företeelser i helgonkandidaters samtid och närmiljö hörde till vedertagen hagiografisk sed. Och bland gärningar att snabbt och oförtrutet markera som meritoriska räknades inte minst den att ha riktat gudstjänstlivet med liturgiskt bruksgods.[52]

På ett kärnställe i processbiskopens deposition hade den aktuelle helgonkandidaten i det syftet förbundits med en redligt analyserad *modus dictandi*. Den gången sågs Brynolf som dess flitige *brukare*.

När så beatificeringen 75 år senare är ett faktum och vår beatusbiskop därmed själv liturgiskt firningsbar vördas han emellertid plötsligt som vad mer är, nämligen som dess *uppfinnare*, *inventor*. Så sker i den ovan nämnda anonyma Brynolfshystoria som står att läsa i *Breviarium Scarense* 1498. Beläggstället återfinns i förstavesperns evangelieantifon:

> *Texture mirabilis / modum* invenisti/
> *prose carmen aureum / dum intexuisti.*[53]

I grund och botten förefaller just den så formulerade uppfattningen vara den som sedan blivit något av ett ferment inom Brynolfsforskningen: som det egentligt Brynolfsegna i hystoriorna framhävs just det admirabla sättet att skriva långresponsorier på, spelet *rhytmus-versus*, modellen 'vagantstrof *cum auctoritate*'.

Populärt är påpekandet att blott ett försvinnande ringa antal just på denna punkt jämförbara hystorior kunnat isoleras i AH:s 55 band. Här krävs dock att man ingångsmässigt besinnar det förhållandet att det stolta projektet AH inte på långt när kom att slutföras. I sin nuvarande gestalt är AH – det går inte att bortse från – ingenting annat än en torso.

Vad vi därför har att räkna med är ett mörkertal, sannolikt ett sådant av ansenlig höjd.

Det nordiska källsökandets tid är långtifrån förbi. Det har blott passerat sin imponerande inledningsfas. En sådan framtidssynt satsning som HSFR-projektet "Hystorior i Sverige (ca 1200-1520)" kommer med hög grad av sannolikhet i första hand att innebära en intensifierad fragmentforskning.[54]

Till detta skall fogas en kringkommentar som för in på ett senare skede i diskussionen om inventorskapet.

Långt in på vårt eget århundrade – och med högst professionell språk- och litteraturvetenskaplig grundläggning – är det i synnerhet *ett* namn som lyfts fram i diskussionen och som numera vanligtvis utgör standardsvaret i inventorsfrågan. Det lyder *Walter/Gauthier från Châtillon* (eller *Lille*), och den som lanserade det var den tyske filologen och litteraturhistorikern *Strecker*. I en av sina pregnanta texter till belysning av litterära stildrag typiska för samme Walter/Gauthier och den traditionsskola han förlänar dennes namn frågar sig Strecker på tidstypisk småbokstavstyska apropå „die beliebte form", dvs. modellen 'vagantstrof *cum auctoritate*': „darf man vermuten, dass er sie erfunden und durch sein ansehen zu solcher verbreitung gemacht hat"?[55]

Sannolikhetsgraden är begrundan värd. Klart utsagt handlar det alltså här blott och bart om en förmodan, en gissning, ett uppslag.

2.2.2.2 *Var söka modellens geografiska spridningscentrum och sociala primärmiljö?*

Ytterligare ett par korta reflexioner av kringkaraktär får avsluta skissen över *SteM*:s versteknologi.

Spridningscentrum. Diktsättet 'vagantstrof *cum auctoritate*' hade fått en tänkbar inventor utpekad. Därmed hade också ett tänkbart spridningscentrum loaliserats. Frankrike, ett *Francia docens.*

Redan på Streckers tid, ja, redan dessförinnan, hade och även senare har emellertid forskarröster höjts som anmält avvikande uppfattning. Favoriserats har särskilt England. Både profana och kyrklig-liturgiska diktalster förfärdigade på det aktuella maneret har i rikt mått kunnat refereras till, latinska sådana såväl som folkspråkiga.[56]

Primärmiljön. Här har man hitintills lutat sig mot ett svar med trygg hävd: redan i sitt termval hade ju den unga tyska filologiska och litteraturhistoriska 1800-talsforskningen placerat den aktuella modellens framväxtmiljö *extra muros.*

Men. Det tycks som om det här funnes ett alternativt svar värt att prövas. Det svaret leder oss i stället helt och hållet *intra muros*, in i den av kyrkan städslade liturgiska poesin.

Den hexameter som likt en väft slås in i en för övrigt rytmisk ordväv å ena sidan i vagantvisor och å den andra i tidegärdsresponsorier har uppenbarligen bjärt olika bevekelsegrunder.

(1) I det första fallet ger hexametern intryck av att utgöra strofens själva mål, dess slående slutsentens, bäraren av dess sensmoral. Av det välträffade citatvalet hos en i sammanhanget välvald skolauktor – alltså tack vare denna *auctoritas* – är det som hela fyrradingen får sin lyskraft. Det är i första hand det som gör alstret uppmärksammat och den så demonstrerade skolarlärdomen appläderad och säljbar.[57]

(2) I det andra fallet är utgångsläget annorlunda. Det eftersträvansvärda för de lärda klerikala redigerarna av kultisk brukstext syns ha varit att söka låta en liturgisk responsorie-*versus* förkroppsligas i en retorisk-

litterär *versus*, vilket är lika med en hexameter (man kan tänkas ha utgått från den skolastiska *ordo*-tanke enligt vilken likabenämnda begrepp svarar mot varandra i ett slags evig serie: *versus* = *versus*).[58] Är det i denna högeligen märkliga begrepps- och termsammansmältning vi här har att se själva hjärtpunkten och utifrån den vi har att börja fundera när det gäller vår hybridmodells primärmiljö (jfr Norbergscitatet ovan 2.2.1.1)?

2.3 *Ett oförtydbart akrostikon.*

Under samlingsnamnet konstgrepp i medeltida litterära texter förtecknades ovan också *akrostiket*.[59]

Ett akrostikon lyser oss i ögonen i *SteM*:s fem laudesantifoner, närmare bestämt i deras *begynnelsebokstäver*. Som en handfull slumpvis utströdda bokstäver vilka som helst kan dessa omöjligen avfärdas. Deras inbördes ordning är noga förutsedd, och de bildar ett fullkomligt klart och logiskt akrostikon av ytterst vanlig typ.

Uppförda i ett läsplan formar sig begynnelsebokstäverna till följande kod:

IOANF.[60]

Koden hyfsas på samma sätt som när man upplöser abbreviaturer i t.ex. en driven bokkursiv.

Femte antifonens F är av hörnstensbetydelse. Så förkortas i akrostika med förkärlek *fecit*, 'han gjorde, förfärdigade, lät förfärdiga'. Verbet känns igen från tusen och åter tusen artefakter från medeltiden och långt in i senare tider.

Här, liksom i ett oräkneligt antal andra i liknande bunden form meddelade liturgiska texter, utgör *fecit* någonting av en varningsklocka, en lystringssignal: ett kodat budskap döljer sig här!

Predikatet föregås av ett subjekt inrymt i de fyra första bokstäverna i akrostiket. Dessa självupplöser sig omedelbart till ett vanligt egennamn i en vanlig förkortning: IOAN[nes].

Mer regelrätt kan ett akrostikon näppeligen konstrueras. Det är oförtydbart.

Johannes fecit står det – en viss Johannes låter sig alltså avslöjas som huvudtillskyndaren bakom tillkomsten av *SteM*.

3.

Två skilda aspekter kommer att anläggas.

I 3.1 vilar huvudvikten på källäget, handskriftsläget, fragmentläget. Två helt nya källfynd läggs fram (härtill fig. 1 och 2). Vidare blir ett i *SteM*-forskningen redan tidigare indraget fragment föremål för omvärdering med hänsyn till proveniensen.

Till legendan – i tidigare forskning så gott som helt negligerad – knyts huvudintresset i 3.2. Här bryts direkt in i själva textmassan. Därvid sker en avgränsning till de båda första nokturnerna vars fullständiga lektietexter sammanställs med sina förlagor i två *éditions en regard.*

3.1 *Det recenta källäget 1: två nytillskott av radikal innebörd.*

För ett 30-tal år sedan sökte jag göra gällande att nedslag av franciskansk spiritualitet kunde spåras i *SteM*.[61] Källäget var den gången sprött. Dock hade det – med benägen hjälp av en av de främsta pionjärerna inom nordisk fragmentforskning *Toivo Haapanen* – lyckats mig att identifiera ett nedslag av *SteM* med gråbrödrahuset i det finska Viborg som sannolik proveniens.[62] Vad jag i övrigt hade att stödja framställningen på var indicier och indicieblock: psalmserier, symbolik, metaforik med mera sådant.

1972 kunde jag förete 24 representativa *SteM*-källor.[63] Idag har därtill kunnat fogas drygt ett tiotal nyfunna. Av dessa är två av utomordentlig betydelse när det gäller att klara upp frågan om *SteM*:s proveniens. De utgör nämligen varken mer eller mindre än ovedersägliga bevis för att *SteM* i fungerande liturgi nyttjats som hystoria på *festum Conceptionis BMV* den 8 december.

3.1.1 *Fragmentet ANT 189.*[64]

Som kan observeras i fig. 1 är *SteM* i detta fragment placerad omedelbart före en hystoria för *Anna*, Marie Moder. Annadagen inföll den 9 december. Därav följer att *SteM* avsetts för den 8 december, för *festum Conceptionis BMV*.

I CCM, Riksarkivets katalog över medeltida pergamentsfragment, uppges att ANT 189 är svenskt och kanske (frågetecken) kommer från Vadstena kloster. Det första är rätt, det andra fel. Motbevisningen låter jag här få formen av en något omständlig redogörelse för den heuristiska gången i den nya proveniensbestämningen.

CCM-uppgiften punkteras omgående av Annatexten, som utgörs av den internationellt spridda hystorian *Celeste beneficium*.[65] I det tidsskede som fragmentets paleografiska skick bär bud om vördades Anna i Vadstena brödrakonvent med Nicolaus Hermannis hystoria *Felix orbis / felix hora*.[66]

Vad *Celeste beneficium* beträffar hade denna Annahystoria kommit att vinna rotfäste i endast två svenska stiftsliturgier, å ena sidan i Strängnäs, å den andra i Uppsala.[67]

Är det Strängnäsliturgin som speglas i ANT 189? Att så vore motsägs entydigt av den *hymn* som i fragmentet anbefalls för Annas förstavesper, *Lucis huius festa*.[68] I Strängnäs var det nämligen så stipulerat att just *hymnerna* i Annahystorian skulle lånas från Nicolaus Hermannis nyssnämnda Linköpingshystoria.[69]

I stället är det mot Uppsala stift som hymnen *Lucis huius festa* ovedersägligen pekar.[70] Så långt är därmed ärkestiftsproveniensen säkrad.

Men nya svårigheter anmäler sig. I *sekulär* ärkestiftsrit har *SteM* aldrig någonsin nyttjats som *Conceptio-hystoria* den 8 december. Sökandet måste därför inriktas på ett *regulärt* liturgiskt skikt inom stiftet. Till slut låter sig detta bestämmas som *franciskanskt*.

Givet är: ett franciskanskt skikt inom Uppsala stift. Under det franciskanska Stockholmskustodiet hörde Stockholm (med dels brödrakonventet på Riddarholmen och dels Clarissekonventet; som franciskansk enklav kan också räknas kungliga slottskapellet), vidare Uppsala, Enköping, Arboga och Nyköping.

Härav tycks två liturgiska miljöer framstå som särskilt attraktiva i vårt sammanhang.

Den ena är kungliga kapellet i Stockholms slott, ända sedan kung Magnus Birgerssons tid liturgiskt betjänat av gråbröder.[71]

Den andra är Uppsala franciskankonvent.[72] Följande kombination kan understödja en satsning på det senare alternativet.

Numera välbekant är det förhållandet att kyrkors och klosters frambedda pergamentshandskrifter efter reformationen på ett barbariskt sätt slaktades och blad för blad skingrades för att krasst återanvändas som skinnpärmar inom civil lokalförvaltning. Sålunda hamnade delar av vårt ANT 189 omsider som omslag om ”Rechenskap för Upsala Slottz Bygning”.

Här kan man nu falla tillbaka på iakttagelser rörande dels militieräkenskaper, dels slottsbyggnadsräkenskaper. Det visar sig att just inom dessa båda kategorier bladens kamerala proveniens inte sällan sammanfaller med deras liturgiska. Prima skinn till omslag om militära löningsregister m.m. stals geschwint från heliga librarier i förläggningsplatsernas grannskap. Samma slags plundringsaktioner tycks ha kunnat utgå från slottsbyggplatser.

Ett drastiskt men inte desto mindre plausibelt förslag kan vara att inte blott tegelmaterial – att så skett är bevisat (se n. 72) – utan även inbindningsmaterial för murarräkningar forslats från Uppsala franciskankonvent till platsen för "Upsala Slottz Bygning" uppe på åsen.

3.1.2 *Fragmentet AM Access. 7b.*

Som framgår av fig. 2 står *SteM* i detta antifonariefragment införd omedelbart efter en hystoria för *Octava Andree*, dvs. den 7 december. Därav följer att *SteM* avsetts för den 8 december, alltså för *festum Conceptionis BMV*. Detta bekräftas av de efter *SteM* följande hystoriorna.

Om detta *SteM*-belägg behövs här inte någon längre utläggning. Fragmentets fyra från *isländska* handskrifter losstagna dubbelblad beskrivs minutiöst av *Gjerløw*.[73]

3.1.3 *Det recenta källäget 2: en omvärdering.*

Som *SteM*-källa nyttjade *Moberg* bl. a. det pergamentsfragment som i CCM bär signum BR 349.[74]

Fragmentets båda dubbelblad återfinns som inbindningsmaterial kring småländska militieräkenskaper i Krigsarkivet, Stockholm. Av *SteM* upptar det ordtexten till första vespern och en inte ringa del av matutinen.

Genom Blancks resoluta manöver 1926 hade nu slutligen också *SteM* kunnat säkras som ingående i "författartradition Brynolf". Nyupptäckten var snabbt spridd bland hithöriga forskarkretsar. För en Moberg, som i likhet med de flesta av sina kolleger tryggt lutade sig mot diktartraditionen, måste ett breviariefragment vari vår hystoria i själva rubriken betecknades som *nova* ovillkorligen dels (a) provenienssättas till Skara, dels också (b) tidfästas till ca 1300; till (b) ledde också paleografiska överväganden.

Ett utelämnat rubrikord.
I sin handskriftsbeskrivning uppmärksammar Moberg med ett utropstecken ett formlärefel i *SteM*: s rubrik: prepositionen *de* följs av *beate marie* (genitiv).

Den enklaste förklaringen till felböjningen menar jag vara den att ett huvudord i originalrubriken utelämnats, nämligen det i dylika rubriker nödvändiga ord som anger hystorians heortologiska adress, dess festhemlighet. Med kännedom om vissa mot franciskansk spiritualitet vettande särdrag i *SteM* är det inte särskilt djärvt att anta att det här handlat om en ursprunglig ablativ som *Conceptione* och att det varit av dogmatiska skäl som ordet utelämnats – det må vid denna tid ha skett i vilket svenskt sekulärstift som helst.

Sammanfattningsvis är det i synnerhet tre observationer som måste betecknas som besvärande för den hittills gällande proveniensteseen.

(1) Först det kaotiska, uppenbart oautentiska skick vari *SteM* presenteras. Förödelsen av vesperns ursprungliga storform har jag i en tidigare rapport sökt visa genom ett parallelltryck (därom närmare i nyssnämnda n. 74). Här skall ytterligae dröjas vid *vesperresponsoriet*. Unikt för hela svenska kyrkoprovinsen är att i Br. Scarense 1498 matutinens femte – inte nionde – storresponsorium föreskrivs för detta ändamål (se n. 31). Med det förbehållet att en stiftstradition ingalunda behöver vara någonting statiskt bör detta unikum kunna betraktas som en Skaramarkör. I BR 349 finns responsoriet ifråga belagt. Men det åberopas inte för bruk i vespern. I stället ges denna tideböns femte psalmantifon helt sonika status av *kortresponsorium*.

(2) Vidare det förhållandet att de jämte *SteM*-ställena före–kommande liturgiska texterna *inte* kan avvinnas kriterier säkra nog att placera dem i Skarafållan. Snarare tycks vissa läsarter tala för Linköpings stift; beträffande bladens *proveniens 2* (varom mera i n. 70) är att beakta vad som ovan analogt sägs om byggnadsräkenskaper (3.1.1).

(3) Slutligen också draget av *franciskansk* spiritualitet i *SteM*. Det teologiska klimatet, den kyrkliga kulturen, det andliga livet överhuvud i det unga 1300-talets Skara stift bar snarast *dominikansk* prägel,[75] en dominikansk dominans avläsbar inte blott i katedral liturgi utan t.o.m. i katedralens nya byggnadsskick (t.ex. i det dominikanskt rakavslutade koret).

3.2 *Koncentration på legendan.*

Det stoff som det är mest meningsfullt för oss att fingranska med upphovsfrågan i sikte finns rikhaltigast företrätt i nokturn 1 och nokturn 2. Den tredje nokturnen är som bekant i liturgiska hystorior av *SteM*:s karaktär helgad åt *evangelieperikopen* och den därtill kopplade *homi-*

lian, dvs. ett hanterligt utsnitt ur en predikan av eller tillskriven någon i sammanhanget lämplig kyrkofader eller jämngod auktoritet.[76]

Det första som skall fastslås är att det textstoff som *SteM*:s nokturner vävts av är idel lånegods. Det är med idel lånta fjädrar som språkdräkten lyser.

Någonting i sig överraskande är detta förvisso inte. I dessa genrer är det fromma lånets konst allestädes närvarande.

Nej, det här överraskande är *varifrån* lånen lånats. I och med att vägar och stigar i det avseendet börjar skönjas börjar också ett svar på frågan om *SteM*:s proveniens formas.

I det omfattande textbygge vi nu har framför oss låter sig såvitt jag kunnat finna tre mer eller mindre tydliga strata skrapas fram. Vid iordningsställandet av funktionsdugliga lektier för *SteM* har man – medelbart men spårbart – gjort referens till och reverens för en Mariavördning av dels gammalengelsk-benediktinsk, dels bernhardinsk, dels också franciskansk-immakulistisk typ.

3.2.1 *Sacrosanctam-nokturnen: nedslag av engelsk-angelsaxisk liturgi.*

SteM:s första nokturn benämns här efter legendans första ord *Sacrosanctam*-nokturnen.

Undersökningen har här gett ett förbluffande resultat. Nokturnens samtliga textdelar har nämligen kunnat beläggas i engelsk-angelsaxiska källor. Så icke i kontinentaleuropeiska.

För dokumentationen tryggas nedan till de tre medeltida engelska breviarier som i litteraturförteckningen nedan kallas Brev. Hyde ed. 1934, Brev. Wulstan ed. 1960 och Brev. York ed. 1880.[77] Äldst av dessa är Brev. Wulstan som sänker djupa rötter ned i angelsaxisk-benediktinsk tradition och tiden strax före *the Conquest*. Hyde och York stammar från hög- och senmedeltid. Vad *Sacrosanctam*-texten angår traderas den gammalengelska texten i det närmaste ograverad i samtliga tre breviarier. Blott ifråga om textmängden och textfördelningen inom lektierna divergerar de en smula.

3.2.1.1 *Édition en regard 1: Sacrosanctam-nokturnen.*

SteM:s förhållande till de engelsk-angelsaxiska texterna skall här ord för ord demonstreras i ett parallelltryck, *Édition en regard* 1 (se särskild helsidesuppställning). Som pendang till den Pseudo-Brynolfska avfattningen enligt Linköpingsbreviariet har valts versionen i

3.2.1.1 *Édition en regard 1: Sacrosanctam-nokturnen.*

LECTIO PRIMA	(1) Sacrosanctam venerabilis dei genitricis marie memoriam congrue diuinis laudibus catholica frequentat ecclesia: quia eius salutari sine intermissione indiget auxilio.	*Sacrosanctam venerabilis dei genitricis marie memoriam congrue divinis laudibus catholica frequentat ecclesia: quia ejus sine salutari sine intermissione indiget auxilio.*
	(2) Nam reuerentia que matri defertur: illi etiam qui eam talem fecit vt virgo et mater esset exhibetur.	*Nam reverentia que dei matri defertur illi etiam qui eam talem fecit ut et virgo et mater esset exhibetur.*
	(3) Ideoque totis desiderijs totisque precordijs insistamus laudibus: vt et matrem nobis sentiamus pijssimam: filiumque eius iudicem serenissimum.	*Ideo ergo totis desideriis totisque preconiis ejus insistamus laudibus. ut et matrem sentiamus nobis piissimam filiumque ejus judicem serenissimum.*
LECTIO SECUNDA	(1) Opere quippe precium est: vt intentis celebretur laudibus in terris. cui officiosissime angeli famulantur in celis.	*Opere precium quippe est ut intentis celebretur laudibus in terris: cui officiosissime angeli famulantur in celis.* [Här följer i de tre engelska breviarierna ett ytterligare avsnitt.]
	(2) Hec est sola *qui* [!] nulla virgo potest comparari. quia tanta vt quanta sit non possit enarrari.	*Hec est sola cui nulla virgo potest comparari: quia tanta est ut quanta sit non possit enarrari.*
	(3) Hanc sancti expectabant patriarche: preconizabant prophete: omnesque quos spiritus sanctus tetigerat optabant videre.	*Hanc expectabant sancti patriarche: h anc precinebant prophete: omnesque quos spiritus sanctus attigerat videre.*
LECTIO TERTIA		[I såväl York som Hyde inleds tredje lektien av ett avsnitt med två *Hec*-satser. I *SteM*- källorna uteblir alltså en tänkt anafor-verkan.]
	(1) Hec est ergo domina regum decus mulierum: gemma virginum: lux seculorum: congratulatio angelorum: consolatio miserorum: refugium peccatorum: omniumque reparatio credentium.	*Hec est ergo domina regum: decus mulierum gemma virginum: lux seculorum: congratulatio angelorum: consolatio miserorum: spes et refugium peccatorum omniumque reparatio credentium.*
	(2) Quidquid igitur boni mundus habet: ex illa habet ex qua salutis nostre initium manat.	*Quidquid igitur boni mundus habet ab illa suscepit: ex qua salutis nostre initium manat.*
	(3) Hec nobis semper suis subuenire dignetur veneratoribus: atque pie sacris suis precibus a vicijs expurget omnibus: secumque consedere ett collaudare donet in celestibus.	*Hec nobis semper suis subvenire dignetur veneratoribus: atque pie sacris precibus a vitiis purget omnibus: seque considerare et collaudare donet in celestibus.*

3.2.2.1 *Édition en regard 2: Bernardus-nokturnen.*

	Linköpingsbreviariet 1493	Bernardi Sermones ed.
LECTIO QUARTA		(IN LAUDIBUS VIRGINIS MATRIS, 3, s. 40, r. 6 ff.)
	(1) O Beata maria sola inter mulieres benedicta	*BENEDICTA TU [...] IN MULIERIBUS, quae*
	sola generali maledictione libera:	*illam generalem maledictionem evasisti* [ordleken i verbet *evasisti* utelämnad i SteM] *[...]*
	et dolore parturientis aliena:	*nec cum dolore parturias.*
		(*ibid.*, s. 41, r. 24)
	(2) virgo fecunda: casta puerpera: mater intacta:	*Virgo fecunda, casta puerpera, mater intacta [...]*
	ab angelis benedicta:	(s. 41, r. 4) *[...] ab Angelo benedicta,*
	et a cunctis generationibus terre merito beata predicaris,	*et a cunctis generationibus terrae merito beata praedicaris.*
	quia invenisti gratiam apud dominum. [= Luk 1:30]	
LECTIO QUINTA		(IN LAUDIBUS VIRGINIS MATRIS, 3, s. 40, r. 22)
	(1) O virgo prudens: o virgo deuota:	*O Virgo prudens, o virgo devota [...]*
		(IN ADVENTU, 2, s. 173, r. 18)
	O virga sublimis:	*O Virgo, virga sublimis [...]*
		(*ibid.*, r. 20)
	o vere celestis planta: preciosior cunctis: sanctior vniversis.	*O vere caelestis planta, pretiosior cunctis, sanctior universis!*
	(2) O vere lignum vite quod solum fuit dignum portare fructum salutis.	*O vere Lignum vitae, quod solum fuit dignum portare fructum salutis!*
		(IN ASSUMPTIONE, 4, s. 249, r. 21 f.)
	(3) Hec est enim que totius mundi reparationem: salutemque omnium impetrauit:	*Haec est enim quae totius mundi reparationem salutem omnium impetravit.*
		(*ibid.*, r. 28, forts. s. 250, r. 1)
	ciuitatis superne inuenit restaurationem:	*[...] civitatis supernae invenit restaurationem*
	et sedentibus in tenebris et vmbra mortis obtinuit redemptionem.	*et [...] sedentibus in tenebris et in umbra mortis obtinuit redemptionem.*
LECTIO SEXTA		(IN ASSUMPTIONE, 4, s. 250, r. 9 ff.)
	(1) Sit pietatis tue virgo benedicta ipsam quam apud deum gratiam inuenisti notam facere mundo: reis veniam: egris medelam: pusillis corde robur: afflictis consolationem: peregrinantibus adiutorium et liberationem sanctis tuis precibus obtinendo.	*Sit pietatis tuae ipsam, quam apud Deum gratiam invenisti, notam facere mundo, reis veniam, medelam aegris, pusillis corde robur, afflictis consolationem, periclitantibus adiutorium et liberationem sanctis tuis precibus obtinendo. [...]*
	(2) Dulcissimumque nomen Marie inuocantibus seruulis per te regina clementie gratie suo munera largiatur: iesus christus filius tuus dominus noster qui est super omnia benedictus in secula seculorum amen.	*dulcissimum Mariae nomen [...] invocantibus servulis per te, Regina clemens, gratiae suae munera largiatur Iesus Christus, Filius tuus, Dominus noster, QUI EST SUPER OMNIA DEUS BENEDICTUS IN SAECULA.*

Yorkbreviariet; dessa båda breviarier är nämligen mest samstämmiga i anseende till textmängden inom och textfördelningen mellan nokturnens tre lektier.[78]

Att märka är att det lånade stoffet har inmonterats i SteM på ett handfast sätt: större textsjok hålls samman.

3.2.2 *Bernardus-nokturnen: ett collage av Bernhardstexter.*

Inte färre än tre olika homilior av Bernhard av Clairvaux har skattats på textstoff för lektierna i *SteM*:s andra nokturn.[79]

En insmugen spiritualitetsmarkör.
Genom att lätt frisera sin valda Bernhardstext har *SteM*:s ansvarige textmakare finslipat fjärde lektiens ingress till en otvetydig *spiritualitetsmarkör*. Det är detta som syftas på ovan 3.2, sista stycket, när det talas om ett franciskansk-immakulistiskt stratum i textbygget.

Maria kallas i *SteM* (enligt det citerade Linköpingstrycket) *sola generali maledictione libera*, 'den enda som är fri från den allom gällande förbannelsen' (nämligen den förbannelse som utslungas i slutet av 1 Mos 3 när paradisets portar stängs och det bart huggande svärdet ljungar), dvs. *den från arvsynden undantagna*.[80]

3.2.2.1 *Édition en regard 2: Bernardus-nokturnen.*

Därmed till *Édition en regard* 2 (se särskild helsidesuppställning), som är ämnad att i analogi med förra jämförelsetabellen visa förhållandet mellan den Pseudo-Brynolfska avfattningen enligt Linköpingsbreviariet och Bernhards texter. I detta fall befinns det – utom vad beträffar fjärde lektiens andra period och sjätte lektien – i en något mindre grad handla om att överflytta textpartier *en bloc*. Delvis tillämpas här en teologiskt och spiritualitetsmässigt högst grätten plockmetod: en invokation här, en bisats där.

Slutord.

En delfråga har oställd varit närvarande som undertext hela rapporten igenom.

Vem var det egentligen som satte detta Pseudo-Brynolfs liturgiska bruksmaterial på pergament och papper? Vem framskapade? Eller lät sammanfoga? Eller var den bjudande kraften i det kreativa redaktörskollektiv som åstadkom?

Namnlös är han inte. Såtillvida har han artigt och svårbortförklarligt presenterat sig i sina laudesantifoners akrostikon.

Men denne Johannes – vad och hur mycket kan vi utifrån hans textredigering sluta oss till om hans antecedentia?

Var han gråbroder? Den lätta retuschen i *Bernardus*-nokturnen speglar närmast en mariologi av immakulistisk färgning, typisk för franciskansk spiritualitet.

Var han i likhet med bemälde Iacobus Nicholai de Dacia och vid ungefär samma tid som denne framvuxen ur *Danmarks* bördiga kulturmylla?

Och slutligen: varav detta *Anglia docens*, skönjbart i väsentliga textvinklar? Att särskilt mendikanter utgjorde ett kringflyttande släkte är känt – konvent emellan kunde de sändas på långväga ordensuppdrag och studieperegrinationer. Skulle det rentav kunna ligga inom det möjligas gränser att vår Johannes i *SteM* kunnat tänka och skapa utifrån egna lärlingsår i Mariafromhetens England?

Summary

Stella Maria maris paris expers. Some aspects of Pseudo-Brynolphus´ *hystoria de BMV.*

In this paper, the author discusses the above-mentioned rhymed office or *hystoria* with a twofold object: first, to draw attention to an important piece of Scandinavian, presumably Franciscan, liturgical material in general use, and secondly, to present some recent findings supporting the author´s thesis, contrary to traditional belief, regarding the provenance of this material.

The paper is divided into three parts. The first is devoted to aspects of history of learning with an account of different authors´ attempts, from the 1880's onward, at identifying a particular text attributed to bishop Brynolphus during his canonization process in 1417, designated only as "*de beata virgine*". By degrees, the text is shown to be identical with the votive office *Stella Maria maris paris expers*, regularly sung by the Bridgetine Brethren in Vadstena, who, as prescribed in St. Bridget´s *Regula*, were imposed to follow, in liturgical matters, the *usus Lincopensis*.

In the second part, aspects of history of literature are in focus. Metrical and rhythmical characteristics of *antiphone* and *responsoria* are scrutinized, among other things the goliardic strophe *cum auctoritate*. An acrostic, concealed in the antiphones of the Lauds, is disclosed giving an unmistakable testimony of the principal *compilator* or *redactor* of the texts in question: a certain *Johannes*.

In the third part, aspects of history of liturgy are assumed. First, some questions concerning the state of the sources are taken into consideration. Two newly-discovered sources of radical significance are presented. Likewise, an older finding is subjected to a radical reassessment with respect to its origin. Subsequently, important parts of the relevant texts themselves are displayed in the form of two *éditions en regard* of the *lectiones* of the first two nocturns, respectively the *Sacrosanctam*-nocturn, a resonance of Anglo-Saxon liturgy, and the Bernardus-nocturn, a collage of three homilies written by St. Bernard of Clairvaux.

Finally, some questions are raised about the biography of the man who, according to the above-named acrostic, has to be considered as the central creative figure behind the complex textual build *Stella Maria maris paris expers*.

Noter

[1] Om begreppet och termen hystoria, se för koncis förklaring Bohlin 1976; härtill Milveden 1972, s. 5, n. 1. Till den intrikata frågan rörande omfattningen av ett sådant mångförgrenat men till en enhet sammanhållet liturgiskt bruksstoff, se för grundläggande framställningar Jonsson 1968, s. 11-17; Undhagen 1960, s. 2-5; Milveden *l. c.* – Från hystoria i här aktuell mening får man noga skilja hystoria i betydelsen serie av söndagsresponsorier (härtill Piltz 1974, s. 44).

[2] Vita Brynolphi 1492, fol. a:5v (r. 20-23); Vita Brynolphi ed., s. 142 (r. 14-17). – Inte minst mentalitetshistoriskt intressant är det faktum att det är till processprotokollet och dess *fyrtal* hystorior som "författartraditionen Brynolf" söker sig (om ursprunget till uttrycket, se Milveden 1972, s. 5: „die Autortradition Brynolphus"), inte till det – om man så vill – justerade protokollet, dvs. den hystoria i vilken beatus Brynolf själv vördas efter det att han 1492 beskärts altaräran och blivit liturgiskt firningsbar, och dess *tretal*; hystorian *Brinolphi patris merita* står att läsa i 1498 års tryckta Skarabreviarium, och i hystorians sjätte matutinlektie heter det med aplomb: *tres hystorias* (Eskilsmaterialet är struket). Här kan *en passant* också nämnas att antalet hystorior sjunkit till *två* i Knös' 1700-talsavhandling om Västgötaskalder (se Knös 1776, s. 9); uppgiften där kan förklaras med att Eskilshystorians autenticitet på den tiden ytterligare hade dragits i tvivelsmål av polyhistorn Erik Benzelius d. y. (till litteraturläget, se Schröder 1833, s. 41) och att det då ännu inte fanns någon *de-beata-virgine*-text att ta på.

[3] Orden *ponunt et probare intendunt*, en fast kliché i processer av detta slag, översätter *Lundén* i sin utgåva av handlingarna från Linköpingsprocessen 1417 – den ägde rum omedelbart efter mötet i Skara/Vadstena – sålunda: "[de] framhäva och önska bevisa" (Lundén 1963, s. 52). – Någon egen frågeartikel hade inte beståtts våra hystorior i Skaraprocessen. De hittas inbakade i den sjunde. Det övergripande spörsmålet i denna är av hög moralisk-asketisk dignitet. Vad man där vill processuellt komma tillrätta med är antagandet/påståendet att helgonkandidaten i sin åstundan efter att hålla den gamle själafienden stången, dvs. stå djävulens locktoner emot, förmått noggrant dela in och ta tillvara sin tillmätta tid genom att ägna den åt meritoriska aktiviteter. (Ett sant birgittinskt synsätt! I sina uppenbarelser, bok 1:34, framhåller Birgitta som en förebild att den heliga familjen noggrant indelade sin tid; härtill Schmid 1940, s. 104 med n. 44, s. 218.) Arten av dessa aktiviteter exemplifieras: att hänge sig åt bön och kontemplation, att företa visitationsresor ute i sitt stift, att vinnlägga sig om predikoämbetet, att hålla stiftets kyrkobyggnader i gott skick, att barmhärtigt sörja för behövandes nödtorft; härtill fogas nu som Gudi behaglig gärning att öka Skarastiftets liturgiska potential genom att åstadkomma såväl nottext som ordtext till en räcka hystorior. – Värt att notera i detta sammanhang är att man långt in på 1900-talet i liturgihistorisk-musikologisk litteratur på fullt allvar var redo att tilltro den scarensiske beatusbiskopen kreativa insatser även vad angår elementet *cantus*, utmelodiering, "färdigkomponering", av hystoriornas formelvisor (till denna terminologi, se Milveden 1994, s. 8 f.); symptomatisk är titeln på Moberg 1926: "Biskop Brynolf av Skara vår förste kyrkokomponist".

[4] Härtill *mutatis mutandis* Schück 1959, s. 9, n. 27, en oundgänglig grundgenomlysning av här och i analoga hagiografiska källor relevant problemläge.

[5] Samma gäller för övrigt dels utfrågningspunktens tre ytterligare hystorior, dels också de gammaldominikanska *rubrice generales* som redan i *Vita Brynolphi* men framför allt i tryckbreviariet 1498 (där de citeras *in extenso*) går under namnet *Notule*

Brynolphi. Dessa för den högmedeltida Skaraliturgins liksom för Åboliturgins utformning grundviktiga generalrubriker hade redan vid mitten av 1200-talet förelegat i dominikanordens stora likare för all dominikansk liturgi, *Correctorium Humberti de Romanis* (härtill Gummerus 1902, s. 46-47; Helander 1957 a, s. 187; *idem* 1957 b, s. 25, n. 2; Johansson 1956, *passim*; Milveden 1972, s. 18, n. 60). – Om pseudepigrafer allmänt, se Beskow 1987; om positiv reaktion på här tillämpat synsätt, se bl. a. MHUU, 7, s. 29; Nilsson 1994, s. 92; *eadem* 1995, s. 635-652.

6 Vad gäller i första hand svensk *usus*, se härtill Servatius 1990 jämte Moberg & Nilsson 1991 (nottext-ordtexteditioner av antifon- och hymnmaterial på grundval av och med vidareutveckling av den typ av partiturmässigt arrangerad variantapparat som tillämpats i Moberg 1927:2). Med tillkomsten av HSFR-projektet "Hystorior i Sverige (ca 1200-1520)" tycks läget för intensifierat sådant editionsarbete på ett avgörande sätt ha förbättrats. – Bland mönstergilla *ordtexteditioner* av i svenska kyrkoprovinsen nyttjade helgonhystorior skall här särskilt framhållas dels Undhagen 1960, dels Önnerfors 1968 och 1969. Lundéns utgåva av *SteM*-texten är naturligtvis långt ifrån någon kritisk-korrekt edition (Lundén 1946 b, s. 105-110); bäst kan den – utan att dess värde som andaktslitteratur och förstahandsorientering förringas – med Önnerfors´ ord om en annan Lundénsk Credoutgåva karakteriseras som „populärwissenschaftliche Präsentation" (Önnerfors 1968, s. 12).

7 Det medeltida handskriftsläget visar ovanligt rik förekomst av *SteM* i sekulär- och regulärkyrklig användning hela Skandinavien över alltifrån tidigt 1300-tal (härtill Milveden 1972, s. 27 ff. och *passim*; se nedan 3.1). I Arboga provincialkonsilier 1423 och 1441-1448 statueras *SteM* såsom för hela svenska kyrkoprovinsen gällande votivhystoria *in sabbatis* (se Reuterdahl 1841, s. 118, 160). Vad beträffar de tryckta skandinaviska breviarierna från medeltidens slutskede upptas *SteM* i samtliga svenska, de flesta danska och det enda norska.

8 AH 5, s. 72-74.

9 Chevalier 1897, s. 602.

10 Klemming 1886, s. 133-137, 144.

11 I företalet till AH 5 fäller Dreves om Klemmings textrecension det lakoniska omdömet: „ein unglücklich ediertes Marienofficium." – Om C 23 och det däri inhäftade lägget med *SteM*, se Milveden 1972, dels s. 11, n. 30, dels s. 32, r. 10 uppifrån.

12 Härom något i Milveden 1992.

13 Om artiklarna i Svenskt biografiskt lexikon, se Beckman 1917 och Westman 1917.

14 Om de olika *Visitatio*-hystoriorna inom den svenska kyrkoprovinsen, se Milveden 1963 a, s. 23 f.

15 Citatet från Westman 1917, s. 392, r. 14. – Långt in i vår egen tid skulle den Westmanska propån komma att få ett kuriöst eko. I första bandet av Marienlexikon svarar *Holböck* för bidraget Brynolf Algotsson. Däri låter han generöst den svenske beatusbiskopen ha författat inte färre än *fem* „Reimoffizien" av vilka ett för just *Mariä Heimsuchung* (se Holböck 1988, s. 604).

16 Härtill Reuterdahl 1841, s. 112, 116, 158. Se vidare Milveden 1963 a, s. 23 (observera det interimsmässiga om *Sacerdos* i Arbogastatuterna 1417: "[...] *donec alia ista melior poterit reperiri*").

17 Se Blanck 1926, *passim*.

18 Vita Brynolphi 1492, fol. d:2r, r. 1 ff.; Vita Brynolphi ed. 155, siffra 49 (det helt korrekta medeltidslatinska *ricmus* har Annerstedt i onödan emenderat till *ritmus*); se

härtill också Milveden 1972, s. 6-8 och 42 f. Det av processbiskopen beskrivna poetiska tillvägagångssättet företer rent tekniskt nära släktskap med det sätt att kombinera *rhytmi* och *versus* som tyska lärdomsbjässar runt 400 år senare skulle komma att termsätta som 'vagantstrof *cum auctoritate*' (härom utförligt nedan 2.2.2 med underavdelningar). I svensk Brynolfsforskning tycks dock den terminologin inte prövas förrän in på 1960-talet (härtill Milveden 1963 b, sp. 127 f.; *idem* 1969, sp. 308 f.; *idem* 1972, s. 7 f.; Önnerfors 1966, s. 72).

[19] Några pergamentsblad återstår, nu bevarade i Linköpings stifts- och landsbibliotek under signum B 70 b.

[20] Örnhjälm ms. 1693 (se Otryckta källor, *Uppsala*). Huvudorden i levnadsteckningens titel lyder i Örnhjälms stundom något självsvåldiga ortografi: "[...] Sancti Brynolp[h]z lefwerne som Biscop war i Scharom, och war K. Fadher herr Thorc-hil hafwer wändt af latino". Det glosserade stället återfinns s. 161, r. 4 ff. – Avskriftsarbetet bör kunna ha ägt rum före 1684 eftersom avskrivaren först tecknat sig Arrhenius på titelbladet; det var 1684 han nobiliserades och antog namnet Örnhielm (i bibliografiska sammanhang även stavat Örnhjälm).

[21] Schröder 1836; glossan s. 11, r. 2 med fortsättning s. 12 överst.

[22] *Ibidem*, s. 38. Härtill Vita Brynolphi 1492, fol. d: 5r; Vita Brynolphi ed., s. 158 ("[...] *depositio venerabilis viri domini Torkilli prepositi Scarensis*"). – Om denne Torkel Tostason (död 1432), se vidare t. ex. Warholm 1871, s. 51 (nr 17).

[23] Vita Brynolphi ed., s. 158, n. *m*: "*Sine dubio idem ac dominus Torkillus, cui versio Suecana huius vitae Brynolphi tribuitur*".

[24] Sista gången han låter Skaradomprosten figurera i översättarrollen är i Lundén 1985, s. 212 b.

[25] Gejrot 1988, s. 294 (nr 1020); Silfverstolpe 1898, s. 138 (nr 101). Se vidare MHUU 3, s. 273 jämte pikturprov i färgbild på bandets försättsblad. – Det skall inte stickas under stol med att *Geete* redan ca 1900 i sin Fornsvensk bibliografi hade lyckats spåra *rätt* Torkel (Geete 1903, s. 67).

[26] Likartat bruksstoff finns rikhaltigt företrätt i de båda vadstenensiska praktcodices A 3 i KB, Stockholm, och B 70 a i Linköpings stifts- och landsbibliotek. A 3 bjuder (fol. 85r) ett ytterligare prov på Tørkils översättnings- och bearbetningsflit, nämligen sagan om helgonbiskopen Briccius av Tours, sankt Martins efterträdare (se härtill Stephens 1847, s. 635: "[...] *Sancti bricci haelga lifwerne som war fadher her tørkil haffwer waent*"). – *Kantillation* är som bekant inom nyare liturgivetenskap den vedertagna termen för den föredragningsmetod som tidigare mer mångtydigt benämndes recitation. Termen avser det slags talsång vari huvudmassan av texten utom vid de syntaktiska insnitten läggs på en enda ton, "hålltonen", *ténor* (härom t. ex. Milveden 1994, s. 6 b och 8; *idem* 1974 a, sp. 198 f.; Berger 1969, s. 82 f., "Cantillation"). Så gestaltades liturgiskt t. ex. sådana *hög*-läsningar som epistel- och evangelieperikoper, kollektor, kapitel, matutinlegendor men dessutom paraliturgiskt stoff som just våra bordsläsningar, därtill ofta solennare orationer i akademiska och juridiska sammanhang. – I svenskkyrklig tradition fortlevde föredragningsmetoden officiellt ända till 1811 (förbud i detta års Handbok) men upplever i våra dagar som bekant en renässans i liturgiskt medvetnare kretsar.

[27] Härtill Milveden 1972, s. 9 (i n. 22 om Schröders misstolkning av den fasta ordförbindelsen "helgom Men": genom att sätta komma efter "helgom" framställer han "men" som en adversativ konjunktion!).

[28] Härom Helander 1957 b, s. 38, n. 6; 90 med n. 5 och 6; 310, n. 7. – I 1493 års

tryckta Linköpingsbreviarium är *SteM* placerad som hystoria *de Domina nostra* (Brev. Linc. ed. 1950-58, s. 901-905).

29 Härtill Norberg 1958, s. 50 ff. och *passim*, Strecker-Palmer 1957, *passim*, Lausberg 1990 (om adnominatio och polyptoton särskilt §§ 637-648; kursivt Milveden 1969, sp. 307). Sylwan ger i en seminarieuppsats en resumé över hithörande ting även med hänsyn till *SteM* (Sylwan 1987, I:3 och *passim*; se Otryckta källor, *Göteborg*).

30 Inte sällan uppställs i referenslitteratur antifon- och responsorietexter på ett för rätt förståelse av dem olyckligt sätt. En antifonserie t.ex. kan te sig som en mångstrofig dikt. Några "dikter" är det ju alls inte fråga om. Texterna utgör inga centrallyriska utgjutelser, är i sig intet estetiskt självändamål utan tjänar som associationsstyrande funktionsmaterial i ett mångfasetterat kultiskt skeende. De måste ses var och en i sin kontext: antifonen i sin psalmkontext, responsoriet i sin lektiekontext. Om dessa båda liturgiska kategoriers funktioner, se t. ex. Milveden 1994, s. 9 f.

31 Sett i internationellt perspektiv är detta alls ingenting unikt. Så dock bland de hystorior som omfattas av Brynolfstraditionen. Däribland står nämligen *SteM* i detta hänseende i särklass. Man har visserligen åberopat de på sofistikerad leoninsk hexameter skrivna fem psalmantifonerna i Elinshystorians förvesper som parallell (se t.ex. AH 26, s. 90, och Lundén 1946 b, s. 78); dessa är emellertid bevisligen sekundära (härtill Milveden 1972, s. 9, n. 24). – Att noga observera är att i den mån det i olika traditioner krävdes ett *vesperresponsorium* (om dylika fall allmänt, se t. ex. Kremp 1958, s. 148 ff.) hämtade man rutinmässigt ett sådant i tillgängligt matutinmaterial. I här konsulterade *SteM*-källor föreskrivs oftast det nionde (*Maria viuentium*) men stundom också, vilket är skäl att uppmärksamma, det femte (*Pulchra es*); i just 1498 års tryckta Skarabreviarium hänvisas till det sistnämnda.

32 *SteM*-ställena citeras i denna rapport vad ortografin angår alltid från Brev. Linc. ed. 1950-58. Det är hittills den enda editionen (i detta fall närmast diplomatarisk) av svenska breviarietryck. Den är lätt tillgänglig. Den ger också en i en del avseenden bättre läsart än t.ex. Lundén 1946 och AH 5 (i dessa bjuds t. ex. normaliserad latinitet). Layouten i editionen – t. ex. särskilt raduppställning för att markera rimmen – följs däremot inte.

33 Se Strecker-Palmer 1957, s. 74 f., bl. a. apropå allitterationens roll i *angelsaxisk* poesi. Vägvisningen kan i vårt sammanhang vara värd att besinna.

34 Kommentar till näst sista ordet, *lumen*. På detta ställe ger jag förtur för läsarten *culmen*. Utförligt härom i Milveden 1972, s. 33 f. („der lumen/culmen-Test"). Varianten *culmen* är uppenbar *lectio difficilior*. Med varianten *lumen* missas den retoriska *climax*-verkan i satsen (därtill Sylwan 1987, s. 10 m. fl. ställen). Varianten *culmen* placerar med hög grad av sannolikhet *SteM*:s genes i *dansk* liturgisk miljö.

35 För kontexten, se nedan 3.2.1.1, *Édition en regard 1*.

36 Se nedan 3.2.2.1, *Édition en regard 2*, lektie 4, första perioden. Den bakomliggande Bernhardspredikan har på detta ställe i sin nära kringtext *sine laesione virginitatis*. I *SteM* sjungs det i åttonde matutinresponsoriets repetenda: *Expers flos virgineus / fuit lesionis*; se härtill också nedan n. 80.

37 Om källäget, se nedan 3.1, n. 62, vidare 3.1.1 och 3.1.2.

38 Se härom Milveden 1969, sp. 308. Med utgångspunkt i ett slags enkel grafisk principskiss söker jag där tydliggöra den avancerade retorisk-poetiska hantverksskicklighet som kommer i dagen i just antifonen *Sis lumen mentis*. – *Meyer*, för vilken intet var främmande ifråga om *die Arten der gereimten Hexameter* och som bjuder termer för allt inom branschen, tycks emellertid inte komma oss tillmötes med några

direkta exempel på just sådana *ensamstående* hexametriska rimverser som de i *SteM*; hans exempel speglar i första hand flerversiga sammanhang. Avgränsar man däremot letandet till själva inrimsplaceringen går det dock att belägga åtskilliga paralleller (se Meyer 1905, s. 92 överst och *passim*).

[39] Se Brev. York ed. 1880, s. (16) - (18), i partiet efter kalendariet. – Som ses nedan är samma breviarium ett av huvuddokumenten vid granskningen av *SteM*-legendan (3.2).

[40] Det gäller hela källägesprofilen (härtill Milveden 1972, s. 30-34). Se t.ex. ovan n. 34 om varianten *culmen*.

[41] Härtill Kabell 1967, s. 13-105.

[42] På den ovan 2.1.3 påpekade något ovanliga inrimsplaceringen i psalmantifonerna i *SteM* ges ett flertal exempel, dvs. så länge man håller sig till den avgränsning som anges i n. 38 (se Kabell 1967, s. 160 m. fl. ställen).

[43] Med förleden *vagant-* (favoriserad här) hamnar vi i det Tyskland av förra seklet där rytmmönstret ifråga först lades under luppen i samband med handskriftsfynd, mångfasetterad utforskning och utgivning av exempelvis sådana medeltida samlingar av världsliga, parateologiska eller paraliturgiska visor som de i våra dagar på nytt aktualiserade *Carmina Burana* (från klostret Benediktbeuern). Vad beträffar den i sammanhanget lika ofta sedda synonymen *goliard-* var det särskilt i fransk och engelskspråkig facklitteratur på området den kom i bruk. – Bland annat och inte minst på denna rytmmodell var det som de både större och mindre diktarandar som förs in under namnet *clerici vagantes* formulerade sig – dessa i sin Donat, sina romerska antikviteter och sina latinska "skolauktorer" oftast imponerande sadelfasta studieklerker stadda på kortfristig eller livslång peregrination *extra muros*. Att här gå närmare in på denna satiriska, burschikosa, krogfilosofiska osv. diktning och den överväldigande rika referenslitteraturen därom faller utanför ramen. Ett aktuellt svenskt litteraturbidrag skall dock nämnas: med fokusering på en av genrens legendariska huvudaktörer, den s. k. *Archipoeta*, ges i Collberg 1994 en belärande utsikt över genren som sådan (pålitlig latintext med parallelltryckt språklyhörd svensktolkning, vidare en sakrik fotnotsapparat, en bibliografi över baslitteraturen och slutligen som efterskrift en lärd och briljant essä om tid, namn, tekniker, stilar).

[44] Formeln pp = *proparoxytonon* (för tonvikt lagd på tredje stavelsen från slutet); p = *paroxytonon* (på näst sista stavelsen).

[45] Vagantvers, -rad, -strof: detta har blivit vedertagen terminologi även utanför sin ursprungliga huvuddomän. Därmed kan avgränsas en viss karakteristisk rytmisk *modus dictandi*. I halvtannat sekel har den varit nyttjad långt in i elementarböckerna. Varför då i dess ställe söka införa en så totalt missvisande beteckning som "trefotad trokaisk vers"? Anomalin har dessvärre fått vingar: i de flesta av de härnedan i litteraturlistan förtecknade arbetena av Lundén och i några därav smittade har den envist omtuggats år från år (Lundén 1955 ingår till yttermera visso i ett spritt läromedel i litteraturhistoria på universitetsnivå, populärskildringen Lundén 1973 är en utvidgad andraupplaga vari det Brynolf tillskrivna författarskapet bestås ett bl. a. teknikanalytiskt appendix medan Lundén 1983 – en bok som inte sällan ses citerad i seriösa avhandlingssammanhang – närmast måste karakteriseras som ett något osorterat och akribisvagt hopklipp ur författarens tidigare produktion; härom också Milveden 1992).

[46] Se beträffande ortografin även nedan 2.3.

[47] Härtill Milveden 1969, sp. 306 och, beträffande speciallitteratur (R. W. Hunt), sp. 311. Se också Edwards 1990, s. 103-109 jämte 135.

[48] Norberg 1958, s. 152.

[49] Härom grundläggande och med hänvisningar till den rika internationella referenslitteraturen, se t. ex. Strecker-Palmer 1957, s. 84 f., Norberg 1958, s. 151 f. och Milveden 1972, s. 7 f. – Varför termen *auctoritas* för vagantstrofens hexameteryers? I den genuina vagantpoesin hämtades dessa inslag som regel direkt från en tämligen konstant uppsättning "skolauktorer", tillika *auktoriteter*, från olika latinitetsåldrar (se t. ex. Curtius 1954, s. 58-64 om „Schulautoren"; listan i Strecker 1927, s. 167, apropå Walterskolan, kan anses representativ överhuvud: *Juvenalis, Horatius, Ovidius, Lucanus, Persius, Vergilius, Statius, Cato.*

[50] Processbiskopens sökmetod och därmed också Blancks var ett grovmaskigt fångstnät. De hystorior som refereras till i processens sjunde frågeartikel är nämligen sinsemellan uppenbart skiljaktiga vad beträffar rimflätningstekniken. Blott i Törnehystorian råder samma förhållande som i *SteM*. I Elinshystorian rimmar sjustavingen med hexametercesuren egentligen endast i tre av de nio responsorierna (4, 7 och 8) under det att i Eskilshystorian siffran får sättas så lågt som 1/9 (nr 9).

[51] R står här för *responsum*, den körsjungna responsoriekorpus, och V för *versus*, det liturgiska solistpartiet. – Om det innehållsliga i samma responsorium, se nedan n. 80.

[52] Ett paradexempel är knutet till påven Gregorius I (död 604). När dennes helgonvita omsider sattes på pränt – ett par, tre århundraden efter påvens himmelska födelsedag – lanserades han däri som upphovsman, *inventor*, till allt vad *gregoriansk koral* heter. Denna etiologiska sägen kom som bekant att få en oerhörd genomslagskraft. Vad den s. k. gregorianska frågan, denna som täckte stora delar av 1950-, 60- och 70-talens internationella liturgi- och koralvetenskap, gick ut på var att hjälpligt söka hyfsa den ekvationen.

[53] Härtill Milveden 1972, s. 8, n. 15. Jfr Lundén 1946 a, s. 25. När Lundén i sin svensktolkning av antifontexten svepande talar om att 'i prosan väva in den gyllene sången' visar han att han inte observerat det konkreta motsatsparet. Ordet *prosa* har ju som bekant i medeltidslatinet bl. a. den precisa betydelsen accentuerande poesi till skillnad från kvantiterande (se t. ex. Strecker-Palmer 1957, s. 69, forts. på föregående sidas n. 1).

[54] Som ett slags pilotfall inom här diskuterad källsökning kan måhända betraktas det fynd som gjordes på 1960-talet i Slottsarkivet i Stockholm av en dittills okänd *Visitatio*-hystoria med långresponsorier av just modell 'vagantstrof *cum auctoritate*'; därom Milveden 1963 a, s. 26, n. 17, jämte i editionsdelen s. 28 (R 7-8) och 29 (R 9). Att fragmentet är av högst sannolik franciskansk proveniens har jag tagit som en innebördsrik fingervisning.

[55] Strecker 1927, s. 167 överst. *L. c.*, i slutet av n. 3 till s. 166, heter det vidare: *„meine vermutung, dass Walter der erfinder dieser mode ist, findet darin eine gewisse stütze, dass er sich sogar nicht scheut ganze hexametrische stücke einzuschieben"*.

[56] Se för huvudlitteratur t. ex. Strecker 1927, s. 98, n. 2 och 3, vidare Strecker-Palmer 1957, s. 84 f. – Ett betecknande exempel: i sin breda framställning om medeltidens latinska litteratur dröjer *Manitius* vid en 27 strofer lång diktbeskrivning av Jungfru Marias många binamn och titlar. Stroferna är samtliga versifikatoriskt konstruerade enligt schemat 'vagantstrof *cum auctoritate*'. Lakoniskt sluter Manitius utifrån detta kriterium: *„daher wohl aus England"* (Manitius 1931, s. 987). Långdikten *De nominibus et titulis BMV* finns ederad i AH 15, s. 61-63. – En flödande rik Marialyrik har lett till sådana epitet som "Mariafromhetens" på det medeltida England. Som ett av genrens flaggskepp har med skäl nämnts den mäktiga diktcykel *Stella Maris* i vilken *Johannes de Garlandia* med *Stabat*-strofen som rytmnorm ger en provkarta över de

flesta av de legendära Mariatopoi och Mariaexempla som på 1100- och 1200-talen var *en vogue* världen över (rikt kommenterad edition i Wilson 1946).

[57] Inte orimlig ter sig tanken att den kvantiterande *auctoritas* också vid det praktiska utarbetandet av hela fyrradingen fått tjäna som den fasta grund över vilken den accentuerande överbyggnaden sekundärt konstruerats.

[58] Härtill bl. a. Milveden 1969, sp. 309/312

[59] Se ovan inledningen till del 2 med därtill hörande n. 29.

[60] Jfr antifonserien i Brev. Linc. ed. 1950-58, s. 905. I vesperantifon 2 bjuds som ovan 2.2.1 visats medeltidslatinskt korrekt ortografin *Ortus* (utan *h*); Milveden 1972, s. 27 f. med n. 97 f. Om akrostika allmänt *ibid.*, s. 10, n. 28 med där anförd speciallitteratur.

[61] Härom Milveden 1972, i första hand s. 37.ff

[62] Milveden 1972, s. 29, n. 7; jfr Moberg & Nilsson 1991, s. 187. Fragmentet bevaras i Helsingfors universitetsbibliotek och bär idag – tack vare *Ilkka Taittos* nu pågående registrerings- och katalogiseringsarbete – det splitt nya signum ANT 169. Det är såvitt mig bekant det ena av blott två nedslag av *SteM* i Finland. ANT 169 speglar *regulär* miljö, inte Åbostiftets av dominikansk spiritualitet starkt präglade *sekulära* (som bekant reglerades stiftsliturgin av predikarordens *rubrice generales*). Av punktundersökning i fragmentets kontext hade jag kunnat dra den slutsatsen att *SteM* i vederbörande liturgiska miljö avsetts för *festum Assumptionis BMV*. Detta kan här jämföras dels med vad som sägs ovan 2.1.2.1, dels också med uppgiften nedan 3.2, n. 76, angående evangelieperikopen Luk 11:27-28 i mässan på *Vigilia Assumptionis*. – Nedslag nummer två utgörs av ett handskrivet tillägg i slutet av ett exemplar av Psalterium Upsalense 1487, nu i Helsingfors universitetsbibliotek (för notis hårom tackar jag varmt docenten Sven Helander). Mellan ANT 169 och tillägget i inkunabeln ligger ett sekellångt skov under vilket den dominikanska *immaculata*-synen som bekant undergick en markant förändring.

[63] Uppdelade på sina nordiska hemländer presenteras de i Tabelle IV i Milveden 1972, s. 30.

[64] Se Otryckta källor, *Stockholm*. ANT = *antifonarium*.

[65] Se fig. 1, nedtill t. h.

[66] Se bl. a. Milveden 1972, s. 39 f.

[67] Härom Schmid 1938, s. 150 f.

[68] Se fig. 1, mitten.

[69] Schmid, *l. c.*

[70] I Moberg 1947, s. 93 b, framhålls den som en typiskt stiftsegen hymn.

[71] Av en indulgensbevillning för gudstjänstbesök i denna franciskanska enklav i Stockholms slott framgår att man där 1443 sedan länge firade *festum Conceptionis BMV* (härtill Schmid 1940, s. 70 med n. 77 på s. 210).

[72] En gång beläget i kvarteret Torget; frilagda ruiner finns att se på gårdarna innanför Klostergatan 1-3. Härtill Sundquist 1972, s. 98: "[...] teglet kom till användning vid den av Gustav I på 1540- och 1550-talen byggda fästningen på åsen".

[73] Gjerløw 1979, s. 256. Det är mig angeläget att här få rikta ett varmt tack till dr. philos. Lilli Gjerløw, Oslo, för att hon så vänligt brevledes gav mig kännedom om upptäckten av AM Access. 7b. – Till frågan *SteM*-Island, en fråga av uppenbar vidd, se Milveden 1972, s. 33, n. 13, om skärvor av *SteM* som latinska radslut i paraliturgiska makkaroniska *Maríuvísur*.

[74] BR = *breviarium*. – Om BR 349, se Moberg 1947, s. 140, där breviariefragmentet har siglet Kr[igsarkivet] 2, vidare Milveden 1972, s. 28 f. med n. 2. *Ibid.*, s. 29, visas i

ett parallelltryck något av den hårdhänta manipulation som det liturgiska vespermönstret undergått. – Det var på 1560-talet, under Nordiska sjuårskrigets dagar, som bladen i vederbörande liturgiska tjänstbok deklasserades till skinnpärmar kring proviantränkningar, ammunitionsbesked o.dyl. från Smålands ryttare, närmare bestämt en fänika knektar i Tjust och Tunalän.

75 För det liturgiska livets rykt och rättning fick som bekant Skara stift i likhet med det odelade Finlandsstiftet småningom en bjudande statuttext innefattad i sitt tryckta stiftsbreviarium, sin stiftslikare. För Åbo – som med blott smärre lokaltillsatser använde predikarordens breviarium – gällde denna ordens *rubrice generales* (jfr ovan n. 5 och 63). För Skara gällde märkligt nog *samma* korbestämmelser, här dock förklädda som "*Notule Brynolphi*".

76 Som evangelieperikop är i samtliga *SteM*-källor anbefalld Luk 11:27-28, om kvinnan som ropar i mängden och Jesu svar till henne. I alla källor utom Brev. Lundense 1517 kopplas till denna perikop en homilia som börjar *Unigenitus*. Homilian förs mestadels till *Beda Venerabilis* och undantagsvis till *Gregorius Magnus* men är inte beläggbar hos någondera. I Lundabreviariet föreskrivs till samma perikop Bedas autentiska homilia *Magne devotionis* (se Bedae opera ed., s. 236).

77 *Sacrosanctam*-nokturnen återfinns i Brev. Hyde ed. 1934 fo. 445v, i Brev. Wulstan ed. 1960 s. 60 f. och i Brev. York ed. 1880 sp. 684-686.

78 Siffrorna inom parentes i vänsterspalten syftar på textperioderna inom de enskilda lektierna.

79 Om exakt vilka homilior som uppsökts av vår *SteM*-producent lämnas räkenskap i *Édition en regard* 2, högerspalten. Där hänvisas också till de aktuella ställena i 1960-talets benediktinska praktedition (se Bernardi Sermones ed.).

80 I de flesta andra av våra *SteM*-källor möter här ett prepositionsuttryck: *sola a generali* etc. – I sin översiktsartikel *Schweden* i Marienlexikon framhåller *Härdelin* med utgångspunkt i just det citerade legendastället *SteM* som ett officium till Marias ära, „*worin sie auch für die UE [Unbefleckte Empfängnis] gepriesen wird*" (se Härdelin 1994, s. 98 b). – Den ovan 2.1.2.1, n. 36, citerade repetendan ur *SteM*:s åttonde responsorium (*Expers flos virgineus / fuit lesionis*) syftar självfallet omedelbart på *Maria virgo* och *Sonens* födelse. Men likväl: i responsoriet besjungs Maria medelbart, i intertexten, som den från arvsynden undantagna med allt vad detta enligt obruten tradition alltifrån tidigkristen tid innebär; för Maria gäller samma villkor som i paradisets lustgård (se härtill Schmid 1940, s. 98 f.). Den nya Eva *EVAsisti generalem maledictionem*, så Bernhard.

Litteraturförteckning

Otryckta källor

Sylwan ms. 1987 =
GÖTEBORG. Klassiska institutionen vid Göteborgs universitet. Agneta Sylwan, Vad skrev egentligen Brynolf? Om Sigfridsofficiets författare. Fempoängsuppsats för kursen Nordisk medeltidskultur 1000-1300. Seminariet i latin 11/4 1987. Duplikat

AM Access. 7b =
KØBENHAVN. Københavns Universitet. Det arnamagnæanske Institut. Handskriftsfragment AM Access. 7b, fol. [2] (från den isländska handskriften AM 2, fol. [1]). 1400-talets början

ANT 189 =
STOCKHOLM. Riksarkivet/Kammararkivet. Cod. fragm. Ant. 189 (Uppland 1577:11, "Lasse Heliessons ... Rechenskap för Upsala Slottz Bygning"). Senare hälften av 1400-talet

Örnhjälm ms. 1693 =
UPPSALA. Uppsala universitetsbibliotek. E-samlingen. E 206. Suecia Sancta ... In unum fasciculum collegit ... Claudius Örnhjälm ... 1693. T. 1, s. 155 ff.

Tryckta källor och litteratur

AH =
Analecta hymnica medii aevi. Hrsg. von Guido Maria Dreves, Clemens Blume ..., Bd 1-55, Leipzig 1886-1922

Beckman 1917 =
Natanael Beckman, Algotssönerna: Svenskt biografiskt lexikon, 1, Sthlm 1917, s. 386-391 och 395-396 (mellanpartiet = Westman 1917)

Bedae opera ed =
CCSL 120, II:3

Berger 1969 =
Rupert Berger, Kleines liturgisches Wörterbuch (Herder-Bücherei 339-341), Freiburg i. Br. 1969

Bernardi Sermones ed. =
Bernardus Clarevallensis, Sermones I, II. Ad fidem codicum recensuerunt J. Leclercq OSB, H. Rochais, Romae 1966, 1968. (S. Bernardi opera, vol. 4, 5)

Beskow 1987 =
Per Beskow, Pseudepigrafi och förfalskning - en genrebestämning: Patristica Nordica 2. Föreläsningar hållna vid det andra Nordiska patristikermötet i

Lund 12-22 augusti 1986. Religio 25 (Skrifter utg. av Teologiska Institutionen i Lund), Lund 1987, s. 7-18

Blanck 1926 =
Anton Blanck, Brynolphi Scarensis officium "De beata Virgine": Samlaren (N.F. 7) 1926, s. 128-132

BMV =
Beata Maria Virgo (med böjningar)

Bohlin 1976 =
Folke Bohlin, art. Hystoria: Sohlmans musiklexikon, andra reviderade och utvidgade upplagan, 3, Sthlm 1976, s. 510

Brev. Hyde ed. 1934 =
The Monastic Breviary of Hyde Abbey, Winchester. Ed. with Liturgical Introduction ... by J. B. L. Tolhurst. Vol. 5, London 1934 (Henry Bradshaw Society 71)

Brev. Linc. ed. 1950-58 =
Breviarium Lincopense. Ex unica editione 1493 ed. Knut Peters, post mortem editoris curantibus Bengt Strömberg ... Lund 1950-58 (Laurentius Petri Sällskapets Urkundsserie 5)

Brev. Wulstan ed. 1960 =
The Portiforium of Saint Wulstan. Ed. by Anselm Hughes. Vol. 2, London 1960 (Henry Bradshaw Society 90)

Brev. York ed. 1880 =
Breviarium ad usum insignis ecclesiae Eboracensis. Ed. by Stephen W. Lawley. Vol. 1, London 1880 (The Publications of the Surtees Society 71)

BTP =
Bibliotheca Theologiae Practicae

CCM =
Catalogus Codicum Mutilorum, Riksarkivets katalog över medeltida pergamentsfragment

CCSL =
Corpus Christianorum. Series Latina

Chevalier 1897 =
Repertorium hymnologicum. Catalogue de chants, hymnes, proses, sequences, tropes en usage dans l´église latine (Subsidia hagiographica 4). Par Ulysse Chevalier. 2, Lovain 1897

Collberg 1994 =
Archipoeta/ Från kejsarhovet och tavernan. Vagantdikter i översättning från latinet av Sven Collberg. Med efterskrift, noter och latinsk parallelltext, Lund 1994

Curtius 1954 =
Ernst Robert Curtius, Europäische Literatur und lateinisches Mittelalter. Zweite, durchgesehene Auflage, Bern 1954

Edwards 1990 =
Owain Tudor Edwards, Matins, Lauds and Vespers for St David´s day. The Medieval Office of the Welsh Patron Saint in National Library of Wales MS 20541 E, Cambridge 1990

Geete 1903 =
Robert Geete, Fornsvensk bibliografi. Förteckning öfver Sveriges medeltida bokskatt ... Sthlm 1903 (SFSS 124)

Gejrot 1988 =
Diarium Vadstenense. The Memorial Book of Vadstena Abbey. A Critical Ed. with an Introd. by Claes Gejrot, Sthlm 1988 (Acta Universitatis Stockholmiensis. Studia Latina Stockholmiensia 33)

Gjerløw 1979 =
Antiphonarium Nidrosiensis ecclesie editum cura Lilli Gjerløw, Osloiae 1979 (Libri liturgici provinciae Nidrosiensis medii aevi, vol. 3. Norsk Kjeldeskrift-Institutt, Den rettshistoriske kommision)

Gummerus 1902 =
Synodalstatuter och andra kyrkorättsliga aktstycken från den svenska medeltiden utg. af Jaakko Gummerus, Sthlm 1902 (Skrifter utg. af Kyrkohistoriska föreningen 2:2)

Helander 1957 a =
Sven Helander, rec. av Johansson 1956: KÅ (57) 1957, s. 184-188

Helander 1957 b =
Sven Helander, Ordinarius Lincopensis ca 1400 och dess liturgiska förebilder, Uppsala 1957 (BTP 4)

Holböck 1988 =
Ferdinand Holböck, art. Brynolf Algotsson: Marienlexikon, bd 1, 1988, s. 604

Härdelin 1994 =
Alf Härdelin, art. Schweden: Marienlexikon, bd 6, 1994, s. 97-101

Johansson 1956 =
Hilding Johansson, Den medeltida liturgien i Skara stift. Studier i mässa och helgonkult, Lund 1956 (Studia theologica Lundensia 14)

Jonsson 1968 =
Ritva Jonsson [Jacobsson], Historia. Études sur la genèse des offices versifiés, Sthlm 1968 (Studia Latina Stockholmiensia 15)

Kabell 1967 =
Iacobus Nicholai de Dacia, Liber de distinccione metrorum, mit Einleitung und Glossar herausgegeben von Aage Kabell, Lund 1967 (Monografier utgivna av K. Humanistiska Vetenskaps-samfundet i Uppsala, t. 2)

Klemming 1886 =
Gustaf Edvard Klemming, Latinska sånger fordom använda i svenska kyrkor, kloster och skolor. Hymni, sequentiae et piae cantiones in regno Sueciae olim usitatae. 2. Treenigheten, Jesus Kristus, Helge And, Jungfru Maria. Sthlm 1886

KLNM =
Kulturhistoriskt Lexikon för Nordisk Medeltid

Knös 1776 =
Olof Andersson Knös, Historiola Litteraria Poëtarum Vestrogothiae Latinorum, Upsaliae 1776

Kremp 1958 =

Werner Kremp, Quellen und Studien zum Responsorium prolixum in der Überlieferung der Euskirchener Offiziumsantiphonar, Köln 1958 (Beiträge zur rheinischen Musikgeschichte ... Heft 30)

KÅ =
Kyrkohistorisk årsskrift

Lausberg 1990 =
Hans Lausberg, Handbuch der literarischen Rhetorik. Eine Grundlegung der Literaturwissenschaft, Stuttgart 1990

Lundén 1946 a =
Tryggve Lundén, Sankt Brynolf, biskop av Skara, 2: Credo (27:1) 1946, s. 14-39

Lundén 1946 b =
Brynolf Algotssons samlade diktverk. Med översättning av Tryggve Lundén: Credo (27:2) 1946, s. 73-124

Lundén 1955 =
Tryggve Lundén, Medeltidens religiösa litteratur: Ny illustrerad svensk litteraturhistoria utg. av E. N. Tigerstedt. Bd 1, Stockholm 1955

Lundén 1963 =
Sankt Nicolaus' av Linköping Kanonisationsprocess / Processus canonizacionis beati Nicolai Lincopensis / Efter en handskrift i Florens utgiven ... av Tryggve Lundén, Stockholm 1963

Lundén 1973 =
Tryggve Lundén, Svenska helgon. Andra utökade upplagan [med Exkurs: Brynolf Algotsson som författare], Sthlm 1973

Lundén 1983 =
Tryggve Lundén, Sveriges missionärer, helgon och kyrkogrundare. En bok om Sveriges kristnande, Storuman 1983

Lundén 1985 =
Tryggve Lundén, Biskop Brynolf Algotssons författarskap: Signum. Katolsk orientering om kyrka, kultur, samhälle (11:7) 1985, s. 210-213.

Manitius 1931 =
Max Manitius, Geschichte der lateinischen Literatur des Mittelalters. Bd 3, München 1931

Marienlexikon =
Marienlexikon. Hrsg. im Auftrag des Institutum Marianum Regensburg von Remigius Bäumer ... Bd 1-5, St. Ottilien 1988-

Meyer 1905 =
Wilhelm Meyer, Gesammelte Abhandlungen zur mittellateinischen Rythmik, 1, Berlin 1905.

MHUU =
Mittelalterliche Handschriften der Universitätsbibliothek Uppsala. Katalog über die C-Sammlung von Margareta Andersson-Schmitt und Monica Hedlund ... Band 1-8, Uppsala 1988-1995 (Acta Bibliothecae R. Universitatis Upsaliensis, vol. XXVI:1-8)

Milveden 1963 a =
Ingmar Milveden, Fragment av en hittills okänd Historia de BMV in

Visitatione: Svenskt gudstjänstliv (38) 1963, s. 23-31
Milveden 1963 b =
Ingmar Milveden, art. Koral, Gregoriansk, Sverige: KLNM, bd 9, Malmö 1963, sp. 123-129
Milveden 1969 =
Ingmar Milveden, art. Rimofficium: KLNM, bd 14, Malmö 1969, sp. 305-319
Milveden 1972 =
Ingmar Milveden, Neue Funde zur Brynolphus-Kritik: Svensk tidskrift för musikforskning (54), 1972, s. 5-51
Milveden 1974 a =
Ingmar Milveden, art. Ténor: KLNM, bd 18, Malmö 1974, sp. 198-200
Milveden 1974 b =
Ingmar Milveden, art. Trop: KLNM, bd 18, Malmö 1974, sp. 695-702
Milveden 1992 =
Ingmar Milveden, Vem skrev Brynolfskorets altartext?: Skaraborgs Läns Tidning 7/10 1992, s. 14
Milveden 1994 =
Ingmar Milveden, Kommentar till fonogrammet Gloria Sanctorum i Kungl. Musikaliska Akademiens serie Musica Sveciae. Proprius (PRCD 9115), Sthlm 1994
Moberg 1926 =
Carl Allan Moberg, Biskop Brynolf av Skara vår förste kyrkokomponist: KÅ 26, 1926, s. 175-192
Moberg 1927 =
Carl Allan Moberg, Über die schwedischen Sequenzen. Eine musikgeschichtliche Studie, 1-2, Uppsala 1927
Moberg 1947 =
Carl-Allan Moberg, Die liturgischen Hymnen in Schweden. Beiträge zur Liturgie- und Musikgeschichte des Mittelalters und der Reformationszeit. Bd 1, Quellen und Texte ... , Kopenhagen 1947
Moberg & Nilsson 1991 =
Carl-Allan Moberg & Ann-Marie Nilsson, Die liturgischen Hymnen in Schweden. Bd 2:1, Die Singweisen und ihre Varianten, Uppsala 1991 (Acta Universitatis Upsaliensis. Studia musicologica Upsaliensia. Nova Series 13:1)
Nilsson 1994 =
Ann-Marie Nilsson, Medeltidens kyrkosång: Musiken i Sverige från forntid till stormaktstidens slut. Del 1:2, Sthlm 1994 (Kungl. Musikaliska akademiens skriftserie 74:II)
Nilsson 1995 =
Ann-Marie Nilsson, Some Remarks on Melodic Influences in Swedish Rhymed Offices: International Musicological Society Study Group Cantus Planus. Papers Read at the 6th Meeting, Eger, Hungary 1993, Vol. 2, Budapest 1995
Norberg 1958 =
Dag Norberg, Introduction à l'étude de la versification latine médiévale, Sthlm 1958 (Studia Latina Stockholmiensia 5)

Piltz 1974 =
Anders Piltz, Prolegomena till en kritisk edition av magister Mathias´ Homo conditus, Uppsala 1974 (Acta Universitatis Upsaliensis 7)

Schmid 1938 =
Toni Schmid, Franziskanische Elemente im mittelalterlichen Kult Schwedens. 2: Franziskanische Studien (25) 1938, s. 134-161

Schmid 1940 =
Toni Schmid, Birgitta och hennes uppenbarelser, Lund 1940

Schröder 1833 =
De poesi sacra latina medii aevi in Suecia. Praeside Mag. Joh. Henr. Schröder. Upsaliae 1833

Schröder 1836 =
Vita S. Brynolphi Svethice ex apographo Örnhjelmiano Bibliothecae R. Acad. Upsal. aucta et illustrata ... Praeside Mag. Joh. Henr. Schröder. [Fem disputationshäften maj-juni 1836.] Upsaliae 1836

Schück 1959 =
Herman Schück, Ecclesia Lincopensis. Studier av Linköpingskyrkan under medeltiden och Gustav Vasa, Stockholm 1959 (Acta Universitatis Stockholmiensis, 4)

Servatius 1990 =
Viveca Servatius, Cantus Sororum. Musik- und liturgiegeschichtliche Studien zu den Antiphonen des birgittinischen Eigenrepertoires, Uppsala 1990 (Acta Universitatis Upsaliensis. Studia musicologica Upsaliensia, Nova Series 12)

SFSS =
Samlingar utg. av Svenska Fornskriftsällskapet

Silfverstolpe 1898 =
Carl Silfverstolpe, Klosterfolket i Vadstena. Personhistoriska anteckningar, Stockholm 1898

Stephens 1847 =
Ett forn-svenskt legendarium. Utg. af George Stephens, 1, Stockholm 1847 (SFSS 7:1)

Strecker 1927 =
Karl Strecker, Walter von Chatillon und seine schule, I-II: Zeitschrift für deutsches altertum und deutsche literatur (64) (N.F. 52), 1927, s. 97-125, 161-189

Strecker-Palmer 1957 =
Karl Strecker, Introduction to Medieval Latin. English Translation and Revision by Robert B. Palmer, Berlin 1957

Sundquist 1972 =
Nils Sundquist, Kring några "minnesbyggnader" i Uppsala och uppsalatrakten, Uppsala 1972

Sylwan ms. 1987, se ovan Otryckta källor

Undhagen 1960 =
Birger Gregerssons Birgittaofficium utg. av Carl-Gustaf Undhagen, Sthlm 1960 (SFSS, Ser. 2:6)

Vita Brynolphi 1492 =
Incipit Vita Beati Brynolphi condam Episcopi Scarensis / In regno Swecie /

Fig. 1. ANT 189, utsnitt. De tre översta raderna utgör slutet av *SteM*:s antifon till *Benedictus*: *Virgo decus virginum* ([...] *sis post luctus terminum / mitis consolatrix*). Därefter följer hystorian *Celeste beneficium*, avsedd för *Annadagen* den 9 december. *SteM* brukas alltså här uppenbart för *Conceptio BMV* den 8 december.

— From *ANT 189*. At the top our *hystoria Marie*. It is followed by an *hystoria Anne* (9th December). Thus the former here refers to *Conceptio BMV* (8th December).

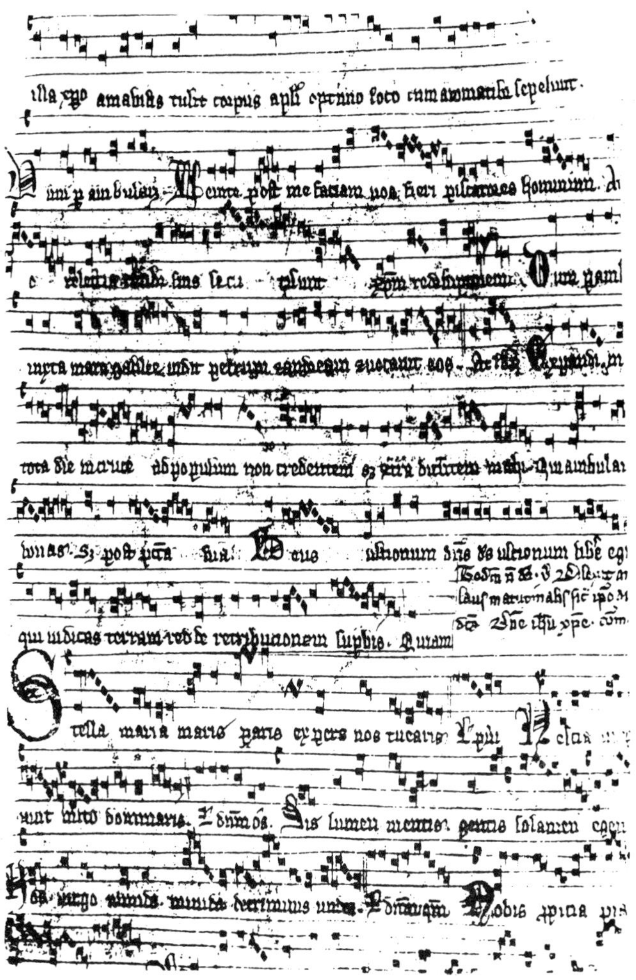

Fig. 2. AM Access. 7b, utsnitt. De översta sju raderna upptar material för *Andreasoktaven* den 7 december. Därefter kan läsas orden *Stella maria maris* osv. *SteM* används således för *Conceptio BMV* den 8 december.
— From *AM Access. 7b*. The seven lines at the top belong to *Octava Andree* (7th December). After that our *hystoria* in question follows. Thus it refers here to *Conceptio BMV* (8th December).

una cum miraculis et attestationibus / pro eiusdem Canonizatione factis [sine loco et anno; sedermera addicerad till Bartholomeus Gothan, Lübeck-officinen, 1492]

Vita Brynolphi ed. =
Vita S. Brynolphi episc. Scarensis cum processu eius canonizationis. Ed. Cl. Annerstedt: Scriptores rerum Svecicarum medii aevi, bd 3:2, Upsaliae 1871-76, s. 138-145

Warholm 1871 =
Johan Wilhelm Warholm, Skara stifts herdaminne. Förra delen, Mariestad 1871

Westman 1917 =
Knut Bernhard Westman, Brynolf Algotsson, underavdelning 3 i Beckmans art. Algotssönerna: Svenskt biografiskt lexikon, 1, Sthlm 1917, s. 391-395

Wilson 1946 =
Evelyn Faye Wilson, The *Stella Maris* of John of Garland. Edited, Together With a Study of Certain Collections of Mary Legends Made in Northern France in the Twelfth and Thirteenth Centuries, Cambridge (Mass.) 1946

Önnerfors 1966 =
Alf Önnerfors, Zur Offiziendichtung im schwedischen Mittelalter. Mit einer Edition des Birger Gregersson zugeschriebenen "Officium s. Botuidi": Mittellateinisches Jahrbuch (3) 1966, s. 55-93

Önnerfors 1968 =
Alf Önnerfors, Die Hauptfassungen des Sigfridoffiziums. Mit kritischen Editionen, Lund 1968 (Skrifter utgivna av Vetenskaps-Societeten i Lund 59)

Önnerfors 1969 =
Alf Önnerfors, Das Botvidoffizium des Toresundbreviers: Eranos (vol. 67), Göteborg 1969

Claire L. Sahlin

The Virgin Mary and Birgitta of Sweden's Prophetic Vocation

Birgitta of Sweden (1302/3-1373) was one of the most quickly canonized saints in Christian history, but she also was one of the most controversial. Both during her lifetime and after her death, learned men intensely debated the authenticity of her revelations. Even after her canonization, especially at the Councils of Constance and Basel, her legitimacy as a conduit of divine revelation was disputed.[1] Some of Birgitta's opponents obviously disdained her harsh judgments on their immorality and resented her interference in their political and ecclesiastical leadership. Some of them also disagreed with her theological teachings on disputed doctrines such as the Immaculate Conception. Many, moreover, found it incredible that God would send messages to the world through a woman. For example, vignettes recorded in Birgitta's book of Revelations and records from her canonization process reveal that several religious men discredited her by saying that it was "nearly impossible that God would speak with an ignorant little woman (*ignara muliercula*)".[2] One opponent also told her, "It is more useful for you to spin finely in the custom of women than to argue (*disputare*) from scripture" (Rev. IV 124.2).[3] Many apparently could not believe that it was likely or even appropriate for God to use a woman, lacking theological training and expertise, as a medium of revelation.

In a fascinating treatise written near the turn of the fifteenth century, an unnamed Franciscan friar defended Birgitta's prophetic vocation against such detractors by portraying her as a successor to the Virgin Mary.[4] He identified Birgitta's place in salvation history with the work of the Virgin Mary in order to demonstrate that it was necessary for God to have transmitted messages to the world at this time through a woman. In this essay I will outline the Franciscan's argument and describe the parallel that he drew between Birgitta and the mother of Christ. Then I will explore whether his representation of Birgitta as Mary's successor has any basis in Birgitta's Revelations themselves. Although the Revelations do not make any argument for the necessity of God mediating divine communications through a woman, I believe that Birgitta, like the Franciscan friar, saw her role in salvation history as analogous to Mary's. She understood herself to be like Mary—an instrument through which the word of God becomes manifest to the world.

Birgitta as "The Arrow of the Virgin" In the Defence of the Unidentified Franciscan

The only copy of the Franciscan's treatise that is known to exist is found in the Lincoln Cathedral Chapter Library, MS. 114, ff. 18vb-24va.[5] Scholars have virtually overlooked this document, although they have examined other Birgittine materials in the same manuscript.[6] Only F. R. Johnston, who briefly describes some of its contents in his unpublished master's thesis and mentions it in a recent article, appears to have studied it.[7] The treatise was composed between 1391 and 1409, since it refers to Birgitta's canonization (f. 24rb) and an *explicit* in the same hand later in the manuscript states that the scribe completed his copying in 1409.[8] Unfortunately, very little is known about the identity of the author of the text, who is not named in the manuscript. What we know about him comes from the rubric prefacing the treatise, which simply states that he was a Franciscan friar (*Incipit epistola cuiusdam religiosi ordinis fratrum minorum contra impugnantes sanctissimas reuelaciones beate birgitte*. . . . , f. 18vb). The text's emphasis on particular features of Birgitta's spirituality and on her links with the Franciscan Order confirms this ascription.[9]

The friar's treatise is a defense directed explicitly against those who rejected the authenticity of Birgitta's revelations on the grounds of her sex. The friar writes that "many disparage her [Birgitta's] sanctity, judging it not fitting that God revealed such things to the female sex and not to the masculine."[10] In response to these critics, he argues that "these revelations had to be sent (*abuerunt mitti*) through a woman" and "this grace had to be administered (*debuit ministrari*) through a woman" (f. 19rb, 18ra).[11] For him, it was not coincidental that God illumined a woman, namely Birgitta, with the spirit of prophecy and used her to reform the church.[12] He maintains that it was theologically necessary for God to have used a woman as a medium of divine revelation.

In partial support of this assertion, the Franciscan observes that Birgitta's role as God's messenger was not inappropriate for a woman. He points out that at various times previously holy women had been favored over men for receiving special revelations. He cites the examples of Elizabeth (the mother of John the Baptist) and Mary Magdalene, who obtained privileged information from God before their male companions received it. Elizabeth knew that Christ would be born from the Virgin Mary while her husband Zechariah did not. Similarly, Mary Magdalene saw the resurrected Christ before Peter or other apostles saw him.[13] The friar also mentions that women as well as men can increase the glory of God. To support this claim, he mentions the Hebrew girl of IV Kings 5, whose testimony led to the healing and salvation of her Syrian captors, and Empress Helena (d. 330), the mother of Constantine, who discovered the true cross in Jerusalem.[14] Moreover, he declares that Birgitta did not violate scripturally-sanctioned gender norms when she acted as a channel of God's revelation (see I Timothy 2:12). Drawing a careful distinction between public proclamation and private instruction, he states that Birgitta, like her predecessor Mary Magdalene who instructed others privately, never proclaimed privileged knowledge publicly in church. She wrote the revelations down in silence and transmitted them to other people through men.[15]

However, the Franciscan's defense of Birgitta goes much farther than these straightforward claims that it is possible for women to transmit revelations to others for the honor of God. As already mentioned, he reconciles Birgitta's sex with her prophetic vocation by arguing that her revelations *must* have been mediated through a woman. In support of this argument, the friar provides two reasons. Each reason links Birgitta's revelations to the Virgin Mary and depends on an implicit assumption of gender parallelism.[16]

First, he states that the revelations ought to have been given to a woman because it was the Virgin Mary who obtained them for the world. According to him, God's love for Mary as well as her position of distinguished honor caused Christ to grant her prayers for mercy on the world's behalf. To substantiate his point, he quotes a line from one of Birgitta's revelations (Rev. VI 34.12), in which Mary explains that her requests on behalf of her friends, who were concerned about Christ's imminent judgment, led Christ to send his words to the world. She says, "My friends sent their prayers to me requesting that I might appease my son for the world. Moved by my prayers and the prayers of the saints, he sent to the world words from his own mouth, which were foreknown from eternity."[17] The Franciscan author assumes that because the Virgin Mary was female, a woman should mediate the words of Christ that she procured.

Secondly, the friar makes a striking comparison between St. Birgitta's vocation as a medium of divine revelation and the Virgin Mary's role as the vessel of the incarnation. He draws a parallel between their respective roles in salvation history, writing that "just as death, which entered through a woman [i.e. Eve], was banished through a woman when Mary gave birth to Christ, so even now God revealed through a woman [i.e. Birgitta] how eternal death is to be eradicated."[18] In this statement the friar recalls the ancient Christian idea of Mary as Eve's antithesis, while he portrays Birgitta as another Mary. As early as Justin Martyr (d. ca. 165) and Irenaeus (d. ca. 202) in the second century, Christians extended Paul's analogy between Adam and Christ to Eve and Mary. The apostle Paul contrasted the death that came into the world through Adam with the new life that Christ inaugurated, writing in his first epistle to the Corinthians that "for as in Adam all die, so also in Christ shall all be made alive" (I Corinthians 15:22; see also I Corinthians 15:45 and Romans 5:12-21). In a similar fashion theologians throughout Christian history have represented Mary, the obedient virgin who released the bonds of death, as the antithesis of Eve. Jerome, for example, wrote that "death came through Eve, but life has come from Mary."[19] Astonishingly, the anonymous Franciscan friar broadens this analogy to include Birgitta of Sweden. He maintains that she and the Virgin Mary fulfill similar functions in salvation history as mediators of spiritual life. According to him, Birgitta's revelations, like Mary's motherhood, reverse the effects of Eve's disobedience by eradicating eternal death. For this reason, the friar maintains that the revelations must be channeled through a woman.

This association between Birgitta and Mary as well as the friar's predilection for gender parallelism is displayed further in one of his arresting appellations for the Swedish saint. Alluding to passages from both Genesis and John's Apocalypse, the Franciscan author calls Birgitta an "arrow of the Virgin." He states that

> "this spouse of Christ is able to be called "the arrow of salvation against Syria" [IV Kings 13:17] because nothing will condemn the power of her

name. For Birgitta is called, so to speak, the arrow of the Virgin. As the apostles and their successors were sharp arrows of Christ, since through their ministry Christ made many people subject to himself, so the blessed Virgin Mary in these last days aimed this arrow of salvation against the world for putting to flight the power of the devil, who is the "ancient serpent" whose head Mary crushed [Apocalypse 12:9, 20:2; Genesis 3:15]".[20]

For him, Birgitta is a predestined agent of the Virgin Mary, just as the male apostles were chosen emissaries of Christ. Birgitta carries out Mary's mission of conquering the devil and overcoming the effects of the Fall. The friar thus concludes his argument against Birgitta's opponents, stating: "Therefore may the detractors of this most holy woman be silent. The mother of God . . . appointed her as the arrow elected for herself, so that deservedly she is able to be called the arrow of the Blessed Virgin."[21]

The Franciscan friar's assertion that it was necessary for God to transmit revelations through a woman is an uncommon defense of Birgitta's authenticity. Most of Birgitta's advocates, who defended her against the charge that a woman would not have received God's revelations, proposed ways of justifying her prophetic vocation that were less extreme than his argument. Some recited lists of biblical prophetesses—Miriam, Judith, Huldah, Deborah, Anna, Elizabeth, and others—to show that God occasionally bestows the spirit of prophecy on women.[22] Some also mentioned God's preference for using weak members of society at various times to confound the strong (see I Corinthians 1:27-28). For example, Alfonso of Jaén (d. 1389), who was Birgitta's co-worker and ardent promoter, stated in the *Epistola solitarii ad reges* that God "often elects for himself the weak of the world in the female as well as the male sex, so that God may confound the wise."[23] Others, in addition, saw God's revelations to the Swedish woman (and to other holy women throughout Christian history) ultimately as an amazing, inexplicable mystery. For instance, a certain Bishop Reginald, who sent his defenses of Birgitta's Revelations from England to the Council of Basel,[24] maintained that "it is wiser, safer for salvation, and farther from sin to admire these things and all such similar things than to question them, [and] to venerate than to endeavor to explain them."[25] Master Johannes Tortsch of Leipzig (d. ca. 1445), who compiled extracts from Birgitta's revelations into an apocalyptic pamphlet entitled *Onus mundi* (Burden of the world), made a comment that most resembles the unidentified friar's claims: "Our lord Jesus Christ elected for himself the lady Birgitta . . . for making known his will to the world through her, because *it thus evidently pleased him to elect a woman and not a man for this work* (italics mine)."[26] However, this statement, which he did not explain any further, is not as excessive as the unidentified Franciscan's argument either.[27]

TheVirgin Mary and Birgitta's Prophetic Vocation in the Revelations

Birgitta herself never argued for the necessity of God mediating revelations through a woman. She repeatedly expressed her sense of unworthiness at having been chosen for the task. In one passage of the Revelations, for example, she exclaims, "O my Lord and son of the Virgin, why did you deem so worthless a widow worthy to be visited? For I am poor in all good works and have little understanding in knowledge" (Rev. II 18.9). However, no matter how extreme the Franciscan friar's argument may be, its portrayal of Birgitta as Mary's successor has some solid foundation in the Revelations. These writings indicate that Birgitta, like her Franciscan supporter, closely associated her revelations and her mission to proclaim them with the work of the Virgin Mary.

Mary, first of all, assumes a prominent place in Birgitta's Revelations and assists her in understanding and broadcasting them.[28] She appears in Birgitta's visions and imparts messages to her more often than any other saint or supernatural being except Christ. She also repeatedly teaches Birgitta about the visions that she receives. In various revelations Mary explains to Birgitta the nature of her spiritual understanding (Rev. VIII 56.97-102),[29] answers questions concerning what she hears in the spirit (Rev. VIII 19.1-3), and verifies her divine inspiration when Birgitta wondered if she was being tricked by the devil (Rev. III 10.1-2, Rev. IV 78.4-7, Rev. VI 88.1-6). The mother of Christ also reassures and protects Birgitta throughout her career as God's spokesperson. She comforts her in her anxiety about leaving her children behind in Sweden when she traveled to Rome (Extrav. 63.3-4),[30] exhorts her not to worry about potential negative reception (Rev. III 15.10, Rev. VI 47), and ensures her physical safety in Italy when opponents of Birgitta's messages accuse her of witchcraft (Extrav. 8.4, 9-10).

Moreover, the Revelations repeatedly credit the Virgin Mary, as a merciful intercessor, with procuring Birgitta's revelations from Christ on behalf of the world. In these writings, as in later medieval Western spirituality, Mary appears prominently as the mother of mercy who manifests God's mercy to the world and intercedes with Christ on behalf of humanity.[31] Birgitta believed that through the Incarnation Mary displayed God's mercy by bearing Christ, the source of mercy, in her womb (see Rev. I 50.14, Extrav. 50.13-17). She also emphasized Mary's role as the mediator between God and humanity who inclines her Son to have grace on sinful human beings. In one revelation that underscores Mary's intercessory role, Christ praises his mother, saying, "You are rightly said to be full of . . . mercy, because . . . all find mercy through you, since you enclosed in you the fountain of mercy. From its abundance you would display mercy to even your worst enemy, namely the devil, if he would humbly ask. Therefore whatever you wish and ask will be given to you" (Extrav. 50.17). Mary's maternal relationship to her Son allows her to petition him and obtain mercy on behalf of human beings (see also Rev. I 50.10-11, Rev. VI 23.18). In Birgitta's view, she always offers mercy before Christ doles out his just judgments on sinners. The Revelations state that her compassion precedes Christ's justice like a "star going before the sun" (Extrav. 50.19).[32] Christ, however, is the ultimate source of divine mercy, from whom Mary obtains mercy for those in need (Rev. I 50).

This understanding of the Virgin's intercession underlies Birgitta's belief that Mary's entreaties led Christ to send visions and messages to the world through her. According to Birgitta, the Virgin Mary petitioned Christ for the Revelations after listening to the prayers of God's friends and taking pity on sinners who awaited terrible judgment. From him, she obtained the Revelations in order that the unjust might see that the chastisement they deserve could be averted through their repentance. A parable in Book VI explains Mary's role in procuring the words contained in Birgitta's books. Using regal imagery, it compares Christ to a king who ruled a kingdom in which there were few people faithful to him and likens Mary to the woman who was most familiar with the king.[33] It states that

> the faithful, who saw that only death and damnation awaited the unfaithful, wrote to the woman who was most familiar with the king, requesting that she would pray for them and that she would suggest to the king that he write to them words of admonition, by which they would recover from their stubbornness.34 When these things were suggested to the king for the salvation of the unfaithful, the king responded to her: "Nothing awaits them except death and they deserve it. Nevertheless, because of your prayers, I will send them two messages (*verba*). In the first message are three things: first, damnation, which they merit, second, poverty, and third, confusion and disgrace, which they deserve because of their deeds. The second message is that all who humble themselves will have grace and will enjoy life" (Rev. VI 34.2-4).[35]

Many other passages reiterate this idea that Christ, who does not refuse Mary's requests, sends his words of mercy to the world on account of her prayers (Rev. I 5, Rev. I 44.8, Rev. I 45.31, Rev. IV 105.1, Rev. VIII 48.236, Extrav. 50).[36] Birgitta's mission was to proclaim these words that were revealed to her on account of the Virgin's intercessions (see Rev. III 5.7-8, Rev. III 31.13).

Even more significantly, the Revelations indicate that Birgitta understood her special role as the channel of God's word as analogous to the Virgin Mary's role in incarnating Christ. Not only did Birgitta believe that Mary procured the revelations that she received, but she also saw the mother of Christ as a model for displaying Christ's mercy and bringing his presence into the world. The clearest and most vivid indication that Birgitta drew a parallel between her vocation as an instrument of divine revelation and the Virgin Mary's role in the incarnation is found in the Revelations, Book VI, chapter 88, which describes Birgitta's identification with the Virgin's experience of pregnancy.[37] This passage states that on one Christmas Eve, Birgitta felt such a "marvelous and great exultation of her heart" (*mirabilis et magna . . . exultatio cordis*, Rev. VI 88.1) that she could scarcely contain herself. This tremendous joy was accompanied by a movement which felt "as if a living child were in her heart turning itself around and around" (. . . *quasi si in corde esset puer viuus et voluens se et reuoluens*, Rev. VI 88.1). The movement continued for quite some time, and because Birgitta feared it was a deception from the devil, she disclosed the movement to her spiritual friends and advisors, who verified its authenticity by sight and by touch and responded with admiration (Rev. VI 88.2). Later during high mass, Mary appeared to her saying:

> Daughter, you are amazed about the movement that you feel in your heart. Know that it is not an illusion, but a certain manifestation of resemblance to my sweetness and the mercy granted to me. For just as you do not know how the exultation and the motion of your heart came to you so suddenly, so the arrival of my son into me was wonderful and swift. For when I assented to the angel who announced the conception of the son of God to me, I immediately felt a certain marvelous and living thing in me. And when he was born from me, he came forth from my closed virginal womb with unspeakable exultation and marvelous haste. Therefore, daughter, do not be afraid of an illusion, but rejoice because that movement which you feel is a sign of the arrival of my son into your heart. Therefore, as my son placed on you the name of his new bride, so now I call you daughter-in-law. For as a father and mother, growing old and resting, place the burden upon the daughter-in-law and tell her what things are to be done in the house, so God and I, who are old in the hearts of people and cold apart from their love, want to proclaim our will to our friends and the world through you. This motion in your heart truly will remain with you and will grow in accordance with the capacity of your heart (Rev. VI 88.3-8).

According to testimony in support of her canonization, Birgitta experienced this physical motion at the Cistercian monastery at Alvastra in the presence of Prior Petrus and Mathias of Linköping. She also reportedly felt this fetus-like movement on various occasions throughout the rest of her life (see A&P, 81, 484, 500; Rev. II 18.1, 8).

Birgitta's experience resembles many other later medieval maternal encounters with the infant Christ that were often directly stimulated by meditation and contemplation of the Nativity. The idea of conceiving Christ in an individual's heart or soul was a widespread theological teaching with an extensive history that can be traced back to Origen, who wrote that the word of God is conceived in worthy human hearts through perpetual prayer and the exercise of good works, just as Christ was born in Mary.[38] Many other ancient Christian authors also described the virtuous Christian life as fruitful and urged Christians to see the motherhood of Mary as an allegorical model for spiritual imitation. In a Christmas sermon Augustine, for example, exhorted, "Conceive Christ by faith, give birth to Him through your works, so that your heart may be doing in the law of Christ was the womb of Mary did in the flesh of Christ."[39] However, by the thirteenth century, spiritual motherhood assumed new significance, as Christians cultivated empathetic identification with the emotions of the human Jesus and his mother through meditative prayer. Influential writers such as Anselm of Canterbury (d. 1109), Bernard of Clairvaux (d. 1153), Bonaventure (d. 1274), and the anonymous Franciscan author of the *Meditations on the Life of Christ* (late thirteenth century) encouraged their readers to contemplate specific details of events in the historical lives of Christ and Mary. Christians imagined themselves participating as actors in realistic scenes like the Nativity and the Passion and attempted to identify with the joy, love, and sorrow of the human Mary and her Child. In this manner, they not only remembered significant events from Christian history, but also cultivated intimacy with the incarnate Christ.[40]

This well-known rise in affective spirituality and devotion to the humanity of Christ included emulation of Mary's maternal relationships with her divine child, as a recent dissertation by Rosemary Hale argues.[41] Hale's analysis of what she calls "maternal *imitatio Mariae*" observes that later medieval Christians did not simply attempt to become spiritual mothers of Christ by imitating Mary's virtues. Instead, they imitated the "postures, attitudes, and behaviors of Mary as an act of piety honoring Mary herself as well as Christ."[42] Sometimes they even literally embodied Mary's maternity as a way to increase devotion for Christ.[43] As Hale describes, this imitation often involved contemplating increasingly realistic visual images and manipulating religious objects, as in the case of Margaretha Ebner (d. 1351), a Dominican nun who cared for a small, wooden image of the Christ Child by nursing it, swaddling it, and rocking it in a cradle.[44] There is no evidence that Birgitta enacted her affection for the Holy Child with such an image.[45] However, her experience of movement in her heart exemplifies a tendency for individuals from the later Middle Ages—particularly religious women—to foster devotion to Christ and experience intimacy with him through physical emulation of Mary's maternal encounters with the infant Jesus.[46] Several other religious women—not unlike Birgitta—were reported to have received visions, dreams, and physical signs of being pregnant with the infant Christ, particularly during the days surrounding December 25th.[47]

Like these others, Birgitta did not simply remember or recollect the conception of Jesus in Mary's womb, but re-actualized it through her identification with Mary. She achieved intimate union with Christ by entering into a significant historical event from Christian history. A surviving prayer, existing only in Old Swedish, shows that Birgitta longed to experience what Mary felt at the moment of the Annunciation. According to Bridget Morris' translation, it states, "my Lady Virgin Mary, Mother of God, pray for me that I might receive this grace for what you felt at that moment when God became man, and what you, Virgin and God's mother, felt when the angel foreshadowed it to you."[48] Birgitta seems to have meditated so deeply on this scene that she became an actor in it. By reflecting deeply on the Incarnation and becoming caught up in the historical event, she achieved close contact, even union, with Christ.

The movement in Birgitta's heart was an ecstatic moment of intimacy between her soul as a mother and Christ as a child. Overwhelming joy accompanied it, and Mary proclaimed that it marked Jesus' entrance into Birgitta's heart.[49] The movement took place in the heart, which was understood in the Revelations to be the primary locus for human encounters with God and the center of personal desire, affection, and thought (see Rev. I 13.3-4, Rev. II 3.58, Rev. III 27.28, Rev. IV 66.1-4, BU IV 142, BU IV 143).[50] For Birgitta, hearts were to be Christ's habitation, where Christians, who are free from improper thoughts and worldly desires, may rest with Christ (see Rev. I 30.9). The physical movement in her heart exemplifies one type of Christian mysticism, identified by Ewert H. Cousins as "the mysticism of the historical event" in which "one recalls a significant event in the past, enters into its drama and draws from it spiritual energy, eventually moving beyond the event towards union with God."[51]

Such expressions of mystical union, however, are rare in the Revelations, which are more concerned with conveying messages of moral reform than describing Birgitta's interior life.[52] Even the passage describing her mystical pregnancy emphasizes her vocation as a prophetic reformer. Mary's words to Birgitta toward the end of the revelation (VI 88.6-8) indicate that the movement in her heart served as a sign of Birgitta's divine commission to proclaim the will of God to the world. It represented a shift in her primary allegiances away from care for her immediate biological family toward fulfillment of her spiritual vocation. Birgitta was leaving behind her worldly life, which Book V rev. 9 describes allegorically as a "house of poverty," to become a member of God's household, "the mansion of the Holy Spirit" (Rev. V rev. 9.5).[53] By becoming the spouse of Christ and daughter-in-law of Mary,[54] she must have recognized that she should no longer place fleshly desires or even the well-being of her children above the work of God. She accepted her commission to enkindle love for God—the burden placed on her by the senior members of the new household—by proclaiming the messages that were divinely revealed to her.

Most significantly, the Christmas Eve experience, when it is interpreted in conjunction with related passages from the Revelations, suggests that Birgitta saw her task of broadcasting God's words to the world as analogous to Mary's motherhood. While drawing upon common images and widespread theological ideas, other passages from the Revelations repeatedly stress that the divinity of Christ assumed human form in Mary's womb by taking human flesh from her (see Rev. V int. 12:19, QO I.13, QO IV.99).[55] The Revelations represent Mary's body as a pleasing dwelling-place for Christ (*delectabilis cohabitacio*) and the "purest receptacle" (*mundissimum receptaculum*) filled with special grace (see Rev V int. 12.13, 18-19; Rev. V rev. 13.9-18). Mary, the mother of Christ's physical nature, is a vessel for the body and blood of Christ. She is the "vessel of purity in which the bread of angels rested" (*"puritatis vas, in quo iacuit panis angelorum,"* Rev. I 31.11). This image, which bears obvious Eucharistic associations, is based on a typological interpretation of the vessel of manna in Exodus 16:33. Mary is the receptacle that holds Christ, the living bread that came down from heaven (see John 6:47-51; see also Rev. I 53.22).[56] In the Revelations Christ also extols Mary's virtue and the purity of her womb, his dwelling-place: "Your womb was as perfectly clean as ivory and shone like a place built of exquisite stones; for your constancy of conscience and of faith never cooled and could not be spoiled by tribulation. Of this womb—i.e. of your faith—the walls were like the brightest gold.... To me, this place of your womb—the spiritual as well as the corporeal—was so desirable and your soul so pleasing that I did not disdain to come down to you from high heaven and tarry within you" (Rev. V. rev. 4.18-19, 21).[57]

In the Revelations Birgitta not only portrays Mary as a container for the bread of life, but also likens her to a vessel filled with flowing streams or with choice wine. These liquids represent the abundance of God's grace poured forth into Mary and the dwelling of God's Son in her body. In a lengthy allegory God the Father describes Mary as a beautiful vessel that was both closed and open:

That vessel of which I spoke to you was Mary, Joachim's daughter, the mother of Christ's human nature. She was indeed a vessel closed and not closed: closed to the devil but not to God. For just as a torrent—wishing to enter a vessel opposed to it and not being able—seeks other ways in and out, so the devil, like a torrent of vices, wished to approach Mary's heart by means of all his inventions; but he never was able to incline her soul toward even the slightest sin because it had been closed against his temptations. For the torrent of my Spirit had flowed into her heart and filled her with special grace (Rev. V rev. 13.9-11).[58]

Mary compares herself to a filled vessel in another passage from the Revelations that vividly recalls this imagery. In Rev. VIII, chapter 47, Mary says that her soul is like a vessel placed under a stream of water, for her soul is incessantly filled with the flowing waters of the Holy Spirit.[59] This is why all who approach Mary with a pure and humble heart will receive help from the Holy Spirit. During her life on earth, moreover, she resembled a filled vessel since Christ entered like a torrent into her body, where he assumed flesh and blood from her (Rev. VIII 47.1-4).

Elsewhere in the Revelations, Birgitta sees Mary as a vessel filled with wine. One parable compares God to the owner of a vineyard whose best wine pours out directly from his grapes into the nearest vessel (Rev. V int. 10.7-18). God sent his Son, the sweet "wine of divine charity" that flowed forth from the grape of the Godhead, into the womb of the virgin Mary. Mary is the vessel that is nearest to the grape; she awaited the coming of the wine and her fervent love for God surpassed that of all other creatures. Christ then explains why he became human: "And so that wine—which is I myself [Christ]—entered a virginal womb so that I, the invisible God, might be made visible and so that the lost human being might be liberated" (Rev. V int. 10.14).[60]

Similarly, Birgitta understood her heart, a spiritual womb, as a vessel through which God is revealed to the world for the sake of human salvation. According to many passages, human hearts are containers filled with desires and affections (see Extrav. 87). Although they were made to contain God and be filled with love for Christ, they are often empty of God and filled instead with love for worldly things (see Rev. V int. 3.10; Rev. IV 126.130-137; Rev. III 3.20). Even priests, in whose hands Christ is incarnated as in the womb of Mary,[61] sometimes have empty hearts lacking the presence of God (Rev. III 27.28). According to the Revelations, Birgitta's heart, unlike the hearts of many of her contemporaries, was void of lustful thoughts and became a dwelling place for Christ (Rev. I 30.7-10, Rev. IV 65.1-3).

Birgitta saw her heart, like Mary's womb, as a vessel filled with the word of God. Many passages portray Birgitta's role as God's instrument of revelation with imagery that recollects passages describing Mary's role in the incarnation. The Revelations repeatedly liken Birgitta to a vessel filled with flowing liquids or choice wine. These drinks, which represent the inspired words of God conveyed to Birgitta, are poured forth from the vessel for the spiritual satisfaction and refreshment of others. In one passage utilizing such imagery, Christ, for example, tells Birgitta: "My words—which you hear from me frequently in spiritual vision—like the good drink, satisfy those who thirst for true charity, ... warm those who are cold, ... gladden those who are disturbed, ... and heal those who are weak in soul" (Rev. V rev. 11.10). In another passage Gerekinus, a Cistercian lay brother from Alvastra, sees Birgitta elevated from the ground with a stream of water flowing from her mouth. While praying, he heard a voice saying: "This is the woman who, coming from the ends of the earth, will give innumerable people wisdom to drink" (Extrav. 55.4). Moreover, Rev. IV, chapter 77, explicitly likens Birgitta to a vessel that delivers health-giving drink. There, Christ compares himself to a rich and loving king who sends precious wine in a vessel to his faithful servants, who are ordered to share the drink with others. Christ interprets the parable for Birgitta saying, "Truly, so I did in this kingdom [Sweden]. Indeed, to my servants I sent my words, which are like the best wine. And they will give them to others, since they are healthful. With the vessel, moreover, I understand you, who hears my words. . . . You have heard and delivered my words, for you are my own vessel, which I will fill as long as I wish and from which I empty, as long as it pleases me" (Rev. IV 77.14-15).[62]

Thus, the imagery of the Revelations, interpreted in conjunction with the revelation to Birgitta on Christmas Eve, indicates that Birgitta understood her role in salvation history as analogous to Mary's. She saw herself to be like Mary: an instrument through which Christ's mercy—and even Christ himself—becomes manifest to the world. As several passages state, the same word of God that become human in Mary is now revealed through Birgitta (see Rev. I 17.1, Rev. II 13.1-3, Rev. II 17.2-3). The sudden, joyful movement of life within her body on Christmas Eve tangibly indicates that Birgitta identified with the pregnant virgin, who gave flesh to divinity. This movement, representing the presence of Christ, was a sign of her vocation to make God visible and perceptible to the world once again.

Even the title given to Birgitta in her well-known calling vision and in other revelations—channel (*canale*) of the Holy Spirit—can be seen in this light (Extrav. 47; see also Rev. III 30.7-9; A&P, 73, 81).[63] This title, which literally suggests that Birgitta is like a conduit bringing water or other liquids from one place to another,[64] recalls a famous metaphor of Bernard of Clairvaux for the Virgin Mary. In his Sermon for the Nativity of Mary, Bernard writes that Mary is like an aqueduct that brings Christ, the incessantly flowing fountain of living waters, from heaven into the dry hearts of humanity. Through this aqueduct God pours forth divine grace.[65] Similarly, as we have seen, the Revelations depict Birgitta as a channel of God's words of mercy. As Mary once was the instrument of the Incarnation and continually mediates God's mercy, so is Birgitta, according to the Revelations, God's medium of revelation that brings the living word of salvation to the world.

Concluding Remarks

The unknown Franciscan friar was driven to defend the authenticity of Birgitta's revelations by a strong apocalyptic urgency and deep distress about the Great Schism of the church. He believed that her writings showed his contemporaries how to escape the imminent harsh judgment of God and pointed the way to church reform.[66] His concerns about God's coming wrath and desire for ecclesiastical unity led him to present an exalted view of Birgitta's place in salvation history. Yet, as we have seen, his associations between Birgitta and the Virgin Mary are grounded in the Revelations. Birgitta, like the friar, believed that Mary's intercessions with Christ were responsible for the visions and auditions revealed to her. Like him, Birgitta also drew a parallel between her special mission to proclaim the word of God and the Virgin's role in the Incarnation. Although she never called herself the "arrow of the Virgin," she saw herself as carrying out Mary's work of reversing the effects of the Fall and mediating God's mercy to the world.

In fact, Nils Hermansson (Nicolaus Hermanni) (1325/26-1391), bishop of Linköping and Birgitta's personal friend,[67] expressed this analogy between her prophetic vocation and Mary's maternity in his liturgical office for her canonization day.[68] While utilizing imagery usually applied to the Virgin Mary and music from a Marian sequence, he makes a direct parallel between the womb of the Virgin and Birgitta's pen in an antiphon to be sung during matins.[69] In poetic form, he writes that "he, who covered himself with flesh in the inner chamber of the Virgin, described mysteries with the pen of this bride" (*In uirginali thalamo, qui se carne precinxit, in huius sponse calamo mysteria depinxit*).[70] His rhyming parallel between "*thalamo*" —"*calamo*," and "*precinxit*"— "*depinxit*" draws attention to the similarity that he saw between the two women.[71] While making no mention of the mystical pregnancy, Bishop Hermansson recognized that Birgitta believed herself to be an instrument, analogous to Mary, through which the word becomes flesh.

Finally, it should be pointed out that the Revelations and other Birgittine texts exhort all Christians—not just Birgitta—to take Mary as their example. These writings portray the Swedish saint as having a special, divinely-ordained prophetic vocation to which few are called. However, the Birgittine texts urge all people to experience Mary's joyful wonder at Christ's birth, to suffer with her at the crucifixion, and even to bear Christ in their hearts.[72] For members of the religious order that she founded and for other admirers, Birgitta became an outstanding exemplar of one who cultivated devotion to Christ by emulating Mary's model of devotion to her Son. Birgitta showed others the way for seeing the incarnated Christ through the devoted eyes of Mary and for making Christ continually present on earth.

I thank the Swedish Information Service in New York for the grant that funded my travel to this symposium. I also am grateful to Dr. Alf Härdelin, Dr. Clarissa W. Atkinson and De. Beverly Mayne Kienzle for their helpful comments and suggestions.

Notes

I thank the Swedish Information Service in New York for the grant that funded my travel to this symposium. I also am grateful to Dr. Alf Härdelin, Dr. Clarissa W. Atkinson and De. Beverly Mayne Kienzle for their helpful comments and suggestions

[1] For accounts of these disputes, see Höjer 1905 and Johnston 1993.

[2] Jean Leclercq discusses the meanings of *muliercula* with reference to the writings of Bernard of Clairvaux. He points out that medieval Latin writers did not necessarily use the diminutive *muliercula* pejoratively. Sometimes they used it with overtones of affection. However, the word was also used to denote a weak woman, a feeble woman, or a low-born woman. See Leclercq 1989, pp. 169-171. When religious men applied the term to Birgitta, it clearly assumed a pejorative sense. Its pairing with the adjective *ignara* accentuated Birgitta's low social status as a woman and her lack of formal theological training. Dr. Beverly M. Kienzle kindly called my attention to Leclercq's discussion.

[3] Another person, a religious man "of great authority," reportedly did not find it credible or in agreement with scripture that God would show his secrets to "great women" (*magnificis feminis*) (Rev. VI 90.1-2). All translations from Latin are my own unless indicated otherwise.

[4] Lincoln Cathedral Chapter Library, MS. 114, ff. 18vb-24va: *Incipit epistola cuiusdam religiosi ordinis fratrum minorum contra inpugnantes sanctissimas reuelaciones beate birgitte . . . olim diuinitus inspiratas. Deus qui est benedictus in donis suis . . . inciperet reformare.* I am most grateful to Professor Sten Eklund of Uppsala University for making his microfilm copy of the Lincoln Cathedral manuscript available to me.

[5] For a description of the manuscript, see Thomson 1989, pp. 87-89, and Undhagen's introduction to Rev. I, pp. 126-27. I am using the folio indications given by Thomson. They are one page greater than those given by Undhagen.

[6] These other Birgittine materials include Master Mathias' prologue to the Revelations (Prol. M., edited by Carl-Gustaf Undhagen), Alfonso's *Epistola solitarii ad Reges* (ES, edited by Arne Jönsson), Magnus Petri's *Epistola contra calumpniantes* (edited by Carl-Gustaf Undhagen 1960), Adam Easton's *Defensorium* (edited by James Alan Schmidtke 1971) and letter to Vadstena (edited by Hogg 1993), and Pope Boniface IX's sermon for Birgitta's canonization (examined by Ellis 1993).

[7] See Johnston 1947, p. 50; and Johnston 1993, p. 264.

[8] Lincoln Cathedral Chapter Library, MS. 114, f. 49vb: *Explicit defensorium beate birgitte per manus Ludolphi alphordie Anno dominj M° quadrigentesimo ix° feria tercia post dominicam quasimodogeniti.* This *explicit* follows the transcription of Adam Easton's defense in the manuscript. See Johnston 1947, p. 50, and Undhagen's introduction to Rev. I, pp. 126-27. Undhagen believes that the scribe was a certain Ludolphus of Alford (in Lincolnshire, England), p. 126. Thomson, however, says that the manuscript was written by "expert, uniform and similar German or Dutch hybrid hands." See Thomson 1989, p. 89. The origins of this manuscript should be examined further.

[9] Birgitta was not a Franciscan tertiary as many commonly believe (see Roelvink 1987), but she had many close relationships with Franciscan friars and Poor Clare sisters, especially after she left Sweden. Birgitta's spirituality was influenced by Franciscan writers, particularly the author of the *Meditations on the Life of Christ*, and her Rule was also somewhat influenced by the Franciscan Rule. Birgitta went on a pilgrimage to Assisi, and also received a few revelations from and about St. Francis (Rev. VII 3, Extrav. 23, 67, 90) and other Franciscans, including St. Elizabeth of Hungary (Rev. IV 4). See Roelvink 1993, which provides the most recent and comprehensive treatment of Franciscan influences on Birgitta and her relationships with members of the Order. Moreover, Franciscan historians from the fifteenth through the seventeenth centuries generally esteemed Birgitta highly. Mariano of Florence (d. 1523), for example, called Birgitta a spiritual daughter of St. Francis and of the friars minor. See Matani´c 1993, p. 801.

[10] Lincoln Cathedral Chapter Library, MS. 114, ff. 18vb-19ra: *Sed quoniam multi habent oculum nequam et derogant sanctitati eius indignum estimantes quod muliebri sexui et non masculino deus talia revelaverit.*

[11] Lincoln Cathedral Chapter Library, MS. 114, f. 19rb: *... per feminam revelaciones ille debuerunt mitti.* See also, f. 18ra: *Ideo per feminam hec gratia debuit ministrari ...*

[12] Lincoln Cathedral Chapter Library, MS. 114, f. 19rb: *Sic etiam fatui sunt qui hanc gratiam factam cum beata Birgitta nituntur obfuscare. Non enim casu hoc factum est sed Dei preordinacionem, qui secundum ordinacissinam distribucionem temporum congruam novit humano generi exhibere medicinam.*

[13] Lincoln Cathedral Chapter Library, MS. 114, f. 19ra.

[14] Lincoln Cathedral Chapter Library, MS. 114, ff. 19rb-19va. For analysis of the origins and various versions of the medieval legend concerning how Helena discovered the true cross, see Borgehammar 1991.

[15] Lincoln Cathedral Chapter Library, MS. 114, f. 19ra: *Maria etiam magdala prior vidit resurrexionem christi quam petrus vel apostoli. Sed tamen ipsa annunciavit victoriam christ domesticis in silentio apostoli autem eam predicabant palam coram universo populo. Eodem ergo modo sancta Birgitta non predicavit publice in ecclesia istas revelaciones sed conscripsit in silencio et per viros populo manifestandas porrexit.* See also ff. 19rb-19va, 24rb. For this distinction between public proclamation and private instruction, see Aquinas, STh, 3a, q. 55, article 1. This portrayal of Birgitta as one who never proclaimed her revelations publicly contrasts sharply with a fifteenth-century sermon from Vadstena that describes Birgitta, the prophetess, as a preacher (Uppsala University Library, MS. C 389, ff. 216v-219r). The sermon, which was described for the first time by Dr. Monica Hedlund, asserts that Birgitta received a special exemption from Paul's prohibition in I Tim. 2:12 against women teaching (f. 218v). See Hedlund 1993, pp. 321, 327 note 36. For a description of MS. C 389 and other manuscripts from the C-collection at the Uppsala University Library, see MHUU.

[16] Lincoln Cathedral Chapter Library, MS. 114, f. 19rb: *Sic ergo patet duplex racione cur per feminam revelaciones ille debuerunt mitti. Una est praecipuus honor matris dei. Secunda ut sicud femina annunciat hominem* (marginal correction, *homini*) *mortem sic per feminam annunciaretur manifestissima via vite.*

[17] Lincoln Cathedral Chapter Library, MS. 114, f. 19rb: . . . *amici mei miserunt preces suas rogantes, vt filium meum pro mundo mitigarem. Qui precibus meis et sanctorum flexus misit mundo verba oris sui ab eterno prescita.* Mary's role as merciful intercessor is discussed by Warner 1983, pp. 285-298.

[18] Lincoln Cathedral Chapter Library, MS. 114, f. 19ra: *Sicud enim mors que per feminam intravit per feminam fugata est dum Maria peperit Christum sic et nunc per feminam Deus revelavit qualiter mors eterna eradenda est.*

[19] Jerome, Letter 22. Quoted in Warner 1983, p. 54. The antithesis between Eve and Mary is also found in Birgitta's own writings. See, for example, SA 7.1-21. In the *Cantus sororum*, the office for sisters in the Birgittine Order that was authored by Birgitta and her co-worker Petrus of Skänninge, this contrast between Eve and Mary is developed in a responsorium for Tuesday's matins. See *Cantus sororum*, vol. I, p. 106. For a discussion of this *responsorium* and other fundamental theological ideas in the *Cantus sororum*, see Härdelin 1995. I thank Professor Härdelin for sharing this article with me prior to its publication. For general treatment of the theme of Mary as the polar opposite of Eve, see Söll 1989; Guldan 1966; and Warner 1983, pp. 50-67.

[20] Lincoln Cathedral Chapter Library, MS. 114: f. 19ar: *Haec igitur sponsa christi posset dici sagitta salutis contra syriam quod et nichil potestatem nominis eius iudicabit. Nam Birgitta dicitur quasi virginis sagitta. Sicud apostoli et eorum successores fuerunt acute christi sagitte eo quod propter eorum ministerium Christus sibi subiecit multos populos. Sic beata virgo maria hiis novissimis diebus hanc salutis sagittam contra mundum destinavit ad effugandam potestatem dyaboli qui est serpens antiqui cuius capud maria contrivit.* Christian theology since the fourth century has identified the one who crushes the head of the serpent in Gen. 3:15 with Mary. Theologians also commonly equate the serpent of the Garden of Eden with the devil in John's Apocalypse, as we see in this passage from the Franciscan author's defense of Birgitta. These biblical interpretations often appear in discussions of Mary as the

second Eve, who is victorious over evil, and are used to support the doctrine of the Immaculate Conception. In the late Middle Ages, this doctrine was promulgated by the Franciscans against the Dominicans. Birgitta's apparent support for this controversial doctrine (see Rev. V rev. 13, Rev. VI 49, Rev. VI 55) may partially explain the unidentified Franciscan author's attraction for her and her writings. See the analysis of the symbolism of the Virgin Mary treading on the serpent and her characterization of the doctrine of the Immaculate Conception in Warner 1983, pp. 236-254, 268-269. See also Guldan 1966, pp. 90-102. For discussions of Birgitta's statements concerning Mary's freedom from original sin, see Børresen 1991, pp. 45-47; and Schmid 1940, pp. 95-97.

[21] Lincoln Cathedral Chapter Library, MS. 114, f. 19va: *Sileant ergo detractores huius sanctissime domine quam mater dei . . . sicud sagittam electam sibi posuit ut merito beate virginis sagitta dici possit.* It is striking that similar hunting imagery is found in the hymn for Friday's vespers in the *Cantus sororum*, vol. II, p. 112. In that hymn Mary is the quiver (*pharetra*) in which Christ, the arrow (*iaculum*, *telum*), was hidden. Christ, as the arrow, shoots the enemy, death, in order that human beings might have new life. See Härdelin 1995, p. 14. It is possible that the Franciscan author had this hymn in mind when he was writing about Birgitta's role in salvation history and her relationship to the Virgin Mary. See also Rev. IV 20.16-20, where St. Agnes tells Birgitta that God pierces the venom of wealth or of fleshly desire with the "arrow of his love" (*sagitta caritatis sue*).

[22] See, for example, ES I.24-26; and the defense of Bishop Reginald in London, British Museum, MS. Harley 612, f. 192rb (also Uppsala University Library, MS. C 518, ff. 299vb-300ra). I thank Dr. Sten Eklund for making his microfilm copy of MS. Harley 612 available to me.

[23] ES I.22, p. 120. In a revelation to Prior Peter of Alvastra, Christ used similar words to explain why he chose to bestow Birgitta with visions (Extrav. 48.12). See also Rev. II 18.19 and Extrav. 23.4.

[24] See C 518, f. 294r.

[25] Bishop Reginald, British Museum, MS. Harley 612, f. 192va (see also Uppsala University Library, MS. C 518, f. 300ra): *. . . sapientius est, saluti tucius est, et a peccato remotius est in istis et in omnibus huiusmodi consimilibus mirari quam questionari, venerari quam soluere conari . . .* Undhagen hypothesizes that this Bishop Reginald was Reginald Peacock of St. Asaph. See Rev. I, pp. 183-184. For discussion of Bishop Reginald's treatises, see Johnston 1993, pp. 271-274.

[26] *Onus mundi*, chapter 1, p. 260. Tortsch presents Birgitta as a prophetic authority in the same line as the ancient Sibyls, Hildegard of Bingen, and Joachim of Fiore. His pamphlet exists in several editions and circulated widely in Latin and in German translations. See Montag's discussion of this text, *Onus mundi*, pp. 151-196.

[27] See also Prol. M., the prologue to the Revelations by Master Mathias of Linköping (d. ca. 1350), who was Birgitta's confessor. Tracing a pattern of progressive mildness in salvation history (Prol. M. 1-3), he seems to imply that it was appropriate for Birgitta, as a woman, to have mediated God's revelations. Dr. Anders Piltz made this point in a conversation with me at the symposium in Vadstena.

[28] For a helpful introduction to the place of Mary in Birgitta's revelations, see Montag and Nyberg 1988.

[29] Compare this passage with lines 1-7 of Birgitta's Autograph B (Stockholm, Royal Library, MS. A 65), in Högman 1951, pp. 78-79.

[30] See also Rev. I 10.3 and SA 14.10, where Mary appears as an exemplar of one who detached herself from love for family. Ingvar Fogelqvist discusses Birgitta's stress on contempt for the world, which includes placing love for God above attachment to family. See Fogelqvist 1993, pp. 185-188.

[31] See, for example, Rev. I 28, Rev. II 23, Rev. III 30, Rev. IV 38, Rev. IV 104, Rev. VI 23, Rev. VI 34, Rev. VI 39, Rev. VI 52, Rev. VIII 48, Extrav. 50. See Fogelqvist 1993, pp. 101-105, for a discussion of this theme in the Revelations. Fogelqvist mentions that the antiphon *Salve Regina*, which emphasizes Mary as the mother of mercy, is to be sung every Saturday in Birgittine monasteries, according to Birgitta's Rule (RS 5.72).

[32] The inextricable connection between God's justice and mercy is discussed repeatedly in the Revelations. For treatment of this theme, see Gill 1993. For other passages in which Birgitta compares Mary to a morning star or to the aurora that precedes Christ, the sun, see SA 9.12-16, Rev. I 50.7, and Rev. IV 11.1-2. This imagery recalls Sirach 50:6 and Song of Songs 6:9. For discussion of the imagery of Mary as the morning star in Birgitta's Revelations, see Koch 1991, pp. 478-479.

[33] Other revelations explicitly call Mary the Queen of Heaven. See, for example, Rev. I 9.1, Rev. I 31.19, Rev. III 17.7. See Warner 1983, pp. 103-117, 285-288, for discussion and criticism of this image of Mary

[34] Compare with Rev. VI 39.103, where Christ says that the requests of the one who is most beloved by a lord are answered most quickly. Christ also states that because he loves Mary above all else, he will grant her what she requests.

[35] In his treatise, f. 19rb, the Franciscan friar quotes a later passage of this same revelation.

[36] Prol. M. 3 also alludes to this idea.

[37] For a more extended discussion of this pivotal revelation in Birgitta's spiritual career, see Sahlin 1993 b.

[38] See Origen, The Song of Songs, especially pp. 29, 293-295; Origin, On Prayer 13.3-4, pp. 263-265. For accounts of the history of the teaching on spiritual motherhood, see Rahner 1935; Solignac 1982; and, most recently, Hale 1992, pp. 46-110.

[39] Augustine, Sermon 192.2, p. 114.

[40] For discussion of the tradition of affective piety in the high and later Middle Ages, see, for example, Atkinson 1983, pp. 129-156; and Bynum 1982, pp. 129-135.

[41] Hale 1992, pp. 62-110.

[42] Hale 1992, p. 8.

[43] Hale 1992, p. 19.

[44] See Hale 1992, pp. 1-6.

[45] Interestingly, in the fifteenth century each sister belonging to the Birgittine cloister of Marienwohlde (near Lübeck) had her own image of the Christ-child and a cradle. See Hale 1992, p. 178.

[46] Some later medieval priests received visions of the infant Christ upon receiving the Eucharistic host, but they do not seem to have embodied a maternal relationship with him. See the discussion of the visionary experience of Friedrich Sunder in Hale 1992, pp. 161-163.

[47] See Hale, pp. 148-180; and Dinzelbacher 1993, pp. 281-287. However, there is no convincing evidence to demonstrate that Birgitta's mystical pregnancy was directly

influenced by the religious experiences of other women. Dorothea of Montau (d. 1394) experienced a mystical pregnancy that was inspired by Birgitta's example. See Atkinson 1991, pp. 184-186.

[48] Dr. Morris provided me with her unpublished English translation from BU, vol. 2, IV 142, lines 7-11, p. 262. For her discussion and translation of Birgitta's Old Swedish prayers and meditations in Book IV 142-145, see Morris 1994. I thank Dr. Morris for sharing her lecture and translations with me prior to their publication and for calling my attention to these prayers. This prayer is part of a series of four related meditations. On the basis of internal and linguistic evidence, Dr. Morris argues that it is quite probable that the four meditions can be dated to the period prior to the death of Birgitta's husband and her calling vision in 1346.

[49] With reference to Birgitta's mystical pregnancy, Peter Dinzelbacher writes that "da das Einwohnen im Herzen eine übliche Metapher für die Unio mystica ist, dürfen wir annehmen, daß Birgitta dieses körperliche Erleben als Zeichen dieser Gnade erfahren hat." See Dinzelbacher 1993, p. 299.

[50] The meanings that Birgitta attached to the human heart were common in the Middle Ages. Ultimately, they were derived from the Bible, where the term "heart" designates not only the primary physical organ of the human being, but also the locus of human spiritual and ethical life. For further discussion of the spiritual significance of the human heart to Birgitta, see Sahlin 1993.

[51] Cousins 1983, p. 166. Rosemary Hale's analysis of what she calls "mother mysticism" is also helpful for highlighting the mystical aspects of Birgitta's Christmas Eve experience. Hale points out that experiences of medieval Christians conceiving and given birth to Christ were expressions of mystical union between a soul and God, similar to the joining of the soul and God that medieval mystics often described as the union of the bride and bridegroom. She writes that "the mystical birth, like the mystical kiss, occurs between the soul and Christ and is a metaphor for the union of the soul with Christ," Hale 1992, p. 113.

[52] See Dinzelbacher 1993.

[53] In Rev. V rev. 9, Christ tells Birgitta that she "was nurtured in a house of poverty and then came into the society of the great." The house of poverty represents the world and has stained walls (pride, forgetfulness of God sinfulness, and lack of consideration for the future), smoke (love of the world), and soot (pleasure). Christ tells Birgitta that she was drawn away from the things of this house and was led into the "mansion of the Holy Spirit." In this house, "there is beauty without stain, warmth without smoke, and sweetness that fills without cloying" (Rev. V rev. 9.2). Christ exhorts Birgitta to conform herself "to the Inhabitant of the house by remaining pure, humble, and devout" (Rev. V, rev. 9.6). English translations are from Kezel 1990.

[54] The fluidity of this revelation in combining maternal and bridal imagery has numerous parallels in other fourteenth-century visionary texts. See Hale 1992, pp. 96-98. Several other revelations underscore Birgitta's familial relationship to Mary. In Rev. I 22.1, Rev. I 42.10, Rev. I 45.1, and Rev. III 14.1, Mary addresses Birgitta as her son's bride (*sponsa filii mei*).

[55] See Bynum 1987, pp. 265-69, for her discussion of some of the theological implications of Mary as the "source and container of Christ's physicality" in the writings of women such as Hildegard of Bingen, Mechtild of Magdeburg, and Catherine of Siena.

[56] Kezel 1990, p. 270, notes Birgitta's frequent reference to Mary as a *vas* and

mentions the typological interpretation of Exodus 16:33.

[57] The English translation is from Kezel 1990.

[58] The English translation is from Kezel 1990.

[59] In biblical passages flowing water often symbolizes the Holy Spirit. See John 7:38-39.

[60] The English translation is based on Kezel 1990.

[61] The parallel between the consecration of the host in the hands of the priest and the incarnation of Christ in the womb of Mary is pointed out by Bynum 1987, pp. 57, 268-69. See also Hale 1992, p. 74.

[62] See Rev. VI 52.9-11 for a passage that is almost identical. See also Rev. III 14 for another revelation that explicitly likens Birgitta to a vessel filled with liquids and Rev. II 16 for another wine metaphor associated with Birgitta.

[63] Anders Piltz discusses Birgitta as *canale* and emphasizes the literal meaning of the term. See Piltz 1991, pp. 451-455; and Piltz 1993, pp. 78-79.

[64] See Rev. VIII 48, where Birgitta is compared to a pipe through which wine flows when it is being made. God is compared to a maker of wine and the wine to his words of justice and mercy.

[65] Bernard, *De aquaeductu*, especially cols. 439-440. See Sirach 24:41.

[66] See Lincoln Cathedral Chapter Library, MS. 114, ff. 20r-20v, 22v-23v.

[67] When he was young, Nils Hermansson instructed Birgitta's children in Latin. As bishop, he dedicted the monastery in Vadstena in 1384 and officiated at the ceremonies receiving the first nuns and brothers into the Birgittine Order.

[68] See *Rosa rorans*. Alf Härdelin's lecture from this symposium on the works of Nils Hermansson provides the most recent analysis of this office. See his essay "Den ärorika jungfrun Marias särskilde biskop – Maria i Nils Hermanssons liv och verk" which is included in this volume.

[69] Hermansson speaks of Birgitta as a rose, a star, and a vessel of grace. See Borgehammar 1993, pp. 305-310; and Lundén1971, pp. 27-37.

[70] *Rosa rorans*, p. 37.

[71] See Härdelin's essay "Den ärorika jungfrun Marias särskilde biskop – Maria i Nils Hermanssons liv och verk" in this volume.

[72] See, for example, RS 11.115-116 of the π-text. For references to other pertinent passages from the Revelations, see Sahlin 1993 a. See Härdelin 1994 for important insights into the *Cantus sororum*'s portrayal of Mary's function as a symbol for the entire church; Härdelin 1993, for discussion of Mary as a model for the sisters of the Birgittine Order; and Sister M. Birgitta 1993 for a description of what it means for Birgittine sisters today to "view Christ through Mary's eyes."

REFERENCES

Manuscript Sources

Lincoln Cathedral Chapter Library
MS. 114, ff. 18vb-24va: Epistola cuiusdam religiosi ordinis fratrum minorum contra inpugnantes sanctissimas reuelaciones beate birgitte (Microfilm consulted)

London, British Museum

MS. Harley 612, ff. 189va-196r: Prium defensorium Reginaldi Episcopi (Microfilm consulted)

Uppsala University Library

MS. C 389, f. 216v-219r: De sancta Byrgitta in translatione
MS. C 518, f. 294r-309v: Declaracio et determinacio super libris Reuelacionum beate Birgitte per varias conclusiones et exempla

Printed Sources and Literature with Abbreviations

A&P =
Acta et processus canonizacionis beate Birgitte, ed. Isak Collijn, Uppsala 1924-1931 (SFSS, Ser. 2, Latinska skrifter I)

Atkinson 1983 =
Clarissa W. Atkinson, Mystic and Pilgrim. The Book and the World of Margery Kempe, Ithaca 1983

Atkinson 1991 =
Clarissa W. Atkinson, The Oldest Vocation. Christian Motherhood in the Medieval West. Ithaca 1991

Augustine, Sermon 192 =
Augustine, Sermon 192, trans. Thomas Comerford Lawler, Sermons for Christmas and Epiphany, Westminster 1952 (Ancient Christian Writers, no. 15)

Bernard, *De aquaeductu* =
Bernard of Clairvaux, In Nativitate B. V. Mariae sermo. De aquaeductu, ed.

J.-P. Migne, Patrologiae cursus completus, Series latina 183, cols. 437-448

Birgitta, hendes værk og hendes klostre =
Birgitta, hendes værk og hendes klostre i Norden, ed. Tore Nyberg, Odense 1991 (Odense University Studies in History and Social Sciences, vol. 150)

Borgehammar 1991 =
Stephan Borgehammar, How the Holy Cross Was Found. From Event to Medieval Legend, With an Appendix of Texts, Stockholm 1991 (Bibliotheca Theologiae Practicae, Kyrkovetenskapliga studier 47)

Borgehammar 1993 =
Stephan Borgehammar, Birgittabilden i liturgin: Heliga Birgitta—budskapet och förebild, pp. 299-310

BU =
Birgittas uppenbarelser, ed. G. E. Klemming, Stockholm 1860 (SFSS 14)

Bynum 1982 =
Caroline Walker Bynum, Jesus as Mother and Abbot as Mother: Jesus as Mother. Studies in the Spirituality of the High Middle Ages, Berkeley 1982

Bynum 1987 =
Caroline Walker Bynum, Holy Feast and Holy Fast. The Religious Significance of Food to Medieval Women, Berkeley 1987

Børresen 1991 =
Kari Elisabeth Børresen, Birgitta's Godlanguage. Exemplary Intention, Inapplicable Content: Birgitta, hendes værk og hendes klostre, pp. 21-72.

Cantus sororum =
Den heliga Birgitta och den helige Petrus av Skänninge, Officium parvum beate Marie Virginis. Vår Frus tidegärd, ed. and trans. Tryggve Lundén, Lund 1976

Cousins 1983 =
Ewert H. Cousins, Francis of Assisi. Christian Mysticism at the Crossroads: Mysticism and Religious Traditions, ed. Steven T. Katz, New York 1983, pp. 163-190

Dinzelbacher 1993 =
Peter Dinzelbacher, Die hl. Birgitta und die Mystik ihrer Zeit: Prophetess of New Ages, pp. 267-302 (Italian version, pp. 303-337; English version, pp. 338-372)

Ellis 1993 =
Roger Ellis, The Swedish Woman, the Widow, the Pilgrim and the Prophetess. Images of St. Bridget in the Canonization Sermon of Pope Boniface IX: Prophetess of New Ages, pp. 93-120 (Italian translation, pp. 121-150)

ES =
Alfonso of Jaén, Epistola solitarii ad reges: Arne Jönsson, Alfonso of Jaén. His Life and Works with Critical Editions of the Epistola Solitarii, the Informaciones, and the Epistola Serui Christi, Lund 1989 (Studia Graeca et Latina Lundensia 1), pp. 115-171

Extrav. =
Sancta Birgitta, Reuelaciones extrauagantes, ed. Lennart Hollman, Uppsala 1956 (SFSS, Ser. 2, Latinska skrifter V)

Fogelqvist 1993 =
Ingvar Fogelqvist, Apostasy and Reform in the Revelations of St. Birgitta, Stockholm 1993 (Bibliotheca Theologiae Practicae, Kyrkovetenskapliga studier 51)

Gill 1993 =
Penny Gill, The Judgment of the King: Studies in St. Birgitta, vol. 1, pp. 129-141

Guldan 1966 =
Ernst Guldan, Eva und Maria. Eine Antithese als Bildmotiv, Graz 1966

Hale 1992 =
Rosemary Drage Hale, Imitatio Mariae. Motherhood Motifs in Late Medieval German Spirituality, Ph.D. dissertation, Harvard University 1992

Hedlund 1993 =
Monica Hedlund, Vadstenapredikanter om Birgitta: Heliga Birgitta—budskapet och förebilden, pp. 311-327

Heliga Birgitta—budskapet och förebilden =
Heliga Birgitta—budskapet och förebilden. Föredrag vid jubileumssymposiet i Vadstena 3-7 oktober 1991, ed. Alf Härdelin and Mereth Lindgren, Stockholm 1993 (Kungl. Vitterhets Historie och Antikvitets Akademien. Konferenser 28)

Hogg 1993 =
James Hogg, Cardinal Easton's Letter to the Abbess and Community of Vadstena: Studies in St. Birgitta, vol. 2, pp. 20-26

Härdelin 1993 =
Alf Härdelin, Guds brud och egendom. Om "nunnebilden" i Birgittinregelns nunnevigningsrit: Heliga Birgitta—budskapet och förebild, pp. 203-212

Härdelin 1994 =
Alf Härdelin, Birgittinsk lovsång. Den teologiska grundstrukturen i den birgittinska systratidegärden *Cantus Sororum*, Uppsala 1995 (Scripta Ecclesiologica Minora 1)

Högman 1951 =
Bertil Högman, Heliga Birgittas originaltexter, Uppsala 1951 (SFSS 205)

Höjer 1905 =
Torvald Höjer, Studier i Vadstena klosters och birgittinordens historia intill midten af 1400-talet, Uppsala 1905

Johnston 1947 =
F. R. Johnston, The Cult of St. Bridget of Sweden in Fifteenth-Century England, M.A. Thesis, University of Manchester 1947

Johnston 1993 =
F. R. Johnston, English Defenders of St. Bridget: Studies in St. Birgitta, vol. 1, pp. 263-275

Kezel 1990 =
Birgitta of Sweden. Life and Selected Revelations, ed. Marguerite Tjader Harris, trans. Albert Ryle Kezel, introduction by Tore Nyberg, New York 1990 (The Classics of Western Spirituality)

Koch 1991 =
Helga Koch, Lignelses-, symbol-, og billedsprog: Birgitta, hendes værk og hendes klostre, pp. 471-489

Leclercq 1989 =
Jean Leclercq, Women and Saint Bernard of Clairvaux, trans. Marie-Bernard Saïd, Kalamazoo, Michigan 1989

Lundén 1971 =
Tryggve Lundén, Nikolaus Hermansson biskop av Linköping. En litteratur- och kyrkohistorisk studie, Lund 1971

Matanic 1993 =
Atanasio G. Matanic, The Presence of Saint Bridget in Certain Franciscan Sources (15th-17th centuries): Prophetess of New Ages, pp. 798-804 (Italian version, pp. 791-797)

MHUU =
Margarete Andersson-Schmitt, Monica Hedlund, and (vol. 4-) Håkan Hallberg, Mittelalterliche Handschriften der Universitätsbibliothek Uppsala. Katalog über die C-Sammlung, Stockholm 1988, vol. 1- (Acta Bibliotecae R. Universitatis Upsaliensis 36:1-)

Montag and Nyberg 1988 =
U. Montag and T. Nyberg, Birgitta v. Schweden, II. Werke: Marienlexikon, eds. Remigius Bäumer and Leo Scheffczyk, St. Ottilien 1988, vol. 1, pp. 489-491

Morris 1994 =
Bridget Morris, Four Birgittine Meditations in Medieval Swedish, unpublished lecture and translations presented at the Conference on the Life, Writings and Order of St. Bridget of Sweden, Buckfast Abbey, Devon, July 18-21, 1994

Onus mundi =
Johannes Tortsch, Onus Mundi: Das Werk der heiligen Birgitta von Schweden in oberdeutscher Überlieferung. Texte und Untersuchungen, ed. Ulrich Montag, Munich 1968 (Münchener Texte und Untersuchungen zur deutschen Literatur des Mittelalters, vol. 18), pp. 252-335

Origen, The Song of Songs =
Origen, The Song of Songs. Commentary and Homilies, trans. R.P. Lawson, Westminster, Maryland 1957 (Ancient Christian Writers, no. 26)

Origin, On Prayer =
Origin, On Prayer, trans. John Ernest Leonard Oulton and Henry Chadwick, Alexandrian Christianity, Philadelphia 1954 (The Library of Christian Classics)

Piltz 1991 =
Anders Piltz, Uppenbarelserna och uppenbarelsen. Birgitta's förhållande till bibeln: Birgitta, hendes værk og hendes klostre, pp. 447-469

Piltz 1993 =
Anders Piltz, Inspiration, vision, profetia. Birgitta och teorierna om uppenbarelsen: Heliga Birgitta—budskapet och förebild, pp. 67-88

Prol. M. =
Master Mathias of Linköping, Prologue: Birgitta, Revelaciones, Book I with

Magister Mathias' Prologue, ed. Carl-Gustaf Undhagen, Uppsala 1978 (SFSS, Ser. 2, Latinska skrifter VII:1), pp. 229-240

Prophetess of New Ages =
Santa Brigida. Profeta dei tempi nuovi, Atti dell'incontro internazionale di studio, Roma, 3-7 ottobre 1991 (Saint Bridget. Prophetess of New Ages, Proceedings of the International Study Meeting, Rome, October 3-7, 1991), Rome 1993

QO =
Sancta Birgitta, Opera Minora, vol. III, Quatuor Oraciones, ed. Sten Eklund, Stockholm 1991 (SFSS, Ser. 2, Latinska skrifter VIII:3)

Rahner 1935 =
Hugo Rahner, Die Gottesgeburt. Die Lehre der Kirchenväter von der Geburt Christi im Herzen des Gläubigen: Zeitschrift für katholische Theologie 59 (1935), pp. 333-418

Rev. I =
Sancta Birgitta, Revelaciones, Book I with Magister Mathias' Prologue, ed. Carl-Gustaf Undhagen, Uppsala 1978 (SFSS, Ser. 2, Latinska skrifter VII:1)

Rev. II =
Sancta Birgitta, Revelationes, Book II, printed by Bartholomaeus Ghotan, Lübeck 1492 (consulted on computer diskette provided by Professor Birger Bergh of Lund University)

Rev. III =
Sancta Birgitta, Revelationes, Book III, printed by Bartholomaeus Ghotan, Lübeck 1492 (consulted on computer diskette provided by Professor Birger Bergh of Lund University)

Rev. IV =
Sancta Birgitta, Revelaciones, Book IV, ed. Hans Aili, , Stockholm 1992 (SFSS, Ser. 2, Latinska skrifter VII:4)

Rev. V =
Sancta Birgitta, Revelaciones, Book V, ed. Birger Bergh, Uppsala 1971 (SFSS, Ser. 2, Latinska skrifter VII:5)

Rev. VI =
Sancta Birgitta, Revelaciones, Book VI, ed. Birger Bergh, Stockholm 1991 (SFSS, Ser. 2, Latinska skrifter VII:6)

Rev. VII =
Sancta Birgitta, Revelaciones, Book VII, ed. Birger Bergh, Uppsala 1967 (SFSS, Ser. 2, Latinska skrifter VII:7)

Rev. VIII =
Sancta Birgitta, Revelationes, Book VIII, printed by Bartholomaeus Ghotan, Lübeck 1492 (consulted on computer diskette provided by Professor Birger Bergh of Lund University)

Roelvink 1987 =
Henrik Roelvink, Var den heliga Birgitta medlem i den franciskanska tredje orden?: Signum 13 (1987), pp. 153-155

Roelvink 1993 =
Henrik Roelvink, Andlig släktskap mellan Franciskus och Birgitta: Heliga Birgitta—budskapet och förebilden, pp. 99-122

Rosa rorans =
Nicolaus Hermanni, Rosa rorans. Ett Birgitta-officium, ed. Henrik Schück: Meddelanden från det litteraturhistoriska seminariet i Lund 2 (1893), pp. 29-53

RS =
Sancta Birgitta, Opera minora, vol. I, Regula Saluatoris, ed. Sten Eklund, Uppsala 1975 (SFSS, Ser. 2, Latinska skrifter VIII:1)

SA =
Sancta Birgitta, Opera minora, vol. II, Sermo angelicus, ed. Sten Eklund, Uppsala 1971 (SFSS, Ser. 2, Latinska skrifter VIII:2)

Sahlin 1993 a =
Claire L. Sahlin, "His Heart was My Heart." Birgitta of Sweden's Devotion to the Heart of Mary: Heliga Birgitta—budskapet och förebilden, pp. 213-227.

Sahlin 1993 b =
Claire L. Sahlin, "A Marvelous and Great Exultation of the Heart." Mystical Pregnancy and Marian Devotion in Bridget of Sweden's Revelations: Studies in St. Birgitta, vol. 1, pp. 108-128.

Schmid 1940 =
Toni Schmid, Birgitta och hennes uppenbarelser, Lund 1940

Schmidtke 1971 =
James Alan Schmidtke, Adam Easton's Defense of St. Birgitta from Bodleian MS. Hamilton 7 Oxford University, Ph.D. dissertation, Duke University 1971

SFSS =
Samlingar utgivna av Svenska fornskriftsällskapet

Sister M. Birgitta 1993 =
Sister M. Birgitta, Levd birgittinsk spiritualitet: Heliga Birgitta—budskapet och förebilden, pp. 175-85

Solignac 1982 =
Aimé Solignac, Naissance divine: Dictionnaire de spiritualité, ascétique et mystique, doctrine et histoire, ed. M. Viller . . . , Paris 1982, vol. 11, cols. 24-34

STh =
Thomas Aquinas, Summa Theologiae, vol. 55, The Resurrection of the Lord (3a. 53-59), ed. and trans. C. Thomas Moore, Blackfriars, New York 1976

Studies in St. Birgitta =
Studies in St. Birgitta and the Brigittine Order, ed. James Hogg, New York 1993 (Analecta Cartusiana 35:19, Spiritualität Heute und Gestern)

Söll 1989 =
G. Söll, Eva-Maria-Parallel: Marienlexikon, ed. Remigius Bäumer and Leo Scheffczyk, St. Ottilien 1989, vol. 2, pp. 420-421

Thomson 1989 =
Rodney M. Thomson, Catalogue of the Manuscripts of Lincoln Cathedral Chapter Library, Cambridge 1989

Undhagen 1960 =

Carl-Gustaf Undhagen, Une source du prologue (Chap. 1) aux Révélations de Sainte Brigitte par le cardinal Jean de Turrecremata: Eranos 58 (1960), pp. 214-226.

Warner 1983 =
Marina Warner, Alone of All Her Sex. The Myth and the Cult of the Virgin Mary, New York 1983 (first edition, New York 1976)

Anders Piltz

Nostram naturam sublimaverat
Den liturgiska och teologiska bakgrunden till det birgittinska mariaofficiet

Nolite vos ipsos contemnere, viri:
Filius Dei virum suscepit.
Nolite vos ipsas contemnere,
feminæ: Filius Dei natus ex femina est.
S. Augustinus, De agone Christi (PL 40, 298)

1. Birgitta och tidegärden

Ett marianskt officium, *horæ de beata Maria*, existerade parallellt med den officiella tidegärden redan på 1000-talet som privat andaktsövning bland klosterfolk.[1] Dess ordning omfattade böner för en dag; psalmerna var alltid desamma. Hos cistercienser och dominikaner blev emellertid detta officium någon gång på 1300- eller 1400-talet del av den officiella gemensamma liturgin, vilket alltså medförde en dubblering av den dagliga kortjänsten. På den heliga Birgittas tid var det dessutom vanligt att klostrens lekbröder, liksom fromma lekmän ute i världen, som var läskunniga utan att direkt vara latinkunniga, dagligen reciterade det marianska officiet. Det var inte längre än att man efter ett tag kunde läsa det utantill. Denna andaktsövning låg väl i linje med tidens stegrade mariafromhet.

Man vet att Birgitta under tiden i Sverige brukade recitera det marianska officiet jämte en liknande tidegärd om den heliga Treenigheten samt andra halvofficiella böner, och att hon invigde sin make i dessa bruk. Senare omtalas att hon tillsammans med sitt husfolk brukade sjunga vissa tideböner, förmodligen ur den officiella tidegärden.[2] I *Sermo angelicus* alluderas på en strof ur Ambrosius hymn *Veni Redemptor*, som hör till den officiella tidegärden i advent.[3]

I den nya klosterorden med kvinnor och män som Birgitta planerade, var det inte möjligt för dem att fira gemensam tidegärd. Det andra Laterankonciliet 1139 förbjöd detta uttryckligen.[4] Alltså måste systrarna be tidegärden för sig, och till den ändan redigeras den speciella tidegärden *Cantus sororum* (CS), vars innehåll och struktur är betingad av läsestyckena i *Sermo angelicus* (SA). Denna senare text tillkom sannolikt år 1354, översattes till latin av magister Petrus Olofsson av Skänninge och överlämnades därefter till biskop Alfonso da Vadaterra för teologisk kontroll och justering av språkbruket.[5]

1.1 Översikt över innehållet i *Sermo angelicus*

Prologen.

Marias *excellencia ab eterno* (6), hennes upphöjda ställning i Guds eviga plan. Denna predikan sägs utgöra en ny och tidigare inte företrädd genre (15).

Söndag

I. Treenigheten. Skapelsen har skett genom Guds fria beslut (11). M. var preexistent i den gudomliga tanken (14 ff; jfr Lombardus I, d. 36, c. 1: *dicit Deum apud semetipsum habere electos ante mundum, non in natura sua sed in præsentia sua ... quia eos ita novit ac si essent*) i form av de fyra elementen, som sedermera skulle bilda materia i hennes kropp.

II. M. är därför *creaturarum omnium dignissima*. Hennes kropp jämförs med Noas ark, som räddar undan syndafloden, liksom M. skulle bli syndfri. Guds glädje över M. jämförs med Noas glädje över arken.

III. Abraham glädje över Isak jämför med Guds glädje över M, bl.a. för hennes förhärligande efter döden (11).

Måndag

IV. Änglarnas skapelse. Vissa änglars syndafall. De övriga änglarnas glädje vid betraktandet av *speculum*, Gud (10), i vilken de också förutsåg M. som den varelse som skulle stå honom närmare än de själva.

V. M. är mikrokosmos (*minor mundus*). M. jämförs (i de sex skapelsedagarnas ordning) med hela skapelsen. Skapelsen i övrigt förutsågs vara vigd till undergången, men M. var genom sin oförvissneliga skönhet bestämd till att förbli.

VI. Människans skapelse med fri vilja. Guds tre kronor är hans tre kraftgärningar (*virtutes*): att skapa änglarna, människorna och M. Den tredje kronan den förnämsta, eftersom M. ställde till rätta änglarnas och människornas fall.

Tisdag

VII. Adam förutsåg inkarnationen och därmed M. Liksom han sörjde över att Eva vållade mänsklighetens olycka, gladde han sig över M., som åstadkom dess räddning.

VIII. Abraham förutsåg M:s födelse och gladde sig (jfr Joh. 8:56). Abraham, Isak och Jakob jämförs med M.

IX. Profeterna kallas att visa den vilsegångna världen tillrätta. De förutsåg M. som stjärnan (4 Mos 24:17) som skulle föda Gud. De gladde sig över att Guds vrede skulle stillas genom M., att det förödda templet skulle återuppbyggas i M:s kropp, att det besegrade Jerusalem skulle befrias genom Gud, som i M. skulle rusta sig till seger över djävulen.

Onsdag

X. Joakims och Anna utväljs till M:s föräldrar.[6] Plädering för att M:s avlelse skall firas liturgiskt av alla.

XI. M:s animation (vid en tidpunkt efter konceptionen). Ordleken *virgo-virga* genomförs: M. var Jesse rotskott (*virga*), vars kärna (*medulla*) var Kristus.

XII. M. avlade jungfrulöfte. Tre kärleksflammor som utgår ur Treenigheten motsvaras av tre flammor hos M.: jungfruligheten, ödmjukheten, lydnaden. M. utvecklades i barndomen tidigare än andra barn till sinnen (sensualitet) och intellekt.

Torsdag

XIII. När M. nådde förståndets ålder, fick hon i sinne och intellekt tro, hopp och kärlek i fullkomligt mått. Kärleken födde tre kroppsliga *virtutes* (dygder): styrka utan övermått eller tröghet, vakenhet och uthållighet. Hon fick också tre *ornamenta* (prydnader) för själen: avsky för rikedom, jordisk ära och det som strider mot Gud.

XIV. M. hade (som rorsmannen på ett skepp) perfekt kontroll över sin kropp och sina sinnen, d.v.s. sin sensualitet: tunga, blick, händer och fötter tjänade endast Guds vilja. Hon var fri från varje böjelse till synd.

XV. Den hypostatiska unionen i M. Hennes jungfrulighet led inget avbräck genom födandet (metaforer: den brinnande busken; rosen som doftar utan att förminskas).

Fredag

XVI. Rosen växer bland törnen. När M. blev vuxen förutsåg hon sonens lidande och uppståndelse.

XVII. M. förstod profetiorna bättre än profeterna själva. När hon skötte den nyfödde, slog det henne hur lidandesprofetiorna skulle gå i uppfyllelse.

XVIII. M.:s med-lidande i samband med sonens avrättning. Hon förstod ensam (genom sin djupare insikt i profetiorna) att han slutligen skulle uppstå från de döda.

Lördag

XIX. M. liknas vid drottningen av Saba som sökte Salomos visdom. Med sin undervisning av den unga kyrkan åstadkom hon (som stått Kristus närmast)

mer än någon annan hade gjort med sina gärningar. Hon fungerade som *magistra apostolorum* och kompletterade apostlarnas utbildning samt bistod kyrkans olika stånd: martyrerna, bekännarna, jungfrurna, änkorna och de gifta.
XX. Genast när M.:s själ skildes från kroppen upphöjdes den över änglarna (hon blev *angelorum domina*) och hon fick makt också över de onda andarna. Hon är utan tvivel kroppsligen upptagen till den himmelska härligheten.
XXI. Den kroppsliga upptagningen skedde några dagar efter begravningen. M. kallas "livets träd". Uppmaning att upprepa ängelns hälsning för att komma i åtnjutande av livsträdets frukt, Kristi kropp, som är änglarnas liv och näring i himlen och syndarnas på jorden (genom eukaristin).

2.1 Fördelningen av psaltarpsalmerna i *Cantus sororum*

Karakteristiskt för denna marianska tidegärd är att den löper på en vecka, precis som den officiella tidebönen. Systrarna skulle sjunga den efter brödernas officium *aliquantulum morosius*, långsamt och högtidligt.[7] Tematiken i läsestyckena i SA bestämmer innehållet i övriga partier i respektive veckodags officium.
Psaltarpsalmerna fördelades på följande sätt: utgångspunkten har uppenbarligen varit lördagens officium, där psalmerna (utom för vespern) är desamma som i commune för jungfru Maria i den officiella tidebönen (de tre psalmerna i matutinen förekommer med andra ord alltid vid mariafester). Valet av psaltarpsalmer motiverades i sin tur av att de ursprungligen hörde hemma på Kristi Himmelsfärdsdag och sedan (genom analogi) kom att användas på Marie Upptagning eller "himmelsfärd" den 15 augusti. I CS handlar ju lördagen om bl.a. Marie Upptagning. Vesperns psalmer överensstämmer dock denna dag med den romerska ordningen för första söndagsvespern.

Om alltså psalmerna på lördagen är typiskt marianskt organiserade, följer veckans övriga dagar i CS en annan strukturprincip, delvis i överensstämmelse med det romerska sekulära officiet. Antifonerna utgörs här av marianska parafraser på någon eller några formuleringar i den psaltarpsalm som de omramar.

2.2 Övriga prosapartier i *Cantus sororum*

Det ankom även på magister Petrus Olofsson att förse de 21 läsestyckena i SA med ett passande ramverk av invitatorier, antifoner och responsorier till Benedictus och Magnificat samt completorierna. Om man analyserar dessa element, finner man där nytt och gammalt, och gammalt på nytt sätt. 37 av dem är lånade ur den existerande traditionen, medan 82 tycks vara nya (några kan naturligtvis vara lånade ur för oss okända källor). Av de 37 lånen ingår 14 i lördagens officium och har hämtats ur det officiella Assumptio-officiet. 9 element hör till onsdagens officium och är tagna från officiet för Marie födelse 8 september, som tillkommit under inflytande av den marianska väckelsen på 1000-talet. 10 lån hör hemma i torsdagens tidegärd och är hämtade ur julens och juloktavens liturgi.[8] (Man bör märka att en stor del av detta lånade material är av grekisk inspiration.)

Denna birgittinska tidegärd skyr alltså inte utombibliska element och är därmed av en helt annan karaktär än liturgin i Lyon och Chartreuse, där man medvetet eliminerade alla element som inte direkt hade hämtats ur Skriften. Detsamma kan sägas om antifonerna efter completorium. Till denna (grekisk-romerska) stomme har på fredagen fogats temat Marie medlidande, texter som inspirerats av det sena 1200-talets och 1300-talets spiritualitet (det liturgiska firandet av Marie medlidande börjar på 1400-talet).[9]

Det är mödan värt att studera hur Petrus gått tillväga när han framställde responsorierna. Det första responsoriet för söndagen är en adaptation av ett responsorium i Trefaldighetsdagens matutin, där versen ”Må den saliga Gudomen, Fadern och Sonen samt den livgivande Anden skänka oss nåd”[10] gjorts om till ”Må Gud, Treenig och En, som du [Maria] av evighet högeligen har behagat, skänka oss nåd.” Måndagens första responsorium är hämtat från Mikaelidagen, med mariansk adaptation av versen. Andra responsoriet på onsdagen är ordagrant övertaget från Marie himmelsfärds officium, det tredje från Marie födelse. Torsdagens första responsorium är inlånat från juldagen, det andra från Kyndelsmässan, det tredje från Allhelgonadagen. Lördagens responsorier är inte oväntat från Marie himmelsfärd. Fredagens compassio-motiv saknade uppenbarligen användbara texter och tycks vara Petrus original.

2.3 Hymnerna i *Cantus sororum*

Den svåraste genren i ett officium är och förblir hymnerna.[11] Hymnerna i CS på onsdagen, torsdagen och lördagen är texter ur den existerande officietraditionen.[12] Av de 35 hymnerna i CS förekommer sju i Linköpingsbreviariet.[13] De behandlar händelser i Marias liv som redan firas i den officiella liturgin: hennes egen respektive hennes Sons avlelse och födelse. För Marie medlidande (jfr ovan 2.2) fanns tydligen inget lämpligt material tillhands, inte heller för de teologiskt högspekulativa meditationerna i veckans början.

Petrus byggde som diktare vidare på en levande tradition. De 35 hymnerna är författade i den mest frekventa officiemetern, ambrosiansk jambisk dimeter, som dock här inte är metrisk utan rytmisk: ictus i versen kan falla på inte bara kort kvantitet utan ofta på obetonad stavelse.[14] Strävan efter rim är påtaglig, dock utan att vara konsekvent. Inte sällan tillåter han sig diskreta allusioner på andra kända hymner.[15] På ett ställe låter han reflexivt pronomen (*se*) på senmedeltida sätt syfta på en annan person än subjektet i satsen: (372) *Huic (Adam) Deus intelligere / dedit quod nasci voluit / ex una clara virgine / nam se peccasse doluit*. I tredje versraden hade författaren likaså utan möda kunnat skriva *quadam* i stället för *una*[16]. Kanske har inflytandet från folkspråken här gjort sig gällande.

Originalhymnen (384) *Sol occidit iustitie* är ett intressant exempel på en sorts medeltida barockpoesi, som (i likhet med Birgittas uppenbarelser) vill vädja till känsla, medlidande och vilja: sol och stjärnor förmörkas, klipporna brister, världen darrar, Maria är pilkogret med pilen som genomborrar döden. Enligt min mening visar sig Petrus från sin bästa sida som poet i completoriehymnerna på fredag och lördag, (385) *Rubens rosa tunc palluit* med orden om guldet som göms i dyn, en metafor för Kristi begravning, och (388) *Trina celi ierárchia*, som med ett lätt anslag skildrar hela kosmos lovsång. Den utmynnar i en så vitt jag vet helt originell skildring av tidens gång: *Omne momentum transiens / mille millenis gradibus / trinum Deum glorificet / pro te*: "Vart flyktigt ögonblick må i tusen sinom tusen steg förhärliga den Treenige Guden för din skull [Maria]."

Enligt *Extrauagantes* (kap. 114 i den s.k. L-redaktionen enligt Codex Harleianus 612[17]) skall Petrus Olofsson i hänryckning ha mottagit "kunskap om vissa ord och uttryckssätt" (*scienciam aliquorum verborum et diccionum*) som han tidigare inte förstått; därefter kunde han ställa samman responsorierna, antifonerna och hymnerna och komponera musik till dessa partier. Det är inte lätt att veta vad detta syftar på. Textmaterialet innehåller få egendomliga uttryck. Värd att nämna är beteckningen *paranymphus* ("brudens ledsagare, böneman") på ärkeängeln Gabriel[18] (jfr nedan *Cogitis me*). En annan påfallande vokabel är substantivet *domicellus,* "ungherre av ädel börd, junker", i strofen (380) *Stola nova induitur / hic domicellus nobilis*, ett uttryck för inkarnationens hemlighet: den "nya klädnaden" det här talas om är närmare bestämt *trabea carnea*, "köttets mantel", förklaras det i nästa strof. *Trabea* var i det klassiska latinet beteckning för en vit mantel med scharlakansröda vågräta ränder som bars av kungar, riddare och konsuler. Att Kristus kallas *domicellus* är en metafor för hans gudomliga natur, som genom människoblivandet klär sig i en ny dräkt. Metaforen ”köttets mantel” är av allt att döma inspirerad av den officiella liturgin för Annandag jul.[19] I antifonen till nonen på måndag i CS heter det: *anime ... quas redemit verbigena Deus veritatis*. Det ovanliga substantivet *verbigena* förekommer hos fornkristna skalder om Kristus som född av Faderns ord.[20]

Petrus själv och andra hade möjligen tvekat angående hans förmåga som poet. I *Extrauagantes* 5 uppmanas han av Gud Fader (som mera sällan uttalar sig i Revelationerna) att låta hymnen *Sponse iungendo filio* stå kvar i ursprungligt skick. Uppenbarligen hade Petrus känt betänkligheter angående det poetiskt och sakligt smakfulla i bilden att sonen förenas med en brud som är hans egen mor. Gud hänvisar i revelationen till det etablerade kyrkliga bruket att kalla alla själar för Sonens ”brudar”. Alltså gäller den möjligheten i allra högsta grad Marias själ.[21]

3. Den mariologiska traditionen bakom *Sermo angelicus*

Den birgittinska tidegärden är alltså i huvudsak ett verk av Birgitta och Petrus av Skänninge. Utan tvivel är detta Nordens mest originella bidrag till mariologin, d.v.s. teologin om Jesu moders roll i frälsningens historia. För att förstå innebörden av denna svenska insats kan det vara av värde att spåra och granska några potentiella inspirationskällor till verket.

Västerländsk medeltid är en epok av utomordentlig kreativitet, också inom mariologin. Tiden medför, jämfört med fornkyrkan, flera förskjutningar i perspektivet. Den tidiga kyrkan hade intensivt sysselsatt sig med de fundamentala kristologiska frågorna, där definitionen av Maria som ”Guds Moder” från Efesus 431 kan sägas vara kronan på verket, eftersom Kristus från första ögonblicket av sin mänskliga existens (Marie bebådelse) är sann Gud och sann människa. Detta innebär logiskt att Maria undfår och föder den som sann Gud — alltså är hon *theotókos*, Gudsföderska, på latin *Dei Génetrix, Deípara* eller *Mater Dei*. Fornkyrkan betraktade Maria huvudsakligen i typologiskt perspektiv, som mönstret, modellen och bilden för Kyrkan (Maria och den hypostaserade Kyrkan var i flera sammanhang så gott som utbytbara storheter). Medeltiden vände mer och mer blicket mot det mänskliga elementet, mottagaraspekten av frälsningen, illustrerad i Marias unika, personliga, individuella öde, hennes familjeförhållanden, hennes känsloliv, hennes dygder som förebild för kristet liv, hennes intima medverkan i Kristi verk, hennes slutliga förhärligande. Den karolingiska renässansen uppvisar de första exemplen på meditation inför det mänskligt-moderliga och en begynnande glorifiering av Jungfrumodern.

3.1 Pseudo-Hieronymus (Paschasius Radbertus) brev *Cogitis me*

De äldsta mariologiska monografierna är skrivna av Paschasius Radbertus (död 859). De går delvis under kyrkofadern Hieronymus namn.[22] De behandlar Jesu underbara födelse *clauso utero*, Marie barndom samt hennes upptagande till himlen.[23] Det sistnämnda temat är ämnet för det fingerade hieronymusbrevet *Cogitis me*, också av Paschasius, en text som senare inflöt i breviarierna och fick stor betydelse.[24] Brevet är adresserat till Hieronymus vänner och devota lärjungar, änkan Paula och dennas dotter Eustochium, samt till en tänkt grupp kvinnor runt dem som vill leva ett jungfruligt liv i bön och lovsång.

I *Cogitis me* fastslås Marias jungfrulighet *ante partum, in partu* och *post partum*. Maria kan inte som vanliga barnaföderskor efter födelsen ha suttit ensam, nedsölad, förvirrad och omgiven av mycket elände, sägs det; hur kunde då herdarna genast ha fått företräde efter nedkomsten? Eftersom änglarna sjunger om fred på jorden, kan hon heller knappast ha känt av födandets smärta. Brevet är till formen en uppbyggligt förmaningstal (den genre som grekerna kallade *logos protreptikós*) för Marie himmelsfärds dag (15 augusti). Aspiranterna på den kontemplativa livsformen uppmanas att ta Paula, änka och moder, till sin förebild. Änkeståndet i kyskhet sägs vara Gudi lika välbehagligt som jungfruståndet. Jungfru Maria skall dock vara den stora och ojämförliga förebilden. Läsarna uppmanas att låta ”sina ansikten formas efter henne, den helige Andes skulptur” och tillsammans med denna moder längta efter den himmelske Brudgummen, Kristus. Maria sägs ha bevarats orörd av ärkeängeln Gabriel, den himmelske bönemannen (*cælestis paranymphus*). Efter Kristi uppståndelse rörde hon sig fritt bland apostlarna och delgav dem förtroliga informationer om Kristi människoblivande. Dessa uppgifter var absolut tillförlitliga. Maria hade ju från början undervisats utförligt av den helige Ande själv och blivit ögonvittne till allt. Apostlarna å sin sida hade sina insikter mer som en lära. Efter Jesu himmelsfärd blev Maria för apostlarna en skola i dygderna, ett åskådningsexempel på kristet liv och jungfrulig fullkomning.[25] Hon överlade med apostlarna och undervisades själv av Anden och hela Treenigheten. (Observera hur Maria som identifikationsobjekt beskrivs i obesvärat umgänge med kyrkan i himmel och på jord.)

Ett annat huvudärende med *Cogitis me* är att adressaterna uppmanas att ivrigt prisa Kristus och hans mor. All lovsång som högtidligen riktas till Maria länder Kristus själv till ära. Man behöver inte vara rädd för att överdriva Marias förtjänster, eftersom hon själv har lovprisats av Gud och änglarna. Hon hade förebådats av profeterna, förebildats av patriarkerna i gåtfulla förebilder (*figuris et ænigmatibus*), och i tidens fullbordan skildrades hon av evangelisterna. Med den vördsammaste artighet hade hon hälsats av ängeln Gabriel. Genom henne blev hela skapelsen översköljd av Andens regn. Evas förbannelse upphävdes av Marias välsignelse. Hela kosmos fick en högre nåd än någonsin, långt utöver naturlig möjlighet och mänsklig fattningsförmåga — himlen bävar, jorden häpnar, änglarna förundrar sig. Och brevet kulminerar i uppmaningen: upphör aldrig att lovsjunga av alla krafter.

Denna text hade Birgitta bevisligen tagit del av och accepterade som äkta. Hon avvisade nämligen indignerat förslaget att avskaffa den ur liturgin och prisar Hieronymus som "den helige Andes trumpet", som en man som hade varit upptänd av samma låga som apostlarna på pingstdagen. "Lyckliga de som hör och följer honom!", slutar revelation 60 i den sjätte boken.[26]

3.2 Kretsen kring Anselm

Den tidiga skolastiken inneslöt Maria i sin världsbild och utvecklade tanken att hon är himlens och jordens drottning. Anselm av Canterbury (död 1109) sade att Marias ställning som moder till Gud hade betydelse såväl för den syndiga människan som för hela kosmos. Guds moder blev också vår moder.[27] "Himlen, stjärnorna, jorden, floderna, dagen, natten, allt som står i människans makt och tjänar henne lyckönskar sig själva till att ha återuppväckts till sin förlorade värdighet, du Härskarinna ... O välsignade och övervälsignade Jungfru, genom vars välsignelse hela naturen välsignas!", utbrister han i sin femtioandra bön.[28]

Anselms lärjunge Eadmer (död ca 1124) intar genom några korta skrifter en viktig plats i mariologins utveckling. Han behandlar uttryckligen Marie obefläckade avlelse, det vill säga tron att hon, med tanke på sin roll i frälsningens historia, av Gud på ett enastående sätt blivit bevarad från såväl arvsynd som personlig synd. Eadmer påstår inte att detta kan härledas ur den officiella kyrkoläran utan grundar sin plädering på folkfromhetens övertygelse och konveniensargument enligt schemat: *decuit, potuit, voluit, ergo fecit* — det var passande, Gud kunde, han ville, alltså gjorde han det också.

I ett annat verk framför Eadmer den något betänkliga läran att Kristus bönhör människorna först efter en rättvis bedömning av bedjarens förtjänster, medan Maria genast bönhör i kraft av sina egna förtjänster. Den senare texten bär den för oss intressanta titeln *De excellentia Virginis Mariæ*; SA går ju i en del av handskriftstraditionen under namnet *Sermo angelicus de excellencia beate Marie virginis.*[29] Gud utvalde, heter det, flickan Maria av kärlek för att ingjuta hela Gudomen i henne. Han älskade henne alltså redan innan han föddes av henne. Änglarna gläder sig åt att det tomrum som uppstod i himlen (vid Lucifers och hans änglars avfall) nu genom Maria håller på att fyllas (genom människor som blir räddade till evigt liv). Marias roll har kosmiska dimensioner. Liksom Gud är Fader till allt skapat, så är Maria moder till allt som är återskapat, hon är *mater et recreatrix omnium.*[30]

3.3 *Speculum virginum*

Birgitta stod som övertygad anhängare av Marie obefläckade tillblivelse i en tradition som gick tillbaka till denna anselmska miljö, även om vi inte vet om hon tagit del av dess texter. Bevisligen stod hon däremot under inflytande av skriften *Speculum virginum*, tillkommen ca 1140 och författad av pseudonymen Peregrinus, en präst möjligen i cisterciensisk miljö. Högläsningen ur denna Jungfruspegel skall ha försatt Birgitta i hänryckning (*rapta fuit in spiritu*).[31] Detta ägde rum redan under tiden i Alvastra kloster. Jungfruspegeln var alltså en för Birgitta avgörande text, den torde ha format hennes fortsatta verksamhet som visionär. Eftersom boken först sedan 1990 finns i vetenskaplig utgåva är det dags att närmare analysera dess innehåll i förhållande till Birgittas inre värld.

Speculum virginum är utformad som en dialog mellan Peregrinus och en kvinna Theodora, betecknad som *virgo Christi.* Till själva texten hör tolv teckningar, föreställande i tur och ordning Peregrinus och Theodora i samtal, Jesse rot (två bilder), det mystiska paradiset (med de fyra kardinaldygderna som de fyra floderna i paradisets mitt), lasternas och dygdernas respektive träd, Humilitas seger över Superbia, Dygdernas fyrspann (Quadriga; två bilder), de kloka och de fåvitska jungfrurna, de tre stånden (jungfrur, änkor och gifta), kampen mellan anden och köttet, uppstigandet på stegen till Kristus, Majestas Domini samt Vishetens hus (i förening med Jesse rot). Bilderna och texten hänvisar till varandra.

Tankarna uttrycks slutligen i ett tredje medium, nämligen sjungen poesi. Sången *Audite, o lucis filie* sammanfattar hela verket. Den avslutas med orden: ”När den evige Konungens brud, duva, syster och väninna förenas med sin Brudgum i den fullkomliga kärlekens eld, när bruden gläder sig med sin Brudgum och som [hans] enda berömmer sig av [sin] Ende i evighet."

Speculum virginum är en uppmaning till att efterfölja Maria.[32] Hela femte boken är ägnad henne. Detta avsnitt talar i ett längre parti (V, 362-383), som genremässigt starkt påminner om senare tiders litanior, om Marias utkorelse från begynnelsen; hon kallas brud, dotter, mor och jungfru, änglarnas glädje och ära, medlarinna, daggryning, sol, måne, stjärna, hamn, blomma med roten i patriarkerna, den brinnande busken, den gyllene urnan med mannat, förbundsarken, Arons stav. "Om du söker Maria med skarpt förstånd (*subtili intelligentia*), så finner du henne i himlen, du kommer att se henne i paradiset, i Noas ark vid syndafloden, du kommer att se henne satt bland patriarkerna och vandrande med Guds folk i öknen, du finner henne bland domarna och kungarna, själv en kungaättling och en ros som sprungit ut bland judarnas törnen; du kommer att förundra dig över hur hon samtalar med änglarna vid världens återskapelse (*in seculo renouando*), över Elisabeth som passar upp på himlens drottning, över henne som utom sig av häpnad ligger vid sonens krubba och sedan tillsammans med pojken tar emot gåvor av magerna ... Du finner henne också tillsammans med sonen, från födelsen ända till lidandet, stående hos den Korsfäste och genomborrad av smärtans svärd genom den älskade sonens lidande och efter hans himmelsfärd upptagen till himlarna vid den tidpunkt och på det sätt som behagade honom" (V, 98-117).

När Theodora säger sig inte riktigt förstå hur Maria kunde vara i himlen redan före tiden begynnelse, citerar Peregrinus Ordspråksboken 8, den text som sedan gammalt ingick i Marialiturgin: "Herren ägde mig från början av sina vägar, innan han gjorde något i begynnelsen. Av evigt är jag insatt, sedan urtiden innan jorden blev till."[33] Peregrinus förklarar: "När nu allt fanns till i Guds Ords vishet för att senare utvecklas (*explicanda*) med sitt [eget] väsen, sitt sätt, sin tid, efter sin natur, sin ordning och sin specifika art, hur skulle då modern kunna saknas vid Sonens sida? Hans avlelse och födelse var ju axeln (*cardo*) kring vilken hela den förnuftsbegåvade skapelsens helgelse, enande och försoning kretsade" (V,135-139). "Innan han med sina himmelska hemligheter (*celestibus sacramentis*) genom tron på hans lidande återupprättade och på sätt och vis skapade människan, som kan kallas den fallna mindre världen (*minor mundus*), antog Gud, när han blev människa, av henne begynnelsen till denna skapelse" (V,263-268).

Maria kallas så, bland annat, materialet till den nyskapade världen (*materies seculi renouandi*), världens försonerska (*reconciliatrix*), den fördärvade världens förutsedda upprätterska (*perditi mundi prouisa reparatrix*). Hon var fördold bland patriarkerna men demonstrerad av profeterna (*in patriarchis occulta, a prophetis ostensa*). Hon var höjdpunkten i människans frälsning och själv orsak till den eviga välsignelsen.

Jungfrurna, säger Peregrinus, bör därför sjunga "den nya sången", vilket de endast kan göra i förening med Maria, som bevarades av den helige Ande och i tro på ängelns budskap sjöng den nya sången tillsammans med sina "döttrar". Den nya sången är det jungfruliga livet, som är en början till det kommande himmelska livet, ett liv befriat från det tvång som råder i världen, det som kallas "begärelsen och livets högfärd" av evangelisten Johannes, han som själv var en av förebilderna för det jungfruliga livet. "O hur skön är inte jungfrurnas krona, mer dyrbar än varje kunglig värdighet", utbrister då Theodora.[34]

Att Birgitta själv läst och lystrat är uppenbart av både innehåll och vokabulär, om man jämför dessa texter och SA. Den femte boken av Jungfruspegeln kan sägas på ett mer spekulativt och tematiskt sätt framställa den marianska antropologi och skapelseteologi som också tycks vara Birgittas. Här finns de ledande tankarna i SA om Marias förutbestämmelse och preexistens i Guds plan, hennes innerliga förening med Kristus i en och samma plan (*in unitate sacramenti*), med konsekvensen att det som har förverkligats i Maria också kommer att förverkligas i kollektivet och individen, i Kyrkan och den enskilde kristne. Denna hemlighet som utspelats med Maria och hennes Son som huvudpersoner är i själva verket motivet för Gud att överhuvud skapa världen och människan. Maria är frälsningens grundstoff, material (*materia*) och åskådningsexempel, föregripandet av den nya skapelsen, den nya himlen, den nya jorden, den nya människan, sammanfattningen av människans frälsning, den eviga välsignelsens orsak och heder (*totius summa salutis humane, causa et gloria benedictionis eterne*). Denna insikt måste gestaltas i liv och handling: "Om du vill efterlikna henne, kommer du att bli Kristi moder genom avlelse och nedkomst" (V, 605 f).

Birgittas klosterregel och tidegärd kan ses som utförandet av programmet i *Cogitis me* och *Jungfruspegeln*. Särskilt anmärkningsvärt är det utkast till antropologi som föreligger i Jungfruspegeln och som särskilt har fängslat henne. Läsningen av Jungfruspegeln i Alvastra kloster kan ha varit den avgörande impulsen till det specifikt birgittinska utformingen av *imitatio Mariæ*, som i den heliga Birgittas eget fall kunde ta sig rent fysiska uttryck, när hon en julnatt i Santa Maria Maggiore i Rom förnam påtagliga fosterrörelser.[35] Tanken är inte främmande för evangeliet. Enligt Jesus själv är de som utför hans himmelske Faderns vilja hans egentliga mödrar, systrar och bröder (Matt 12:50)[36].

3.4 Diskussionen om *immaculata conceptio* och *assumptio*

Två stora frågor som skulle få sin officiella lösning först långt senare, genom de dogmatiska definitionerna 1854 respektive 1950, var frågan om Marie obefläckade avlelse och hennes lekamliga upptagande till himlen.[37]

Problemet om Maria redan från första ögonblicket av sin existens i moderlivet var undantagen arvsynden och dess följder, var på 1300-talet en livligt debatterad kontroversfråga (jfr Eadmer, ovan 3.2). För ett positivt svar talade uppgifter hos Augustinus[38] och Bernhard av Clairvaux om Marias frihet från personlig verksynd, men Bernhard[39], dominikanen Thomas av Aquino[40] och franciskanen Bonaventura[41] intog en en avvisande hållning till teorin. Deras betänkligheter grundades också i farhågorna att Marias syndfrihet skulle ifrågasätta läran om hela människosläktets frälsningsbehov.

Den medeltida standardläroboken i teologi, Petrus Lombardus *Sentenser*, uppger att den helige Ande förekommit Maria med sin nåd, renat (*purgare, castificare*) henne från varje syndens fläck och befriade henne från syndens "fnöske" (*fomes peccati*, människans medfödda benägenhet till synd), antingen helt och hållet eller genom att försvaga den. Dessförinnan var hon underkastad synden.[42] Inget sägs här om tidpunkten för detta ingripande. Maria kan enligt Lombardus ha befriats från synden vid någon tidpunkt *före* bebådelsen, eller också kan *fomes* helt och hållet ha upphävts i henne *i samband med* bebådelsen eller åtminstone blivit så försvagad att den aldrig vållade någon personlig synd hos henne.[43] Enligt Lombardus måste Maria på något sätt varit underkastad *fomes*, eftersom hon liksom alla andra människor är Adams barn, även om hon helgades genom ett särskilt gudomligt ingripande. Det var denna öppna formulering som ledde till seklers debatt. Dominikanerna företrädde en sanktifikationsteori (makulist-läran), medan Johannes Duns Scotus (död 1308) och andra franciskaner lärde den obefläckade avlelsen, att Maria från första ögonblicket av sin existens fritagits från synden och dess följder, med tanke på sin roll i frälsningens historia.

I fråga om Marie kroppsliga förhärligande hade *Cogitis me* intagit en agnostisk attityd, eftersom ingen officiell kyrkolära fanns vid denna tid. Denna hållning kunde på Birgittas tid (i Rom efter 1350) uppfattas som stötande.[44] Detta hade förberetts av flera seklers teologisk spekulation. Betydelsefulla bidrag lämnades av en kort traktat, som troddes vara författad av Augustinus, *De assumptione BMV*,[45] samt i den Albertus Magnus tillskrivna *Mariale.*[46]

4. Mariologi i Sverige före Birgitta

4.1 Ansgar. Den senare missionen i Norden

Ansgars missionsverk fick som bekant inga varaktiga följder, men det är ändå på sin plats att nämna honom i detta sammanhang. Hans biografi visar att Maria var en mycket betydelsefull faktor i hans spiritualitet. Hon måste rimligtvis ha ingått i den första kristna förkunnelsen i vårt land. Av Rimberts biografi över Ansgar framgår att hans mor hade dött när han var i femårsåldern. Den blivande missionären fick därefter en vision som skulle bestämma hans fortsatta liv. Han hörde jungfru Maria säga till honom: "Min son, vill du komma till din mor?" Maria var i visionen en "förnäm dam, som var mycket fint och elegant klädd", och hon gick i procession omgiven av andra kvinnor i vita kläder, bland dem hans egen mor. Maria rådde Ansgar att avstå från fåfänglighet och barnsliga lekar och att i fortsättningen leva allvarligt och värdigt, för att kunna upptas i kretsen kring Maria (*noster conventus*).

I Ansgars monastiska miljö framställs Maria med andra ord som det stora föredömet för seriösa kristna, främst klosterfolket, som vill leva ett liv inriktat på personlig helgelse, "läsning, meditation och andra nyttiga sysselsättningar".[47] Ansgar betraktade Maria, aposteln Petrus och Johannes döparen som sina speciella vägvisare i detta avseende.[48]

Maria anropas på runstenarna som hjälparinna vid den eviga domen under titeln "Guds moder", som utan tvivel förts till Norden med den västliga missionen.[49]

4.2 Petrus de Dacia

Dominikanen Petrus de Dacia, som brukar kallas Sveriges förste författare (d. 1289), ägnar Maria förvånansvärt liten uppmärksamhet i sin biografi över Christina från Stommeln liksom i korrespondensen med henne, där Guds Moder tycks så gott som frånvarande. Av detta får man inte dra slutsatsen att hon inte spelade någon roll i hans föreställningsvärld. Vid sitt religiosa genombrott, mötet med beginen Christina i byn Stommeln utanför Köln vid jultid 1267, upplever han i själva verket en identifikation med Jesu moder, och mötet med Christina motsvarar Marie bebådelse: "Jag tror att den ärorika jungfrun födde Guds son om natten och att enligt evangeliets berättelse Herren uppstod från de döda om natten. Måtte jag då, som jag tror, känna att detta har gått i uppfyllelse i mig! Jag vill att Judas och hans otrohet skall lämna mitt hjärta och gå bort och hänga sig, som en varning för alla. Måtte min syndiga själ avla en ny känsla av renhet, så att Jungfrun där kan föda sin son! Måtte jag förvandlas till en ny natur och uppstå till ett nytt sätt att leva, så att jag aldrig i evighet behöver smaka döden! — Under hela den följande julhelgen kände jag mig som en barnaföderska. Jag ville inget hellre än att vara tillsammans med denna person, vars närvaro hade sått ett sådant utsäde i min själ."[50]

Vid ett annat tillfälle är Christina för Petrus jämförbar med Guds moder Maria, och därvid antar han själv rollen av Marias släkting Elisabeth; han hälsar henne spontant med samma ord som Elisabeth hade gjort: "Hur kommer det sig att min Herres mor kommer till mig?"[51] I själva verket är Petrus redogörelse för sitt livsöde ett fragment i den marianska mystikens historia.

4.3 Brynolf Algotsson

Traditionen uppger att Brynolf Algotsson (död 1317, biskop i Skara från 1278) är författare till fyra rimofficier, varav ett var avsett som lördagsofficium om den saliga Jungfrun Maria. Jag utgår från att traditionen är autentisk: de fyra officierna utmärker sig för den karakteristiska vagantstrofen *cum auctoritate*, d.v.s. en avslutande hexameterrad. Detta poetiska karaktärsdrag skvallrar om en talangfull och klangsäker diktare, och det anfördes till och med vid biskopens kanonisationsprocess ett sekel efter hans död.[52] Likaså är frekvensen av alliterationer och assonanser påfallande hög i dessa officier. Det finns enligt min mening ingen anledning att ifrågasätta traditionens uppgifter att Brynolf är upphovsman också till mariaofficiet.

Denna tidegärd förutsätter läran om Marias obefläckade avlelse och hennes smärtfria nedkomst[53]. Maria är anledning till änglarnas lyckönskan (*congratulatio*), hon har med sin förbön återuppbyggt den himmelska staden, det vill säga bidragit till att den förlust som änglarnas avfall åstadkom har ersatts med frälsta människor,[54] tankar som tycks inspirerade av Anselm.[55] Den himmelska hierarkin böjer sig i vördnad för Maria. Bland de från Bibeln hämtade metaforerna noterar man *thronus eburneus*, som anspelar på Salomos tron (2 Krön 9:17), och *propitiatorium arcam Dei velans*, nådastolen som övertäcker Guds ark (2 Mosebok 30:6), två titlar som betecknar Marias förhållande till sin gudomlige Son. Hon sitter också på en tron intill Salomo.[56] Hon identifieras därigenom med Batseba, drottningmodern, som med fullkomlig frimodighet kunde företräda supplikanterna inför sin son, kung Salomo. Denna användning av ett gammaltestamentligt motiv ligger till grund för tanken att Marias bön är ofelbar: en god son kan inte neka sin mor något hon begär.[57] Maria är garanten för att barmhärtigheten har sista ordet, en tanke som är väsentlig också i Birgittas Revelationer.[58]

Den mest originella bilden hos Brynolf är måhända "den nya skålen för saltet", hämtad från andra Kungaboken (2:20), där profeten Elisha lägger salt i vattnet, så att det för all framtid blir och förblir sunt. Saltet är här en bild för Kristus, och den nya skålen torde vara ett uttryck för den obefläckade avlelsen, begynnelsen till den nya skapelsen, som botar den sjuka världen från dess hemfallenhet åt döden.

5. Birgittas närmiljö

5.1 Cistercienserna

De första svenska cisterciensklostren Alvastra och Nydala grundades 1143 från Clairvaux på initiativ av kung Sverker i samråd med ärkebiskop Eskil i Lund och under aktiv medverkan av den helige Bernhard av Clairvaux. Cistercienserna hade vid medeltidens slut sex manliga och sju kvinnliga kloster i Sverige. Som bekant var den cisterciensiska klosterrörelsen uttryck för en mariansk väckelse, en *imitatio Mariæ*. Samtliga klosterkyrkor och deras högaltaren var invigda till Maria. Förutom högaltaret fanns också ett speciellt Maria-altare, ofta beläget i bakre koret, där en särskild mariamässa firades varje dag,[59] och därutöver hölls en votivmässa till Maria på lördagarna. Till yttermera visso ingick marianska orationer i så gott som alla mässor. Förutom den ordinarie tidegärden sjöng man dagligen det ovan omtalade marianska parallellofficiet. 1325 bestämde ordens generalkapitel att Ave Maria skulle bedjas knäböjande efter Salve Regina vid completoriet. En klämtning med klockan skulle ledsaga bönen.[60] Samtliga mariadagar var avlatsdagar i de svenska cisterciensklostren.[61] Klostren öppnade sina kyrkor för offentlig gudstjänst vid vissa tillfällen. Ett avlatsbrev från Solberga på Gotland 1289 medger offentlig gudstjänst i klosterkyrkan alla söndagar efter mariafesterna och uppger att detta var ett gammalt bruk.[62] En målad mariabild i Alvastra skall under den heliga Birgittas tid ha åstadkommit underverk.[63]

Birgittas make Ulf Gudmarsson avled 1344 i Alvastra, och Birgitta vistades en tid i klostret och fick där sitt genombrott som visionär. Dess subprior, sedermera prior, Petrus Olofsson (inte densamme som översatte SA och redigerade CS), blev hennes biktfar och sekreterare, som nedtecknade och till latin översatte merparten av hennes uppenbarelser. Vid Birgittas kanonisationsprocess blev han det viktigaste vittnet om helgonets liv och verk. Utan tvivel var hon cisterciensiskt inspirerad till sin kommande ordensstiftelse och dess speciella marianska prägel, inte minst liturgiskt.

5.2 Magister Mathias enligt *Homo conditus*

Förutom den cisterciensiska miljön var säkerligen bekantskapen med magister Mathias (död 1350) den faktor som mest påverkat utformingen av Birgittas teologiska universum. Mathias handledning för predikanter, efter sina inledningsord kallad *Homo conditus* (HC)[64], är disponerad efter vissa kateketiska kategorier, tro, hopp, kärlek, trosbekännelsen, tio Guds bud, dygder och laster, Fader vår, Ave Maria och de yttersta tingen. Mathias behandlar de mariologiska frågorna på två ställen i HC, dels i anslutning till trosbekännelsens ord "född av jungfru Maria", dels med en utförlig behandling av bönen Ave Maria. Dessutom förekommer marianska teman sporadiskt i andra partier av texten.

HC är alltså ett homiletiskt hjälpmedel, och dess diskurs går i hög grad ut på att finna slagkraftiga metaforer. Behandlingen av den apostoliska trosbekännelsen är underordnad den teologiska dygden *fides*, tron. Kristi jungfrufödelse (HC IV: 25-39) är en punkt i den kristna läran som är svår att sätta tro till, eftersom den strider mot mänskliga erfarenheter. Mathias mödar sig om att finna pedagogiska paralleller ur naturen. Man trodde vid denna tid att åtminstone två fall av spontan jungfrufödelse (*generatio æquivoca*) förekom i naturen, nämligen dels att "maskar" avlades av solen (det handlar uppenbarligen om att larver kläcks i kompost utan någon föregående synlig konception), dels att musslor genom att öppna sig för daggen alstrar pärlor utan någon synbar kontakt med annan "säd" av något slag.[65]. På liknande sätt har människan Jesus tillkommit, han som är "en mask och icke en människa" (Ps 22:7, jfr Augustinus *Enarrationes in psalmos* 21, II, 7). Kristus är också himmelrikets pärla, avlad i jungfrun av den himmelska nådens dagg. Vidare använder Mathias analoga liknelser ur nature. Ljuset går igenom ett glas eller ett prisma utan att skada det, och ett stort äpple kan komma fram ur en smal kvist utan att denna sprängs: detta sägs vara ett slags mirakel liknande jungfrufödelsen.

Mathias framställer Maria som arketyp för varje kristen: "I tron blev hon havande med Guds Son, i tro födde hon, och därför förblev hon okränkt både när hon undfick och när hon födde. I tron kommer också du att få del av denna gudomliga födelse. Öppna din tros famn så mycket du kan och vet att Gud kan fylla den. ... Ge Gud din tro, och tag emot Gud i din själ och ditt hjärta."[66] Det är lämpligare att säga att hon blev havande i sitt hjärta än i sin kropp, säger Mathias med en anspelning på Augustinus: *prius et felicius corde concepit quam corpore.*[67]

Behandlingen av ängelns hälsning, Ave Maria, är, om man så vill, en hel liten mariologisk traktat (HC IX:148-203). Den är organiserad efter mönster av bönens ordalydelse, som vid denna tid inte var mer än ängels hälsning i kombination med Elisabeths (Luk 1:28 + 1:42) *Ave Maria, gratia plena, Dominus tecum. Benedicta tu in mulieribus, et benedictus fructus ventris tui.*

Redan ur det första ordet *Ave* utvinner Mathias en djupare mening: Maria befriar från (den latinska prepositionen *a*) mänsklighetens trefaldiga "ve", skulden, förlusten och straffet (IX:157, S:74).[68] Hon är välsignad, därför att i henne "dolde sig Guds välsignelse i kroppslig gestalt" (IX:184). Maria är utsedd till patrona och beskyddarinna åt de kristna. Genom sina enastående privilegier är hon ordinarie förmedlarinna av alla nådegåvor: "Hon är full av nåd, och av hennes fullhet kan alla få del som flyr till henne. Den räcker till för alla och kan aldrig ta slut [...] Från henne utgår i rätt ordning fördelningen av alla nådegåvor (*sic ... gracia plena est, vt ordinate ab ea omnis graciarum distribucio procedat*)".

Maria kallas därför *fons paradisi*, en metafor hämtad ur 1 Mosebok 2:5: "En källa sprang upp ur jorden för att vattna hela jordens yta". Bilden innebär att Maria står i ett direkt förhållande till varje människa, något som inte kan sägas om något annat helgon. Utan Marias medverkan förmedlas överhuvud ingen nåd.[69]

Nådens fullhet (*gracia plena*) gör Maria välsignad till själ och kropp; det senare har betydelse för hennes förhärligande efter döden. Bönens ord *tecum* uttrycker Marias innerliga förening med Kristus, som är henne "närmare än hon själv", med en anspelning på Augustinus ord i *Bekännelserna* (3,6,11). Gud var med henne på ett enastående sätt (S:94). Hennes förbön blir ofelbart hörd, eftersom hon är utvald till Kristi moder, inte bara biologiskt utan också *spirituali familiaritate* (IX:148). Denna Mathias lära hade förberetts av Anselm[70] och Bernhard.[71] Mellan Kristus och Maria råder en fullkomlig viljans enhet (IX:176).

Maria är bevarad från varje synd, ett privilegium som hon är ensam om.[72] Hon har aldrig begått någon personlig synd och aldrig ådragit sig någon fläck.[73] Hon kände ingen som helst lust att synda, vare sig frivilligt eller ofrivilligt.[74] Det är hon som förmedlade underverket att Johannes döparen helgades i sin moder Elisabeths liv (S:78).

Gud har på något sätt ställt Maria på samma nivå som sig själv (*sibi quodammodo parificauit, ut matrem eam faceret sibi* IX:178), så vitt jag vet de starkaste ord som yttrats av en fackteolog om Marias roll. Hennes obefläckade avlelse innebar att hon från början av sin existens var helgad (*tota dedicata*) åt Gud. Hon införde ett bruk som dittills inte varit känt i hennes folk, nämligen löftet att leva som jungfru[75], en uppgift som härstammar från Jakobs protevangelium[76] och spelar avsevärd roll för Birgitta (jfr SA 12:9). Genom sin syndfrihet gick hon också fri från arvsyndens följder: hon behärskades inte av konkupiscensen, gick inte miste om sin jungfrudom vid konceptionen och födde därför också utan smärta (IX:157, 190). Hon stod "främmande" (*aliena*) inför mänsklighetens plågor, straff och olyckor (IX:192). (Hur detta skall uppfattas är inte helt klart: hon tvingades ju uppleva både landsflykt och sonens avrättning.) Hon var ett åskådningsexempel på varje dygd (IV:27).

Hon är nu uppväckt till kropp och själ (vilket förutsätter att hon först hade dött). Eftersom hon delade Sonens frihet från synd och förgängelse, har hon också del av hans förhärligande till kropp och själ.[77]

Marias privilegium, att vara undantagen från synden, var "passande" (*decuit*, jfr Eadmer ovan 3.2) med tanke på hennes höga uppdrag (S:78).[78] Maria föddes "av syndare utan synd" (*de peccatoribus sine peccato*), ett uttryck som påminner om den engelske franciskanteologen William av Ware, vars traktat om den obefläckade avlelsen från ca 1323 utövade inflytande på universitetsteologin i Paris vid den tid Mathias studerade vid teologiska fakulteten där.[79] William uppger att Maria föddes "ren av orena föräldrar" (*munda de immundis*).[80] Maria var helt och hållet Guds egendom, eftersom inget fanns i henne som var främmande (S:97).

Maria är "livets träd" (jfr SA 21:23-24), "välsignat för sin egen skönhet, välsignat för sötman i sin frukt", Kristus (IX:193). Mathias använder dessutom följande titlar om Maria: *mater purissima* (III:12), *mater vnigeniti filii Dei* (IV:27), *castissima virgo* (IV:31 och 32), *sancta virgo* (IV:37), *virgo mater* (IV:38), *patrona, protectrix, culparum excusatrix, penalium malorum excusatrix, gracie procuratrix* (IX:148), *mediatrix, benedicta terra* (IX:152), *stella maris* (IX:161 i betydelsen att hon skingrar okunnighetens mörker), *mater gracie* (IX:162, 171), *mater Liberatoris, miserorum liberatrix, domina* (IX:163), *domina celi, mundi et inferorum* (jfr SA 20:7-8), *potens imperatrix* (IX:164), *fons gracie* (IX:166), *regina angelorum* (IX:172), *fons vite* (IX:177), *mater misericordie* (IX:177), *mater Christi* (IX:178, 180,181), *mater Verbi Dei* (IX:185), *virgo purissima mente et corpore* (IX:188), *veneranda virgo* (IX:193), *dispensatrix gracie* (X:19), *omnibus commendabilis et superuenerabilis gloriosa virgo* (S:85), *omnibus virtutibus et gracia plenior ceteris* (S:85), *regina celorum* (S:94).

5.3 Magister Mathias enligt *Alphabetum distinccionum*

Om Mathias mariologi i arbetet *Alphabetum distinccionum* kan man tyvärr inget utläsa av den artikel *Maria* som med säkerhet har funnits där men nu är förlorad.[81] Vad som fortfarande återstår om Maria i det fragmentariskt bevarade verket finns i artikeln *Fomes* ("Fnöske", jfr 3.4 ovan), som innehåller några brottstycken av en mariologisk diskussion av intresse för vårt ämne. Mathias behandlar förhållandet mellan *fomes peccati*, människans benägenhet att återfalla i synden också efter dopet (likt fnösket är hon lättantändlig utan att alltid brinna) och den därav följande nödvändigheten att dö. Han uppger att Maria måste ha haft *fomes* eftersom hon dog av nödtvång och inte som Kristus av fri vilja. Denna åsikt tycks blott med svårighet möjlig att förena med läran om Marias obefläckade avlelse och frihet från synden.

Mathias har väl också haft svårt att helt enkelt förneka att Maria hade *fomes* mot Lombardus klara ord (jfr ovan), men han är angelägen att framhålla att *fomes* inte är detsamma som *culpa*. Detta är för övrigt en lösning i Scotus anda (jfr ovan 3.4): denne teolog skilde mellan *culpa* och *debitum* (Adams skuld, som förfaller till betalning i form av döden) hos Maria. Hon *skulle* förvisso ha ådragit sig arvsynden *om inte* Gud särskilt bevarat henne genom ett direkt ingripande. Därför är också Maria frälst genom Kristi förtjänst, precis som resten av mänskligheten. Att hon dog berodde på *debitum*, inte på *culpa*. Möjligen kan ett liknande resonemang ligga bakom Mathias formuleringar.

6. Mariologi och antropologi

Den tradition vi behandlat tilldelar Maria en utomordentligt hög ställning som näst intill *corredemptrix*, medåterlöserska vid sidan av Kristus. För åtskilliga kristna, inte bara lutheraner, kan detta tal förefalla vådligt eller i värsta fall hädiskt.

Den teoretiska grundvalen för sådana påståenden utreds av den oöverträffade teologen Thomas av Aquino, som väl inte var närmare känd för Birgitta och hennes miljö, men vars resonemang ändå var en outtalad förutsättning också inom den birgittinska miljön. Thomas argumenterar på följande sätt: Kristus är totalorsak till frälsningen. Frälsningsverkets subjekt är Kristi gudomliga natur, som med sig förenat den mänskliga skapade naturen (hans mänskliga natur) som ett verktyg för att förena människan med Gud. Alla som inlemmas i hans kropp kan bli Guds medarbetare, inte på samma nivå, utan *dispositive et ministeriali-*

ter, som utvalda tjänare i Guds frälsningsplan. Deras aktivitet utgör inte en addition till Kristi unika medlargärning utan bidrar till att applicera denna på konkreta siuationer i kyrkans historiska-sociologiska liv.[82] Helgonen är sådana medarbetare, och de blir hörda som förebedjare på grund av sina stora förtjänster, som i sin tur är lika stora Guds nådegåvor.[83]

Utan att upphäva något av sin allmakt låter Gud sina gåvor till de kristna utdelas på förbön av därtill utsedda och med nödvändiga förutsättningar försedda medkristna.[84] Gud förutsätter alltså skapelsens frivilliga mottagande. Utan denna fria hängivelse skulle nåden inte kunna vara nåd, det vill säga orsak, medel och innehåll i Guds förening med skapelsen, i gestalt av en kärleksfull, förtroendefull dialog mellan Skaparen och hans förnämsta skapade varelse, människan. I denna dialog är Marias Ja den ojämförliga nyckelrepliken, uttalad ställföreträdande för alla människor som inledningen till den avgörande akten i detta (nu definitivt återupptagna) samtal mellan Gud och hans barn, som blivit problematiskt i och med Adams synd. Gud låter på så sätt Maria genom sin bön förmedla nåden till alla människor. Eftersom hennes insats vid inkarnationen gällde varje människa, och eftersom hon ställt sig helt och hållet till Guds förfogande, så vill hon också det som Gud vill.[85]

Birgitta hade säkerligen fått elementen till sin antropologi från populärteologiska handböcker (t.ex. *Speculum virginum* och *Elucidarium* av Honorius Augustodunensis).[86] Maria är enligt den heliga Birgitta i SA *minor mundus*, den lilla världen, mikrokosmos, detta som var definitionen av människan i universum enligt en tradition som går tillbaka så långt som till filosofen Poseidonius i det första århundradet före Kristus.[87] Maria är som mänsklighetens representant föregripandet av den nya skapelsen, som innebär hela universums förnyelse (SA kap. V). Den gamla skapelsen var vigd till undergången och förintades i syndafloden. Den nya skapelsen skulle räddas och blev räddad genom Noas ark, jungfru Maria. Detta sker inte med hjälp av naturens inneboende resurser utan genom den gudomliga nådens direkta ingripande, långt utöver naturens egna möjligheter.

Så är skildringen av Marias personliga öde enligt SA en beskrivning av prototypen till Guds återupprättande av kosmos, där Kristi människoblivande genom Maria är axeln kring vilket allt annat kretsar. Marie obefläckade tillblivelse är ett underbart föregripandet av den nya skapelsen. Hon är livets träd i paradisets mitt, den okuvliga och oförstörbara planta som skjuter upp mitt i den dödsmärkta världen och bär sin frukt i Kristi inkarnation och påsk, de händelser som räddar människan och universum undan förintelsen och döden.

Eller med ord av Petrus Olofsson: Vi måste glädja oss över att Kristus, Medlare mellan Gud och människan, föddes av den allraheligaste Jungfru Maria och upphöjde vår natur till en så sublim höjd att den förenades med hans Gudoms person, *quod nostram naturam in sue Divinitatis sublimaverat personam.*[88] Människan är redan från början skapelsens främsta varelse. I Maria kommer den ursprungliga planen med människan äntligen till sin rätt. Hon sammanfattar, som alla andra människor, i sin kropp den materiella världens samtliga fyra element: eld, luft, jord och vatten. Men först i henne blir dessa element en ny skapelse, som inte är underkastad syndens och dödens fulhet och förgängelse.

Hon är det perfekta svaret på Guds kallelse.

Så blir Maria ytterst åskådningsexemplet på vad nåd och kallelse är, de mest centrala kristna begreppen, de mest angelägna och de minst kända, förstådda och praktiserade.

Genom att prisa Guds verk i Maria bidrar man djupast sett till att rädda människans mänsklighet och världens skönhet, godhet och sanning, som bara kan förstås och förverkligas om man inser att människans mening är denna dialog, denna samverkan, detta samspel mellan Skaparen och hans skapelse.

Birgittas appell har inte mist något av sin aktualitet. Lovsången till Gud för Maria, som pågår i det enklaste Ave eller i kulturens yppersta yttringar som Monteverdis Mariavesper, är djupast en vakthållning kring människans värdighet. Detta gäller inte minst vid slutet av det mörka 1900-talet, detta sekel som i sådan gastkramande omfattning har utmärkt sig för människans ihärdiga försök att förringa sig själv, sin kallelse och värdighet.

Summary:

Nostram sublimaverat naturam. The liturgical and theological back-ground of the Bridgettine Office of the Virgin.

The weekly Office of the Virgin, composed by St. Birgitta and her confessor Master Petrus Olavi of Skänninge, is beyound doubt the most remarkable contribution to mariology ever made by Scandinavians. It was meant for the Sisters of the Bridgettine order of Our Saviour, to be sung after the ordinary Divine Office, which was assured by the Brothers of the same Order. Its contents and stucture were governed by the twenty-one lessons on "the excellency of the Virgin", composed by St. Birgitta herself and alledgedly inspired by an angel (whence the title *Sermo angelicus*) c. 1354 in Rome. It is in fact a complete treatise, written in an exalted style, on Mary's personal role in God's salvation economy: her pre-existence in God's mind, the precognition of the Old Testament Patriarchs and Profets of her (immaculate) conception, the subsequent animation of her fetus, her nativity, her complete understanding of the prophecies, her virtuous life, her participation in Christ's suffering, her function as teacher of the Apostles after the Ascension, her own departure from this world, and her bodily assumption into Heaven. The other elements of the Office were compiled from extant sources (the responsories, etc., of the great Marian feasts plus the Christmas and Ascensions liturgy from the traditional early medieval Greek and/or Roman repertoir) or were composed by Petrus, who supplied texts especially for the typical Bridgettine (and late medieval Western) theme of the compassion of Mary. He is obviously the author of most of the hymns. (The Office has been edited by Collins 1969, the *Sermo angelicus* by Eklund 1972, the hymns are printed in *AH* 48, 362-388.)

This paper is a survey of the potential and probable sources of inspiration of Birgittas *Sermo angelicus* and, indirectly, of Petrus Olavi: the letter *Cogitis me* (by Pseudo-Jerome, i.e. probably Paschasius Radbertus), the anonymus *Speculum virginum* written possibly by a Cistercian in c. 1140, St.Anselm and Eadmer, the Cistercians (the religious order closest to Birgitta), and, last but not least, another of the saint's confessors, Master Mathias, Canon of Linköping, a prolific theologian trained in Paris and a maximalist in these matters. Both Mathias and Birgitta professed the most explicit mariology as far as the Immaculate

Conception and the corporeal Assumption are concerned. They also stressed Mary's function as mediatrix of all graces, in virtue of her freedom from sin and her glorification and exaltation above the hierarchies of Heaven and all other creatures.

Following the suggestions of *Cogitis me* and *Speculum virginum*, Birgitta projected her Order as the complete Marian way of life (even more so than the Cistercians), and she exalted the virtues of virginity, obedience, and humility as well as fortitude of mind and body. Birgitta was fascinated by Mary's complete mastery of her body, the most obvious proof of her freedom from sin.

The uninterrupted praise of God for his Mother (commended by *Cogitis me* and *Speculum virginum*) is a thanksgiving for Redemption, which was displayed in the most eloquent and conspicuous way in Mary.

Since the *Sermo angelicus* takes a special interest in anthropology, dealing at length with the corporeal aspect of salvation, the liturgy created and commissioned by St. Birgitta was a vigorous encouragement for the Sisters of the new religious Order to meditate upon the vocation of man, prompting them never to forget their dignity as human beings, the foremost and noblest creatures of God — restored to their dignity by Christ, with the close cooperation of his Mother.

Noter

[1] Den bästa översikten över det marianska parallellofficiets komplicerade tillkomst ger Clayton 1990, 65 ff. Under tryckningen av denna uppsats utkom A. Härdelin, *Birgittinsk lovsång. Den teologiska grundstrukturen i den birgittinska systratidegärden Cantus Sororum.* (Scripta ecclesiologica minora 1), Uppsala 1995.

[2] A & P, s. 79; Gy 1972 13-27; denna klargörande uppsats är svårtillgänglig, vilket motiverar detta utförliga referat. Om det lilla Mariaofficiet under medeltiden, se även D. v. Huebner, "Offizium marianum" i *Marienlexikon*; Lundén 1976, I, sid. XXXIV.

[3] SA 13:4 *sicut cantat ecclesia egressum Filii Dei ad Patre et eius regressum fuisse ad Patrem.* Hymnen finns i BL 178.

[4] Canon 27; *Conciliorum œcumenicorum decreta*, 203.

[5] Se Eklunds inledning till editionen av SA s. 18 ff. Enligt *The Myroure of Oure Ladye* skulle Alfons *se that they were sett in trew and conuenyente termes, wythout erroure or darknes*, ib. 18, not 1.

[6] Ingen tycks ha observerat att rimofficiet *Felix orbis felix hora*, som skall ha kompo-

nerats av Nils Hermansson (biskop av Linköping 1375-91 och författare även till Birgitta-officiet *Rosa rorans bonitatem*), citerar resp. alluderar på ett parti av SA. Överensstämmelsen gäller partiet i SA om Anna, Marias mor, i kapitel 10, som motsvaras av *lectio VI* samt början av hymnen *Arbor est alte glorie* i Annaofficiet. Officietexten är tryckt i *BL*, 553-558, samt i Lundén 1971, 125-137; Birgitta-officiet även i Schück 1893.

[7] *Extrauagantes* 3:11.

[8] Jfr Servatius 1990.

[9] Beräkningarna bygger på Gy 1972, 23.

[10] BL, 440.

[11] Här hänvisas till respektive hymns nummer i AH 48 (1905).

[12] Onsdag (om Marie avlelse och födelse): *Gaude visceribus* och *Fit porta Christi pervia* (AH 27, 118); torsdag (Marie liv och Kristi bebådelse och födelse): *Quem terra* (AH 50, 86)*; Rex Christe clementissime* (slutstroferna ur apostlahymnen *Aurora lucis rutilat*, AH 51, 84) samt *Ave maris stella* (AH 2, 39); lördag (om Kristi uppståndelse och Marias upptagande till himlen): *O gloriosa* (andra delen av *Quem terra*, se ovan) och *O quam glorifica*(AH 51,146).

[13] Moberg 1974, 257. Hymnen *Rex Christe clementissime*, som Moberg har svårigheter att placera, är hämtad ur slutet på den urgamla påskhymnen *Aurora lucis rutilat;* jfr föregående not. I BL 1492 återfinns texten (också i ett urval strofer med början *Sermone blando angelus*) i Peters edition s. 392.

[14] Exempel: (363) *Almé Pater qui Filium;* (365) *ut sópitis corporibus;* (366) *et fécundá maternitas;* (367) *effíci sue glorie;* (372) *immórtalis qui fuerat;* (373) *suggéstoris intelligens;* (376) *prestítistí solatium;* (378) *Ergó pié nos miseros / trahé tua fragrantia / ne tráhamúr ad inferos;* (379) *irríga rore gratie;* (380) *vestís trabéa carnea;* (382) *miné, probrá, crux, verbera*, etc.

[15] Exempel: (362) *O Trinitatis gloria*: *Unde poli, tellus, mare / et quidquid in se continent*, jfr vesperhymnen för jul *Christe redemptor* (AH 51,49): *Hunc cælum, terra, hunc mare, hunc omne quod in eis est*; (366) *In Genitore Genitus / et Genitor in Genito*, jfr Ambrosius morgonhymn *Splendor paternæ* (AH 50,11): *in Patre totus Filius et totus in Verbo Pater;* (369) *Virgo fulgens: Tu nos errantes corrige / tu nos cadentes erige*, jfr Ambrosius *Æterne rerum* (AH 50,11): *Iesu labantes respice / et nos videndo corrige;* (370) *Deus Plasmator hominis / intacte Fili Virginis*, jfr vesperhymnen för fredagen *Plasmator hominis Deus / qui cuncta solus ordinans* (AH 51,38); ib. *Ut cum iudex advenerit / "Ite, venite" referens*, jfr vesperhymnen för apostlafester *Exsultet cælum* (AH 51,125): *Ut cum iudex advenerit / Christus in fine sæculi;* (383) *Summe Mater letitie*, jfr (AH 51,30) *Summæ Deus clementiæ.*

[16] Jfr 375 *de mira quadam virgine.*

[17] Hollman 1956, 38 ff.

[18] Antifonen *De te, Virgo* (Lundén 1976 II, 170). Jfr också Gondacrus av Reims, (c. 890) *paranimphus angelus*, Meersemann II, 144. Ordet används i BL också om Josef, Jesu fosterfar (622 och 624) och om det kristna prästerskapet (620).

[19] Se detta ord i *Glossarium till medeltidslatinet i Sverige*. Jfr Fulgentius Ruspensis, *Sermo* 3 (CCL 91 A, 905), som är första läsning i matutinen på Annandag jul i BL 223: *heri enim rex noster trabea carnis indutus de aula vteri virginalis egrediens dignatus est visitare mundum ... ille sempiterne deitatis maiestate seruata seruile cinctorium carnis assumens in huius seculi campum pugnaturus intrauit.*

[20] Prudentius, *Cathemerinon* 3,2, även Venantius Fortunatus, *Vita sancti Martini* 3, 158.

[21] Om Petrus Olofssons verksamhet som kompilator av musiken till *Cantus sororum*, se Servatius 1990 a och 1990 b samt Nilsson 1990.

[22] Den senaste behandlingen av denna fråga ges i Clayton 1990, 21 ff.

[23] Traktaten *De partu virginis* är utgiven utgiven av E.A. Matter i CCLCM 56 C, Turnholti 1985. Av denna text finns i PL en kortare version (PL 120,1367-1386) och en längre (PL 96, 207-236; bland Hildefons av Toledo verk, men tillskriven Paschasius). Några predikningar om Marie upptagning i PL 96, 239-259 (och där tillskrivna Hildefons) är enligt Matter av Paschasius. En text *De nativitate Mariæ* finns i PL 30, 297-305 (under Hieronymus namn).

[24] *Cogitis me* är utgiven i kritisk edition av Ripberger 1962 (omtryckt i CCLCM 56 C). *Cogitis me* återges i utdrag i BL, 906-908 (för måndag och tisdag). I PL återfinns den bland Hieronymus brev i band 30,122-142.

[25] Om Maria som *magistra apostolorum* (SA 19:12), se Piltz 1993, 67-88, i synnerhet 82 med not 68. Titlarna *magistra evangelistarum* och *doctrix apostolorum* förekommer i en Ave-bön från 1300-talet, se Meersemann, II, 172; *doctrix evangelistarum* i en handskrift från 1400-talet, ib. 173.

[26] Klockars 1966, 125; ib. 213 f.

[27] *Oratio* 6.

[28] PL 158, 955.

[29] Eadmers marianska skrifter finns i PL 159 (*De conceptione* går under Anselms namn: 391-318), 557-586.

[30] PL 159, 585 f. Jfr Anselm, oratio 53, PL 158, 955.

[31] *Extrauagantes,* 96, samt *A & P* 491 anger att man läste högt för Birgitta ur den. Klockars 1966, 15 och 218. Skriften översattes sedermera till fornsvenska av Vadstenamunken Mathias Laurentii (d. 1486; övers. bevarad i hs KB A 8 från c. 1500) och är utgiven av R. Geete (SSFS 31, 1897-98). Jfr H. H. Ronge, "Jungfruspegeln" I *KLNM* 8, 26 f. Ett alfabetiskt register över boken finns i hs UUB, C 247 (senare delen av 1400-talet).

[32] Jfr SA 19:12, där Maria bl.a. kallas just *speculum virginum.*

[33] Att denna text fick denna liturgiska användning beror på att Marialiturgin ursprungligen är en adaptation av liturgin för heliga jungfrur i allmänhet; jfr Chapelle 1946, 42-49.

[34] Den första utgåvan av *Speculum virginum* gjordes 1990 av Jutta Seyfarth (*Corpus Christianorum, Continuatio Medievalis V*). Skriften torde ha tillkommit omkring 1140; den sena attibutionen till Konrad av Hirsau är tvivelaktig (ib. 37* ff). Om de bilder som hör till texten, se M. Bernards, "Speculum virginum", *LCI* 4, 185-187.

[35] Jfr *Reuelaciones* VI:88: *sensit in corde motum sensibilem admirabilem, quasi si in corde esset puer viuus et voluens se et reuoluens.*

[36] Jfr nedan not 65.

[37] Dessa två frågor behandlas explicit i SA på följande ställen: 2:5, 5:9, 10:15, 10:19, 12:18 (indirekt), 13:20, 14:16, 16:7 (*immaculata conceptio*); 3:11, 20:23, 21:7 och 21:21 (*assumptio corporea*).

[38] *De natura et gratia,* c. 36 (PL 44,2647). Texten anförs av Petrus Lombardus, *Sententiæ* III, dist. 3, c. 2.

[39] *Ep.* 174; *Sancti Bernardi Opera* VII,388-392 (PL 182,332-336).

[40] Roschini 1950 med kompletteringar av Laurentin 1947-51,1091, not 1.

[41] Kommentaren till Sentenserna, III, dist. 3, pars 1, art. 1, qu. 1.

[42] III, dist. 3, c.1: *totam Virginem, Spiritu sancto præveniente, ab omni labe peccati castificatam.*

[43] *Sententiarum libri IV*, III, d. 3. c. 1.

[44] Jfr VI 60:1, enligt vilket en anonym "magister" (i Rom) anser att texten inte borde läsas i liturgin, eftersom Hieronymus tycks tvivla på den kroppsliga upptagningen.

[45] Ingår bland Augustinus verk i PL 40, 1141-1148 och torde härstamma från kretsen kring Anselm och Eadmer; Laurentin 1984, 98, not 51.

[46] Texten ingår i Borgnets edition av Albertus Magnus *Opera omnia*, 37, Paris 1898; även i urval i Kolping 1961, 40-44.

[47] Rimbert, kap. 2 av Ansgars liv, i *Boken om Ansgar*1986, sid. 17 och 150.

[48] Ib. kap 41, s. 73

[49] Beskow 1994, 25 ff.

[50] VCS 8,23 ff. Breven finns i latinska original med svensk översättning med inledning i Asztalos 1991.

[51] VCS15,27 ff. Jfr Piltz 1991,183 ff.

[52] Jfr diskussionen i min uppsats "Brynolf och den liturgiska författarrollen", i Brynolf Algotsson 1995. Texten till officierna finns utgiven av Lundén i *Credo* 1946 nr 2 (ibland med meningsstörande brister i interpunktionen och med en mycket fri svensk översättning) på grundval av de tryckta breviarierna.

[53] *sola a generali maledicto libera et a dolore parturientis aliena*, lectio 4.

[54] *supernæ civitatis restaurationem invenit*, lectio 5. Jfr Honorius Augustodunensis, *Elucidarium*: *Nonne casus malorum minuit numerum bonorum? - Ita, sed ut compleretur electorum numerus homo decimus est creatus*; PL 172, 1116.

[55] Anselm, *Oratio* 52, PL 158, 955: *Per plenitudinem ... gratiæ tuæ ... quæ supra mundum sunt se gaudent resturata ... angeli gratulantur restitutione semirutæ civitatis suæ.*

[56] *Iuxta pium residens throno Salomonis, nostre paci providens fac peticionem*, tredje antifonen i andra nokturnen.

[57] 1 Kung 2:13-20. Att originalets berättelse slutar sorgligt för supplikanten, är en annan historia. Jfr Laurentin 1984, 268, om kungamoderns starka roll i Orienten och i Bibeln. Att Maria inte kan undgå att bli bönhörd (i kraft av att hon som mor kan gå rakt på sak) är en teologisk tradition från Andreas av Kreta (död 720). Tanken blev vanlig i västkyrkan; se *DTh C*, IX:2, sp. 2435 ff.; jfr Birgitta *Reuelaciones* VI:5,3. - Maria är mor till den sannskyldige Salomo, Kristus, *Reuelaciones* III:29.

[58] *Reuelaciones* VIII:48,12; IV:133,26; III:25,8; VI:52,27.

[59] Johansson 1964, 130.

[60] Johansson 1964, 182.

[61] Johansson 1964, 170.

[62] Johansson 1964, 112.

[63] *Extrauagantes* 55, 6-7.

[64] Den latinska texten utg. av Piltz 1984; en svensk översättning i urval finns i *Vägen*

till Jerusalem, Uppsala 1986.

[65] Tanken refereras av Plinius d.ä. i *Naturalis historia* 9,107 och Isidorus av Sevilla i *Origines* 12,6,49 och 16.10.1. Om detta se Ohly 1977, 275 ff.

[66] *Vägen till Jerusalem*, 43, f.

[67] Jfr Augustinus, *Sermo* 25, PL 46, 937: *Plus est felicius discipulam fuisse Christi quam matrem fuisse Christi ... plus est quod est in mente quam quod portatur in ventre.*

[68] Jfr Albertus Magnus kommentar till Lukas evangelium 1:28 (*Opera omnia*, ed. Borgnet, 22,57b-58b): *fuit autem Hevæ triplex ve quod hereditario iure misit ad filias, in conceptione videlicet et portatione et parturitione.*

[69] *Maria dispensatrix [gracie est], sine qua nulli datur gracia* X:19.

[70] *Orationes* 46-60; PL 158,942-966. Om Marias förbön i förhållande till de andra helgonens, jfr 944: *Te tacente, nullus orabit, nullus iuvabit. Te orante, omnes orabunt, omnes iuvabunt*; 947 *Erit per te impetrabile quod per te ingerimus, erit per te excusabile quod timemus. ... Quæ ergo potentior meritis ad placandum iram iudicis quam tu quæ meruisti mater esse eiusdem redemptoris et iudicis?*

[71] *Sermo 2 in assumptione* (PL 183, 417-418), *sermo "de aquæductu" in nativitate BMV* (PL 183, 457-448), *Ep. 174* (PL 182, 332-336).

[72] *sola immunis fuit omnis peccati. Omnes enim alii peccauerunt et egent gloria Dei, hanc singulariter Deus custodiuit ab omni peccato* IX:178. Dessa ord utesluter att man tolkar IV:35 *intrauit cum sanctificacione in virginem* som uttryck för en santifikationsteori, d.v.s. att Maria renades från synden i samband med bebådelsen.

[73] *peccatum numquam fecit nec maculam aliquam contraxit* IX:173; *quam nulla vel tenuis macula vmquam obumbrabat* IX:180.

[74] *numquam sensit neque sponte neque inuite corrupcionem mentis* IX:188.

[75] *Deo tota dedicata fuit ... hanc primam benediccionem a Deo inuenit, vt virginitatem suam Deo dedicaret* IX:187; *Inusitatum enim genti sue morem in virginitatis voto prima inuexit* IX:188.

[76] Amann 1910.

[77] *Habet quidem et vitam eternam resuscitata iam in anima et corpore, viuens cum Filio, vt, quorum erat pro merito vna in corpore et anima peccati inmunitas et iusticie incorrupcio, eorum sit et pro premio eadem corporis et anime resuscitate in eternum glorificatio* IX:174.

[78] Jfr Eadmers resonemang ovan.

[79] Jfr art. "Wilhelm v. Ware" i LThk.

[80] Jfr DThC, VII:1, 1061.

[81] Jag har behandlat problemen med den s.k bibelkonkordansen eller *Alphabetum distinccionum* i Piltz 1986, 137-160, särskilt 140 f.

[82] *Summa theologiæ* III, q. 26.

[83] Ib. I-II, q. 114.

[84] II-II q. 17, a. 4.

[85] Jfr J. Finkenzeller, "Miterlöserin", och G.L. Müller, "Mittlerin der Gnade", i *Marienlexikon*.

[86] Jfr *Elucidarium* I, 11 (PL 172, 1116) i min översättning:

"Eleven: De ondas fall, gjorde det att de godas antal minskade?

Läraren: Ja. Men för att de utvaldas antal skulle kompletteras igen skapades människan som den tionde klassen.

E. Av vad?

L. Av andlig och kroppslig substans.

E. Vad består den kroppsliga av?

L. Av de fyra elementen. Därför kallas hon också för mikrokosmos, den "lilla världen". Hennes kött är av jord, blodet av vatten, andningen av luft och värmen av eld. Huvudet är runt som himlasfären. Där lyser ögonparet som två lysande himlakroppar. Det pryds av sju öppningar, precis som de sju harmonierna pryder himlen. Bröstet, där andningen och hostan vistas, liknar luften, där vindarna och åskan sätts i rörelse. Magen samlar vätskorna, precis som havet mottar alla floder. Fötterna bär upp hela kroppstyngden, som jorden bär upp allt. Synen har hon fått från himmelselden, hörseln från luftens övre rymder, lukten från dess lägre, smaken från vattnet och känseln från jorden. Genom benstommen har hon del i stenarnas hårdhet. Gräsets skönhet finns i håret. Känseln har hon gemensam med djuren. Detta är den kroppsliga substansen."

Om Birgittas beroende av *Elucidarium*: Klockars 1966, 219 ff.

[87] M. Gatzemeier, "Makrokosmos/Mikrokosmos" i *HWPh*5, 641. Thomas av Aquino fattar uttrycket som en metafor; jfr Piltz 1991, 131.

[88] Uttrycket *naturam (humanam) sublimare* finns hos bl.a. Anselm (*De casu diaboli*, 7,: *cur ... Deus talem fecerit illam naturam, quam tanta excellentia sublimaverat*) och Gottfrid av Admont (*Homilia* 49, PL 174,871).

Bibliografi

AH=
Analecta hymnica medii ævi, edd. G. Dreves & C. Blume. 1-55. Leipzig 1886-1922.

Albertus Magnus=
Albertus Magnus. Opera omnia, ed. A. Borguet. Paris 1890-99.

Amann 1910=
E. Amann, *Le Protévangile de Jacques et ses remaniements latins*. Paris 1910.

Anselm De casu diaboli=
Anselm von Canterbury. *De libertate arbitrii et alii tractatus. Freiheitsschriften lateinisch-deutsch. Fontes Christiani* 13. Freiburg ... 1994.

A & P=
Acta et processus canonizationis beate Birgitte, utg. av I. Collijn (Samlingar

utgivna av Svenska Fornskrift-Sällskapet. Ser. 2. Latinska skrifter. bd. I). Uppsala 1924-31.

Asztalos 1991=
Monika Asztalos, *Petrus de Dacia om Christina från Stommeln. En kärleks historia.* Stockholm 1991.

Bernhard av Clairvaux=
Sancti Bernardi Opera (ed. J. Leclercq ...), I-VIII. Editiones Cistercienses, Romæ 1957-77.

Beskow 1994=
P. Beskow, ”Runor och liturgi”: P. Beskow & R. Staats, *Nordens kristnande i europeiskt perspektiv*. Skara 1994.

BL=
Breviarium Lincopense, utg. av K. Peters (Laurentius Petri Sällskapets Urkundsserie V:1). I-II. Lund 1950, 1954.

Bonaventura=
S. Bonaventuræ Commentaria in quatuor libros Sententiarum (*Opera omnia* I-IV). Ad Claras Aquas 1882-89.

Brynolf Algotsson=
Brynolf Algotsson — scenen, rollen, mannen. (red. K-E- Tysk). Skara 1995.

Boken om Ansgar=
Boken om Ansgar. Rimbert: Ansgars liv, övers. av Eva Odelman med kommentarer av A. Ekenberg ... Stockholm 1986.

Bonnefoy 1960=
J.-F. Bonnefoy, *Le ven. Jean Duns Scot docteur de l'Immaculée-Conception. Son milieu, sa doctrine, son influence.* Rom 1960.

CS (Cantus sororum)=
The Bridgettine Breviary of Syon Abbey, ed. A.J. Collins (Henry Bradshaw Society, 96). Worchester 1969.

Capelle 1946=
D.B. Capelle, ”Les épîtres sapientiales des fêtes de la Vierge”: *Questions liturgiques et paroissales* 27 (1946).

Clayton 1990=
M. Clayton, *The Cult of the Virgin Mary in Anglo-Saxon England.* Cambridge ... 1990.

Cogitis me=
A. Ripberger, *Der Pseudo-Hieronymus-Brief IX ”Cogitis me”. Ein erster marianischer Traktat des Mittelalters von Paschasius Radbertus* (Spicilegium Friburgense, 9). Freiburg/Schweiz 1962.

ThC =
Dictionnaire de théologie catholique. Paris 1930-.

CCL=
Corpus Christianorum, series Latina. Turnholti 1953-.

CCLCM=
Corpus Christianorum, series Latina. Continuatio mediævalis. Turnholti 1971-.

Conciliorum œcumenicorum decreta, curantibus J. Alberigo ... Bologna 1973.

Gy 1972 =
P.M. Gy, "L'Office des Brigittines dans le contexte général de la liturgie médiévale": *Nordiskt kollokvium II i latinsk liturgiforskning 12-13 maj 1972 Hässelby slott* (stencilerad rapport, Institutionen för klassiska språk, Stockholms universitet 1972).

HC=
Magistri Mathiae canonici Lincopensis opus sub nomine Homo conditus vulgatum, ed. A. Piltz (SFSS, II. Latinska skrifter, bd. IX:1). Stockholm 1984.

Hollman 1956=
Den heliga Birgittas Reuelaciones extrauagantes, utg. av L. Hollman (Samlingar utgivna av Svenska Fornskriftsällskapet, andra serien, latinska skrifter, bd. V) Uppsala 1956.

HWPh=
Historisches Wörterbuch der Philosophie. Darmstadt 1971-

Johansson 1964=
H. Johansson, *Ritus cisterciensis. Studier i de svenska cistercienseklostrens liturgi.* Lund 1964.

KLNM=
Kulturhistoriskt lexikon för nordisk medeltid. 1-22. Malmö 1956-78.

Klockars 1966=
B. Klockars, *Birgitta och böckerna. En undersökning av den heliga Birgittas källor.* (Kungl. Vitterhets Historie och Antikvitets Ädademiens Handlingar. Historiska serien. 11). Stockholm 1966.

Kolping 1961=
Texte zur Mariologie und Marienverehrung der mittelalterlichen Kirche (hrsg. v. A Kolping ...). Kleine Texte für Vorlesungen och Übungen, 181. Berlin 1961.

Laurentin 1947-51=
R. Laurentin: *Bulletin thomiste* 8 (1947-53), p. 1091, n. 1.

Laurentin 1984=
R. Laurentin, *La vergine Maria. Mariologia post-conciliare.* Roma 61984.

LCI=
Lexikon der christlichen Ikonographie. 1-8. Rom ... 1974.

Lombardus=
Petrus Lombardus, *Libri IV Sententiarum.* Ad Claras Aquas 1916.

Lundén 1971=
T. Lundén, *Nikolaus Hermansson biskop av Linköping. En litteratur- och kyrkohistorisk studie.* Lund 1971.

Lundén 1976=
T. Lundén, *Den heliga Birgitta och den helige Petrus av Skänninge. Officium parvum beatæ Marie Virginis. Vår Frus tidegärd utgiven med inledning och översättning.* I-II. Uppsala 1976.

LThK=
Lexikon för Theologie und Kirche. Freiburg/Br. 1957-68.

Marienlexikon=
Marienlexikon. Hrsg. v. R. Bäumer ... Regensburg 1988-.

Meersemann =
G.G. Meersemann, *Der Hymnos Akathistos im Abendland.* I-II. Freiburg/ Schweiz. 1958-60.

Moberg 1974=
C.-A. Moberg, *Die liturgischen Hymnen in Schweden.* I.1974.

Nilsson 1990=
Ann-Marie Nilsson, "En studie i *Cantus sororum*: hymnerna och deras melodier": *I Heliga Birgittas trakter. Nitton uppsatser om medeltida samhälle och kultur i Östergötland "västanstång".* Uppsala 1990.

Ohly 1977=
F. Ohly, "Tau und Perle. Ein Vortrag": *Schriften zur mittelalterlichen Bedeutungsforschung.* S. 274-292. Darmstadt 1977.

Piltz 1986=
"Magister Mathias of Sweden in his Theological Context. A preliminary Survey": *The Editing of Theological and Philosophical Texts from the Middle Ages* (ed. M. Asztalos), Stockholm 1986.

Piltz 1991=
A. Piltz, *Mellan ängel och best*, Stockholm 1991.

Piltz 1993=
A. Piltz, "Inspiration, vision, profetia. Birgitta och teorierna om uppenbarelsen": *Heliga Birgitta — budskapet och förebilden. Föredrag vid jubileumssymposiet i Vadstena 3-7 oktober 1991.* (Kungl. Vitterhets Historie och Antikvitets Akademien. Konferenser 28.) Stockholm 1993.

PL=
Patrologia Latina. ed. J.P. Migne. 1-217. Paris 1878-90.

Roschini 1950=
G. Roschini, *La mariologia di San Tommaso.* Roma 1950.

SA=
Sancta Birgitta. Opera minora II. Sermo Angelicus, ed. S. Eklund. Uppsala 1972.

Schück 1893=
Henrik Schück, *Rosa rorans. Ett Birgittaofficium af Nicolaus Hermanni. Meddelanden från det litteraturhistoriska seminariet i Lund.* Lund 1893.

Servatius 1990 a=
Viveca Servatius, *Cantus sororum. Musik- und liturgiegeschichtliche Studien zu den Antiphonen des birgittinischen Eigenrepertoires. Nebst 91 Transkriptionen* (Acta universitatis Upsaliensis. Studia musicologica Upsaliensia. Nova series 12). Uppsala 1990.

Servatius 1990 b=
Viveca Servatius, "Magister Petrus från Skänninge som 'diktare' och 'tonsättare' till Cantus sororum": *I Heliga Birgittas trakter. Nitton uppsatser om medeltida samhälle och kultur i Östergötland "västanstång".* Uppsala 1990.

SFSS=
Samlingar utgivna av Svenska Fornskrift-Sällskapet.

Speculum virginum=
Speculum virginum. Ed. J. Seyfarth (CCL, Continuatio Medievalis V). Turnholti 1990.

VCS=
Vita Christine Stumebelensis [av Petrus de Dacia] Ed. J. Paulsson, Göteborg 1896 (anastatisk reproduktion, Verlag Peter Lang, Frankfurt a.M... 1985).

Vägen till Jerusalem=
Magister Mathias. Vägen till Jerusalem. Valda texter ur Homo conditus. Inl., övers. och komm. A. Piltz. Uppsala 1986.

Tore Nyberg

'Maria och apostlarna' i Birgittas regel och uppenbarelser.

Följande rader ägnas ett birgittinskt tema, nämligen det sätt på vilket Maria, Guds Moder, förbinds med gruppen av Jesu tolv eller tretton lärjungar, apostlarna, i Birgittas regel och uppenbarelser. Temat uppfattas här inte teologiskt, utan som ett element i fromhetshistorien. Några korta passager i ordensregeln antyder, att förbindelsen mellan Maria och apostlarna varit ett kärt meditationstema för Birgitta. För att komma ifråga som ingång till Birgittas meditation om detta ämne, skall här endast de textpassager behandlas, där förbindelsen mellan Maria och apostlarna redan framträder i texten eller ordensföreskriften. En jämförelse mellan eller sidolöpande behandling av uppenbarelser om enbart Maria och om enbart apostlarna eller någon av dem faller utanför ramen av denna presentation.

Jag vill inleda med relevanta passager ur själva ordensregeln.

Som sista textstycke före dubbelkapitlet 10-11 i den ursprungliga versionen av Salvatorregeln (kap. 9 i den approberade versionen) - ritualet för en birgittanunnas löftesavläggelse och liturgiska invigning i klostret - finner vi, efter regler om klädsel, bön och måltider m.m., ett kapitel om fastan för ordens medlemmar i fyra avsnitt:

1. De skall fasta på årets allmänna fastetider: advent fram till juldagen; fredag före fastlagssöndagen fram till påsk[dagen]; fredag efter Kristi Himmelsfärd fram till pingst[dagen]; från korsmässodagen [14 september] fram till S:t Mikaels fest [29 september]; från Alla Helgons dag [1 november] fram till advent. Advent och den stora fastan iakttas "på [normal] fastemat", *in cibis quadragesimalibus*, de tre övriga fastetiderna "på fisk och mjölkprodukter", *in piscibus et lacticiniis*, alltså vegetarisk kost som får förstärkas med fisk och animaliskt fett.[1]
2. Ett antal dagar under året skall de fasta "på vatten och bröd", *in pane et aqua*.[2]
3. De olika veckodagarna kräver olika kosthåll: de får äta kött till förmiddagens huvudmåltid söndag, måndag, tisdag och torsdag, men till kvällsmaten dessa dagar endast vegetarisk kost med fisk och mjölkprodukter; ingen kötträtt i onsdagens bägge måltider; kosten på fredagen är som i fastetiden; lördag vegetarisk förstärkt med fisk och mjölkprodukter.[3]
4. De skall fasta på alla övriga kyrkligt föreskrivna fastedagar. Här torde åsyftas kvatemberfastedagarna, dvs. onsdag, fredag och lördag i början av de fyra kyrkliga årstiderna: tredje veckan i advent, första veckan i fastan, pingstveckan, samt tredje veckan i september.

Genom kopplingen mellan kalenderdatum och rörliga veckodagar kommer dessa fyra system för fasta ofta att bryta in i varandra. Prioriteten ligger i den strängaste gruppen, grupp 2, fastedagar "på vatten och bröd", som ibland måste infalla i någon av de allmänna fastetiderna under punkt 1 och 4, ibland på veckodagar, som annars skulle ha full kost. S.k. vigiliefasta på dagen före en större fest är känd sedan tidig medeltid.[4] Att lägga in en enstaka dag utan annan föda än bröd och utan annan dryck än vatten har en renande funktion för kroppen och kan vara en viktig hjälp till inre samling. För förståelsen av birgittinernas särart är det viktigt att känna till, inför vilka dagar, Birgitta önskar att de skall lägga in sådana fasteövningar. Det borde kunna ge upplysning om en viss prioritering.

Salvatorregeln ålägger ordensmedlemmarna vigiliefasta före följande fester: Jungfru Marias fyra stora minnesdagar: Kyndelsmässa [2 februari], Bebådelse [25 mars], Upptagelse i himmelen [15 augusti], Födelse [8 september] - alltså 1.2., 24.3., 14.8., 7.9.; alla apostladagar som står i kyrkans allmänna kalendarium, dock endast en fastedag för varje minnesdag, även de gånger när två apostlar firas på en dag; aposteln och evangelisten S:t Johannes' "vid Latinska Porten" (*ante Portam Latinam*), en särskild minnesdag den 6 maj; S:t Johannes Döparen den 24 juni; S:t Mikael den 29 september; Alla Helgons dag den 1 november; Kristi Lekamens dag torsdagen efter Trefaldighetssöndagen; slutligen själva Långfredagen.

Som visats på annan plats, framkommer ur önskan om förberedelse till de tretton apostlarnas dagar enligt Salvatorregeln tio vigiliefastedagar på vatten och bröd.[5] Sammanlagt fastar ordensmedlemmarna därmed nitton dagar under året på vatten och bröd. Huvudparten av dagarna, fjorton, utgör förberedelse till Marias och apostlarnas dagar. Utom dessa, och utom att Långfredagen och dagen före Kristi Lekamens fest markerades med samma stränga fasta, föreskriver regeln förfasta för en ärkeängelsdag, en dag ägnad minnet av en av profeterna, och en för alla helgon som inte var apostlar. När man erinrar sig den uppenbarelse, som säger, att ett altare invigt till ärkeängeln Mikael skall finnas på klosterkyrkans inre sydvägg och ett invigt till Johannes Döparen på dess inre nordvägg,[6] kan man bättre inordna fastan på vatten och bröd före dessa två fester i deras sammanhang. Den hierarkiska serien går från änglar till profeter för att sluta i en samlad förfastedag för alla resterande kategorier av helgon.

Den nära förbindelsen mellan Maria och apostlarna framträder tack vare fastebestämmelserna som högt prioriterad i birgittinorden. Det motsvaras fullt ut av den bekanta passagen i Salvatorregelns avsnitt om de tretton prästerna. I textens kap. 12 resp. 10 införs *clerici* i det som fram till och med invigningsritualet endast varit en nunneregel.[7] Prästerna betecknar de tretton apostlarna inklusive Paulus, medan fyra diakoner, åtta lekbröder och sextio systrar betecknar de 72 lärjungarna [enligt Lukas 10:1], säger regeln här.[8] Därefter ges i kap. 14 resp. 12 åt abbedissan Jungfru Marias symboliska roll för hela ordensgemenskapen.[9]

Därmed ingår den människa, som njuter den högsta värdigheten av alla människor näst efter Gud själv, nämligen Maria, Barmhärtighetens Moder, i den större församling som Birgitta åsyftar under beteckningen "de 72 lärjungarna". När man betänker, att Mikaels och Johannes Döparens altaren skulle stå innanför klausuren, har de rimligtvis tänkts användas av de fyra diakonerna, som ju tillhörde de 72, men kunde få mottaga prästvigning om de så önskade.[10] Att sträva efter helighet var det självklara målet för "de 72". Med Marias fyra minnesdagar samt de tre för Mikael, Johannes Döparen och Alla Helgon skall alltså ordensmedlemmarna genom fasta på vatten och bröd framhäva sju minnesdagar som direkt har med "de 72" att göra. Häremot står de tio fastedagarna på vatten och bröd om året som förberedelse till samtliga tretton apostlars minnesdagar. Man kan rimligtvis se detta som en spegling av regelns hållning till de två grupperna "lärjungar–apostlar". Med prioritet för "apostlarna" blir "lärjungarna" närmast till "kretsen omkring Maria" eller kanske rentav ”Maria och hennes hushåll”, den grupp av kvinnor och män som alltid är samlade omkring Maria/klostrets abbedissa, i motsats till ”apostlarna”, som är utsända till att predika.[11]

Nu är en av Marias traditionella titlar ”apostlarnas drottning”, *Regina Apostolorum*. Titeln ingår i den s.k. Lauretanska litanians serie av anrop till Maria som änglarnas, patriarkernas, profeternas, apostlarnas, martyrernas, bekännarnas, jungfrurnas och alla helgons drottning.[12] Marias värdighet som drottning över olika grupper eller klasser inom Guds folk är ett viktigt element i ”Ängelns tal”, *Sermo angelicus*, kap. 19, som är första läsningen i nunnornas morgongudstjänst på lördagen. Denna veckodags liturgiska tema är Marias värdighet som den i himmelen upptagna och tronande drottningen.[13] ”Hon var nämligen apostlarnas mästarinna, martyrernas styrkarinna, bekännarnas lärarinna, jungfrurnas klaraste spegel, änkornas tröstarinna, den nyttigaste förmanarinna för dem, som levde i äktenskap, och den bästa hjälparinna för alla, som bekände den katolska tron”, heter det i Lundéns översättning.[14]

De latinska uttrycken för Marias roll: *magistra, confortatrix, doctrix, clarissimum speculum, consolatrix, monitrix, roboratrix* för resp. kategori, betecknar alltså läromästarinnan, hon som ger styrka, vägleder till vishet, återspeglar Guds väsen, tröstar, förmanar och styrker. Här inleds raden med *magistra apostolorum* för att en direkt anknytning till den föregående betraktelsen över Jesu uppståndelse med Maria och Maria Magdalena och Jesu himmelsfärd skall uppnås (Maria som änglarnas, patriarkernas och profeternas drottning sparas till nästa läsning, kap. 20): ”Men när hennes välsignade Son uppstigit till sitt ärofulla rike, tilläts Jungfru Maria att stanna kvar i denna världen till de godas styrkande och de vilsefarandes tillrättavisning.” Texten förklarar efter uppräkningen: ”När apostlarna kommo till henne, yppade hon för dem allt, som de icke fullständigt kände till om hennes Son och förklarade det förnuftigt för dem.”[15]

Tanken att Maria efter Jesu himmelsfart och pingstundret varit en mittpunkt i apostlarnas krets och i många år fortsatt att tolka Jesu ord för dem, dyker upp redan i fornkyrkan och återkommer som motiv i devotionslitteraturen om Maria.[16] I konsten och i den östkyrkliga liturgin har samhörigheten mellan Maria och apostlarna bl.a. tagit sig uttryck i föreställningen om hur dessa stod samlade omkring Marias dödsbädd (hennes *dormitio*, ”insomnande”),[17] vilket suggererar att de under alla sina missionsresor, så länge Maria levde, regelbundet återvänt till hennes och Johannes' hus eller åtminstone hållit kontakten dit, så att de kunde samlas där vid hennes död. När man erinrar sig Birgittas stora hängivenhet för Johannes, som ansågs vara både älsklingslärjungen och evangelisten i samma person, så är det förståeligt att hon kunnat meditera över hur apostlakretsen haft ett centrum i det hus, där Maria och Johannes levde flera årtionden efter Jesu himmelsfärd och pingsten. Den birgittinska liturgin (Ängelns tal) ser alltså Maria som hjärtpunkten både för apostlarna - "de 13" - och för troende av alla övriga kategorier: martyrer, bekännare, jungfrur, änkor - "de 72".

Sermo Angelicus skildrar i kap. 20, andra läsningen i lördagens morgongudstjänst, hur apostlarna är samlade omkring Maria vid hennes död: "Därför var det tillbörligt, att när det behagade hennes Son att kalla henne från denna världen, så voro alla de, som genom henne fått sin vilja förverkligad, beredda att föröka hennes heder."[18] Meditationen kretsar därefter kring Maria som drottning i himmelen omgiven av änglar, patriarker och profeter och tar till sist upp ingressens tema: "Apostlarna och alla de gudsvänner, som deltagit i denna jungfrus jordfästning, när hennes högt älskade Son förde med sig hennes ärorika själ till himmelen, de hyllade henne med ödmjuk tjänst, och de upphöjde hennes vördnadsvärda kropp med all tänkbar hyllning och ära." I den följande meningen, som avslutar läsningen, ger texten uttryck för tron på Marias kroppsliga upptagning i himmelen.[19] Det är tydligt, att Birgitta visionärt ser å ena sidan apostlarna, men å andra sidan också en vidare krets av "gudsvänner" samlade omkring Marias dödsläger.

Tre uppenbarelsetexter ur sjätte boken, kap. 57, 60 och 61, där Maria talar, belyser detta sammanhang. I VI,57 uppräknar Maria sex slags smärtor och lidanden, hon genomgått under sitt jordeliv. De fyra första handlar om hennes smärta vid åsynen av sin Son som litet barn - med tanke på hans kommande lidande - , när hon hörde sin Son förtalas och baktalas, när hon såg honom plågas och hängas upp på korset, och när hon kände beröringen med hans döda kropp när den togs ned från korset. De två sista smärtoupplevelser, Maria här omtalar, är av psykisk art: dels smärtan vid hennes våldsamma längtan att få följa sin Son till himmelen efter himmelsfärden, "ty den långa väntan, som jag hade i världen efter hans himmelsfärd, bara ökade min smärta",[20] dels lidandet med apostlarna och gudsvännerna i deras förföljelse, *ex tribulatione apostolorum et amicorum Dei*, eller som Lundén översätter: "För det sjätte led jag smärta av apostlarnas och Guds vänners förföljelser, ty deras smärta var min smärta; jag hyste städse sorg och fruktan för att de skulle kunna duka under för frestelser och lidanden, och jag sörjde, emedan min Sons ord överallt rönte motsägelse."[21] Bilden av Maria som apostlarnas och andra gudsvänners (martyrers, bekännares, jungfrurs, änkors) drottning, flyter här ihop med gestalten av Modern, som med oro under många år följer sina barn i en ond värld och håller sig underrättad om deras väl och ve.

VI,60 och VI,61 tar sin utgångspunkt i det faktum att kyrkofadern Hieronymus inte trodde på Marias kroppsliga upptagelse i himmelen. Detta oroade Birgitta, som i VI,59 fick Marias eget ord för att Gud på den tid, då kyrkofadern levde, ännu inte hade uppenbarat denna sanning i full klarhet och att Hieronymus därför kunde ursäktas. Detta var dock inte tillräckligt, utan Birgitta mottog ännu ett ord av Maria i anledning av Hieronymus' otro. Här beskriver Maria mera utförligt sin existens efter himmelsfärden och pingsten: "Efter min Sons himmelsfärd levde jag en lång tid i världen, och detta ville Gud, på det att många själar, sedan de sett mitt tålamod och mina dygder, måtte omvända sig till honom, och Guds apostlar och andra utvalda styrkas. Och jämväl min kropps naturliga disposition krävde, att jag skulle leva länge, på det att min krona måtte ökas. Ty hela den tid, som jag levde efter min Sons himmelsfärd, besökte jag de platser, där han lidit och visat sina undergärningar. Hans pina var så rotfäst i mitt hjärta, att vare sig jag åt eller arbetade, var den liksom frisk i mitt minne. ..." Texten skildrar flera sidor av Marias känslor och upplevelse och mynnar ut i konstaterandet, att hennes egen upptagelse i himmelen inte kunde vara uppenbarad från början, ty först måste människorna lära sig tro på Jesu himmelsfärd.[22] Apostlarna, här kallade "Guds apostlar", *apostoli Dei*, hade tidigare i texten satts i par med "gudsvännerna", *amici Dei*. Nu kallas den grupp, de står i par med, "andra utvalda", *alii electi*.

Regeln och uppenbarelserna delar alltså traditionens syn på att Maria levat med i apostlakretsens och den vidare troende kretsens sorger och glädjeämnen. Maria är en moder för urkyrkans menighet ("de 72"), en krets i vilken hon själv ingår. Hennes titel "apostlarnas drottning" torde bland annat stå i förbindelse med föreställningen om hennes roll för apostlarna under den resterande delen av hennes liv. Därmed har vi emellertid inte uttömt beröringspunkterna mellan Maria och apostlarna i Birgittas Uppenbarelser.

Redan bland kyrkofäderna finns en typologisk parallellism utarbetad mellan Maria och kyrkan - grunden till den gren av den katolska dogmatiken, som går under namnet mariologi. En utgångspunkt bildar utredningar som t.ex. den, Paulus genomför i Gal. 4:21-5:1, med den typologiska tolkningen av Abrahams två söner Ismael med Hagar och Isaac med Sara och de två Jerusalem: "det som lever i träldom med sina barn. Men det finns ett himmelskt Jerusalem, som är fritt, och det är vår moder". Genom att citera Jes. 54:1 kopplar Paulus ihop det himmelska Jerusalem med det andliga moderskapets mysterium, vilket blir ett tema inom mariologin: "Jubla, du ofruktsamma, du som icke har fött barn; brist ut i jubel och ropa av fröjd, du som icke har blivit moder. Ty den ensamma skall hava många barn, flera än den som har man, säger Herren." Maria som jungfrulig Moder till Jesus den Smorde, uppenbarelsen av Guds barmhärtighet i tiden, förebildar Kyrkan som jungfrulig Moder, Guds barmhärtighet förverkligad i människornas värld. Liksom Jesus föds av Jungfruns sköte, föds människan på nytt i dopet, Kyrkans jungfruliga sköte.[23]

En annan utgångspunkt är de många avgörande drag, som mariologin hämtat ur Johannes' Uppenbarelse. Man kan tänka på det mäktiga bildspråket om kvinnan och draken i Upp. 12: "Så födde hon sitt barn, en gosse som skulle bli en herde för alla folk och styra dem med järnspira... Men när draken såg att han var nedstörtad till jorden, började han förfölja kvinnan som fött gossebarnet. Då gavs åt kvinnan den stora örnens vingar, så att hon kunde flyga ut i öknen... Men ormen spydde ut en flod av vatten ur sitt gap efter kvinnan för att dränka henne. Då kom jorden kvinnan till hjälp. Den öppnade sin mun och sög upp floden... Och draken rasade mot kvinnan och gick bort för att föra krig mot återstoden av hennes barn, mot dem som håller Guds bud och äger vittnesbördet om Jesus."[24] Den glidande övergången mellan kvinnan, barnet och församlingen som "äger vittnesbördet om Jesus" har fört den kristna teologin in på de banor som bl.a. lett till utvecklingen av en lära om Maria som "typ" för Kyrkan.[25] Denna traditionsström har också Birgitta varit inne i, väl inte minst i kraft av den handledning hon mottagit av Magister Matthias, författaren till en berömd kommentar till Uppenbarelseboken.

Ytterligare ett par ställen i Uppenbarelserna, där Maria förekommer tillsammans med apostlarna eller några av dem, kan tolkas utifrån dessa tankegångar. Man kan anföra Rev. III,10, där Maria talar om sig själv och om Kyrkan: "Jag är den Jungfru, i vars moderliv Guds Son värdigades taga plats... Jag stod sedan vid hans kors... Jag var även med på berget, när samme Guds Son, som ock är min son, uppfor till himmelen. Jag känner alldeles klart hela den katolska tron, som han förkunnade och lärde för alla dem, som vilja ingå i himmelriket. Jag står nu ovan världen med min enträgna bön, såsom regnbågen över himmelens skyar synes sänka sig ned till jorden och nå den med sina båda ändar. Med regnbågen menar jag mig själv. Ty jag sänker mig ned till jordens invånare och berör både de goda och de onda med min bön. Jag böjer mig till de goda, på det att de må bliva stadiga i att göra det som den heliga Kyrkan bjuder, och till de onda, på det att de icke måtte fortsätta med sin ondska och bliva än sämre... Om någon alltså vill arbeta på att Kyrkans grundval blir stadig och önskar återställa den välsignade vingård, som Gud själv grundlagt med sitt blod, men tycker sig vara oförmögen till detta värv, så vill jag, himmelens drottning, komma honom till hjälp med alla änglaskaror ...".[26] En nästan fullständig identitet råder här mellan Modern Maria, hon som liknar sig vid regnbågen och som "känner hela den katolska tron", och Modern Kyrkan.

Sådana ställen kan ses i parallell med t.ex. Rev. IV,76, där Modern undervisar Birgitta om vem de verkliga gudsvännerna är.[27] Efter att ha visat på vilka egenskaper man skall känna igen gudsvännerna bland allmogen, i adeln och bland de styrande, övergår Maria till hur man skall igenkänna gudsvännerna bland prästerna: "Vad äro prästerna om icke Guds fattiga och allmosemän? De skulle leva av Guds offer och vara desto ödmjukare och nitiskare i Guds tjänst, ju mer de skilt sig från världsliga omsorger. Kyrkan steg först upp ur sitt trångmål och sin fattigdom på det att Gud skulle vara prästernas arv och de icke skulle äras i världen eller i köttet utan i Gud. Min dotter, skulle icke Gud ha kunnat utvälja konungar och hertigar till apostlar, så att Kyrkan på det sättet blivit rik genom jordiskt arv? Jo, det skulle han ha kunnat, men den rike Guden kom fattig till världen för att med sitt exempel visa hur förgängligt det jordiska är, på det att människan skulle taga lärdom därav och icke blygas för fattigdomen utan skynda hän till de sanna, de himmelska rikedomarna. Därför började han också Kyrkans härliga inrättning med en fattig fiskare och satte denne på sin plats, för att han i världen skulle leva av Herrens lott och ej av arv...". Resten av texten handlar om Petrus, som "kastade av sig rikedomens börda, på det att han lättare skulle kunna ingå i himlen och såsom fårens herde giva fåren det ödmjukhetens exempel, att andlig eller lekamlig ödmjukhet och fattigdom inträtt i himmelen. ... Emellertid ville Gud visa, att Petri och andra helgons fattigdom icke var tvingad utan frivillig, och därför ingav han många att hjälpa dem med gåvor... Vet alltså, att de, som nöja sig med Guds anordning, äro Guds vänner... Min Son omvände ju icke, medan han levde i köttet, hela Judalandet på en gång, och icke heller omvände apostlarna alla hednaländerna på en gång - längre tider fordras för att fullkomna Guds verk."[28] Att det är Maria, som definierar alla stånds och socialgruppers väg till att bli Guds vänner, inklusive apostlarnas överhuvud Petrus (härunder naturligtvis implicit Petri efterföljare, påvarna), markerar hennes position som Kyrkans röst i Birgittas trosvärld och är förståeligt bara sett mot bakgrunden av den typologiska parallellismen mellan Maria och Kyrkan, så som den systematiserats inom mariologin.[29]

Det är karakteristiskt, att apostlarna kännetecknas av fattigdom, avståndstagande från att vilja disponera över materiella ägodelar. Också i detta hänseende framträder "Maria och apostlarna" som modell och förebild för hela Kyrkan. Det månghundraåriga kravet om att Kyrkan och påvestolen skulle vara "fattiga", dvs. avhända sig dispositionen över onödiga materiella resurser, utgår hos Birgitta troligen ganska direkt från inspirationen från Franciscus.[30] Traditionellt har man närmat sig en aspekt av Kyrkans väsen genom att betona Kyrkans apostoliska grundvalar, dvs. att läran är fast grundad i den obrutna traditionen från de tolv apostlarna, kyrkans stöttepelare, som ju kommit att stå i typologisk parallellism till Israels tolv stammar. Enligt den citerade birgittatexten är det dock i apostlarnas fattigdom, som Guds barmhärtighet tar sig uttryck, under det att samma barmhärtighet framträder i modern Maria-

Kyrkan som garant för den katolska trons renhet genom den undervisning, hon meddelar apostlarna de många åren efter Jesu himmelsfärd och pingst.

Modern är alltså "läromästarinnnan", apostlarna är förkunnarna utsända som fåren bland vargarna, utsatta för förföljelser och frestelser. Men bägges uppdrag har sin grundval i Andens sändning. En för temat "Maria och apostlarna" central text är Rev. VI,36, om villkoren för mottagandet av Anden.[31] Ur den kristna spiritualitetens traditionsström hämtar denna text några väsentliga utsagor, som ger nerven åt föreställningen om Maria efter himmelsfärd och pingst som mittpunkt för apostlar och lärjungar. "Jag, som talar med dig, är densamme som denna dag sände min Helige Ande till mina apostlar", inleds enligt Lundén texten, som förklarar innebörden i varför det sägs (i Apg. 2:2-3) att Anden kom som en "ström", som en "eld" och "i tungors skepnad" *in apostolos et discipulos meos*, alltså ordagrannt "till mina apostlar och lärjungar" - samma indelning som i regelvisionen. Kyskhet, ödmjukhet och gudslängtan var de tre egenskaper, som utmärkte de församlade på pingstdagen, säger texten, och dessa tre egenskaper var som tre tomma kärl; att de var tomma, var en förutsättning för att Anden skulle kunna komma och fylla dem. "Emedan dessa käril voro tomma på grund av gudlig åstundan, var det tillbörligt att den Helige Ande kom till dem. Han kan nämligen ej ingå till dem som äro fyllda." Texten fortsätter med att skildra hur "fyllda kärl" betyder "fulla av all synd och orenlighet": "Sålunda äro de onda fulla av världslig äregirighet och vinningslystnad, vilket i min och mina helgons åsyn stinker värre än människoträck ... Den som är uppfylld på detta sätt, han kan ej fyllas av den Helige Andes nåd." Det är en lära genom alla tider, att gudomlig nåd förutsätter tomhet, plats och rum för att det som gives skall kunna tas emot, medan begär efter ära och egendom fyller platsen och hindrar nådens inträde. Att denna undervisning kom Birgitta till del just en pingstdag, när hon mediterade över hur "de alla samlats till gudstjänst" - enligt traditionell uppfattning var hon ju övertygad om att Maria och kvinnorna var med vid detta tillfälle, vilket klart utsägs i formuleringen *in apostolos et discipulos meos* - , har starkt värde som utsaga om Birgittas syn på Maria och apostlarna. Just uttrycket "apostlar och lärjungar" betecknade i hennes visionära värld apostlarnas och Marias (den främsta bland "lärjungarna") gemensamma trosvärld och nådeerfarenhet. De båda grupperna mottar Anden samtidigt. I kraft av Andens ankomst som en "ström", som en "eld" och "i tungors skepnad" mottar bägge grupperna sitt uppdrag och sin sändning. Men medan "apostlarnas" kallelse är expansiv, centrifugal, och syftar till att sprida Guds Ord i hela världen, är "lärjungarnas" kallelse introvert och centripetal med gravitationscentrum i klostret, *monasterium*,[32] vars nunnekonvent med tillhörande manligt stöd i de fyra diakonerna och de åtta lekbröderna är som ett ankare för apostlakretsen, som annars vore hotad av undergång i förföljelser och frestelser.

I Rev. VI,36 formulerar Kristus som universell inbjudan till människan att, liksom Maria och apostlarna tillsammans på pingstdagen, framträda som ett tomt kärl för att kunna mottaga nåden. Men eftersom Maria i hela den kristna traditionen liksom i Birgittas Uppenbarelser ofta framställs som det främsta exemplet på ett ”tomt kärl”, kvinnan som i fullkomlig renhet och hängivenhet tar emot Guds vilja och inte ställer någonting i vägen, inte prioriterar någonting högre än fullkomlig hängivenhet, har vi rätt att tolka och förstå sådana texter som de här citerade som utsagor om den grundläggande, för alla kategorier gällande sanningen om allt religiöst och andligt liv, all mystisk erfarenhet: endast den som kan göra sig fri från allt eget, kan bli uppsökt och uppfylld av Gud, vilkens väsen det är att uppfylla hela universum med sin barmhärtighet och kärlek.

Zusammenfassung:

'Maria und die Apostel' in Birgittas Regel und Offenbarungen

An Hand einer Untersuchung derjenigen Birgittatexte, in denen Maria zusammen mit den 12 oder 13 Aposteln erwähnt wird, werden Spuren der Meditation Birgittas über das Leben Mariens mit den Aposteln nach Pfingsten aufgedeckt. Die Ordensregel (*Regula Salvatoris*), die das Fasten bei Wasser und Brot am Vortag von 4 der jährlichen Feste Mariens und an 10 Vortagen zu den Festen der 13 Apostel - insgesamt also an 14 der 19 den Ordensmitgliedern auferlegten Vorfastentage bei Wasser und Brot - vorschreibt, bezeugt durch diese gleichwertige Verehrung die hohe Dignität der Verbindung 'Maria und die Apostel'. Das Birgittenkloster setzt sich aus zwei Gruppen zusammen, den Jüngern (nach Luk. 10,1 72 an der Zahl), worunter hauptsächlich die 60 Nonnen zu verstehen sind, und den Aposteln (den 13 Priestern). Aus der Regel geht deutlich hervor, daß Maria als Mutter - Sinnbild der Äbtissin, der die Gutsverwaltung obliegt - den 72 zugezählt wird. Aus der ”Engelsrede” (*Sermo Angelicus*) wird eindeutig sichtbar, daß Birgitta sich der Tradition der Lauretanischen Litanei anschließt, in der Maria als Königin mehrerer Kategorien von Heiligen apostrophiert wird, darunter auch als Königin der Apostel. Diese Würde Mariens wird damit erklärt (*SA* Kap. 19-20), daß sie nach Pfingsten allen Stärke und Zurechtweisung gegeben und den Aposteln alle Teile des katholischen Glaubens offenbart und erklärt habe, die diese noch nicht vollständig erkannt und begriffen hatten. In den Offenbarungen, Buch 6, Kap. 57 stellt sich Birgitta Mariens Schmerz und Bekümmernis über die Verfolgungen und Versuchungen der Apostel auf ihren Missionsreisen lebhaft vor, und auch Buch 6, Kap. 60 und 61 betonen die lange, geduldige Mühe Mariens durch Beispiel und durch Vermahnungen der Apostel während der Zeit von Pfingsten bis zu ihrem eigenen Heimgang. Einen starken mariologischen Klang hat Buch 3, Kap. 10, wo Maria sich mit dem Regenbogen vergleicht, der Erde und Himmel zugleich berührt, und wo dieses Bild so ausgedeutet wird, daß Maria die Guten ermuntert und die Bösen in Schach hält, damit alle guten Kräfte zur Wiederherstellung der Kirche, des Weinberges des Herrn, beitragen mögen. Auch Buch 4, Kap. 76, in dem Maria, in deutlicher Anlehnung an franziskanische Spiritualität, Birgitta über Petrus und die Armut der höchsten Kirchenleitung aufklärt, bezeugt die Ziele und Absichten, die nach Birgitta Maria und die Apostel mit einander verbinden. In Buch 6, Kap. 36 verweilt Birgitta besonders bei der Einheit, die beim Pfingstereignis zwischen den Aposteln und Maria sowie den sonstigen Frauen, Jüngern und Gottesfreunden besteht, wo besonders der Mensch als das leere Gefäß vor Augen gestellt wird, das nichts enthalten darf, was dem "Strom", dem "Feuer" und den "Zungen" des Geistes Gottes ein Hindernis sein könnte.

Noter:

[1] Opera Minora I: Regula Salvatoris, kap. 9 resp. 8, avsnitt 88-90a i alla tre versionerna av regeln, s. 110, 150f, 186. - Angivelsen "advent" måste betyda, att fastan börjar måndag efter första adventssöndagen, då sön- och helgdagar principiellt inte är fastedagar. På samma sätt måste man föreställa sig, att abstinenstiderna på hösten börjar 15 september resp. 2 november.

[2] ibidem, avsnitt 90b-92.

[3] ibidem, avsnitt 93-95.

[4] Jungmann 1966.

[5] Nyberg 1993.

[6] Birgitta Rev. Ex. 28, avsnitt 16-18, s. 140.

[7] Nyberg 1974/1991.

[8] Opera Minora I: Regula Salvatoris, avsn. 152-153 i alla tre regelversionerna.

[9] ibidem avsn. 167 i alla tre regelversionerna.

[10] *deinde quatuor dyaconi, qui eciam sacerdotes possunt esse, si volunt*, Opera Minora I: Regula Salvatoris, avsn. 152 i alla tre regelversionerna.

[11] En analys av Apg. 1:12-13 ger en annan gruppindelning, i det att texten inte ger något stöd för en identifikation av kvinnorna omkring Maria med de 70 eller 72 som omtalas i Luk. 10:1, jfr. Stöger 1988.

[12] Köster 1988.

[13] Birgitta - Petrus av Skänninge I, s. LXXX-LXXXII, text och översättning II, s. 128-129.

[14] Om Birgittas lån ur liturgin när det gäller mariansk fromhet se Klockars 1966, s. 111-113.

[15] *Apostolis namque ad se venientibus omnia que de suo Filio perfecte non noverant, revelabat et rationabiliter declarabat.* Även i Opera Minora II: Sermo Angelicus, s. 130 avsn. 13.

[16] T.ex. Hophan 1952, s. 397-416. Jfr. Kopp & Gockerell 1989.

[17] Tod Mariens: Marienlexikon VI (väntas utkomma 1995).

[18] Birgitta - Petrus av Skänninge II, s. 131; Opera Minora II: Sermo Angelicus, kap. 20, s. 131 avsn. 3: *Idcirco iustum fore creditur, quod, quando suo Filio placuit ipsam ab hoc seculo euocare, vniuersi ad eius honoris augmentum parati extiterunt, qui per ipsam sue voluntatis perfeccionem habuerant.* Lundéns översättning "fått sin vilja förverkligad" återger inte exakt latinet. Här syftas troligen på "alla de, som genom henne uppnått viljans fullkomlighet" eller "en fullkomlig vilja".

[19] Diskuteras av Schmid 1940, s. 108-111.

[20] Sancta Birgitta Revelaciones Book VI, s. 199-200 avsn. 11: *quia longa mora, quam habui in mundo post ascensionem eius, dolorem meum augmentabat.*

[21] Birgitta: Himmelska Uppenbarelser III, s. 127. Latinet har *timens semper et dolens*; det första verbet, "jag fruktade", syftar på Marias oro över att apostlarna och gudsvännerna kunde ge efter för frestelser och prövningar.

[22] Birgitta: Himmelska Uppenbarelser III, s. 131. Sancta Birgitta Revelaciones book VI, s. 205f.

[23] Jfr. Rahner 1962.

[24] NT Giertz 1981.

[25] Gollinger 1988.

[26] Birgitta: Himmelska Uppenbarelser I, s. 298f.

[27] Sancta Birgitta Revelaciones Book IV, s. 237-241.

[28] Birgitta: Himmelska Uppenbarelser II, s. 141-144.

[29] Jfr. Nyberg 1960/1991.

[30] Jfr. Roelfink 1993. Om Petrus' och påvedömets fattigdom i Birgittas spiritualitet går tillbaka på en franciskansk impuls behandlas dock inte av Roelfink.

[31] Sancta Birgitta Revelaciones Book VI, s. 143-145. Den person, som framhävs som exempel i texten, identificeras i en efterföljande förklaring som cisterciensерpatern Svennung, som medföljde Ulf och Birgitta på resan till Santiago da Compostela.

[32] Jfr. Nyberg 1988, spec. s. 385f, samt Parikh 1991, s. 127f: "Enligt Frälsarens regel och stadfästelsebullan tillhörde således klostrets förvaltning enkom abbedissans bord. Hon ensam hade att fatta de beslut som var förknippade härmed, och dessa skulle hon

årligen redovisa för konfessorn och systrarna i syfte att hålla dem informerade om klostrets förhållanden." Parikh skildrar därefter träffande hur denna prioritering efterhand omstörtas.

Litteraturförteckning

Sancta Birgitta Revelaciones Book IV =
Sancta Birgitta Revelaciones Book IV, ed. Hans Aili, Stockholm 1992 (Samlingar utgivna av Svenska Fornskriftsällskapet, ser. 2: Latinska skrifter VII:4)

Sancta Birgitta Revelaciones Book VI =
Sancta Birgitta Revelaciones Book VI, ed. Birger Bergh, Stockholm 1991 (Samlingar utgivna av Svenska Fornskriftsällskapet, ser. 2: Latinska skrifter VII:6)

Opera Minora I: Regula Salvatoris =
Sancta Birgitta Opera Minora I: Regula Salvatoris, ed. Sten Eklund, Stockholm 1975 (Samlingar utgivna av Svenska Fornskriftsällskapet, ser. 2: Latinska skrifter VIII:I)

Opera Minora II: Sermo Angelicus =
Sancta Birgitta Opera Minora II: Sermo Angelicus, ed. Sten Eklund, Uppsala 1972 (Samlingar utgivna av Svenska Fornskriftsällskapet, ser. 2: Latinska skrifter VIII:2)

Birgitta Rev. Ex. =
Den heliga Birgittas Reuelaciones Extrauagantes, ed. Lennart Hollman, Uppsala 1956 (Samlingar utgivna av Svenska Fornskriftsällskapet, ser 2: Latinska skrifter V)

Birgitta: Himmelska Uppenbarelser =
Den heliga Birgitta Himmelska Uppenbarelser. Till svenska av Tryggve Lundén, I-IV, Malmö 1957-1959

Birgitta - Petrus av Skänninge =
Den heliga Birgitta och den helige Petrus av Skänninge: Officium parvum beate Marie Virginis. Vår Frus tidegärd utgiven med inledning och översättning av Tryggve Lundén, I-II, Uppsala 1976 (Acta Universitatis Upsaliensis, Studia Historico-Ecclesiastica Upsaliensia 27-28)

Gollinger 1988 =
H. Gollinger, Apokalyptische Frau: Marienlexikon I, 1988, s. 190-191.

Hophan 1952 =
Otto Hophan, Die Apostel, 2. uppl., Luzern 1952.

Jungmann 1966 =
J. A. Jungmann, Vigil: Lexikon für Theologie und Kirche, 2. uppl., 10, 1966.

Klockars 1966 =
Birgit Klockars, Birgitta och böckerna. En undersökning av den heliga Birgittas källor, Stockholm 1966 (Kungl. Vitterhets Historie och Antikvitets Akademiens Handlingar, Historiska serien 11)

Kopp & Gockerell 1989 =
C. Kopp & N. Gockerell, Dormitio BMV: Marienlexikon II, 1989, s. 223-224.

Köster 1988 =
H. M. Köster, Apostel, Königin der: Marienlexikon I, 1988, s. 204.

Marienlexikon =
Marienlexikon, edd. R. Bäumer & L. Scheffczyk, I-VI, St. Ottilien 1988-1995

NT Giertz 1981 =
Nya Testamentet översatt av Bo Giertz, 2. uppl., Göteborg 1981

Nyberg 1960/1991 =
Tore Nyberg, Birgitta och Maria: Lumen 3 (1960), s. 183-192, nytryck i densamme, Birgittinsk festgåva. Studier om Heliga Birgitta och Birgittinorden, utg. av Carl F. Hallencreutz & Alf Härdelin, Uppsala 1991 (Skrifter utgivna av Svenska Kyrkohistoriska Föreningen 46), s. 9-24

Nyberg 1974/1991 =
Tore Nyberg, Den heliga Birgitta och klostertanken: Birgitta klostergrunderskan. Verket och dess aktualitet, utg. av Eric Segelberg & Per Hansson, Kumla 1974, s. 43-60, nytryck i densamme, Birgittinsk festgåva. Studier om Heliga Birgitta och Birgittinorden, utg. av Carl F. Hallencreutz & Alf Härdelin, Uppsala 1991 (Skrifter utgivna av Svenska Kyrkohistoriska Föreningen 46), s. 69-89

Nyberg 1988 =
Tore Nyberg, Das Gesamtkloster als Rechtseinheit im Lichte der Klosteridee Birgittas: Zeitschrift der Savigny-Stiftung für Rechtsgeschichte, Kanonistische Abteilung 74 (1988), s. 357-390

Nyberg 1993 =
Tore S. Nyberg, The Thirteen Apostles in the Spiritual World of St. Bridget: Studies in St. Birgitta and the Brigittine Order 1, ed. James Hogg, Salzburg 1993 (Analecta Cartusiana 35:19 = Spiritualität heute und gestern 19), s. 192-208

Parikh 1991 =
Kristin Parikh, Kvinnoklostren på Östgötaslätten. Asketiskt ideal - politisk realitet, Lund 1991 (Bibliotheca Historico-Ecclesiastica Lundensis 26)

Rahner 1962 =
Karl Rahner, Mariologie: Lexikon für Theologie und Kirche, 2. Auflage, VII, 1962

Roelfink 1993 =
Henrik Roelfink, Andlig släktskap mellan Franciscus och Birgitta: Heliga Birgitta - budskapet och förebilden. Föredrag vid jubileumssymposiet i Vadstena 3-7 oktober 1991, utg. av Alf Härdelin & Mereth Lindgren, Stockholm 1993 (Kungl. Vitterhets Historie och Antikvitets Akademien, Konferenser 28), s. 99-122.

Schmid 1940 =
Toni Schmid, Birgitta och hennes uppenbarelser, Lund 1940.

Stöger 1988 =
A. Stöger, Apostelgeschichte: Marienlexikon I, 1988, s. 205.

Marie Louise Ramnefalk

Mariabilder hos Richard Rolle, Julian av Norwich, Margery Kempe och Birgitta

Den heliga Birgittas uppenbarelser är förstås många av Vadstenasymposiets deltagare djupt förtrogna med. Jag vill närma mig Birgittas Mariabilder från engelskt håll; när man jämför, kan även något välbekant framstå i delvis ny dager. Vissa saker blir iögonfallande.

Jag vill uppmärksamma hur Maria ter sig hos några engelska mystiker från 1300- och 1400-talen och hur dessa bär sig åt för att skildra henne. *Vad* de vill säga om Maria är ju inte något abstrakt som bara råkat få viss yttre form, utan deras uppfattning, deras sanning om henne, är något förkroppsligat, inkarnerat, i deras gestaltningssätt.

Och för att riktigt få syn på och tydligt ange det karakteristiska tänker jag tillåta en eller annan anakronistisk association.

De tre engelska mystiker jag tar upp är alla någotsånär samtida med Birgitta. 1300-talet var ju en blomstringstid för mystik i England liksom runt om i Europa. De här engelska mystikerna är individualistiska, ibland på ett rätt vildvuxet sätt, och känslomässiga. Alla tre har uttryckt sig på folkspråket (— Richard Rolle även på latin). Richard Rolle rymde för att bli eremit. Julian av Norwich blev reclusa, anakoret, en sorts invigd eremit som inte skulle lämna sin cell i detta livet. Margery Kempe reste omkring och följde däri sin egen väg tvärtemot vad hennes omgivning ansåg var lämpligt. Sanningen att säga är det något av det där egensinniga som gör att jag så gärna umgås med dem.

Richard Rolle är äldst, han föddes i slutet av 1200-talet och dog på 1340-talet, troligen i pesten. Han har Maria i en passionsmeditation.

Kristus är ju huvudperson — såvida man inte får intrycket att den som mediterar, textens "jag", är det. För när han manar fram korsfästelsescenen tar hans egna känslor stort utrymme och färgar det som sker. Men Maria är central. Hon hör till den goda sidan — Rickard Rolle tecknar gärna i svartvitt.

Andra aktörer är Johannes, också god, och "folket", som kan vara sympatiskt, och "judarna" (tydligen helt andra än "folket"), som är föraktliga skurkar. Richard Rolle tycker illa om judar, och han är ofta inte så mycket för kvinnor heller. Men Maria är förstås någon att vörda.

Den som mediterar här, rösten, jaget, försöker känna sig in i Marias situation; "Hur kom det sig att din naturliga skygghet som kvinna eller din jungfruliga blygsamhet inte höll dig tillbaka? Ty det var inte passande för dig att gå fram bland sådant slödder"... Och så svarar han själv på sina frågor: hon var inte rädd, hennes hjärta var orubbligt för att hon var utom sig av sorg över sin sons lidande, och, står det: "Er kärlek till varandra var så intensiv, och så brinnande het, era suckar kom så djupt inifrån er, att sorgen ni båda uttryckte var dödande smärta."

Richard Rolle var mycket populär i sin samtid, och lustigt nog känner man igen drag från senare populärlitteratur. Den fläckfritt oskuldsfulla kvinnan är vanlig där, i mer jordisk trivial tappning, och hon skall egentligen vara passiv, men hon försätts i farliga situationer och omges av usla fientliga skurkar som liksom tvingar henne att överträda de snäva gränserna för hur hon bör bete sig. Och just att hon hoppar över konventionernas skaklar understryker hur tvingande hennes känsla är. Hon får rätt att vara passionerad med oskulden intakt. Hos Richard Rolle är dessutom den heta känslan mellan mor och son, så det skall verkligen vara kyskt på alla vis — även om det inte låter så i somliga formuleringar.

Marias kroppsspråk liknar det i melodram. Starka känslor speglas gärna i och förstärks av att någon *ser*. Här får den korsfäste vara publik: "Ljuva Jesus, vilken sorg strömmade inte i ditt hjärta när ditt öga föll på din älskade moder! Du såg henne röra sig iväg med folkhopen som trängdes, som en kvinna som blivit fullständigt galen" — och: "I ena ögonblicket vred hon sin händer i avsmak och grät och jämrade sig, i nästa slog hon ut sina armar vidöppna och tårar flödade från hennes ögon och i kaskader till hennes fötter, sedan föll hon ihop djupt medvetslös om och om igen på grund av sin vånda och bedrövelse."

Intressant är omtagningarna. Hon föll ihop "djupt medvetslös" om och om igen!

Det likmnar stumfilm, och det understryks också att Marias sorg är outtalad. Man kan tänka sig att medeltida teater var så här i England, mysteriespel som ofta utspelades på vagnar vid olika gator och torg, som åskådarna kunde flytta sig mellan. Skeendet i meditationen är som på en scen, enkelt, uppdrivet, tydligt för att inte säga övertydligt, och gestalten Maria kan via sitt kroppsspråk och intalade känslor ses och begripas och avnjutas på långt håll. Den talande fungerar som reporter.

Maria hos Julian av Norwich är försjälsligad.

Julians märkliga visioner är från 1373 och utarbetades sedan mera på 1390-talet. Om hon var reclusa redan när hon fick dem vet vi inte och inte heller vad hon egentligen hette; Julian är ju ett mansnamn, och det fick hon efter kyrkan som hennes cell låg invid. Viktigast i synerna är Kristus på korset, de är fysiska och påtagliga, och den som skådar har utförliga samtal med den korsfäste.

Hon har bett att få se Maria som hon var kroppsligen, får vi veta, men Jesus visar andliga visioner av henne, eller visar han henne, som det står på ett ställe, "andligen i hennes kroppsliga likhet".

Och Maria har inte *stort* utrymme hos Julian. Hon skymtar i tre situationer, vid bebådelsen, sörjande vid korset, och så förhärligad. Maria med barnet finns inte med — moderlighet har stor betydelse hos Julian, men det är faktiskt Jesus hon kallar moder.

Hon får se Maria som en enkel ödmjuk jungfru, nästan själv ett barn, sådan hon var vid bebådelsen — den synen handlar om Marias gudsförhållande. Maria inser i *sin* kontemplation hur liten hon själv är som skapad varelse och hur stor Skaparen är, och förundrar sig över att han vill bli född av henne. och den som skådar förstår i sin tur hur Maria just i denna ödmjukhet är "större, mer värdig och mer fullkomnad än allting annat som Gud har skapat, / - - -/ Över henne finns inget skapat ting, utom den välsignade mänskligheten hos Kristus". — Maria är ett föredöme. Synen av Maria förmedlar insikt.

Maria kan också förtydliga. När den som skådar erfar *sin* stora kärlek till Kristus stiger strax upp en syn av Maria som en parallell, och det sägs att Marias smärta inför Kristi lidande beror av hennes stora kärlek till honom. Också Kristus pekar ut hur Maria är ett mönster, en modell: "I henne kan du se hur du är älskad."

Och i själva kärleken finns ömsesidighet och utgivande rörelse. När Jesus visar Maria hög och ädel och ärofull står det att alla som har sin glädje i honom också skall ha det i henne och i den glädje han har i henne och hon i honom.

Julians Mariabilder talar alltså först om Marias ödmjukhet (bebådelsen), därefter om sambandet mellan lidande och kärlek, där kärleken är det primära (vid korset), och så om kärlekens eget väsen (Maria förhärligad).

Maria är nästan genomskinlig hos Julian av Norwich, bara lätt antydd, men teckningen vibrerar av liv. Det åstadkoms nog genom alla turer omkring, som utvinner nya nyanser, den skådande kan bara inte tillräckligt uttrycka precis hur det var, och det ger något andlöst och oerhört åt vad hon sett. Det åstadkoms också genom de relationer Maria får ingå i: till sonen som talar om henne och omger henne med kärlek och vördnad — "vill du se henne" — och den relation som den skådande har och samtidigt alla människor har: Maria *är* alla, *och* övergår alla. — Kristus visar på Maria, och den som ser *förstår* djupa ting om tillvaron, får insikter och visdom av att se Maria.

Det är rätt fantastiskt att någon som så bara skymtar förbi några gånger i en text kan ha så mycket liv.

Margery Kempes *Bok* är från 1436. Här finns självbiografiskt stoff, men skildringen präglas nog också av olika minnesfel och hänsyn, publikförväntningar och fabuleringsglädje och berättarens vilja. Så man skall akta sig för att förväxla författaren med huvudpersonen.

Den som talar i berättelsen är rätt underfundig och berättelsen har många bottnar. Huvudpersonen, som kallas "varelsen" och alltså är en av Gud skapad varelse, en sorts allmänmänsklig Envar, är mer naiv och jordnära.

Hon var gift och hade fött fjorton barn men hon fick kallelsen att leva ett annat slags liv. Hon beger sig ut på vallfart i Europa och till Jerusalem, hon får andliga ingivelser, går klädd i vitt och gråter våldsamt och hamnar i kontroverser med präster och vanligt folk och andlig och världslig överhet.

Varelsen praktiserar samma meditationsform som Richard Rolle och lever sig in i olika bibliska händelser. Richard Rolle höll sig på betraktaravstånd, även om hans känslor färgade hela synfältet. Kempes Varelse tar större plats på så vis att hon kliver in i den bibliska historien och själv blir en av personerna. Richard Rolles mediterande "jag" utbrister en del om sin ovärdighet. Varelsen får bibliska personers intyg om hur utmärkt hon är.

Hon kan ha höga rivaler — som hon bräcker. Vid ett tillfälle när hon upplever sakramentet på ett särskilt märkligt sätt säger Kristus att detta hade han inte visat ens för Birgitta. Och människor utbrister att inför Kristi Kors grät hon mer än Maria.

Hon blir tjänstekvinna åt S:ta Anna, och när "vår Fru" föds, tar varelsen hand om henne tills hon är tolv år gammal, och meddelar henne då" "Min fru, du skall bli Guds moder." Maria och även Elisabeth får betyga att hon gör sin tjänst mycket bra. Hon är med när de tre konungarna dyker upp, och, står det, "snart efter kom en ängel och befallde vår Fru och Josef att fara från Bethlehems land till Egypten. Då gick denna varelse åstad med vår Fru och fann härbärge åt henne dag för dag med stor vördnad, med många ljuva tankar och höga meditationer, och också höga kontemplationer, och ibland fortsatte hon att gråta i två timmar och ofta längre utan uppehåll när hon betänkte vår Herres passion", och så vidare.

Så mycket till *bilder* av Maria, eller om Marias betydelse, blir det inte. Varelsen tjänar hene och styr och ställer för henne, och "vår Fru" ter sig ibland som en sådan där låtsaskompis som barn har till tröst och sällskap. Och meditationerna blir lite av dagdröm, önskedröm. Men de inger *också* mod i varelsen, och det är syner av Kristus och även Maria som gör henne fri att leva för något större än vad småskurna människor omkring henne tycker hon skall. På så vis har också Maria befriande verkan.

Om man kommer från de här engelska mystikerna till Birgittas uppenbarelser är det som att hamna i en annan värld. Plötsligt ser man likheter mellan de tre engelska Mariabildmakarna, hur olika de än verkade nyss. Hos alla tre har Mariabilderna något mjukt och antytt, något undflyende i konturerna. Samtidigt finns stor observans på den berättandes enga inre reaktioner, känslor (hos Richard Rolle), insikter (Julian av Norwich) och känslor och handlingar (Margery Kempe).

Hos Birgitta är allt konturskarpt, starkt belyst och fullt av detaljer, här finns energi och kraft. Hos de engelska mystikerna talar Maria i stort sett inte. Hos Birgitta talar hon sida upp och sida ner, hon är myndig och befallningssäker, skipar rättvisa, levererar straffpredikningar och avgör tvister.

Och Birgittas Maria är upphöjd.

En av de mest berömda uppenbarelserna är ju den i sjunde boken om Jesu födelse, den har haft betydelse för motiv inom målarkonsten och även på andra sätt för hur Maria uppfattats. Maria föder där utan smärta, och visserligen finns konkreta detaljer som vit mantel och oxen och åsnan och små barnplagg, men framför allt är där djup bön och strålglans och änglasång, och navelsträng och efterbörd beter sig upphöjt, värdigt och rent, liksom barnet självt.

Maria tycks ha kontroll över saker och ting.

Visst sägs att hon är ödmjuk, men hon är inte nästan ett barn som hus Julian, och när den heliga Agnes prisar hennes mildhet och barmhärtighet, visar sig Maria och vill komma med tillägg, och hon säger: "Det är sant, som du har sagt, att jag är mäktigare än alla andra." (III:30) — Och det finns uppenbarelser som tycks vilja säga att *all* nåd kommer genom Maria (I:50).

Hon verkar inte vara kringgärdad av sippa konventioner just för kvinnor, som hos Richard Rolle, och hon vacklar inte heller omkring utom sig och överväldigad av sina känslor. Hon säger visserligen själv att "när den första spiken fästes i honom, blev jag utom mig vid ljudet av det första slaget och föll ned såsom död, med förmörkade ögon, skälvande händer och sviktande ben, och i min smärta förmådde jag icke se upp, förrän han var helt och hållet fastspikad" — så hennes eget lidande vid Kristi pina finns med. Men hon har ändå nyss redogjort i plågsam detalj för olika moment i korsfästelsen, om hur "senor och ådror uttänjdes och brusto sönder" och precis om hur blodet flödar, av törnekronan. Maria är inte bara en figur inom skeendet utan hon omfattar det som allvetande berättare, och det är ju en maktposition.

Sedan är hon intellektuellt skärpt och bra på argumentation. Hon tvistar med djävulen om en levande kvinnas själ, i en sorts domstolsscen med Herren som domare. I ett korsförhör motar hon steg för steg in djävulen-åklagaren i ett hörn, och genom hennes skickliga försvar måste djävulen till sist praktiskt taget själv formulera frikännandet av kvinnan. Maria har som en god advokat vunnit med övertygande och riktiga argument.

Och Maria är god biktmor, hon fungerar som psykoanalytiker, själavårdare, åt Birgitta, bruden, i uppenbarelserna och får hennes att komma fram med fördolda sanningar.

Det här är handlingar och verkningar och relationer till andra. Låt oss se på ett par bilder av Maria själv.

Kristus ger ett andligt porträtt av henne och liknar henne vid en blomma i en dal — dalen har med ödmjukhet att göra — och blomman överträffar fem berg, och de och blommans tre rötter och fem blad har olika betydelser som Kristus broderar ut.

Hjalmar Sundén som har skrivit religionpsykologiskt om Birgitta gillar inte sådant där systematiserande, som "dåtidens predikanter" hade för sig, "knappt har de framställt en ypperlig bild förrän de börjar kommentera dess delar med vad man skulle vilja säga en obstinat lust att inprägla teologisk visdom. Detta förtar givetvis den konstnärliga effekten."

Jag menar att det envetna systematiserandet kan vara rätt charmfullt och att blomman nyss har något av linnéansk ordning över sig, den jordiska skapelsen är så förunerligt symmetrisk och harmonisk som hos Linné och allting går jämnt upp och är värt att prisa.

I en annan uppenbarelse skådar Birgitta himmelens drottning, med krona på huvudet, håret utslaget, gyllene kjortel och blå kappa. Johannes Döparen kommer och uttyder vilka dygder som kjorteln, kappan och så vidare egentligen representerar. Och sen kommer en höjdpunkt, bokstavligen kronan på verket, där Johannes Döparen talar om hur Sonen i moderns krona sätter sju liljor och mellan liljorna sju ädelstenar.

Ädelstenarna är "kostbara" men ingen färg nämns, liljorna är "skinande" men inte så påtagliga de heller, och genast abstraheras allting och blir ödmjukhet, gudsfrukan etcetera. Ändå blir Maria onekligen upphöjd av alla drottningattiraljerna och de emblematiska liljorna. Och finessen är på något sätt att den gyllene kjorteln, den blå kappan, kronan med ädelstenar och liljor både finns och överskrids, de sköna tingen har en ännu skönare innebörd, utstyrseln finns där men är inte sig själv nog utan genom den lyser något annat. — En sådan drottning är Maria.

Hos Birgitta har Maria alltså *många slags* egenskaper, vi får bilder från olika håll. Mariabilden får på så vis djup och dimensioner. Maria är mindre av enplanig bifigur och mer av eget andligt kraftfält.

Till sist är det ju inte bara, eller främst, vad som påstås om en person som är viktigt utan om skildringen har många facetter, visar ett engagemang som kan föras vidare från den som åstadkommit bilden. Teologin ligger inte bara i så att säga textens lära utan i dess leverne. Tro inte på vad någon säger utan på vad den gör — den visdomen handlar även om skriven text. Det som gäller är inte någon abstrakt princip, diffus avsikt eller luftigt ideal utan det inkarnerade ordet.

Citerad litteratur

Den heliga Birgitta: Himmelska uppenbarelser. Till svenska: Tryggve Lundén. Bd I-IV. 1957-59.

Julian of Norwich: Showings. Till nutidsengelska: Edmund Colledge, O.S.A., och James Walsh, S.J. 1978.

The Book of Margery Kempe. Till nutidsengelska: B.A. Windeatt. 1985.

Richard Rolle: The English Writings. Till nutidsengelska: Rosamund S. Allen. 1989.

Sundén, Hjalmar: Den heliga Birgitta, Ormungens moder som blev Kristi brud. 1973.

Alf Härdelin

"Den ärorika Jungfrun Marias särskilde biskop" Maria i Nils Hermanssons liv och verk

När den tidigare ärkedjäknen Nils Hermansson (Nicolaus Hermanni) vid katedralen i Linköping äntligen, efter långa förvecklingar, såsom nyvigd biskop år 1376 kunde ta sitt stift och sin kyrka i besittning,[1] utbrast, enligt vad som berättas i kanonisationsakterna, magister Petrus Olofsson från Skänninge: "Kära vänner ... må ni vara övertygade om, att denne kommer att bli och är den ärorika Jungfrun Marias särskilde biskop" (*Et sciatis, quod ipse erit et est specialis episcopus beate Marie virginis gloriose*).[2] Den som uppges ha fällt detta yttrande var inte vilken mariaentusiast som helst, utan en person med ansenliga kvalifikationer att yttra sig i ämnet. Den talande är nämligen en av den heliga Birgittas förtrognaste, den som under intimt samarbete med henne sammanställt och diktat den tidegärd, kallad *Cantus Sororum*, som skulle sjungas av nunnorna i det blivande klostret i Vadstena och som ger en så framträdande plats åt Guds Moder Maria i det stora frälsningshistoriska drama som under en vecka framställs i den liturgin.[3] Den nye biskopen, som i sin ungdom hade varit lärare för Ulfs och Birgittas barn på Ulvåsa, räknades, när han blev biskop, redan sedan länge till ledarna inom den birgittinska kretsen.[4] Han var också den som i sinom tid, år 1384, skulle inviga det nya klostret, helgat åt Guds Moder, och företa de första vigningarna av nunnor och bröder.

Källorna till Nils och hans verk

Vilka källor finns det då, för att eventuellt kunna verifiera och ge ett mera preciserat innehåll åt Petrus Olofssons karakteristik av sin biskop? Om få kyrkomän i det medeltida Sverige kan vi bilda oss en mera detaljerad föreställning än om just denne Nils. De vanliga framställningarna – som brukar betona hans mod inför denna världens store och hans kamp mot kungar och rovgiriga adelsmän, och för de kyrkliga friheterna[5] – bygger på de vittnesmål, som finns samlade i de omfattande kanonisationsakterna.[6] Det är uppenbart, att dokument av sådant slag måste brukas med en viss försiktighet som historiska källor, även om vittnesmålen avgivits under ed och, subjektivt sett, med de största krav på sanning.[7] Till underlaget i kanonisationsprocessen hörde också en samling av mirakelberättelser[8] och vidare en levnadsbeskrivning (*Vita*), som dock inte finns bevarad i sin ursprungliga form.[9] Det är tillsammataget fråga om en mycket omfattande samling av dokument, och en genomgång av dem ger, som vi skall se exempel på, fler än ett belägg för den store biskopens särskilda vördnad för Jungfrun Maria. När Herman Schück på grundval av dessa dokument sammanfattar sin bild av biskop Nils, kan han säga: "Den bild som framträder visar endels den lärde och outtröttlige försvararen av *libertas ecclesie*, kyrkans frihet, endels en asket och mystiker som utan tvekan utsätter sig för faror och strapatser och ser martyrens död som en vinning".[10]

Av betydligt större värde för vårt tema är de dokument, som har Nils själv till författare, eller som han som biskop åtminstone har auktoriserat. Med de senare avser jag främst den samling av statuter, som Nils utfärdade i sin egenskap av biskop och som främst ger direktiv för prästerna och deras pastorala arbete ute i församlingarna.[11] Där finns också allvarliga maningar till prästerskapet om deras plikt att med andakt och vördnad regelbundet bedja, inte endast den kanoniska, "vanliga" tidegärden utan även den s.k. "lilla tidegärden" till den Heliga Jungfruns ära, men detta hörde redan sedan århundraden till den vanliga ordningen.[12] Att biskop Nils i samma statut föreskriver, att Änglahälsningen, *Ave Maria*, skall höra till de stycken prästerna regelbundet skall förklara för sina åhörare, är heller inget märkligt: tillsammans med Fader vår, trosbekännelsen och några andra texter hörde Änglahälsningen vid den tiden redan sedan länge till de givna styckena för den elementära församlingsundervisningen i samband med predikan.[13]

Viktigast för oss är texterna till de liturgiska officier, eller, med ett medeltida språkbruk, hystorior, som han diktat, och som redan den vackra gravsten, som ännu finns att beskåda i Linköpings domkyrka, omvittnar – själva graven skändades under reformationstiden. På stenen står bl. a. följande hexameterverser:[14]

"Hic Osgotorum presul Nicholaus humatus,
Mens pia, vas morum, celesti docmate gratus.
Annam, Birgitham sollempniter hystoriavit,
Ansgarii vitam celebrique stilo decoravit.

Nicolaus, östgötarnas ledare, sägs det alltså, som ligger begravd här, och som var en from man, ett kärl uppfyllt av dygder och älskad på grund av sin undervisning i de himmelska tingen, "skildrade på ett högtidligt sätt historien om Anna och Birgitta och han målade med konstförfaren hand Ansgars liv". Att Nils även har författat nya delar till det gamla Eriksofficiet nämns däremot inte här.[15] Det är också det enda bland officierna, som inte har något av intresse att bjuda ur vår marianska synpunkt.

Maria i Nils' officier

En medeltida officiediktare var förvisso, enligt moderna, sekulariserade begrepp, på många sätt "ofri": som författare av text för gudstjänstbruk var han självklart förpliktad att behandla sitt ämne utifrån den tro som var kyrkans, och han var bunden av genrens krav vad beträffar former och stilar i de moment som skulle nydiktas och som skulle samspela med de redan givna momenten, främst med de psaltarpsalmer som hörde officiet till. Men här fanns ändå mycken plats, inte bara för den individuella litterära och poetiska förmågan utan också för valet av det stoff, som skulle utgöra underlaget för de hymner, antifoner, responsorier, böner och annat, som hör ett sådant officium till.[16]

I alla de tre hystorior, som gravstenen nämner som författade av biskop Nils, spelar Maria en stor och, för två av dem, en avgörande roll.[17] Det gäller till och med om Ansgars-officiet, för vilket Nils givetvis använder sig av Rimberts Levnadsteckning som grundmaterial och ur vilken han ordagrant citerar i nokturnernas nio läsningar.[18] Men det intressanta blir då att studera det *urval*, som Nils företar ur det rika materialet. Man finner snabbt, att den första nokturnens tre läsningar utgörs av berättelsen om Ansgars omvändelse som ung munk i Corbie till ett striktare och allvarligare liv i bön och meditation, en omvändelse som, enligt Rimberts berättelse, sker just genom en uppenbarelse, där Guds Moder spelar en avgörande roll.[19] Men inte nog med, att denna omvändelseberättelse i Nils' officium får bli den historiska spelöppningen i hans hystoria; samma berättelse får också leverera det tematiska materialet i hymnen för laudes, den som börjar med orden: *Uidit puer Ansgarius*;[20] laudeshymnen brukar i varje liturgiskt officium framstå som en höjdpunkt.

Biskop Nils dog, enligt Vadstenadiariet, dagen före "Korsmässan om våren", den 2 maj år 1391, alltså fem månader före Birgittas kanonisation den 7 oktober samma år. Men när han hade diktat officiet till hennes ära, vet vi inte. Redan efter Birgittas translation (skrinläggning) år 1374, något som medgav en begränsad kult, fanns det emellertid en praktisk användning för ett sådant. Att den kanonisationsprocess, som hade initierats av hans eget domkapitel, skulle få ett lyckligt slut, kunde han inte tvivla på. Men en annan av de framträdande medlemmarna i den birgittinska kretsen, Birger Gregersson, ärkebiskopen av Uppsala, som hade avlidit redan år 1383, och som säkerligen hade varit lika säker på den saken, hade också diktat sitt officium till Birgitta.[21]

Att Maria spelar en stor roll i Birgittas tänkande och andliga liv, behöver här inte närmare bevisas[22]. Mot den bakgrunden kunde det tyckas självklart, att Guds Moder då också måste få en stark betoning i varje officium, som skulle ge en rättvisande bild av det svenska helgonet. Men om vi nu jämför de båda nämnda officierna – av Birger och av Nils – kan man se, att Maria spelar en förhållandevis mycket liten roll i uppsalaärkebiskopens,[23] under det att hon får en mycket framträdande plats i linköpingsbiskopens, och detta trots att båda författarna hämtar det mesta av materialet för sina officiers lektier i de tre nokturnerna från samma källor, nämligen från biktfädernas Levnadsbeskrivning (*Vita*) och från Birgittas Uppenbarelser.[24] Redan detta visar, att den starka marianska accenten i Nils' Birgitta-officium är följden av ett medvetet val från hans sida, och inte bara är att förklara som en historisk nödvändighet.

Av de nio – för övrigt exceptionellt långa – lektierna i Nils' officium nämns Maria uttryckligen vid namn i sju, men även i den första och den andra, där så inte är fallet, finns hon med på ett indirekt sätt. I den första skildras Birgitta som den ringa och svaga, som Gud utvalt, för att därigenom de starka skulle bringas på fall; man jämföre orden i Magnificat, Marias lovsång (Luk 1:46-55; se även 1 Kor 1:28). I den andra berättas det om uppenbarelser av en jungfru och en förnäm dam (*domina*), som inte gärna kan avse någon annan än Maria själv. I de övriga lektierna är det Maria, som uttryckligen uppenbarar sig för Birgitta och undervisar henne om centrala punkter i det som skulle bli Birgittas budskap, eller om viktiga händelser i sitt (Marias) liv. Så handlar det exempelvis i den sjätte om Maria som en lärarinna i den rätta lovprisningen av henne, och i den nionde om den kända visionen av Herrens födelse genom Jungfrun i Betlehem. På samma sätt är Maria på det ena eller andra sättet närvarande på många ställen i de poetiska partierna av officiet, i dess hymner, antifoner och responsorier. Några av de ställena skall behandlas längre fram.

Det tredje officiet av betydelse för vårt tema är det, som lovprisar den heliga Anna, Marias moder.[25] Till skillnad från vad som gäller om Ansgar och Birgitta är det naturligtvis omöjligt att alls behandla det temat utan att Maria nämns och, innehållsligt sett, får en än större betydelse än den Anna, som i den dagens liturgi är det omedelbara festföremålet. Den rangordning som finns mellan dem – och ännu mera den mellan dem båda och Marias Son – är mer eller mindre tydligt temat i alla de nio lektierna, också de, liksom Nils', förhållandevis långa. Så talas det exempelvis i den första av dem om, hur vördnadsvärd den välsignade kvinna är, som kallas Anna, vilket betyder nåd, och som har fött henne som skulle bli ett tempel för Herren och en helgedom för den Helige Ande. Även i detta officium – förvisso svårtillgängligare för de flesta i dag än de övriga – berörs flera temata och används ett bildspråk, som kort skall kommenteras längre fram.

Unikt och allmänt

Vill man försöka tränga in i det teologiska tänkande, som finns i dessa liturgiska texter, måste man betänka det liturgiska språkets allmänna karaktär, hos Nils liksom överallt i texter av denna art: vi möter däri, redan i de prosaiska lektierna, men ännu mycket mera i de poetiska momenten, i hymnerna, antifonerna och responsorierna, ett bildens och metaforens konkreta språk.[26] Men må man inte fördomsfullt och med moderna förutsättningar utgå från, att det därmed nödvändigtvis skulle vara mindre väl genomtänkt till sin substans än exempelvis de dogmatiska avhandlingarnas begreppsliga sakprosa.

Låt oss utgå från en iakttagelse om detta språk, som redan har gjorts av flera forskare. Det har ibland blott konstaterats, att bildliga uttryckssätt som ursprungligen och vanligen används om Maria, i vissa slag av texter – till synes ogenerat och kanske aningslöst – också används om andra heliga. I sin bok om Petrus de Dacia nämner sålunda Monica Asztalos, att denne gärna och ofta skildrar sin väninna, Christina från Stommeln, med ett bildspråk som man främst ville förknippa med Guds Moder.[27] Att Nils Hermansson förfar på liknande sätt med Birgitta har påpekats av Borgehammar, som nöjer sig med att konstatera själva detta faktum,[28] och tidigare av Lundén, som verkar konfunderad över detta och tydligen inte ser någon teologiskt baserad förklaring till fenomenet. Men hans formulering antyder dock, att han ändå har anat vad som kan vara den teologiska grunden.[29] Genom att tillerkänna biskop Nils "en självständig teologisk begåvning", och detta just med anledning av "hans skicklighet att tillämpa de åt Jungfru Maria ägnade uttrycken på den heliga Birgitta",[30] visar emellertid Lundén, att han förbisett, att det här inte alls handlar om något nytt och originellt, utan tvärt om om någonting på Nils' tid sedan länge väl etablerat, någonting som är en gammal litterär tillämpning av en klassisk teologisk grundprincip. Genom att försöka klargöra den djupt liggande och för medeltiden viktiga teologiska grundtanken, skall vi förhoppningsvis även bättre förstå innebörden av det litterära bildspråk vi möter i våra texter.

Det som förvånat är alltså detta: Som om hon vore en *andra*, en *ny* Maria använder biskop Nils, för att ta Borgehammars exempel, när han talar om Birgitta, "epitet som ros, stjärna och kärl". Dessa exempel, som Borgehammar anför, är hämtade ur det mest kända stycket i hans Birgitta-officium, det som börjar så: "*Rosa* rorans bonitatem, *stella* stillans claritatem, Birgitta, *vas* gratie". Men det är varken poetisk valhänthet och slentrian eller känslans gripenhet inför den största av alla kvinnor som är förklaringen till ordvalet. Själva fenomenet möter vi i grunden, om vi tänker efter, redan i Nya Testamentet, där, som bekant, uttryck och ordalag om Kristus kommer till användning även vid beskrivningen av de kristna: Han kallas där "Guds son", men de kristna kallas också (i grundtexten) för "Guds söner"; han skildras där som den som bär sitt kors, dödas på det, begravs och uppstår, men med samma ordval heter det om de kristna, att de är kallade att "ta sitt kors på sig", att "korsfästa sitt kött", och Paulus säger, exempelvis i Romarbrevet 6, att de i dopet har dött, begravts och uppstått, för att de sedan också skall döda den gamla människan och leva det nya uppståndelselivet. Var och en kan själv hitta ytterligare exempel, och de visar en biblisk grundtanke, nämligen att de kristna är, som det heter i Nya Testamentet, "i Kristus", de är "lemmar i hans Kropp", de är *ett* med honom. Den språkliga konsekvensen av detta är: Just på grund av de kristnas samhörighet med Kristus kan också de beskrivas på liknande sätt som han själv. Den teologiska reflexionen har förvisso alltid varit medveten om, att Kristus i visst avseende och på ett unikt sätt är "Guds Son" och att hans död har ett värde, som de kristnas död i sig själv inte har, men som den kan få, när de är förenade med honom. Det som i sin historiska, fysiska eller konkreta betydelse med andra ord är något unikt och aldrig upprepbart, kan alltså i sin "andliga mening" vara något som gäller för flera.[31]

Något liknande gäller då också om Maria: hon har, enligt klassisk kristen tro, fått en särskild nådegåva som andra inte fått; hon och endast hon har, i en fysisk mening, burit Guds Son i sitt sköte och fött honom som en jungfru, men i andlig mening kan detta sägas om alla goda kristna: också de är kärl, vari Gud lägger ner sin nåd, också de kan i andlig mening föda barn åt Gud. Aposteln Paulus använder på flera ställen ett sådant språkbruk om de kristna, t. ex. i 1 Kor 4:15 och Gal 4:19. Ord, bilder och metaforer kan sålunda överföras från den Ende till flera, men också från *en* lem i Kristi kropp till en annan, och detta helt enkelt därför att det i den kroppen råder en gemenskap, i vilken alla har del i det gemensamma goda.[32] Kristus och de kristna utgör, som vissa teologer har uttryckt saken, en enda person.[33]

Mot bakgrund av den här snabbt skisserade, men viktiga teologiska grundprincipen förstår vi bättre och på ett djupare plan, vad biskop Nils verkligen menar, när han om Birgitta använder ett bildspråk, som vi först och främst kanske ville förbinda med Maria. Han menar: Birgitta, liksom förvisso även andra kristna efterföljare, kan i andlig mening bli det som Maria var och är: en ros som sprider salighetens doft till andra, en stjärna som lyser för medvandrarna och ett kärl för Guds nåd, ett kärl som till och med kan bli så överfullt, att det rinner över på andra. Men Birgitta-officiet erbjuder, som var och en kan upptäcka, många fler exempel än de redan citerade på denna överföring av bilder, och detsamma är fallet med beskrivningen av Anna, Marias moder, i det officium som Nils ägnade henne. Det mest slående exemplet där erbjuder måhända vesperhymnen *Salve parens Anna*. Det är knappast en tillfällighet, att den är diktad på samma, mycket ovanliga versmått – det trefotade trokeiska – som Maria-hymnen *Ave maris stella*, från vilken den till yttermera visso lånat många versrader och uttryckssätt. "Sammanblandningen" av Maria och Anna i denna hymn förstärks ytterligare, därigenom att Nils' hymn också, enligt de liturgiska sångböckerna, skall sjungas just till samma melodi som *Ave maris stella*. Det är inte endast så, att Maria av Nils här besjungs jämte Anna, utan det är här, liksom på många andra ställen, även så, att man ibland inte riktigt vet, vem orden gäller: Maria eller Anna. I många avseenden kan nämligen Anna, det är uppenbarligen Nils' mening, vara som Maria, sin dotter. Också Anna kan, liksom sin dotter, exempelvis kallas för ett kärl, en *vas*, som det skönt varieras i den femte lektien, där Anna kallas för "det förunderliga kärlet", det "av evighet utvalda kärlet", "all renhets och helighets kärl", "kärlet uppfyllt av alla dygder och all ljuvlighet, i vilken förbundsarken" – varmed betecknas Maria – "hon som invärtes och utvärtes är gyllene, har blivit gömd".[34]

Men det går också att i Nils' texter hitta formuleringar som uttrycker ett litet annorlunda och mera komplicerat slag av dubbelhet mellan Maria och ett helgon – exempelvis Birgitta – och där det inte bara, som hittills, är fråga om en tämligen enkel överföring av en Maria-metafor till någon annan person. Det är som tidigare, å ena sidan, fråga om, vad som i en historisk-kroppslig-unik mening gäller om Maria och, å den andra, om vad som i en överförd-förblivande-andlig mening gäller om någon annan, här: Birgitta. Men samtidigt är det alltså också fråga om en teologiskt viktig olikhet. Borgehammar har pekat på den "intressanta parallellismen" i en antifon, där det först talas om Marias jungfruliga brudkammare, i vilken Guds Son iklädde sig det kött, han skulle framträda för världen i, och sedan om den skrivarpenna, varmed Birgitta skulle uppenbara Kristi mysterier för världen.[35] Det är sålunda i båda fallen fråga om en "inkarnation": i Marias sköte, den jungfruliga brudkammaren, antog Ordet kött; genom Birgittas skrivarpenna blir Ordet och dess mysterier också uppenbarade, "köttsliga" och påtagliga:

In virginali thalamo,
Qui se carne precinxit,
In huius sponse calamo
Mysteria depinxit.

Parallelliteten, eller kanske bättre: analogin – eftersom det här, som i all analogi, är fråga om olikhet, lika väl som om likhet – mellan Maria och Birgitta får till och med sin markering i rimordens ordlekar: *thalamo – calamo*, och *precinxit – depinxit*. Men det är alltså också fråga om en väsentlig olikhet: det handlar å ena sidan om Ordet som blev kött i Maria och, å den andra, om Guds ord som blir ord i Birgittas ord. Men i båda fallen är det fråga om en uppenbarelse av gudomliga mysterier.

Ett annat och kanske ännu bättre exempel på den analogins likhet och samtidigt olikhet det här kan vara fråga om, kan hämtas från en Birgittatext, som Nils citerar i den fjärde lektien, och där det handlar om en uppenbarelse av Maria för Birgitta: Jungfrun presenterar sig i anden för Birgitta som "de eländas drottning" och säger, att hon vill visa för henne, hur Sonen led på korset i sin mänskliga natur. Tecknet för det är, att Birgitta, enligt uppenbarelsen, skall föras till de platser, där Maria *kroppsligen* erfor det som hände med Sonen, för att Birgitta där med sina *andliga ögon* skall se vad som hände. Det är som om Marias kroppsliga skådande är en förutsättning för, att senare tiders kristna andligen skall kunna skåda det som Maria en gång kroppsligen skådade.[36] Den historiska engångshändelsen får i varje fall här sin andliga och förvisso ständigt repeterbara uppfyllelse och mening.

Vad som här sagts om överförbarhet och analogi, och om likhet resp. olikhet, innebär alltså inte, att biskop Nils skulle glömma, att vissa ting är unika för historiens Maria, liksom för historiens Anna. Till denna kategori hör det som sägs i Birgitta-officiet om Marias kroppsliga upptagande till himlen, liksom om vad som med teologiskt begreppsspråk brukar kallas för "Marias obefläckade avlelse", dvs, den på 1300-talet ännu kontroversiella läran att Maria koncipierats utan att besmittas av arvssynden.[37] Båda dessa läror kommer till klara uttryck i den uppenbarelse till Birgitta, som citeras i den sjätte lektien i Nils' officium. Den senare läran sammanfattas redan i den andra nokturnens första psalmantifon, där det heter, att Maria uppenbarade för bruden (Birgitta), att hon (Maria) hade fötts av en fullkomlig moder (Anna), sedan hon i hennes sköte avlats utan "ursprungssynden" (*peccatum originis*) – ett bättre uttryck för övrigt än "arvssynden":

Maria sponse reserat,
Quod in matre perfecta
Sine peccato fuerat
Originis concepta.[38]

Att biskop Nils på många ställen även ger uttryck åt den gamla läran om Marias förblivande jungfrulighet, liksom åt hennes gudsmoderskap, behöver väl knappast beläggas här.

En till att börja med kanske förbryllande iakttagelse rörande vår biskops sätt att överföra ett traditionellt bildspråk om Maria till andra, främst till Birgitta, men indirekt väl till varje kristen, förde oss in i bakomliggande och viktiga grundprinciper, inte endast för biskop Nils' utan för hela det klassiska teologiska tänkandet och det därmed sammanhängande liturgiska språkbruket. I en avslutande del skall jag gå en något annorlunda väg: från en bestämd grupp av språkliga bilder i linköpingsbiskopens texter till de olika tankar och syften de där får tjäna.

Från rot till frukt

Den ordgrupp – tyskarna brukar säga "Wortfeld" och engelskspråkiga forskare "cluster" – som jag har i tankarna kan kallas för botanisk, men det handlar inte bara i största allmänhet om bilder från växtriket – sådana har vi ju redan mött – utan det är fråga om växten, om växandet, om utvecklingen från rot till blomma och mogen frukt med olika mellanstadier, eller om trädet, eller åkern, och dess frukter. Denna ordgrupp är – som vi skall se: av helt naturliga skäl – den helt dominerande i Annaofficiet. Sina bibliska rötter har den främst i Jes. 11:1, i orden om rotskottet, eller telningen (*virga*) som skall växa upp ur den avhuggna roten och bära frukt, i 4 Mos 17, i berättelsen om Arons grönskande stav (*virga*) och i Matt. 7:17, i liknelsen om det goda och det dåliga trädet med deras olika frukter.

Det första stället finns gestaltat i många medeltida bildframställningar av "Jesse rot",[39] och i verbal form känner vi väl till det i julens sammanhang: i psalmen "Det är en ros utsprungen av Jesse rot och stam". Den Svenska Psalmbokens text är en på här avgörande punkter förvanskad översättning av ett senmedeltida tyskt original, där det, liksom i profettexten, är fråga om *tre* led: (1) roten, (2) stammen eller telningen, och (3) blomman med sin frukt.[40] De tre leden betecknar i vårt sammanhang: (1) den gammaltestamentliga, davidiska roten, (2) Maria som telningen och (3) Kristus som blomman/frukten.[41] Men i den "växtkedjan" kan man också, som biskop Nils gör, lätt och naturligt placera in Anna. Det första tydliga stället i hans officium, där detta slag av bildspråk utvecklas, är den tredje läsningen i den första nokturnen. Här representerar, om jag förstår texten rätt, Anna "Davids utvalda rot"; ur den växte Arons stav (*virga*) fram, den som grönskade och blommade, och den staven sägs uttryckligen vara den saliga Jungfrun Maria, hon som blomstrade genom den Helige Andes nåd och bar den allra ljuvaste frukt, nämligen Jesus Kristus.[42] Med en annan variant av bilderna i vår ordgrupp heter det i en antifon till den första vespern, att Anna är åkern, som frambragte den blomstrande rosen och liljan (Maria), som i sin tur frambringar Guds Son. Och i den följande antifonen finns en tredje variant, ty där sägs det, att genom Annas förmedling föds hon (Maria), som åt oss förmedlar det ljuvliga manna (Kristus) som botar världens sjukdom.[43] I completoriehymnen används på ett originellt sätt ytterligare en variant i vår ordgrupp, den som talar om trädet. Här är Anna trädet, och i dess topp inredde Gud ett fågelbo, ett näste, vilket i sin tur inneslöt Kristus, den hit från himlen sände starke mannen; ett egendomligt men ändå fullt begripligt bildspråk, som för övrigt är hämtat från den tionde lektien i Birgittas *Sermo Angelicus.*[44]

Att det här i ordgruppens alla varianter först och främst är fråga om ett växande, eller en övergång, *från* det Gamla, *till* det Nya förbundet är uppenbart. Den första och grundläggande innebörd, som metaforgruppen har, är alltså den frälsningshistoriska stegringen. Särskilt tydligt blir det, fastän utfört med ett annat bildspråk, i Anna-officiets laudeshymn. Här heter det i den första strofen, att Anna är den förnämsta hustrun (*maxima matrona*) i det Gamla förbundet, medan det i den andra strofen sägs, att hennes dotter, Maria, vida överträffar alla kvinnor, såväl i det Gamla som i det Nya förbundet. Det är alltså i Anna och Maria fråga om en stegring mot klimax i det Nya förbundet. Skönast får denna tillämpning av bilden med Jesse rot sin utläggning i Benedictus-antifonen i laudes, där tonvikten dock inte ligger på de båda förmedlande kvinnorna, Anna och Maria, utan på trädets frukt, på honom som skulle kläda de nakna, bota de sjuka och lyfta oss upp mot höjden, sedan han med sin gudoms heliga honung besegrat dödens galla. Så mynnar den poetiska antifonen ut i en bön, att Maria, den vackra blomman, och Jesus, den ljuva och välsmakande frukten, på Annas förbön måtte skänka oss alla dessa gåvor.[45]

Vi skall återvända ett ögonblick till varianten: från rot till frukt. Dess nytestamentliga ursprungsställe utgjorde i de medeltida liturgierna vanligen Anna-dagens evangelium, och dess inledningsord citeras därför också i den sjunde lektien i tidegärden till Annas ära och den blir sedan, i denna och i de följande två lektierna, föremål för en lång utläggning. Här är det emellertid inte längre fråga om någon frälsningshistorisk process, utan om ett moraliskt sammanhang: om den goda och den onda rotens skilda frukter. Trädet är alltså människan, och i den avslutande lektien visar det sig, att det här, på Annas dag, främst handlar om kyskhetens rena frukt, som den otroende och orättfärdige inte kan frambringa.

Så blir det då till sist alldeles klart, vilket det andligt-moraliska huvudmotivet är i festen till Annas ära: Det handlar om det kyska äktenskapet. Redan i en av antifonerna i den andra nokturnen framställs den visa och kloka Anna (*Anna prudens*) och hennes man – som i hela officiet aldrig nämns vid sitt traditionella namn: Joakim – som förebilder för de gifta. Båda lyser de nämligen av nåden, i det att de rättfärdigt uppfyller lagens bud. I den fjärde, femte och sjätte lektiens responsorier utvecklas så utförligt, vad som menas med ett ärbart, rättfärdigt och fromt äktenskap: Det är att leva kyskt, så att man till Guds ära kommer samman, inte av liderlig begärelse och köttslig njutningslystnad utan endast för att man vill ha avkomma. Om de gifta lever så och inte söker sin egen utan Guds ära, skall de, som det heter i det sjätte responsoriet, vara välbehagliga inför de himmelska medborgarna.[46]

Vad som indirekt betygas av sådana ord, är den uppvärdering av äktenskapet (men däremot knappast av sexualiteten), som är så karakteristisk för senmedeltiden, och som inte minst kännetecknar den av biskop Nils så beundrade Birgitta.[47] Den uppblomstring av Annakulten, som är typisk för denna tid och som biskop Nils stöder med sitt officium, har ett otvetydigt samband med detta förnyade värdesättande av äktenskapet som ett kristet stånd.[48] Om vi för ett ögonblick lämnar Birgittas och Nils' tid och blickar framåt drygt ett sekel till klosterfolket i Vadstena finner vi, att Anna av nunnorna där ännu vid 1500-talets början betraktade Marias utvalda moder Anna som det kristna äktenskapets särskilda beskyddarinna, men också som en förebild i kyskhet för jungfrurna och som en glädjekälla får änkorna. I nunnan Ingegärd Ambjörnsdotters bönbok, skriven vid 1500-talets början, åkallas sålunda Anna med bl. a. dessa ord: "iomfrwnar höffuiskhet, änkionar hugnadher, alla hionelaga regla oc patrona".[49]

Men åter till vårt egentliga ämne. Som vi har sett, uppträder Anna i Nils' text ibland ensam, men ofta tillsammans med sin dotter, Maria. Det är tydligt exempelvis i de fem psalmantifonerna till laudes, men kanske allra klarast i hymnen för samma tidegärd. Maria intar där, som vi tidigare hörde, visserligen en högre ställning än Anna i den frälsningshistoriska stegringen fram mot det Nya förbund, som hon i en viss mening inleder. Men det hindrar inte, att Nils i annat avseende i samma hymn tycks vilja jämställa dem: båda är rika på nåd och båda tillsammans beder de för jordens barn. Anna bör inte vördas endast av dem som lever i äktenskap, utan i en av antifonerna uppmanar han även de celibatärt levande prästerna att vörda henne och be om hennes förböner,[50] så att också på det sättet Maria måtte vördas. I hymnen till matutinen skildras de båda som utan åtskillnad (*pariter*) välbehagliga inför Guds ögon. Även om det alltså i de bevarade texterna av biskop Nils inte finns någon antydan om, att han skulle ha övergett den traditionella medeltida uppfattningen, att det jungfruliga ståndet, såväl på grund av sin likhet med det himmelska livet som för den jungfruliga Gudsmoderns skull, är det i sig högsta ståndet, är det tydligt utifrån hans officium till den gifta Annas ära, att även han, lika väl som Birgitta, uttrycker en mycket hög tanke om äktenskapet som en Gudi välbehaglig livsform.[51] Därför rycker Anna upp vid sin dotters sida.

Sammanfattning

Vår inledande fråga var, om det var möjligt att verifiera och underbygga magister Petrus Olofssons karakteristik av biskop Nils som "den ärorika Jungfrun Marias särskilde biskop". Genom ett studium främst av hans liturgiska diktverk har vi kunnat se, att hans tankar med förkärlek dras till Guds Moder, inte bara när han talar om Anna, vilket är oundvikligt, utan också i de gudstjänstordningar som gäller Ansgar och Birgitta. Ett fördjupat studium av hela den rika textmassa, som finns bevarad av och om den store linköpingsbiskopen, skulle säkert kunna ge en fördjupad bild av biskop Nils' vördnad för Guds Moder, liksom av hans personliga fromhet i allmänhet. I varje fall berättar ett av de många vittnesmålen i kanonisationsakterna, att "den ärorika Jungfruns Marias särskilde biskop", när döden nalkades, utbrast: "Välsignad vare du, saliga Jungfru Maria, min moder och härskarinna, ty nu skall min plåga ta en ände".[52]

Summary:

Bishop Nils Hermansson of Linköping († 1391) and his veneration of God's Mother

When Petrus Olofsson, the learned confessor and co-worker of St. Birgitta, heard about the election, in 1376, of Nils, a canon of Linköping cathedral, to the episcopal see of the city, he is reported to have exclamed: This man "is in a special way the bishop of the glorious virgin Mary". In the present paper the author makes an investigation of the sources, and above all, of three liturgical offices written by bishop Nils, in order to see, whether the testimony of Petrus can be verified and substantiated.

In the office celebrating St. Ansgar, the vision of Mary, which in a sense inspired his conversion to a stricter monastic life, is given a central position by Nils. In the office in honour of St. Birgitta, whose friend Nils had been, Mary is everywere present, not only in the lessons of the nocturns, built to a great extent on the Saint's Revelations, but also in many hymns, antiphons and responsories for all the hours. Birgitta, and implicitely every devout Christian, is there brought forth as another Mary, and in that sense the Mother of God is here portrayed as the prototype of every believer. In the office for St. Anne, as is natural, her daughter is also present everywhere. It is here the question of the two women in the transition from the old to the new covenant, but a second theme is also very clearly developed: Anne is viewed as the type of the married, and as such as representing an honourable state in the Church. The office of Nils to St. Anne is thus a testimony of a renewed valuation of marriage (but not of sexuality), characteristic of St. Birgitta and many other late medieval saints.

Noter

1 Se Schück 1959, s. 87-88.

1 Processus, s. 284. Se vidare Lundén 1971, s. 13-14.

2 Om Petrus Olofsson, se Lundén 1976, s. XI-XXXI. Om *Cantus Sororum* ur teologisk synpunkt, se Härdelin 1995 a och Piltz 1995.

3 Lundén 1971, s. 9.

4 Lundén 1971, s. 7-22, Stolpe 1972 och Segelberg 1984

[5] Om kanonisationsprocessen, se sammanställningen hos Lundén 1971, s. 51-56.

[6] Jfr Lundén 1971, s. 56, som, med hänvisning till att vittnesberättelserna är avlagda under ed, väl naivt betraktar dem som en "pålitlig källa till kunskapen både om biskop Nikolaus Hermansson och tidens kyrkliga och politiska liv".

[7] Se Fröjmark 1992, s. 44-49 och passim. Mirakelberättelserna jämte levnadsbeskrivningen, Vita et miracula, finns utgivna i Schück 1895, och en svensk översättning i Lundén 1958.

[8] Se härom Lundén 1971, s. 4-5.

[9] Schück 1987, s. 288.

[10] Se Statuta synodalia 1841, s. 57-58.

[11] Statuta synodalia 1841, s. 57: ... *ut divinum officium tam in singulis horis canonicis quam in missis et horis beate virginis et septem psalmis et vigiliis cum omni devocione et reverencia peragatis* ...

[12] Statuta synodalia 1841, s. 57-58: ... *exponendo eis diebus dominicis oracionem dominicam et Symbolum Apostolorum cum Ave Maria et x precepta cum septem operibus misericordie et alia vobis dei clemencia ministraverat.* Se härom Kilström 1958, s. 188-192 och passim; Pernler 1982, särskilt s. 73-78.

[13] Se Gardell 1945-6, I, s. 283-284, för texten, II, s. 229, för bild. Ett liknande vittnesbörd om biskop Nils, se Diarium Vadstenense 1988, Nr 52:3-6 ... *in profesto invencionis sancte Crucis [1391] obiit venerabilis pater et dominus, dominus Nicholaus Hermanni episcopus Linchopensis. Qui primo introduxit et benedixit conventuales Vazstenenses ad observanciam vite regularis ... Hic fuit vir magne sanctitatis. Hic composuit ystoriam sancte Byrgitte, que incipit Rosa rorans bonitatem etc., et plures alisas sanctorum historias* ...

[14] Alla fyra är, jämte en ibland bristfällig översättning, efter tidigare tryck utgivna av Lundén 1971, s. 77-138. Någon textkritisk edition finns alltså inte. För två av Nils' officier (de som är ägnade Birgitta och Anna) torde Birgittas skrifter, Revelationerna och Sermo Angelicus, vara den viktigaste källan. Några sådana beroenden skall påpekas i det följande. Om tillägget till Eriks-officiet, se Processus, s. 138, och Lundén 1971, s. 41-42.

[15] Om "hystoriorna", se Milveden 1969.

[16] Saken har berörts ibland, men ingenstädes fått någon utförlig eller nyanserad behandling, av de forskare, som hittills ur någon innehållslig synpunkt behandlat Nils' officier. Se Lundén 1971, s. 23-47 och Borgehammar 1993.

[17] Textkritiskt om Ansgars-officiet, se Helander 1989, s. 162-173.

[18] Se härom Härdelin, Guds Moders vägar till Sverige, i denna publikation.

[19] Lundén 1971, s. 119-120.

[20] Birgers officium är med utförlig inledning, som dock inte behandlar innehållet, utgivet av Carl-Gustaf Undhagen, se Birger 1960.

[21] Se härom t. ex. Sahlin 1993 och där anförd litteratur.

[22] För de korta omnämnanden av Maria, som begränsar sig till lektierna, se Birger 1960, 201-206.

[23] För en allmän jämförelse av de två officierna, se Borgehammar 1993, s. 304-308.

[24] Om Annakultens tidigare historia alltifrån 1100-talet, se Wilmart 1932, och om den senmedeltida blomstringen, se Lindgren 1990 och Zender 1978.

[25] Se härom Härdelin 1995 b, s. 110-112.

[26] Se Härdelin, Guds Moders vägar till Sverige, i denna volym, med dess referenser till Monica Asztalos.

[27] Borgehammar 1993, s. 307.

[28] Lundén 1971, s. 36-37.

[29] Lundén 1971, s. 49.

[30] Se härom Härdelin 1987, särskilt s. 36-43.

[31] Se härom Piltz 1994.

[32] Se härom t. ex. Doucet 1984.

[33] Lundén 1971, s. 132, där översättningen – "vars inre hyser förbundets ark och vars yttre är förgyllt" – dock är vilseledande och felaktig: ... *vas omnium virtutum affluentia et suavitate repletum, in quo archa testamenti, intus et foris deaurata, recondita est* ...

[34] Borgehammar 1993, s. 306.

[35] Se härom Härdelin 1995 a.

[36] Se härom allmänt Seybold 1994.

[37] Tanken finns antydd även i den tredje antifonen i samma nokturn (Lundén 1971, s. 88): *Numquam sensit contagium / Maria, set sublimium / Virtutum gessit lilium / Pre ceteris mortalium.*

[38] Se härom Thomas 1970.

[39] För en övers. som är trognare mot det tyska originalet, se Härdelin 1994 b, nr 41 och kommentaren därtill, s. 78f.

[40] För ett annat medeltida exempel, se Hildegard 1995, s. 30.

[41] Lundén 1971, s. 130: *Ex hac plenitudine nata est gloriosa semper virgo Maria, celis gloriam, terris Deum pacemque refudit. Hec radix Dauid preelecta, de qua creuit virga Aaron, que fronduit et floruit, virga inquam beata virgo Maria, que Spiritus Sancti gratia floruit et suauissimum fructum produxit Iesum Christum.*

[42] Lundén 1971, s. 125: *Ager Anne rosam florum / Protulit et lilium / Rosa florens en decorum / Profert Dei flilium. Mediante nobis Anna / Mediatrix nascitur / Cuius ventre dulce manna / Mundum sanans oritur.*

[43] Birgitta SA 1972, s. 103.

[44] Lundén 1971: *Nobis erat hoc necesse / Quod virendo radix Iesse / Virgam introduceret, / De qua virga flos prodiret / Qui nudatos reuestiret / Et egros reficeret, / Deuictoque mortis felle / Deitatis sacro melle / Nos sursum erigeret. / Hoc Maria flos decorus / Iesus dulcis et saporus / Tua prece conferat.*

[45] I allt detta speglar Nils Birgittas uppfattning. Se härom Elliott 1993, kap. 5, passim.

[46] Se härom Härdelin 1994 a, särskilt s. 69-72. Man jämföre exempelvis de nyss nämnda responsorierna med ordalagen i Birgittas Uppenbarelser, I:9, början (Birgitta I 1977, s. 260-261).

[47] Se härom Lindgren 1990, särsk. s. 55-57.

[48] Geete 1909, s. 382. I handskriften A 49 på Kungl. Biblioteket i Stockholm, som innehåller en bönbok, skriven i Vadstena under 1400-talets senare hälft och avsedd för nunnorna i det nygrundade dotterklostret i Nådendal, heter det i en bön på liknande sätt (Geete 1909, s. 384): "Välsingnadh vari thu sancta anna, alla hionlagha fru, som varo i gamblo laghumjn (= förbundet), välsignadh vari thu cristna hionalagha modhor, huilkin som äru i nyo laghumjn" ...

[49] Om Nils' kamp för det prästerliga celibatet, se Lundén 1971, s. 16-19.

[50] Om Birgittas syn på de tre stånden: jungfru, änka och gift, se Härdelin 1994 a, s. 68.

[51] Processus, s. 64.

Tryckta källor och litteratur samt förkortningar

Birger 1960 =
Birger Gregersson, Officium Sancte Birgitte. Birgitta-officium. Utg. av Carl-Gustaf Undhagen, Sthlm 1960 (Samlingar utg. av Svenska Fornskrift-sällskapet, Ser. 2:VI)

Birgitta I 1977 =
Sancta Birgitta, Revelaciones lib. I. Ed Carl-Gustaf Undhagen, Sthlm 1977 (Samlingar utg. av Svenska Fornskriftsällskapet, Ser. 2:VII:1)

Birgitta SA 1972 =
Sancta Birgitta, Sermo Angelicus. Ed. by Sten Eklund, Uppsala 1972 (Samlingar utg. av Svenska Fornskriftsällskapet, Ser. 2:VIII:2)

BTP =
Bibliotheca Theologiae Practicae

Diarium Vadstenense 1988 =
Diarium Vadstenense. The Memorial Book of Vadstena Abbey. A Critical Ed. with an Introd. by Claes Gejrot, Sthlm 1988 (Acta Universitatis Stockholmiensis. Studia Latina Stockholmiensia 33)

Doucet 1984 =
Marc Doucet, 'Christus et ecclesia una est persona'. Note sur un principe d'exégèse spirituelle chez saint Grégoire le Grand: Collectanea Cisterciensia 46 (1984), s. 37-58

Elliott 1993 =
Dyan Elliott, Spiritual Marriage. Sexual Abstinence in Medieval Wedlock, Princeton, N.J., 1993

Fröjmark 1992 =
Anders Fröjmark, Mirakler och helgonkult. Linköpings biskopsdöme under senmedeltiden, Uppsala 1992 (Acta Universitatis Upsaliensis. Studia Historica Upsaliensia 171)

Gardell 1945-6 =
Sölve Gardell, Gravmonument från Sveriges medeltid, bd 1-2, 2. uppl., Sthlm 1945-6

Geete 1909 =
Svenska böner från medeltiden. Efter gamla handskrifter utg. af Robert Geete, Sthlm 1907-09 (Samlingar utg. af Svenska Fornskrift-Sällskapet))

Helander 1989 =
Sven Helander, Ansgarskulten i Norden, Sthlm 1989 (BTP 45)

Hildegard 1995 =

Hildegard av Bingen, Den himmelska symfonin. Liturgisk lyrik & Spelet om krafterna. I svensk tolkning av Alf Härdelin, Skellefteå 1995

Härdelin 1987 =
Alf Härdelin, Bibelbruk och bibelsyn [under medeltiden]: Tanke och tro. Aspekter på medeltidens tankevärld och fromhetsliv. Red.: Olle Ferm & Göran Tegnér, Sthlm 1987 (Studier till Det medeltida Sverige 3), s. 47-65

Härdelin 1994 a =
Alf Härdelin, Bröllop av flera slag. "Brudmystik" i tidig vadstenensisk predikan över bröllopet i Kana: Svensk spiritualitet. Tio studier av förhållandet tro – kyrka – praxis. Red.: Alf Härdelin, Uppsala 1994 (Tro & tanke 1994: 1-2), s. 57-81

Härdelin 1994 b =
'Alla släkten skall prisa mig salig'. Marialyrik från fornkyrka, medeltid och nyare tid. Urval och tolkning av Alf Härdelin, Vejbystrand 1994

Härdelin 1995 a =
Alf Härdelin, Birgittinsk lovsång. Den teologiska grundstrukturen i den birgittinska systratidegärden *Cantus Sororum*, Uppsala 1995 (Scripta ecclesiologica minora 1)

Härdelin 1995 b =
Alf Härdelin, Mysteriets metaforer. Om bildspråk och tankemönster i Brynolf Algotssons (?) liturgiska hystorior: Brynolf Algotsson – scenen, mannen, rollen. Red. Karl-Erik Tysk, Skara 1995, s. 105-120

Kilström 1958 =
Bengt Ingmar Kilström, Den kateketiska undervisningen i Sverige under medeltiden, Lund 1958 (BTP 8)

Lindgren 1990 =
Mereth Lindgren, De heliga änkorna. S. Annakultens framväxt, speglad i birgittinsk ikonografi: Den monastiska bildvärlden i Norden. Föredrag vid det 10:e nordiska symposiet för ikonografiska studier i Vadstena 1986. Red. av Ann Catherine Bonnier ..., Sthlm 1990, s. 52-72

Lundén 1958 =
Den helige Nikolaus' av Linköping liv och underverk efter en medeltida urkund övers. av Tryggve Lundén: Credo 39 (1958), s. 97-173

Lundén 1976 =
Den heliga Birgitta och den helige Petrus av Skänninge, Officium parvum beate Marie Virginis. Vår Frus tidegärd, utg. med inl. och övers. av Tryggve Lundén, I-II, Uppsala 1976 (Acta Universitatis Upsaliensis. Studia Historico-Ecclesiastica Upsaliensia 27)

Lundén 1981 =
Tryggve Lundén, Nikolaus Hermansson, biskop av Linköping. En litteratur- och kyrkohistorisk studie, Lund 1971.

Milveden 1969 =
Ingmar Milveden, art. Rimofficium: Kulturhistoriskt Lexikon för Nordisk Medeltid, bd 14, Khvn 1969, sp. 305-319

Pernler 1982 =
Sven-Erik Pernler, Predikan ad populum under svensk medeltid. Till frågan om sockenprästernas predikoskyldighet: Predikohistoriska perspektiv.

Studier tillägnade Åke Andrén, red. Alf Härdelin, Sthlm 1982 (Skrifter utg. av Svenska Kyrkohistoriska Föreningen, II. N.F. 35), s. 73-95

Piltz 1994 =
Anders Piltz, Communicantes. Aspekter på kyrkan som solidarisk gemenskap i svensk högmedeltid: Svensk spiritualitet. Tio studier i förhållandet tro-kyrka-praxis, red.: Alf Härdelin, Uppsala 1994 (Tre & Tanke 1994:1-2), s. 15-55

Processus =
Sankt Nikolaus av Linköping kanonisationsprocess. Processus canonizacionis beati Nicolai Lincopensis. Efter en handskrift i Florens utg. med inl., övers. och register av Tryggve Lundén, Uppsala 1963

Sahlin 1993 =
Claire L. Sahlin, 'His Heart Was My Heart'. Birgitta of Sweden's Devotion to the Heart of Mary: Heliga Birgitta – budskapet och förebilden. Föredrag vid jubileumssymposiet i Vadstena 3-7 oktober 1991. Red.: Alf Härdelin & Mereth Lindgren, Sthlm 1993 (Kungl. Vitterhets Historie och Antikvitets Akadamien. Konferenser 28), s. 213-22

Schück 1895 =
Två svenska biografier från medeltiden. Meddelade af Henrik Schück: Antiqvarisk Tidskrift för Sverige 5 (1895), s. 295-475

Schück 1959 =
Herman Schück, Ecclesia Lincopensis. Studier av linköpingskyrkan under medeltiden och Gustav Vasa, Sthlm 1959 (Acta Universitatis Stockholmiensis. Stockholm Studies in History 4)

Schück 1987 =
Herman Schück, Domkyrka och domkapitel inom den medeltida Linköpingskyrkan: Linköpings domkyrka. I. Kyrkobyggnaden. Av Bengt Cnattingius ..., Sthlm 1987 (Sveriges kyrkor, Konsthistoriskt inventarium 200), s. 279-299.

Segelberg 1984 =
Eric Segelberg, Nils, Birgittas biskop, och Vadstena, Uppsala 1984

Seybold 1994 =
M. Seybold, art. Unbefleckte Empfängnis: Marienlexikon, Bd 6, St. Ottilien 1994, s. 519-525

Stolpe 1972 =
Sven Stolpe, Från runsten till ballad, Sthlm 1972 (Förf.:s Svenska folkets litteraturhistoria [1]), s. 159-180

Statuta synodalia 1841 =
Statuta synodalia veteris ecclesiæ sveogoticæ ... ed. H. Reutendahl, Lund 1841

Thomas 1972 =
A, Thomas, art. Wurzel Jesse: Lexikon der christlichen Ikonographie. Hrsg. von Engelbert Kirchbaum, Bd 4, Rom ... 1972, sp. 549-558

Wilmart 1932 =
A. Wilmart, Les compositions d'Osbert de Clare en l'honneur de sainte Anne: Författarens: Auteurs spirituels et textes dévots du moyen age latin. Études d'histoire littéraire, Paris 1932, s. 261-286

Zender 1978 =

Matthias Zender, art. Anna, Heilige: Theologische Realenzyklopädie, Bd II, Berlin & New York 1978, s. 752-755

Stephan Borgehammar

Marias medlidande.
Ett bidrag till studiet av birgittinsk spiritualitet.

Att leva sig in i Marias ångest och smärtor vid korsfästelsen är något som för en modern svensk låter esoteriskt och tämligen osunt. Icke desto mindre är de flesta moderna svenskar bekanta med motivet. Vi har mött det i form av pietà-bilder, framför allt Michelangelos, och i form av tonsättningar av Stabat mater. Att motivet är så välbekant än i dag, trots att det är så "ute", visar att det en gång var allt annat än marginellt och esoteriskt.

Marias medlidande med sin Son blev föremål för särskilt liturgiskt firande på 1300-talet.[1] Det äldsta kända belägget är ett *Officium de compassione* i en fransk handskrift från strax efter 1350. Från 1400-talet förekommer officier och mässor på samma tema, men med många olika benämningar, i hela Europa. Redan omkr. 1400 finns ett officium i Sverige, av allt att döma författat här.[2] Under 1400-talet får också Marias medlidande en fast firningsdag i många europeiska stift. Utgångspunkten tycks vara ett beslut av en provinssynod i Köln 1423, som fixerade firandet till fredagen efter Tredje söndagen efter påsk. I Sverige firade man vanligen sin *Compassio Mariae*-fest lördagen efter påskoktaven, men också fasta datum i slutet av april och början av maj förekom.[3] Vid reformationen försvinner festen i Sverige och på andra håll, medan den lever kvar i exempelvis Frankrike och Italien.[4] Den upptogs ej i Pius V:s missale (det "tridentinska") men infördes generellt i Spanien 1671 och i tyska imperiet 1672, nu på fredagen efter Passionssöndagen. En viktig roll i spridningen av *compassio*-firandet spelade Marie tjänares orden, mer känd som Servitorden. Det är möjligt att de redan låg bakom festens instiftande i Köln 1423. År 1668 fick de privilegiet att fira tredje söndagen i september till minne av ”Jungfru Marias sju smärtor”. 1714 erhöll de även rätten att fira fredagen efter Passionssöndagen, och på deras begäran utsträcktes detta firande till hela den katolska kyrkan 1727. Samtidigt börjar Serviternas fest i september spridas. Den införs i Österrike 1734, i Toscana 1807, utsträcks 1814 av Pius VII till hela kyrkan (som tack för hans befrielse ur en lång fångenskap) och fixeras 1913 av Pius X till 15 september (med hänvisning till att endast Kristusfester bör firas på en söndag). I Pius X:s missale heter båda festerna *Septem Dolorum Beatae Mariae Virginis*, medan det dominikanska breviariet av 1960 låter festen i passionstiden ha sitt medeltida namn, *In Compassione BMV*. Den sistnämnda festen är i dag avskaffad, medan Jungfru Marias smärtor den 15 september har förblivit en fast del av det katolska kalendariet, om än med lägsta firningsgrad (*memoria* eller minnesdag).

Det liturgiska firandet av *Compassio Mariae* kan alltså spåras tillbaka till 1300-talet.[5] Men själva meditationen över den heliga Jungfruns medlidande med sin Son har äldre anor. Den är framträdande hos den heliga Birgitta; Birgitta bör i sin tur ha varit förtrogen med Stabat mater, som diktades redan under andra hälften av 1200-talet; och dessförinnan hade Marias smärtor skildrats på karakteristiskt inkännande sätt av Anselm av Canterbury och flera författare i hans efterföljd.[6] Som Tryggve Lundén har framhållit, finns det en *dogmatisk* tradition om Marias deltagande med sin Son i återlösningen, som sträcker sig ännu mycket längre tillbaka, nämligen till Irenaeus för att inte säga apostlarna själva; men den *affektiva meditationen*, den djupt medkännande inlevelsen i Marias sorg, även om den grundar sig på Symeons profetia om svärdet som skall gå genom Marias själ (Luk. 2:35), är karakteristisk för medeltiden och nya tiden, från 1100-talet och framåt.[7] Även i öst, bland ortodoxa kristna, gör sig meditation över Marias smärtor gällande, åtminstone från 1300-talet.[8]

Compassio Mariae är alltså inte bara en mindre kyrklig firningsdag i ett hörn av Europa, utan ett centralt och viktigt inslag i den katolska kyrkans spiritualitet, från medeltiden och ända till i dag. Vad handlar då denna *compassio* om? Vad är dess teologiska innehåll, vad är dess praktiska funktion i det andliga livet? Ett initierat och grundligt svar på de frågorna skulle kräva kunskaper som går långt utöver mina, men jag skall försöka antyda ett svar utifrån vad jag har funnit i några olika texter.

Rent språkligt kan uttrycket *compassio Mariae* förstås på två sätt, antingen som ”Marias medlidande” eller som ”medlidande med Maria”. I praktiken går dessa båda hand i hand. Den grundläggande funktionen av att betrakta Marias djupa sorg vid korsets fot, är att väckas till medlidande med henne, för att på så sätt, *med* henne, lära sig medlidande med Kristus. Det väsentliga är alltså betraktandet av *Kristi* lidande. *Marias* lidande har en förmedlande funktion, den är ett fönster mot Kristus på korset.

Detta framgår tydligt i en av Birgittas revelationer, Bok I, kap. 27. Den börjar så här: "Guds moder talade till bruden och sade: 'Min dotter, jag vill, att du skall veta, att där varest dans pågår, där finns tre ting, nämligen tom glädje, högljutt ropande och onyttigt arbete. Men när någon sörjande eller sorgsen inträder i danshuset och hans vän, som då deltager i dansens glädje, ser sin vän komma in sorgsen och bedrövad, så lämnar han genast nöjet, skiljer sig från dansen och sörjer med sin sörjande vän. Denna dans är denna värld, som alltid kretsar kring bekymmer, fast det för dåraktiga människor synes vara glädje. ... Den som deltager i världens dans, må betrakta min möda och min smärta och sörja med mig, som var skild från all världens glädje, samt <själv> skilja sig från världen.'" Så följer en detaljrik skildring av Jesu lidande och all den sorg som det orsakade Maria. Kapitlet slutar: "Må därför var och en, som är i världen, begrunda, hur jag led vid min Sons död och alltid hava det för ögonen."[9] Budskapet är tydligt: den som riskerar att uppslukas av världens fåfänga dans, kan mitt i dansen få syn på den sörjande vännen Maria, och av medlidande med henne lösgöra sig från dansen och gå ut i verkligheten, och där se hur Kristus lider på korset av kärlek till människorna.

Meditationen över Marias lidande beskrivs träffande på tyska med ordet Miterleben – "medupplevande". Det handlar om mer än att ha Maria som förebild i betraktelsen av Kristi lidande, det handlar om att ha henne som identifikationsobjekt. Man är med henne och i henne vid korsets fot. Man deltar i hennes smärtor som moder, man får hjälp av hennes naturliga medkänsla med sin son till att begråta Kristus, innerligt och på djupet. Man deltar också i hennes kunskap om Kristus, om hans väsen och ursprung, om hans yttre och inre skönhet, om hur orättvizst han plågas, om hur stor hans kärlek är till människorna. Man delar hennes lydiga accepterande av vad som sker och hennes fasta förtröstan på Gud mitt i denna den yttersta bedrövelsen. Och slutligen deltar man också i hennes goda respons, hennes översvallande tacksamhet och kärlek till sin Son för vad han är och vad han har gjort. Detta är betraktelsens främsta mål: att föröka tacksamheten och kärleken till Kristus.[10]

Vad som hittills har sagts får emellertid inte uppfattas som om *compassio*-andakten bara utnyttjar Maria-bilden som ett instrument, som ett stöd för fantasin utan någon egentlig relation till den verkliga Maria. Även om betraktelsen huvudsakligen gäller Kristus, så är Maria med i sin egen rätt, som person. Ibland tar betraktaren så att säga ett steg bakåt och ser direkt på Maria. Det finns i texterna uttryck för ånger över att man genom sin synd indirekt har orsakat *henne* lidande, då ju synden orsakade att *Kristus* måste lida. Det finns också ett betraktande av hur fullkomligt Maria tillägnade sig försoningen, hur hon var ståndaktigast vid Jesu sida, hur hon stod närmast korset, hur hon först och fullkomligast av alla tog emot frukterna av Jesu död. Tanken på Maria som *mediatrix*, förmedlarinna av försoningen, kommer fram i sådana sammanhang. Man kan vända sig till henne för att få del av försoningens frukter, därför att hon har tillägnat sig dem i deras fullhet.[11] Det påpekas även att hon är barmhärtighetens moder, och att den som söker barmhärtighet kan finna henne just vid korsets fot. Genom att *delta* i hennes medlidande kan man också bli *föremål* för hennes medlidande. Hon är barmhärtig, och kan utverka barmhärtighet av sin Son, eftersom han inte skulle kunna neka henne något, som både födde honom och troget stod vid korset och led med honom.[12]

Ett av de starkaste uttrycken för Marias aktiva delaktighet i försoningsverket finner vi hos Birgitta. Det är Maria som talar (Rev. I, 35): "Därför vågar jag säga, att hans smärta var min smärta, eftersom hans hjärta var mitt hjärta. Ty liksom Adam och Eva sålde världen för ett äpple, så återlöste min Son och jag världen liksom med ett hjärta."[13] Här framhävs identifikationen mellan Jesus och Maria så starkt, att försoningen blir deras gemensamma akt, och betraktelsen av den enas lidande samtidigt betraktelsen av den andras. Som beteckning för denna syn på Maria har man myntat termen *corredemptrix*, "medåterlösarinna". Den beteckningen är emellertid för många ett rött skynke, som betyder en närmast blasfemiskt hög uppfattning om Maria. Därför är det värt att framhålla, att Birgitta här inte vill säga något om Maria i sig själv, utan (som alltid) talar om Maria i relation till Kristus. Det är inte genom någon sin egen akt som Maria deltar i världens återlösning, utan genom sin fullkomliga kärlek till Kristus, och naturligtvis hans kärlek till henne.

Maria är således för Birgitta långt mer än ett identifikationsobjekt; hon är utan vidare en verklig individ, värd vår uppmärksamhet och vördnad; men samtidigt är Marias hela väsen delaktighet i Kristus. Birgittas höga vördnad för Maria passerar aldrig gränsen för det mänskliga i relation till det gudomliga; däremot har Maria funktionen att visa att en människa har en nästan obegriplig potential för helighet och närhet till Gud. Vi *skulle* kunna stå Kristus så nära att han lät oss dela återlösningsverket med Honom – beviset är Maria, som *har* stått Kristus så nära. Det är Birgittas budskap.[14]

En någotsånär utförlig beskrivning av *compassio*-betraktelsen måste också nämna att den inte inskränker sig till meditation över Maria vid korset. Den är inte bara en variant av passionsbetraktelsen, utan tar ibland också in de smärtor som förbinder Maria med Kristus ända från hans födelse och till hennes egen död. Under Jesu uppväxt inträffar till exempel flera smärtsamma händelser. Dessutom menade många, inklusive Birgitta, att Maria genom sin djupa insikt i profetiorna redan från början var fullt medveten om vad Jesus skulle få genomgå vid korsfästelsen, och att hon bedrövades djupt av tanken på det när hon betraktade honom i barnaåren. Man menade också att Maria efter korsfästelsen gick igenom sin Sons lidande i minnet och återupplevde smärtan, samtidigt som hon plågades av längtan att få förenas med sin Son i himmelen. I alla dessa stycken framträder Maria som mönster: meningen är att vi av henne skall lära oss att alltid älska Kristus, att meditera över hans liv och ständigt ha hans lidande i minnet. Hennes liv skall vara vårt liv.

Betraktelsen över Maria vid korset är rik, och jag har bara kunnat antyda några huvudteman. För den som vill fördjupa sig finns mycket mer att upptäcka av olika teman som vävs samman i olika kombinationer, i texter av ofta stor skönhet och uttryckskraft. Men den medeltida spiritualiteten har inte bara sina höjdpunkter utan också sina dalgångar. Något annat har vi inte rätt att vänta oss. Som konsthistorikern Genoveva Nitz har påpekat, fungerar Maria i somliga passionsbilder inte bara som förmedlarinna av delaktighet i Kristi lidande, utan också som ett medel att stegra bildens lidandesinnehåll och lidandesuttryck.[15] Frågan är om det inte finns bilder där uttrycket får ett egenvärde, på bekostnad av innehållet. Samma fråga kan resas angående vissa texter. Det finns en tendens till sentimentalitet i somliga skildringar av Marias smärtor, som ibland blir så påträngande att den hotar att kasta den objektiva betraktelsen över ända. Tragiska scener blir viktigare än den teologiska reflexionen över hur saker och ting verkligen bör ha förhållit sig.

Låt mig exemplifiera en reflekterad och en mer effektsökande *compassio*-betraktelse med några predikningar ur handskrifter som har tillhört Vadstena klosterbibliotek samt med ett par utdrag ur Birgittas Uppenbarelser.

Compassio Mariae var inte någon stor predikodag i Vadstena. För vanliga söndagar och större fester finns det i allmänhet 50–100 predikningar bevarade i Vadstenasamlingen; för *Compassio Mariae* finns det blott fem olika.

Låt mig först fästa uppmärksamheten vid två predikningar i handskriften C 181 (Uppsala universitetsbibliotek).[16] Denna handskrift har tillhört Ericus Johannis, som var präst i Lödöse innan han inträdde i Vadstena kloster 1478. Predikningarna är *inte* birgittinska till sin karaktär. De har inte Vadstenapredikans karakteristiska form, de saknar Birgitta-citat, och författarangivelsen B., som i Vadstena brukar betyda Birgitta, betyder här Bernard (av Clairvaux).

De båda predikningarna är mycket olika varandra. Den första utgörs helt av en lång dramatiserad skildring av Marias klagan vid korset. Den har tydligt släktskap med en traktat från ca 1200, som författats av cisterciensabboten Ogler från Trino. Traktaten existerar i flera versioner, under flera namn, och tillskrivs omväxlande Anselm, Augustinus och Bernard – textförhållandena är inte fullständigt utredda och jag kommer här att använda namnet *Planctus Mariae* för texten generellt, oavsett version.[17] Vår predikan har lånat stoff från åtminstone två versioner av *Planctus Mariae*, eftersom den hänvisar än till Augustinus och än till Bernard.[18]

Den andra predikan är en tematisk predikan av vanlig typ, med tema taget från Bibeln (närmare bestämt Höga V. 1:13), tre huvudavdelningar och ett antal underavdelningar till dessa. Den är så pass kort och koncentrerad att den kan sägas mer ha karaktären av schema än av en fullt utarbetad predikan.

Jag vill dröja något vid den första predikan, och börjar med att återge huvuddragen av innehållet. Marias klagan framställs mycket gripande, med tvära kast då hon vänder sig till olika åhörare eller kategorier av människor. Det är avskalat och utan finess, och just detta bidrar till att förhöja uttrycket av förtvivlan. Jag citerar några rader i början: "<Maria> omfamnade korset och ropade med tårfylld stämma: 'Ve mig för denna sorgliga syn, att se <dig> så söndertrasad för mina ögon! O kvinnor, bed att ni aldrig måtte se era egna söner i sådan nöd, och sörj med mig, stackars olyckliga kvinna!' Och hon grät, som Augustinus skriver, och sade: 'O mödrar, se i dag till min tröstlöshet, och kalla mig inte Noomi, som betyder vacker, utan kalla mig Mara, ty jag är full av bedrövelse (jfr Rut 1:20). Apostlarna och alla lärjungarna har flytt och lämnat mig, så jag har ingen som kan hjälpa mig dra ut spikarna och ta av törnekronan. Ingen tröst har jag som andra mödrar har. En stor tröst är det för modern när sonen ligger sjuk och döende, om hon kan passa upp på honom; men jag kan inget göra för min son. Jag såg hans blod rinna ner på marken, men kunde inte samla upp det. Jag såg hans kropp sårig, och kunde inte förbinda såren. Jag såg honom hängande inför mig, och kunde inte vidröra honom. Jag såg honom gråta på korset, och kunde inte torka hans tårar. Därför är jag olycklig bland mödrar.' Och hon tittade på sonen och sade, 'Var är glädjen som ängeln Gabriel förkunnade för mig? Den glädjen har jag förlorat, den har förbytts i sorg. "Full av nåd" sade han också; nu är jag full av bedrövelse.'"[19] Så fortsätter texten ytterligare ett tag, tills den övergår i en mer objektiv skildring av Jesu sista ord. Vid frasen "till sist böjde han huvudet och gav upp andan" finns en anvisning i marginalen om att man skall läsa Fader vår och Ave Maria – förmodligen avses präst och församling gemensamt.[20] Så återvänder texten till Marias klagan. Hennes reaktioner och ord när soldaterna kommer för att krossa de korsfästas ben skildras särskilt utförligt, i en passage som är lånad från Ps.-Bonaventura, *Meditaciones de vita Christi.*[21] När Jesus har tagits ned från korset tar Maria hans huvud i sina händer och säger, "Ack, min älskade, var skall jag olyckliga moder få tröst, när jag nu ser dig död inför mig?" Då, står det, förhärligades Jesu kropp inför dem, som tröst för hans mor och lärjungar, och alla sår och vankor försvann så när som på de fem såren. Berättelsen fortsätter med begravningen, då Maria först inte vill släppa sonens kropp ifrån sig, och sedan vill bli begravd med honom. Sedan lägger hon sig på graven och gråter, och Johannes måste dra henne med våld därifrån. När hon till sist kommer in i Jerusalem med blodbestänkta kläder ropar folket: "O vilken orätt som begåtts i Jerusalem i dag, mot denna vackra dam och hennes son!" Och det står att "alla kände medlidande med henne". Predikan slutar med orden, "Sannerligen, det kan inte finnas någon trogen kristen som inte lider med Maria i dag och begråter Kristi död."

Det här är som sagt en gripande text. Men den skiljer sig ganska mycket från motsvarande skildringar hos Birgitta. Här fokuseras intresset på Maria, medan Kristus mest nämns i förbigående. Vidare kretsar allt kring Marias hjärtskärande sorg, och inget sägs om hennes tro eller om att hon trots lidandet skulle foga sig efter Guds vilja. Det krävs ett särskilt under för att trösta henne, och medan Birgitta kan säga att Maria efter begravningen "på nytt kände ljuvlig tröst och hugsvalelse," eftersom hon visste att Jesu lidande nu var slut och att han snart skulle uppstå till evig härlighet,[22] så skildras Maria i slutet av vår predikan som halvt från vettet av sorg. Det är således den dramatiska sorgen som fokuseras här, och även om det finns inslag av djupare reflexion, så är predikan mer ägnad att skapa stämning än att väcka till eftertanke.

Låt oss jämföra med ett stycke ur Birgittas Uppenbarelser. Jag citerar liksom tidigare från Bok I, kap. 27, och det är Maria som själv beskriver Jesu död: "När döden nalkades och hjärtat brast av den outhärdliga pinan, då skälvde alla hans lemmar till, och huvudet, som var framåtböjt, höjde sig något; de halvslutna ögonen öppnades nästan till hälften, och likaså öppnades hans mun, så att den blodiga tungan syntes. Fingrarna och armarna, som voro liksom förlamade, utsträcktes. Men när han givit upp andan, föll huvudet ned på bröstet, händerna sjönko något litet ned från spikhålen, och fötterna hade sålunda en tyngre börda att bära. Då domnade mina händer, ögonen förmörkades och ansiktet bleknade som på en död människa; öronen hörde intet, munnen kunde icke tala, fötterna vacklade och min kropp föll till marken. När jag åter reste mig och såg min Son vara eländigare och mera föraktad än en spetälsk, fogade jag min vilja helt efter hans, ty jag visste, att allt hade skett efter hans vilja och icke hade kunnat ske, om icke han hade tillåtit det. Jag tackade honom därför för allt, och så var någon glädje blandad med sorgen, emedan jag såg att han, som aldrig syndat, av sin stora kärlek hade velat lida så mycket för syndarna."[23] Lidandet i denna text är hemskt i sin nakenhet, men samtidigt är det en Maria med resning vi möter. Hos henne finns inte ett spår av självömkan, hennes sorg är helt och hållet *med*lidande, för egen del fogar hon sig ödmjukt i Guds vilja. Det är också därför som hon hos Birgitta kan ha del i återlösningen: det är inte sorgen som är det viktiga, utan lydnaden, en lydnad som står i en hjärtats förbindelse med Kristi egen lydnad. Därför är inte heller Marias sorg nattsvart hos Birgitta. Trots att den är så stor, att Birgitta menar det vara ett Guds under att Maria inte dog av den, så finns ändå glädje blandad i den. När Kristus dör, upphör också den omedelbara sorgen hos Maria, eftersom medlidandets föremål då har tagits bort.

Vi vänder oss nu till frågan hur denna del av arvet från Birgitta förvaltades i Vadstena kloster. Säkert finns mycket material i Vadstenapredikningarna som skulle kunna belysa den frågan, men jag har här begränsat min undersökning till texter som är direkt förknippade med firandet av *Compassio Mariae*. Vi får därmed gå till handskriften C 386, den enda handskrift som bevarar specialkomponerade birgittinska *Compassio*-predikningar. C 386 är en mycket tjock lunta som troligtvis i sin helhet har skrivits av Johannes Benechini, diakon i Vadstena kloster i 45 år, från 1416 till 1461. I denna handskrift finns hela tre *Compassio Mariae*-predikningar, och vi skall se på nummer två och tre.[24]

Predikan nr två har intressanta beröringspunkter med de båda predikningarna i C 181. Den har nämligen struktur och huvudinnehåll gemensamt med den *tematiska* predikan i C 181, men den har även ett par infogade citat ur *Planctus Mariae*, som den delar med den första predikan i C 181.[25] Därtill finner vi flera passager om Marias medlidande tagna från Birgittas uppenbarelser, samt några passager vars ursprung är dunkelt. Predikan i C 386 är alltså ett kompilat, och ett typiskt birgittinskt kompilat dessutom, förmodligen utfört av Johannes Benechini själv. Johannes har inte använt sig direkt av C 181, utan det är snarare så att de båda har en eller två gemensamma källor.[26] Dock måste källans/källornas texter ha varit ganska lika de båda texterna i C 181.

Har då Johannes Benechini undvikit den effektsökande sentimentaliteten hos *Planctus Mariae*-källan, och har han valt ut det bästa och viktigaste hos Birgitta? Svaret är – ja och nej. Den enligt min mening sämsta delen av *Planctus Mariae* i C 181, nämligen slutet, har Johannes ingen motsvarighet till. Å andra sidan har han inte heller fått med det bästa ur Birgitta; man saknar till exempel den hos henne ofta återkommande utsagan att ”någon glädje var blandad med sorgen” därför att Maria i sin vilja var förenad med Kristus.

Detta reser frågan hur medvetna Vadstenabröderna egentligen var om de unika kvaliteterna hos Birgitta. Om Johannes Benechini verkligen hade sett styrkan i Birgittas Maria-bild, hade han då komponerat denna predikan som han gjorde? Det är svårt att svara på det. Faktiskt omfattar predikan *ett* mer profilerat Birgittacitat, men det står efter predikans slut, inskrivet i undre marginalen. Det är från Bok II, kap. 21, och lyder: "Fast jag var övermåttan bedrövad över min Sons död, gladdes jag dock i min själ, emedan jag visste, att han icke mera skulle dö utan leva i evighet, och så blandades min sorg med någon glädje. Jag kan i sanning säga, att när min Son var begraven, var det liksom tvenne hjärtan i en grav. Månne det icke är sagt, att där din skatt är, där är ock ditt hjärta? Så dvaldes min tanke och mitt hjärta alltid i min Sons grav."[27] Lades detta citat till i ett ögonblick av besinning? Var det tänkt att användas vid det muntliga framförandet? Det går inte att säga.

Men låt oss se på en annan av Johannes Benechinis predikningar, nr tre i C 386. Den har en fascinerande inledning, med citat som anges vara från Bernard av Clairvaux, men också långa stycken för vilka ingen källa anges, men som av stilen att döma härrör från någon av medeltidens stora författare. Det intressanta för oss är dock första huvudavdelningens sjunde avsnitt, som specifikt fokuserar Marias medlidande. Här möter på nytt ett citat ur någon *Planctus Mariae*-version, stilistiskt mer driven än dem vi har mött tidigare. Källan anges på ett ställe i marginalen som "Augustinus in Planctu". Citatet återger först en del av Marias klagan som låter självömkande på obirgittinskt vis. Maria säger till Jesus: "O du godaste bland söner, förbarma dig över din mor och ta emot hennes böner! Sluta nu att vara hård mot din mor, du som är god mot alla! Ta din mor till dig på korset, så att jag får leva med dig för alltid efter döden! Inget är ljuvare för mig än att omfamna dig på korset och dö med dig. Och inget är bittrare för mig än att leva efter din död. Du var för mig en fader, en make, en son, ja allt. Nu blir jag faderlös, barnlös och änka, och förlorar allt!" Sedan följer ett av de mer vågade avsnitt som dyker upp i *Planctus Mariae*-versionerna, nämligen Marias förbittrade anklagelser mot Gabriel: "Var är du, Gabriel? Varför sade du 'Ave', när jag är full av ve? Jag kallas 'Maria', ty jag är *amara* (bitter). Varför sade du 'Full av nåd', när jag är full av stora smärtor? Varför sade du 'Herren är med dig', när han nu inte är med mig? Varför sade man till mig 'Välsignad är du bland kvinnor', när jag är förbannad av judarna? Varför sade man 'Välsignad är din livsfrukt Jesus', när den som hänger på trä är förbannad? Se Gabriel, se på den Högstes son, som du bebådade mig! Se honom med törnen på huvudet, med spott och blod i ansiktet, med kroppen hudflängd och fastspikad på korset! Detta är den son som du bebådade mig."[28] Det är skakande, det är tankeväckande, det är också mycket djärvt. Det är knappast meningen att Maria i de här båda citaten skall uppfattas som självömkande och som bitter, men det ligger snubblande nära till hands. Därför är det intressant att Johannes Benechini omedelbart efter det sista citatet skriver: "Men hur hon förhöll sig vid sin Sons död, det visar oss den saliga Jungfrun genom den saliga Birgitta i Uppenbarelsernas första bok, kap. 27." Vad som står i Bok I, kap. 27, vet vi redan.

Man frågar sig: Varför har Johannes Benechini fört in just detta citat just här? Är det för att liksom balansera den Maria-bild som *Planctus Mariae*-texten ger? Eller är det tvärtom för att även Birgitta på ett skakande sätt skildrar Marias sorg, och broder Johannes helt enkelt vill göra sin predikan mer gripande? Finns det kanske en tredje förklaring – att Johannes Benechini är väl förtrogen med Birgittas tankar, men att han i en predikan för folket väljer att lägga betoningen på det dramatiska och rörande, av pedagogiska skäl?

Jag kan tyvärr inte ge något svar. Var och en får tills vidare bilda sig sin egen uppfattning. Men en sak tycks mig klar, och det är att Johannes Benechini inte anstränger sig att upprätthålla en utpräglat birgittinsk profil. Han använder Birgitta flitigt i sina *compassio*-predikningar, men jämsides med andra texter, som är präglade av en delvis annorlunda spiritualitet. Detta reser en stor fråga, nämligen frågan om hur arvet efter Birgitta värderades och togs tillvara i Vadstena kloster. Det vet vi alltför litet om, trots att det finns gott om material som skulle kunna kasta ljus över saken. Låt oss anbefalla detta till framtida studium.

Avslutningsvis kan vi bara konstatera att den här undersökningen av *Compassio Mariae* i Sverige åter har understrukit att Birgitta verkligen var en stor skickelse. Hon var inte bara en formidabel personlighet, utan också en betydande teolog. *Om* det skulle visa sig att hennes arvtagare inte förmådde ta vara på alla de impulser som utgick från henne, så kanske vi skall låta det leda oss inte så mycket till att klandra dem, som till att förundra oss över henne.

Summary

Marias medlidande.

Compassio Mariae, the participation of the Virgin Mary in the redemptive sufferings of her Son, became an object of pious attention in the Late Middle Ages. A specific liturgical celebration with this theme was instituted in various dioceses of Western Europe in the 15th century, while private devotions were common already in the 14th.

Compassio Mariae can be understood in two ways: compassion for Mary, or the compassion of Mary. These are connected. The devotion is a serious consideration of Mary's pain on behalf of her Son, in order to participate in that pain through compassion for her, and so to learn, *with* her, compassion for Christ. The chief goal is to induce greater love of Christ. But there is another aspect too: the consideration of Mary as *corredemptrix* through her perfect participation in the redemptive act. This is strongly emphasized by St. Birgitta, though not in such a way as to derogate from the deed done by Christ. Birgitta's message is Mary's incredible yet fully human potential for communion with God in everything, a potential which every Christian should seek to realize.

In Birgitta's Revelations, Mary is an imposing figure, suffering with horrible intensity at the foot of the Cross, yet remaining humbly obedient to the will of God, able to feel gratitude and even "a little joy" at the death of her Son. But in the Late Middle Ages other texts circulated which were more concerned with the sentimental than the moral aspects of Mary's compassion, notably a treatise written c. 1200 by the Cistercian Ogler of Trino, usually called *Planctus Mariae* and ascribed to Augustine or Bernard of Clairvaux. It circulated in many versions and was used in some 15th century sermons on *Compassio Mariae* which belonged to the library of Vadstena Abbey (today in the C collection of Uppsala University Library).

C 181 belonged to Ericus Johannis, a priest of Vadstena Abbey 1478–1508. It contains two *Compassio* sermons, one an outline, the other more full and largely based on two versions of *Planctus Mariae*. Neither of these is characteristically Birgittine. C 386 belonged to Johannes Benechini, a deacon of the Abbey 1416–1461, and it contains three *Compassio* sermons. The second is based on the same two sermons that are found in C 181, mixing materials from both and adding quotations from further sources, notably St. Birgitta.

It is not clear that the sermons in C 386, though formally Birgittine, adhere fully to the refined theology of St. Birgitta. They emphasize extravagant utterings of Mary's suffering far more than Mary's steadfast inner assent. This raises a question which has been very little studied as yet: how well was the spiritual heritage of St. Birgitta kept and tended at Vadstena Abbey?

Noter

[1] Om firandet av *Compassio Mariae* i allmänhet, se främst Bertaud 1957. De uppgifter som står att finna i de vanligaste teologiska uppslagsverken och liturgivetenskapliga handböckerna är som regel knapphändiga och ofta missvisande eller direkt felaktiga. Bertauds utförliga bibliografi kan kompletteras med Holweck 1892 och 1925, Beissel 1909, s. 379–415 och Campana 1933, bd I, s. 307–336.

[2] Lundén 1979 (inkluderar edition).

[3] Firningsdagar i Sverige: Lördagen efter påskoktaven i Linköping, Skara och Strängnäs stift (dock 21/4 i Strängnäsbreviariet 1495), 22/4 och 19/4 i kalendarier från Åbo stift (daterade ca 1450 resp. ca 1500), samt 5/5 i Uppsala stift. Samma liturgiska texter användes också i (det då danska) Lund stift, men där på torsdagen efter påskoktaven. Om *Compassio Mariae*-festen i Sverige, se Johansson 1966, sp. 359, och Lundén 1979.

[4] Ett mässformulär komponerat av Sixtus IV och först tryckt i ett missale 1482 fick stor spridning och förekommer bl. a. i missalen från Lyon 1501 och 1511, samt Paris 1507. En mässa *De spasmo atque doloribus beatae Mariae virginis* står i ett missale från Milano 1522. Venetianska missalen från 1500-talets mitt har en *Missa de compassione beatae Mariae virginis*, förlagd, liksom tidigare i Sverige, till lördagen efter påskoktaven (ett missale från 1558 med den omständliga titeln *Missa de Compassione, siue de Spasmo, siue de Pietate, beate Marie virginis*); se *Missale Romanum Mediolani, 1474* 1907, s. 281 f., för de venetianska missalenas texter.

[5] Dock ges Marias medlidande utrymme redan i Bonaventuras *Officium de passione Domini*.

[6] En kort historik över temat, med många käll- och litteraturhänvisningar, ges av Barré 1952, s. 243–251. Om Marias klagan som litterär genre se även Bekker-Nielsen 1966, Bernt 1993a, Bernt 1993b, Bernt 1993c och Sticca 1988.

[7] Lundén 1973 samt Lundén 1979.

[8] Ett uttryck för den ortodoxa meditationen är den ikon (kallad "Strastnaia") som visar Maria med Jesusbarnet och runt omkring dem änglar hållande passionsverktygen; se Ouspensky 1983, s. 102 f.

[9] Cit. fr. Tryggve Lundéns översättning, Malmö 1957–59, bd I, s. 118 f.

[10] En predikan i handskriften C 386, Uppsala universitetsbibliotek, fol. 489a verso (lingula) anger åtta skäl att stå vid korset: medlidande med Kristus, lida *för* Kristus, ej ytterligare plåga Honom, förstå hur ond synden är, inse hur dyrt Kristus köpte oss, livas att älska Gud, hoppas på barmhärtighet, frukta straff efter döden. Om denna handskrift, som är skriven av Vadstenabrodern Johannes Benechini, se vidare nedan.

[11] En annan predikan i C 386, fol. 482r, utgår i sin första del (*prothema*) från frasen *de plenitudine eius accipiunt universi*, "av hans/hennes fullhet får alla del", tillämpad på Maria (jfr Joh 1:16).

[12] Så C 386, 489r.

[13] Lundéns övers., bd I, s. 132.

[14] Utsagor om Marias medlidande med sin son återfinns i *Sermo angelicus* 18 samt på följande ställen i Birgittas Uppenbarelser: I, 10–11, 20, 27, 35; II, 21, 24; IV, 70; VI, 57; VII, 15; Extr. 51. Se även den utmärkta studien av Claire L. Sahlin, Sahlin 1993, med fylliga litteraturhänvisningar.

[15] Nitz 1989.

[16] C 181, fol. 39r–40r resp. 41rv.

[17] Oglers traktat, som egentligen är ett utdrag ur ett längre verk, är lättast åtkomlig (under titeln *Liber de passione Christi et doloribus et planctibus matris eius*) i PL 182, sp. 1133–1142, som tyvärr återger en dålig handskrift. En något bättre text finns i Chiari 1926, s. 66–82. Uppsala Universitetsbibliotek äger traktaten i två små inkunabeltryck från 1470-talet med signum 35:166 och 35^{b}:312. Traktatens innehåll och olika versioner samt handskrifter och tryckta utgåvor behandlas av Barré 1952. Se även Machielsen 1994, nr 3092 (a–c).

[18] En version tillskriven Augustinus finns i Uppsala Universitetsbibliotek, C 171, fol. 179, en tillskriven Bernard i C 251, fol. 9. Båda handskrifterna har tillhört Vadstena kloster, men ingen tycks vara förlaga för citaten i predikningarna. Traktaten finns också i C 59 (från Frauenberg) och ett kort utdrag i C 237, fol. 65rv (har tillhört Bondo Iohannis, senare Vadstena kloster).

[19] C 181, fol. 39r: Amplectens crucem voce lacrimabili clamabat dicens, Ve mihi de tam miserabili aspectu, quod sic video ante oculos meos laceratum. O mulieres, orate, vt nunquam tam magnam perturbacionem in vestris filiis videatis, et condoleatis mihi miserabili et misere mulieri.

Flebat autem, vt dicit Augustinus, et dicit, O matres, hodie ad meam desolacionem respicite, et nolite me vocare Neomi, id est pulcram, sed amaram, quia amaritudine plena sum. Apostoli et omnes discipuli a me fugierunt et de<re>linquerunt me, vt nullum habeo iuuantem me clauum extrahere vel spineam coronam deponere. Nullam consolacionem possum habere sicut alie mulieres. Magna est consolacio matri, quando filio infirmitate moriente potest ministrare ei; in nullo possum iuuare meum. Vidi sanguinem eius in terram defluere, et non potui colligere. Vidi corpus eius wlneratum, et non potui wlnera eius ligare. Vidi eum ante oculos meos pendentem, et non potui attingere. Vidi ipsum in cruce flentem, et non potui lacrimas eius extergere. Propterea ego infelix mater sum. Et respiciens filium dixit, Vbi est gaudium, quod nunciauit mihi angelus Gabriel? Hoc gaudium perdidi et conuersum est in luctum. Et dixit, Gracia plena, nunc amaritudine plena sum.

[20] C 181, fol. 39v.

[21] C 181, fol. 39v–40r; jfr *Meditaciones de passione Christi* 1965, s. 117 f. (kap. 8). (*Meditaciones de passione Christi* ingår i *Meditaciones de vita Christi* men har förmodligen ett självständigt ursprung.)

[22] SA 18 (övers. Lundén, bd IV, s. 73); jfr Rev. II, 21 där Maria säger: "Jag var såsom en barnaföderska, vars alla lemmar skälva efter förlossningen och som, fast hon knappt kan andas av smärta, dock gläds i sitt hjärta, så mycket hon förmår, därför att hon vet, att det barn, som hon fött, aldrig mer skall återvända i samma elände, varifrån det utgått" (övers. Lundén, bd I, s. 248).

[23] Cit. fr. Lundéns övers., bd I, s. 118 f.

[24] C 386, (1) fol. 262r–264r, (2) 482r–484v, samt (3) 488v–490v + 489a (lingula). (2) har kopierats av Henechinus, Vadstenabroder 1440–53, i C 311, fol. 160r–162r (lätt bearbetad); se vidare transkriptionen av (2) nedan, not 27, 44, 84 och 87.

[25] Transkriptionen nedan av predikan (2) i C 386 är indelad i numrerade stycken. Vilka stycken som har en motsvarighet i C 181 anges i en inledande not.

[26] Detta framgår av att C 181 innehåller vissa fel och smärre luckor. Jfr not 22 i efterföljande transkription av predikan (2) i C 386.

[27] Cit. fr. Lundéns övers., s. 248.

[28] C 386, fol. 490r: "O benignissime fili, miserere matris tue et suscipe preces! Desine nunc matri esse durus, qui cunctis fuisti benignus! Suscipe matrem tecum in cruce, vt viuam tecum semper post mortem! Nil dulcius est mihi, quam amplexando te in cruce et mori tecum. Et nil amarius est mihi, quam viuere post tuam mortem. Tu mihi pater, tu mihi sponsus, tu mihi filius, tu mihi omnia eras. Nunc orbor patre, viduor filio, desolor sponso, et omnia perdo."
Cogitabat, quid angelus sibi dixerat in annunciacione, et clamabat ad Gabrielem: "Vbi es, Gabriel? Quomodo dixisti 'Aue', cum sum plena ve? Dicor 'Maria', quia amara. Quomodo dixisti 'Gracia plena', cum sim magnis doloribus plena? Quomodo dixisti 'Dominus tecum', et iam non mecum? Quomodo dictum est mihi 'Benedicta tu in mulieribus', cum sim a Iudeis maledicta? Quomodo dictum est 'Benedictus fructus ventris tui', cum sit maledictus, qui pendet in ligno? Respice Gabriel, quem mihi nunciasti filium Altissimi! Respice spinatum in capite, sputatum et cruentatum in facie, flagellatum in corpore, clauatum in cruce! Hic est ille filius, quem mihi nunciasti."
Sed qualiter in morte filii se habuit, ostendit nobis beata virgo per beatam Birgittam dicens, i libro Reuelacionum, capitulo xxvii ...

Litteraturförteckning

1. Handskrifter i Uppsala Universitetsbibliotek

C 59

C 171

C 181

C 237

C 251

C 311

C 386

2. Tryckta källor och litteratur

Barré 1952 =
Henri Barré, Le 'Planctus Mariae' attribué à S. Bernard: Revue d'ascétique et de mystique 28 (1952), s. 243–266

Beissel 1909 =
S. Beissel, Geshichte der Verehrung Marias in Deutschland während des Mittelalters. Ein Beitrag zur Religionswissenschaft und Kunstgeschichte, Freiburg i. B. 1909

Bekker-Nielsen 1966 =
Hans Bekker-Nielsen, Mariaklager: Kulturhistoriskt lexikon för nordisk medeltid 11 (1966), sp. 396–398

Bernt 1993a =
Günter Bernt, Maria, hl. C. Literarisch (Mariendichtung). I. Lateinische Literatur: Lexikon des Mittelalters VI (1993), sp. 262 f.

Bernt 1993b =
Günter Bernt, Planctus. I. Allgemein; Mittellateinische Literatur: Lexikon des Mittelalters VI (1993), sp. 2198 f.

Bernt 1993c =
Günter Bernt, Planctus. 1. Lateinische Tradition: Marienlexikon 5 (1993), s. 247 f.

Bertaud 1957 =
Émile Bertaud, Douleurs (Notre-Dame des Sept-): Dictionnaire de Spiritualité 3 (1957), sp. 1686–1701

Campana 1943 =
E. Campana, Maria nel culto cattolico, I–II, Torino ^{2}1943

CCSL =
Corpus Christianorum. Series Latina, Turnhout 1953–

Chiari 1926 =
A. Chiari, Il 'Planctus B. Mariae', operetta falsamente attribuita a San Bernardo: Rivista storica benedettina 17 (1926), s. 56–111.

Holweck 1892 =
F. G. Holweck, Fasti Mariani, sive Calendarium festorum sanctae Mariae Virginis Deiparae ..., Freiburg i. B. 1892

Holweck 1925 =
F. G. Holweck, Calendarium liturgicum festorum Dei et Dei Matris Mariae ..., Philadelphia 1925

Johansson 1966 =
Hilding Johansson, Maria: Kulturhistoriskt lexikon för nordisk medeltid 11 (1966), sp. 352–363

Lundén 1973 =
Tryggve Lundén, Den heliga Birgittas och den helige Petri av Skänninge diktverk om Jungfru Maria, och den teologiska bakgrunden till diktverken: Kyrkohistorisk årsskrift 73 (1973), s. 58–65

Lundén 1979 =
Tryggve Lundén, Jungfru Maria såsom corredemptrix eller medåterlösarinna. Framställd i liturgisk diktning och bildkonst från Sveriges medeltid: Kyrkohistorisk årsskrift 79 (1979), s. 32–60

Machielsen 1994 =
Johannes Machielsen, Clavia Patristica pseudepigraphorum medii ævi, II B, Turnhoult 1994 (Corpus Christianorum)

Meditaciones de passione Christi 1965 =
Meditaciones de passione Christi olim sancto Bonaventurae attributae, ed. with introduction and commentary by Sister M. Jordan Stallings, Washington, D. C. 1965

Missale Romanum Mediolani, 1474 1907 =
Missale Romanum Mediolani, 1474, Vol. II, ed. R. Lippe, London 1907 (Henry Bradshaw Society 33)

Nitz 1989 =
Genoveva Nitz, Compassio BMV. I. Kunstgeschichte: Marienlexikon 2 (1989), s. 82–85

Ouspensky 1983 =
Leonid Ouspensky ..., The Meaning of Icons, rev. ed., Crestwood, N.Y. 1983

PL =
Patrologia latina, ed. J.-P. Migne, Paris 1841–

Sahlin 1993 =
Claire L. Sahlin, 'His Heart Was My Heart.' Birgitta of Sweden's Devotion to the Heart of Mary: Heliga Birgitta – budskapet och förebilden. Föredrag vid jubileumssymposiet i Vadstena 3–7 oktober 1991, red. Alf Härdelin ..., Stockholm 1993 (KVHAA, Konferenser 28), s. 213–227

Sticca 1988 =
Sandro Sticca, The *Planctus Mariæ* in the Dramatic Tradition of the Middle Ages, trsl. Joseph R. Berrigan, Athens, Georgia 1988

Walpole 1922 =
A. S. Walpole, Early Latin Hymns, Cambridge 1922

Iohannes Benechini:

Predikan nr 2 över *Compassio Mariae*

(Uppsala Universitetsbibliotek, hs. C 386, fol. 482r–484v)

Not: Texten har indelats i numrerade stycken. Predikans huvuddelar markeras med fetstilt siffra: **1**. Exordium och Ave Maria; **13**. Inledning till själva predikan; **16**. Första huvuddelen; **47**. Andra huvuddelen; **58**. Tredje huvuddelen; **65**. Ursprunglig avslutning; **72**. Fjärde huvuddelen; **75**. Tillägg.

I C 181, fol. 41rv, återfinns motsvarigheter till följande stycken (i nu nämnd ordning): **72**–74; 15; **16**–20, 36–37, 40–42; **47**–48, 50, 52, 56; **58**–59, 61, 63, 64.

I C 181, fol. 39r–40r återfinns motsvarigheter till styckena 28, 36–39 och 44 (anges även i fotnoterna nedan).

| 482r | <Compassio Marie>

1. *Audite, obsecro, vniuersi populi et videte dolorem meum*, Trenorum primo.[1] Hec verba sunt beate Virginis monentis nos attendere dolorem, quem in Christi passione habuit, in qua sibi maximum meritum et thesaurum sufficientem cunctis necessitatibus mortalium acquisiuit, ita quod de plenitudine eius accipiunt vniuersi.[2]
2. Et vbi hec omnia, obsecro,[3] hausit, que supplicantibus tam libenter distribuit, nisi[4] iuxta crucem Iesu? Ibi enim eruperunt graciarum flumina de fontibus, id est wlneribus Saluatoris. De quibus tunc hausit Maria haustorio fidei, quod nunc effundit pie omnibus inuocantibus se et peccatoribus.

3. Christus Iesus est ille fons, de quo Zacharie xiii: *Erit fons patens domui Dauid et habitatoribus Ierusalem in ablucionem peccatorum et menstruate*.[5]
4. Per Dauid, qui interpretatur manu fortis, intelliguntur actiui; per Ierusalem, que interpretatur visio pacis, intelliguntur contemplatiui;

nomine peccatorum intelliguntur, qui committunt peccata carnalia.[6] Omnes isti in hoc fonte lauari debent.[7]
5. Nam actiui committunt quandoque aliquam negligenciam; contemplatiui quandoque habent ineptam leticiam seu inanem gloriam; et peccatores tam habent peccata carnalia quam spiritualia. Vnde isti in anima multiplicem habent maculam, et ideo isti in hoc fonte lauandi sunt, flumina sangwinis, qui egressus est de corpore eius, conpassionis oculo intuendo.

6. Naturale est, vt filius conpatitur patri pacienti, si vero non conpatitur, adulterius et non filius esse probatur. Bernardus: "Non est membrum, in quo Christus passus non fuerit, nec est membrum eius, quod ei non conpatitur."[8]
7. Idem: "Quid mirabilius, quam quod mors viuificet et wlnera sanent? Sanguis album facit et mundat, dolor [9] dulcorem inducit, apercio lateris cor cordi coniungit!"[10]

8. [11]Iuxta istum fontem Christum stetit Maria, dum pendebat in cruce, iuxta illud Iohannis xix: *Stabat iuxta crucem Iesu Maria mater eius.*[12] Bernardus in omelia: "Sta, decora Virgo, iuxta crucem, et imple ydriam tuam, ne liquor ille preciosus ad nichilum defluat. Quia cunctis fugientibus haustoria fidei defecerunt vsque ad te. Et cum impleueris, ostende ex ipsa liberali effusione te esse matrem Saluatoris."[13]

9. Legitur Genesis xxiiii, quod cum [14] Eliezer sponsam quesiuit filio Abrahe, et venisset ad puteum in Mesopotamiam, ait: *Ecce, sto prope fontem aque et mulieres ciuitatis egredientur ad hauriendam aquam. Igitur puella, cui dixero: 'Inclina ydriam tuam vt bibam,' et illa dixerit mihi: 'Bibe, Domine mi, nam et camelis tuis potum tribuam,' ipsa est, quam preparauit Dominus filio domini mei.*[15]
10. Ista virgo misericors et benigna est Virgo beata. Ecce nos omnes stamus prope fontem aque, id est passionem filii tui inspicimus et recolimus, sed peccatis nostris exigentibus emolliri ad deuocionem non possumus, et valde sitimus.
11. Sed memento, o Domina, cum quanta amaritudine et dolore, cum quanta habundancia de hoc fonte hausisti, et seruis tui<s> effundis[16] liberaliter, ac eciam camelis tuis, id est peccatoribus sarcina peccatorum toruis, potum tribue, et ad amorem crucifixi filii tui et ad celestis patrie desiderium nos accende; vt sicut tu tocius humani generis es gloria, ita de plenitudine tuorum dolorum accipiant vniuersi.[17]

12. Quod autem ipsa hoc nobis omnibus prestare dignetur, ipsi humiliter et deuote supplicemus dicendo, *Aue Maria.*

13. *Audite, obsecro* etc., vt supra.

14. Karissimi, licet festum conpassionis beate Marie virginis in magna celebritate non habeatur, seu pro festo terre, tamen ecclesia sancta memoriam doloris eius agit et conpatitur, quia nos suorum dolorum et fletuum causa fuimus. Ideo merito dicit nobis verba premissa: *Audite, obsecro* etc.

15. Beatissima virgo Maria in filii sui passione dolorosum passa est martirium. Qui quidem dolor causabatur in ea ex tribus, scilicet ex racione sui, ex racione filii, et ex racione supplicii. Temperabatur tamen ex | 482v | salute generis humani.

16. Primo, dolor in ea causabatur ex racione sui, sex modis.

17. Primo, quia erat mater. Naturaliter dolet mater de affliccione filii.

18. Secundo, ex eo quod tota[18] erat mater. Quando enim dolor diuiditur in multis, minus in singulis inuenitur. Si enim aliqua mater filium amittit, dolorem suum cum patre condiuidit, et ideo talis dolor ex diuisione tali quodammodo minuitur. Virgo autem beata cum nullo dolorem suum condiuidere potuit, quia nullus ibi pater erat.

19. Tercio, ex eo quod vnici mater erat. Si aliqua mater filium perdidit, consolacionem recipit, quia alios filios habet vel habere se sperat. Virgo autem beata nullum alium habuit nec habere sperabat. Vnde poterat illud dicere, quod dicitur ii Regum primo: *Sicut mater vnicum amat filium suum*[19], *ita te diligebam.*[20]

20. Quarto, ex eo quod presens fuit ad videndum. Quando aliqua audit filium suum mortuum, multum dolet, sed quando audit horribili morte ipsum fuisse[21] occisum, magis dolet, quando vero ante oculos suos videt filium suum occidi et wlnerari, maxime dolet.[22] Virgo igitur beata immenso dolore wlnerabatur, quando videbat oculis suis filium suum occidi morte horribili.

21. De cuius dolore dicit angelus beate Birgitte:[23] "Filio Virginis a proprio discipulo prodito et a veritatis emulis, sicut ei placuit, captiuato, doloris gladius cor et precordia Virginis transfigebat atque eius animam duriter pertransiens vniuersis corporis sui membris dolores grauissimos inferebat. Tociens in anima Virginis gladius ille cum omni amaritudine versabatur, quociens eius amantissimo filio obiciebantur passiones et opprobria. Videbat filium suum impiorum palmis colaphizatum, impie

flagellatum, a Iudeorum principibus morti turpissima adiudicatum ac populo vociferante toto: 'Crucifige proditorem!' ligatis manibus ad locum passionis eductum, aliis eum iam crucem super humeros in maxima lassitudine baiulantem precedentibus et post se ligatum trahentibus, atque aliis concomitantibus et eum pugnis[24] impellentibus ac tamquam crudelissimam feram illum agnum mansuetissimum agentibus. Et quemadmodum agnus suam matrem, quocumque ducta fuerit, <comitatur>, ita Virgo mater suum filium ad tormentorum loca perductum sequebatur. Videns mater filium corona spinea derisum faciemque sanguine rubricatam et maxillas ex magnis alapis rubicundas, grauissimo dolore ingemuit et maxille sue pro doloris magnitudine ceperunt pallescere."

22. Consueuerat videre non nisi vestitum, fortasse veste, quam sibi fecerat, et ecce stat nuda illa caro sanctissima proprio cruore respersa et dilaniata in flagellacione; et benedictum corpus videbat extendi in cruce et clauis affigi. Vnde ipsa de oculis suis multas [25] lacrimas fundebat et corpus totis viribus suis tabescebat. Viderat manus filii sui aut benedicentes aut infirmos tangentes aut aliud pietatis exercentes, et ecce confixe sunt.

23. Audiens vero sonitum malleorum ipsam magnitudo doloris velut mortuam in terra prostrauit.[26]

24. [Primo libro Reuelacionum 35: "Cum filius pateretur, sensi, quod quasi cor meum paciebatur. Sicut enim illud, quod dimidium est extra et dimidium intra, et si illud pungitur, quod extra est, eque sentit dolorem, quod intus est, sic ego, cum flagellaretur et pungeretur filius meus, quasi cor meum flagellabatur et pungebatur. Ego eciam ei propinquior fui in passione nec separabar ab eo. Ego stabam vicinius cruci, et sicut hoc grauius pungit, quod vicinius est cordi, sic dolor eius grauior erat pre ceteris michi."][27]

25. "Iudeis filium eius aceto et felle potantibus anxietas cordis ita linguam et palatum Virginis exsiccauit, quod labia sua benedicta ad loquendum mouere non valuit."[28]

26. Audierat de ore filii sui semper celestia et consolatoria verba, et ecce pre angustiis clamat valde: 'Deus meus, Deus meus, vt quid dereliquisti me?'[29] Auide inspexerat wltum eius diuinis radiis fulgidum, qui sibi valde amabilis ad inspiciendum fuerat, et ecce inclinatus expall[a]uit et exaruit. Hinc liuidus, hinc sputis illitus, hinc cruentatus.

27. "Deinde videns, quod omnia membra eius obriguerunt et inclinato capite spiritum exalaret, tunc doloris acerbitas ita cor Virginis suffocauit, quod nullus sui corporis articulus moueri videbatur. Vnde non paruum miraculum fuit, quod cum ipsa | 483r | tot et tantis doloribus intrinsecus sauciata suum spiritum non emisit."[30]

28. Augustinus dicit, quod "illa piissima mater in magno dolore eiulans ita ipsa viscera fatigauerat et omnia membra, quod vix loqui poterat, et

dolor cordis verba rumpebat. Sed amplectens crucem voce lamentabili clamabat: 'Ve mihi de tali miserabili aspectu! Ve mihi, quod vnquam genui, quem sic pendere videns ante oculos meos! O matres, numquam tam magnam perturbacionem vidistis in filiis. Condolete mihi et *audite, obsecro.*[31] O matres, ad meam desolacionem respicite et *nolite me vocare Noemi,*[32] *id est pulchram, sed vocate me Maram, id est amaram, quia valde repleuit me amaritudine Omnipotens*[33]".[34]

29. Amara fuit Noemi, quia duo filii sui mortui erant. Noemi pulchra et amara signat Mariam, pulchram per Spiritus sancti sanctificacionem, amaram vero per filii sui passionem. Duo autem filii Marie sunt homo deus, scilicet Christus, et purus homo. Vnius est enim mater corporaliter, alterius vero spiritualiter mater est [35] Maria.

30. Vnde Bernardus ait: "Tu mater regis, tu mater exulis, tu mater rei, tu mater iudicis, tu mater Dei et hominis. Cum sis vtriusque mater, discordiam inter filios sustinere nequis."[36]

31. Ideo exclamat Anselmus: "O beata fiducia, o tutum refugium, mater Dei est[37] mater nostra."[38]

32. Isti duo filii Marie ambo mortui fuerunt in passione, vnus corpore, alter mente, vnus crucis acerbitate, alter mentis infidelitate; et ideo viscera Marie repleta fuerunt valde amaritudine. Sic testatur Augustinus: "Illa pia mater immani dolore eiulans et delicata pectora contundens ita ipsa viscera omniaque membra fatigauerat, vt incessu deficiens vix venire potuisset ad Christi funus."[39]

33. Ecce, karissimi, cor siue anima hec premissa considerans, si ad conpassionem tam matris quam filii non mouetur, siue pietate non mollitur, vere durum et omni lapidis duricia durius dici potest.

34. Ideo clamat Dominus duriciam huius[40] arguendo, dicit Iob xvi: *Terra, ne operias sanguinem meum.*[41] *Terra*, id est peccator terrenis deditus, qui es siccus ad modum terre, carens humore conpassionis, et frigidus, carens calore dileccionis. *Ne operias sanguinem meum*, id est ne tradas obliuioni memoriam passionis mee et dolores matris mee, quia si eis conpatimur, conregnabimus.

35. Qui autem horum dolorum passionibus, scilicet filii et matris, non conpatitur, estimet se tamquam membrum putridum excisum a capite nostro[42] Iesu Christo, et ex[43] hoc doleat, quia non sentit conpassionem passionis et wlnerum Christi et dolorum matris eius.

36. Quinto, causabatur matri dolor ex eo, quod erat impotens ad adiuuandum. Magna consolacio est matri, quando assistit filio morienti et potest eum osculari, amplexari et adiuuare. Hec autem in nullo poterat filium adiuuare.

37. Vnde Augustinus in persona beate Virginis dicit: "'Ego misera mater meum filium in nullo possum iuuare. [44]Video in terram sanguinem eius

fluere, et non possum colligere. Video caput plenum wlneribus et non possum wlnera ligare. Video ipsum in cruce flentem et non possum lacrimas abstergere. Audio eum sicientem nec habeo sibi potum dare. Video eum caput male tenere et non possum sustentare. Video in proximo moriturum nec possum eum osculari et amplexari. Propterea *infelix mulier ego sum*,' i Regum i.[45]

38. Deinde respiciens filium suum ait: 'Fili mi, vbi est gaudium illud, quod Gabriel nunciauit mihi? Hoc gaudium plene perdidi et conuersum est in luctum. Et vbi est, quod ait: "Gracia plena", cum nunc sum plena omni amaritudine et dolore?'

39. Et incipiens singula membra deflere dicens: 'O benedictum caput, quod angeli honorant et adorant in celis, spinis coronatur. Oculi candidiores sole sanguine <et> sputis Iudeorum sunt inquinati. Aures, que audiunt angelicos cantus, modo audiunt peccatorum insultus. Os, quod docet angelos, aceto et felle potatur; nunc nigredine tegitur et signa mortis inducit, et iam mihi loqui denegat. Manus, que formauerunt celos, cruci affixe sunt. Pedes, sub quibus mare se calcabile prebuit, clauis cruci affixi sunt. Facies *speciosissima pre filiis hominum*[46] iam sputis | 483v | Iudeorum deturpata est. Nunc ergo, misericors fili, multis misericordiam tuam prestitisti, miserere matri tue, et trahe me ad patibulum ad te, vt tecum moriar. Corpus enim tuum est meum et meum est tuum, vt corpus cum corpore paciatur et anima cum anima letetur.'"[47]

40. Sexto, causabatur in ea dolor, quia destituta erat ad auxilium et consilium postulandum. Omnes discipuli eam reliquerunt. Ideo in tanta tribulacione ipsa et filius eius nullum habuerunt auxiliantem. Ecclesiastici l: *Respiciens eram ad adiutorium hominum et non erat.*[48]

41. Nullum habuit conpacientem. Psalmus: *Sustinui, qui simul contristaretur, et non fuit.*[49]

42. Nec aliquem consolantem. Vnde sequitur: *Qui consolaretur et non inueni.*[50]

43. Nullum associantem. Psalmus: *Elongasti a me amicum et proximum et notos meos a miseria.*[51] Iob xiiii: *Dereliquerunt me propinqui mei et qui me nouerunt obliti sunt mei.*[52]

44. Et cum sic esset destituta omni auxilio, et "consolacionem nullam reciperet ab aliquo", secundum Augustinus, "conuertit se ad crucem, putans pre magno dolore quod irracionabiles creature dolorem intelligerent. Clamauit voce lamentabili ad crucem dicens: 'Flecte ramos arbor alta, tensa laxa' etc.[53] Et cum pia mater videret se consolacionem nec ab hominibus nec a cruce recipere, conuersa ad filium dixit: 'Video, fili mi, quod in agone mortis laboras. Cui me matrem desolatam relinquis? O vita anime mee et omne solacium, fac vt ego ipsa nunc moriar, que te

ad mortem genui! Sine matre noli mori. Ecce, vita mea moritur et salus perimitur ac in terra tollitur omnis spes mea."[54]
45. Et quamuis sic erat auxilio et consolacione destituta, ipsa tamen iuxta crucem stabat, et in fide.[55] Vnde dici de ea potest illud Ecclesiastes primo: *Generacio preterit et generacio aduenit, terra vero in eternum stat.*[56] Nam *generacio* apostolorum *preteriit* a fide et fugit; *generacio aduenit*, scilicet latronis et centurionis, venit[57] ad fidem; *terra* autem, scilicet beata Virgo, que fructum diuinum protulit, *in eternum stetit*, scilicet in fide immobilis, nequaquam a moriente [58] recedens, quem [59] viuentem nunquam dereliquerat.
46. O columpna immobilis, beatus ille, qui tibi innititur! O stabile fundamentum ecclesie, beatus, qui tibi superedificabitur! O centrum omnis deuocionis, beatus vir, qui circa te meditando versatur!

47. Secundo, causabatur dolor Virginis matris ex racione filii.

48. Multum dolet mater, quando filium suum bonum et sapientem amittit et sibi in omnibus obedientem. Ipsa vero per mortem corporis amittebat illum filium, de quo dicit Ecclesiastici xxiiii: *Ego mater pulchre dileccionis*, etc.[60] Videbat quidem filium a se recedere matrem dulciter diligentem, ideo dicitur *mater pulchre dileccionis.*
49. Christus ex assistencia dilecte matris dolores inexplicabiles sustinuit, et ipsa similiter. Vnde dicit Bernardus in omelia: "*Semper stabat*, etc. O ineffabilem reciprocacionem sancti amoris! Filius patitur valde et mater nimis paciebatur. Mater est conpassa pacienti vnigenito, filius reconpassus est conpacienti matri. Tantus enim fuit impetus passionis Domini Iesu, vt quasi torrens Christum pacientem impleret dolor et inebriaret, et eo impleto in matrem efflueret, quia similiter impleta in ipsum filium pacientem passio quodammodo redundaret. Vnde impletum est illud Ecclesiastes primo: *Ad locum, vnde exeunt flumina, reuertuntur, vt iterum fluant.*[61] O viscera materna sacrosancta, quanta fuit illo tempore intra vos commocio, cum dissecaretur et extenderetur caro illa sanctissima, que intra vos tam dulciter est conpacta! Vere ad viscerum tuorum motum et dolorem similiter et filii tui mortem non immerito *tremuit terra et sol obscuratus et petre scisse sunt.*[62]"[63]

50. Secundo, amittebat per mortem filium matrem filialiter reuerentem. Ideo subdit: *Et timoris.*[64]
51. Mater Virgo fuit filio in reuerencia maxima, quia sibi subditus esse voluit, Luce ii: *Et subditus erat illis.*[65] Item, quia eius voto protinus obediuit, sicut patet Iohannis ii: Cum enim vinum in nupciis defecisset et Virgo dixisset ministris, 'Quodcumque dixerit vobis, facite', statim vt

Christus cognouit, quod mater hoc dixisset, miraculum fecit et aquam in vinum mutauit.[66]

52. Tercio, amittebat filium matrem in cruce feliciter agnoscentem. Ideo dicitur: *Et agnicionis*.[67]
53. Agnus inter innumerabiles greges solo balatu matrem agnoscit. Sic Christus in cruce pendens matrem agnouit. Conpaciebatur matri sue desolate et sibi conpacienti. Sciebat enim angustias materni | 484r | cordis et dolorem anime et[68] quod dolores, quos in sua parturicione non senserat, nunc geminabantur sibi in passione.
54. Vt dicit Damascenus: "Cum ergo vidisset Iesus matrem et discipulum stantem, quem diligebat, dixit matri sue: 'Mulier, ecce filius tuus'. Non dicit mater, ne nomen[69] matris auditum amplius viscera cruciaret. Deinde discipulo: 'Ecce mater tua'. Pensemus, quantus dolor conpassionis ad matrem tam cordialiter eam discipulo commendantis. Pensemus eciam, qualiter in illa commendacione cor Virginis anxiebatur, cum ei pro filio proprio dabatur alienus: pro magistro discipulus, pro creatore piscator, pro homine Deo purus homo."[70]
55. "Hiis auditis isti duo lacrimas fundere non cessabant. Tacebant isti martyres et ambo pre dolore non poterant loqui. Isti virgines duo audiebant Christum loqui rauca voce, ipsumque paulatim videbant morientem. Non poterant ei respondere verbum, quia illum videbant quasi mortuum. Erant enim isti duo velut mortui, vnde spiritus eorum voces exalare nequibat."[71]

56. Quarto, videbat filium recedere a se erga matrem tam pium et clementem. Ideo dicit: *Et sancte spei*.[72]
57. In istam matrem ponamus spem nostram. Ipsa mater est premii nostri, id est Christi, qui est premium beatorum. Ipsa nos desiderat aput filium exaltare, et plus bonum nostrum sine conparacione wlt procurare, quam mater carnalis. Sperent ergo in te, o Domina, qui nouerunt nomen tuum, quoniam non dereliquisti te querentes; quia Christus eam fecit peticionariam nostram dicens ei illud, iii Regum ii: *Pete, mater mi, neque enim phas est, vt auertam faciem tuam*.[73]

58. Tercio, causabatur dolor Virginis racione supplicii.

59. Videbat enim pati filium penam ignominosam, quia inter duos latrones tamquam latro positus erat.
60. Sapientie ii: *Morte turpissima condempnemus eum*.[74]

61. Secundo, videbat eum pati penam acerbam, quia in locis neruosis et maxime sensitiuis fuit wlneratus et perforatus.

62. Trenorum i: *O vos omnes, qui transitis*, etc.[75]

63. Tercio, videbat eum pati diuturnam penam, quia ab illa hora noctis, qua captus est, et vsque ad horam nonam, qua exspirauit, in suppliciis et doloribus semper fuit lacessitus.

64. Quarto, videbat ipsum pati penam iniustam. Quia, sicut dicitur i Petri secundo: *Peccatum non fecit nec inuentus est dolus in ore eius*.[76]

65. Ecce, karissimi, ex premissis patet, quomodo Virgo filium iniuste mortuum et occisum dolebat, sperans tamen eum tercia die resurgere.
66. In morte Christi sol obscuratur, petra scinditur, terra tremuit, velum templi rumpitur, sepulcra aperiuntur, et adhuc non conteruntur et conpaciuntur corda peccatorum et obstinatorum!
67. Bernardus: "Si ad hanc mortem Christi non contereris, durior [77] es petra, grauior terra, fetidior sepulcro!"
68. "Cogita igitur, quantus dolor tunc infuit matri, cum sic dolebant, que insensibilia erant. Non lingua loqui nec mens cogitare valebit, quanto dolore tunc anima tenebatur Marie,"[78] cum iam corpus filii sui exanimatum vidisset lancea wlnerari. Miraculose factum fuit, quod mortua non fuit.[79]
69. Hec, cum esset de cruce corpus mortuum depositum [80], in gremio habuit, et nunc faciem, nunc "oculos similiter et nasum osque frequenter osculabatur"[81] ipsius. Bernardus: "Lacrimarum fluenta in tanta vbertate fluebant, vt carnem cum spiritu omnem in lacrimis resolui putares. Rigabat lacrimis extinctum corpus filii."[82]

70. [83][Licet ego ex morte filii mei eram inconparabiliter tristis, tamen quia sciui filium meum non amplius moriturum sed in eternum victurum, gaudebam in anima mea, et sic cum tristicia mea quedam leticia miscebatur. Vere dicere possum, quod sepulto filio meo quasi duo corda in vno sepulcro fuerunt. Numquid non dicitur, vbi est thesaurus tuus ibi est et cor tuum? Sic in sepulcro filii mei semper cogitacio et cor meum versabatur. ii libro, xxi c.][84]

71. Vos igitur fideles, recolligite passionem Christi et piissime matris eius dolores in cordibus vestris, et conpatimini ipsis, quia ex hoc certitudialiter gloriam et vitam reportabimus sempiternam!

72. Quarto dolor Virginis temperabatur propter saluacionem humani generis, quam ex filii passione prouenturam esse sciebat. Ideo in corde Virginis pugnabant duo amores et duo dolores. Duo amores erant amor filii et amor generis humani. Amor filii nolebat ipsum pati, sed tamen amor humani generis superauit amorem filii.

73. Similiter in corde eius pugnabant duo dolores, scilicet dolor, quem habitura erat in morte filii, et dolor, quem habebat de nostra perdicione. Sed dolor, quem habebat de nostra perdicione superauit dolorem, quem habitura erat de morte filii.

74. Vnde poterat dicere illud apostoli, Philippenses i[85]: *Michi viuere Christus est et mori lucrum.*[86] Ac si dicat, Vita filii mei est vita cordis mei, mors vero sua est lucrum generis humani.

| 484v |

75. Nota, quod dolor Marie quatuor graues condiciones habuit.[87]

76. Prima est, quod non fuit in carne sed in mente.
77. Vnde Ieronimus: "Alii sancti pro Christo passi sunt in carne, beata Virgo in ea parte sui passa est, que inpassibilis et inmutabilis habetur," hoc est in anima vel mente. "Idcirco, vt fateor, verum plusquam martir fuit, quia atrocius passa est, dum passionis Christi gladium in anima sua sustinuit."[88]

78. Secunda est, quia eius dolor non fuit particularis, sed vniuersalis, quia totam animam repleuit et circumdedit, ita quod nulla remansit in corde eius particula, que dolore non fuit plena. Vnde poterat dicere: *Circumdederunt me dolores mortis.*[89]
79. Ieronimus: "Constat nempe, quia Maria in tantum doluit, vt totam animam eius pertransiret et possideret vis doloris ad testificacionem eximie dileccionis."[90]

80. Tercia est, quia eius dolor non fuit superficialis sed precordialis, quia vsque ad cordis intima pertransiuit et eius ossa penetrauit. Vnde dicere potuit illud Iob[91]: *Os meum perforatur doloribus.*[92] Nec mirum, quia mortem filii fecerat suam.
81. Ieronimus: "Eius nimirum dileccio morte forcior extitit, quia mortem Christi suam fecit."[93]

82. Quarta est, quia non fuit momentaneus, sed diuturnus, quia eciam post Christi resurreccionem et ascensionem Christi passiones in memoria retinebat, et sine doloris gladio inde recordari non poterat.
83. Ideo dicit Canticorum i: *Fasciculus mirre dilectus meus, inter vbera commorabitur.*[94] *Fasciculum mirre* vocat colleccionem amaritudinum et

passionum, quas Christus [95] sustinuit, quas eciam ipsa inter vbera, id est in memoria, deferebat.[96]

Noter

[1] Klag. 1:18.

[2] Jfr Joh. 1:16, *de plenitudine eius* [scil. Christi] *nos omnes accepimus.*

[3] *obsecro* i marginalen (med införingstecken).

[4] *nisi* i marginalen (med införingstecken).

[5] Jfr Sak. 13:1.

[6] Dessa uttolkningar av namnen David och Jerusalem är gängse under medeltiden; de återfinns hos Hieronymus, *Liber interpretationis Hebraicorum nominum*, CCSL 72 (1959), s. 57–161.

[7] I marginalen här: *Apocalypsis primo: lauit nos a peccatis nostris in sanguine suo* (jfr Upp. 1:5). Införingstecken i texten saknas.

[8] Citatet ej identifierat. En liknande tanke finns hos Bernard av Clairvaux, *Sermo I in capite jejunii*, PL 183, sp. 167 f.

[9] Här står *do* men överstruket.

[10] Citatet ej identifierat.

[11] Här står *Iust* men överstruket.

[12] Jfr Joh. 19:25.

[13] Citatet ej identifierat.

[14] Här står *Elez* men överstruket.

[15] Jfr 1 Mos. 24:13 f.

[16] Skall troligen vara *effunde* eller möjligen *effudisti.*

[17] Jfr not 2 ovan.

[18] Skall troligen vara *sola.*

[19] *suum* i marginalen (med införingstecken).

[20] 2 Sam. 1:26.

[21] Här står orden *mortuum et* men expungerade.

[22] *quando vero ... maxime dolet* saknas i C 181, fol. 41rv, vilket bevisar att den handskriften inte har tjänat som källa för föreliggande predikan.

[23] I marginalen här (utan införingstecken): *17 capitulo.* Det följande citatet är från Birgittas *Sermo Angelicus* [*SA*] 18.2–5 och 8–9, men med ett flertal läsarter som avviker från Sten Eklunds kritiska utgåva av *SA*. Begynnelseorden överensstämmer med första

matutinläsningens begynnelse i *Compassio Mariae*-officiet i "Codex Laurentii Odonis" (se Lundén 1979, s. 55); i övrigt ansluter dock sistnämnda text närmare till Eklunds edition av *SA* än vad vår predikan gör.

[24] Handskriften har *pungnis*.

[25] Här står g men överstruket.

[26] Jfr *SA* 18.12.

[27] Birgittas Uppenbarelser, I 35.3–5. Stycket är tillagt i undre marginalen, möjligen av en annan hand. Det är ej medtaget i Henechinus' avskrift, C 311, fol. 160r–162r. Ett liknande tillägg finns nedan, § 70.

[28] *SA* 18.13.

[29] Matt. 27:46.

[30] *SA* 18.14–15. I övre marginalen: *1 libro Reuelacionum, xxvii capitulo, d*, en hänvisning till Birgittas Uppenbarelser, I 27 (slutet), ett ställe som innehållsligt liknar *SA* 18.14–15.

[31] Klag. 1:18. I marginalen här (utan införingstecken): *2 libro, 24 capitulo, a*, en hänvisning till Birgittas Uppenbarelser, II 24 (början), ett ställe som också talar om Marias medlidande.

[32] I marginalen här (utan införingstecken): *Ruth primo*.

[33] Jfr Rut 1:20.

[34] Citerat från oidentifierad version av *Planctus Mariae*. Jfr C 181, fol. 39ra.

[35] Här står *q* men överstruket.

[36] Citatet ej identifierat.

[37] *et* rättat till *est*.

[38] Anselm av Canterbury, *Orationes*, nr 52: *Ad sanctam Virginem Mariam*, PL 158, sp. 957A.

[39] Citerat från oidentifierad version av *Planctus Mariae* – jfr det nära besläktade citatet i §28 ovan!

[40] *huius* bör möjligen rättas till *huiusmodi*.

[41] Job 16:18 (16:19 i Vulgata).

[42] *nostro* i marginalen (med införingstecken).

[43] *ex* tillagt över raden.

[44] Här har Henechinus i C 311, fol. 161r av misstag först skrivit *Audio eum sicientem* innan han rättade till *Video in terram* etc. *Audio* står i C 382 (vår handskrift) två rader rakt nedanför *Video*, vilket torde vara orsaken till felet och är det tydligaste indiciet på att C 311, fol. 160r–162r är en direkt avskrift av C 382, fol. 482r–484r.

[45] Jfr 1 Sam. 1:15.

[46] Jfr Ps. 45:3 (44:3 i Vulgata).

[47] Citerat från oidentifierad version av *Planctus Mariae*. Jfr C 181, fol. 39ra–b.

[48] Jfr Syr. 51:7 (51:10 i Vulgata).

[49] Ps. 69:21 (68:21 i Vulgata).

[50] Ibid.

[51] Ps. 88:19 (87:19 i Vulgata).

[52] Job 19:14. Handskriftens *xiiii* är troligen fel för *xviiii*.

[53] Begynnelsen av vers 9 av Venantius Fortunatus hymn *Pange lingua*, som användes vid

Adoratio crucis på Långfredagen. Bästa utgåvan av hymnen är *Analecta hymnica* bd 50 (1907), s. 71. Kommentar i Walpole 1922, s. 165–173.

[54] Citerat från oidentifierad version av *Planctus Mariae*. Jfr C 181, fol. 39rb.

[55] *et in fide* i marginalen (med införingstecken).

[56] Pred. 1:4.

[57] För *qui veniunt*?

[58] Här står *de* men överstruket.

[59] Här står *ne* men överstruket.

[60] Syr. 24:18 (versen står i Bihang A i Bibelkommissionens utgåva 1986; 24:24 i Vulgata).

[61] Pred. 1:7.

[62] Jfr Matt. 27:51 och Luk. 23:45.

[63] Citatet ej identifierat.

[64] Syr. 24:18 (24:24 i Vulgata).

[65] Luk. 2:51.

[66] Jfr Joh. 2:1–10.

[67] Syr. 24:18 (24:24 i Vulgata).

[68] *et* tillagt över raden.

[69] Rättat från *nomine*.

[70] Citatet ej identifierat. Sista meningen liknar Anselm av Canterbury, *Orationes*, nr 20, PL 158, sp. 904A.

[71] Jfr *Planctus Mariae*, ed. Chiari 1926, s. 73; PL 182, sp. 1137B.

[72] Syr. 24:18 (24:24 i Vulgata).

[73] 1 Kung. 2:20.

[74] Vish. 2:20.

[75] Klag. 1:12.

[76] 1 Pet. 2:22.

[77] Här står *est* men expungerat.

[78] Jfr *Planctus Mariae*, ed. Chiari 1926, s. 74; PL 182, sp. 1137D.

[79] Hela stycket har en (mångordigare) parallell i C 171, fol. 180va.

[80] Här står *fuit* men expungerat.

[81] Jfr *Planctus Mariae*, ed. Chiari 1926, s. 77; PL 182, sp. 1139A.

[82] Jfr *Planctus Mariae*, ed. Chiari 1926, s. 77; PL 182, sp. 1139A.

[83] I marginalen här (utan införingstecken): *2 libro <Reuelacionum>, 21 capitulo, c*, en hänvisning till följande tillägg.

[84] Birgittas Uppenbarelser, II 21. Tillagt i nedre marginalen, troligen av samma hand som gjorde tillägget ovan, § 24. Även detta tillägg saknas i C 311.

[85] *i* är rättat från *ii*.

[86] Fil. 1:21.

[87] Denna *nota* saknas i C 311.

[88] Paschasius Radbertus, *Epistola beati Hieronymi ad Paulam et Eustochium de assumptione sanctae Mariae virginis*, CCCM 56C, s. 151.

[89] Ps. 18:5 och 116:3 (17:4 resp. 114:3 i Vulgata).

[90] Paschasius, ibid.

[91] Här har plats lämnats för en kapitelangivelse. Imarginalen står 30.

[92] Job 30:17.

[93] Paschasius, ibid.

[94] Jfr Höga V. 1:13.

[95] Här står *pa* men överstruket.

[96] Här har stått ytterligare 4–5 ord som är överstrukna med rött; de sista tycks vara ...*batur pre dolore*. Över det röda står (otydligt) *Quere (?) cetera*.

Ann M. Hutchison

Mary, "Empresse of Power", in *The Myroure of oure Ladye*

The Influence of Birgittine Mariology in the Syon Abbey Choir[1]

Known, at least since the late fourteenth-century reign of Richard II, as "the dower of the Virgin" or "Our Lady's Dowry", England in the Middle Ages was celebrated for the intensity of its devotion to Mary in "many learned, liturgical, and public ways".[2] English theologians, from as early as the time of Anselm of Canterbury (1033/4-1109), or Aelred of Rievaulx (*c.* 1110-1167), were concerned to proclaim Mary's power as well as her saving grace, that is, her freedom from original sin.[3] In the late Anglo-Saxon period, special devotions to Mary were also in evidence: a mass *de sancta Maria* for every Saturday (the day already set aside for special commemoration of the Virgin) was prescribed by the tenth-century *Regularis concordia*; an office of the Virgin can be found in some eleventh-century manuscripts; and the feast of the Conception was celebrated at Winchester and other places.[4] After the Norman Conquest, this devotion continued, or, in some instances, was revived. By the fifteenth century, the period of the foundation of Syon Abbey, a strong English meditative tradition eulogizing the Virgin had been firmly established, both in liturgical and literary expression.

Fifteenth-century devotion in England was remarkable for its emphasis on Mary as the Virgin Mother of God and Queen of the Saints. Though the five joys of Mary had long been celebrated in verse, the three concerning divine power in particular - the Resurrection, the Ascension, and the Assumption - came into prominence.[5] In one of the English cycle plays of the period, Mary is extolled as "Qwen of Hefne. Lady of Erth. and Empres of Helle"; while in ballads she is hailed as "qwene serene . . . hevinlie hie emprys!" as "Empryce of prys" and also, in an all-inclusive sweep, as "Emprys of hevyne, of paradys, and hell".[6] In England, then, in the fifteenth century, Mary, even more than Christ, seems to have embodied the Christian mystery. As one critic has noted, "The Virgin Mary was for late medieval Christendom a mother goddess of powers conceivable and inconceivable, a saint raised uniquely among the whole company of saints to the highest pantheon with the sacred Trinity".[7]

In a country so predisposed to Marian worship, it is not surprising that a Birgittine house, established in the first quarter of the century by the king himself, should have quickly become one of the most important monasteries in the late medieval period. Even its name, St Saviour, St Mary the Virgin, and St Bridget in Syon, is said to have been chosen by Henry V, a king noted for the seriousness of his piety and for his special devotion to the Virgin.[8] The author of the *Gesta Henrici Quinti*, for example, attributes the safe passage of English ships to Harfleur in France, which resulted from a friendly wind on the Vigil of the Assumption of the Virgin (14 August 1416), to "the intercession of [God's] Mother (Who, as is devoutly believed, had compassion on the people of her dower of England)".[9]

In "Mary's dower" at a very early stage, even before Syon Abbey was established, the Revelations of St Birgitta circulated widely, both in Latin and in translation (as their presence in English manuscripts, and their incorporation into English devotional texts, indicates). Part of the reason for this was undoubtedly the favour shown toward England in the prophecies concerning the war with France, but, St Birgitta's spirituality held great appeal for the English, as Claire Sahlin has demonstrated so tellingly,[10] and, as a number of English collections suggest, the Marian Revelations became important devotional texts.[11]

Indeed, for the English, the fact that the Virgin played a central role in Birgitta's spiritual life brought the story of that life into sharp focus. They knew the details, described in the *Vita*, from the time of her first vision at the age of seven, when the Virgin, appearing as "a lady in shining garments", called Birgitta to her and placed "a precious crown" on her head, thus initiating her intense visionary life and leaving a lasting impression.[12] Readers of the *Vita* would also be aware that this encounter with the Virgin marked the beginning of many such meetings and conversations which, as Birgitta's mission developed, became increasingly intimate, culminating in her vision of and mystical participation in the Nativity itself during her pilgrimage to Bethlehem.

The actual content of Birgitta's first vision is interesting, for in some measure it prefigures her later devotional life; in particular, her work in founding, under divine guidance, a new Order in honour of the Mother of Christ, her part, also with divine assistance, in developing a special office, or as Tore Nyberg refers to it, "a 'great Marian Office' proper to [her] order",[13] and her final deathbed vision in which Christ appeared and announced his intention to fulfil his promise to clothe and consecrate her "as a nun and a mother in Vadstena", thus at her death entitling her to wear the crown that the Virgin, more than sixty years before, had placed on her head.[14]

It is the second of these accomplishments, the "Great Marian Office", and especially its reception and practice at Syon Abbey, the only English house of St Birgitta's Order, that I wish to focus on in this paper. Birgitta's longing to have for her new Order a ritual worthy to honour the Virgin was fulfilled, as we learn from Alfonse of Pecha's Prologue to the *Sermo Angelicus*, in the early years of her stay in Rome (probably 1353-54). While Birgitta was living in a cardinal's house adjacent to the church of San Lorenzo in Damaso,[15] Christ appeared and said: "I shall send to the myn angel which shall [reuele] and shewe to the and endyte the legende that shal be redde in thi monastery to the honowr and worship of my modir".[16] It is worth pausing to note here the choice of an angel as the medium for Christ's message, since the angelic delivery of the lessons for the worship and praise of the Virgin to be read at Matins suggestively links them to that first divine announcement delivered to the humble maiden Mary also by an angel at the Annunciation. Though not made explicit, this association seems to have informed Syon's spirituality.

The prologue of Alfonse also describes how the long *Sermo Angelicus*, or Angelic Discourse, was dictated to Birgitta, then translated and eventually transformed into the Birgittine Office.[17] This description seems to have circulated with versions of the Birgittine breviary, and indeed the English Birgittine brother who translated and wrote a commentary on the complete Office in *The Myroure of oure Ladye* has made a point of drawing attention to it in his "Treatyse of Diuine Seruice", though, as Collins, the editor of a Latin text of the breviary, points out, his translation appears to be independent — an indication, perhaps, of his practice elsewhere in the work.[18]

So far the identity of the author of *The Myroure of oure Ladye* has not been ascertained, nor can the date of composition be given more precisely than within the first half, and probably the second quarter, of the fifteenth century. From the work itself, however, we can glean a few biographical details: for example, the author interrupts his description of how St Birgitta received the lessons to tell the sisters: "I haue often ben in the same chirche, & there I haue sene both the auter & the wyndo [of

Birgitta's room]" (pp. 18-9), so that we know he was at one time in Rome; and indeed from his manner of addressing the nuns and his references to the Order, it is clear that he is himself a member. *The Myroure* also yields a strong sense of its author's own devotion to St Birgitta and his commitment to her ideals and to her Order, which includes his role as spiritual advisor to his Birgittine sisters.

Certainly for him, the fact that the Birgittine "seruyce", "legende", and "rewle" were all "giuen from heuen by oure lorde hymselfe, & not by eny mannes wyt or connyng" (p. 16), enhances their value, indeed endows them with the status of holy scripture. In fact, in introducing the first lesson for Sunday, he says:

> "Lyke as holy scripture passeth all other scrypture. and as the gospell of saynt Iohn passeth al other partes of holy scrypture: Ryght so thys holy Legende passeth all other legendes that [. . .] euer were wryten of oure lady. as fer as I haue redde" (pp. 102-103).

This comparison includes, as he himself states, not only the fact that this lesson was "sente from heuen. and endyted [composed/recited] by an aungel", but also its content, or "the matter of yt selfe"(p. 103).

In the context of the value he places on the Office of the nuns (and, in particular, the lessons), his motivation for translating their entire service, including the Masses, and for explaining the meaning of each part, as well as the rationale governing each gesture or movement (pp. 4-5), is given a further dimension. In addition, his explanation of the title he has chosen highlights his view of the centrality of Mary's role in Birgittine spirituality: "for as moche as ye may se in this boke as in a myrroure, the praysynges and worthines of oure moste excellente lady therfore I name it. Oure ladyes myroure" (p. 4). As is his habit throughout the work, he takes care to clarify his intention, for he tells his sisters that this is not a mirror for Mary's use, but for theirs: "that ye shulde se her therin as in a myroure, and so be styred the more deuoutly to prayse her, . . . " (p. 4). Yet his attitude is not one of admonition, but rather that of providing assistance to women he reveres, women who have been especially chosen for this important devotional work: "therfore now moste dere and deuoute systers, ye that ar the spouses of oure lorde Iesu chryste, and the specyall chosen maydens & doughtres of his moste reuerende mother, lyfte up the eyen of youre soulles towarde youre souerayne lady, and often & bysely loke and study in this her myrroure. . . . labouryng to knowe what you rede that ye may se and vnderstonde her holy seruice and how ye may serue her therwyth to her most plesaunce" (p. 4). Their task, or indeed, sacred trust, is to serve the Virgin Mary by reciting the Office in her honour with full understanding and deep devotion.

Throughout the work, therefore, the author's concern is to demonstrate how the prayers, hymns, antiphons, and so on, used in the worship of the Lord can also be applied to the Virgin. His discussion at the beginning of the "Treatise of Diuine Seruyce" of the seven hours set aside for the Office itself is exemplary of his method elsewhere. He gives reasons why the service is said each day in seven hours — the six days of creation and the seventh day of rest, or the seven ages of man, being among the explanations — and why the specific hours of matins, prime, terce, sexte, none, evensong and compline — "for grete werkes that god hath wroughte therin, for which he is euerlastyngly to be praysed" (p. 12) — and then he applies the same rationale to the Virgin:

> Now in happes ye thynke that these ar good causes why god shulde be serued in these houres, but syth all youre seruice is of our lady ye wolde wytt [know] why her seruyce shulde be sayde in these same .seuen. houres. And as to thys ye oughte to thynke, that yt ys full conuenient [appropriate] that her holy seruice shuld be sayd in time according to his, for her wyl was neuer contrary to his blessed wyll (p. 14).

In fact, the unity of will, or the Virgin's submission of her will to the Lord, is the key principle upon which the worship of Mary rests, and it is a principle that has an important place in Birgitta's revelations, a point which *The Myroure* later takes up. In applying the worship of Mary to the hours, however, he bases his arguments on the position of certain stars and the sun's progress through the sky and links to these observations Mary's role as rescuer of mankind through the Incarnation, as mother of mercy, and as intercessor. Thus at the time of Matins, to give an example, he notes that "ther apperyth a sterre in the fyrmament wherby shypmen ar rewlyd in the see, . . ." and brought to a safe harbour; this star, as he points out, represents "our mercyfull lady" who gives succour to mankind "in the troubelous se of this worlde" and brings those who love her to "the hauen of helth"; therefore, he concludes, it is fitting that our Lady be worshipped at this hour. Painstaking explanations are similarily offered for the other hours, those from Prime to Nones dealing with Mary in her role as bearer of our Saviour (at Nones, for example, the sun is "hiest", and "the hyest grace & mercy that euer was done to man in erth" came through the means of our Lady) and the concluding hours of Evensong and Compline, marking the end of the day and the end of "oure lyfe" when the grace offered by Mary can help most (p. 15).

In discussing the actual times for the recitation of the nuns' Office, *The Myroure* turns to Birgitta's revelations and the instructions she received from Christ pertaining to the Rule, with the aim, it seems, of reminding his sisters — and perhaps other readers as well — of the importance Christ wished to have accorded to his mother. Like much of the supplementary material to the Rule, this revelation is part of the *Reuelaciones Extrauagantes*, revelations which for various reasons were not included in the material submitted for the canonization proceedings, and thus, as Bridget Morris and Roger Ellis have recently pointed out, less thoroughly edited than other revelations and perhaps closer to Birgitta's original text.[19] The author of *The Myroure* translates almost all of Chapter III, for not only does it clearly explain why the Office of the nuns should be recited after, rather than the more usual practice of before the regular Office recited by the brothers, but also because in this revelation Christ makes several important statements to Birgitta concerning his relationship with Mary which reinforce the principles governing the founding of the new Order, as well as the development of its new Office. Through Mary's submission of her will to God, he, Christ, could be made man "in the virgin, whose harte was as myne hart", thus creating an inextricable bond — "therfore I may well say that my mother & I haue saued man, as yt had be with one hart I sufferynge in harte & body, & she in sorowe of harte and in loue" (p. 25). This linking of the two hearts is a theme more fully developed in the lessons for Friday.[20] In this revelation too, Christ notes that Mary is a model of true poverty in her complete submission to God, and yet at the same time, in giving up all worldly aims in her desire to be one with the Lord, Mary becomes truly "riche in god"(p. 25). Yet, the revelation continues, few people really know and understand "the pouerty & the wysdome of this vyrgyn my mother", or, as he phrases it more poignantly: "though they praise her with their mouth, yet they cry not to her, in all theyr harte" and so for this reason Christ wishes each Office of the nuns not only to follow the brothers' Office, but also to be recited "somwhat more tareyngly" (*aliquantulum morosius*).[21] Thus the Office of the sisters — and indeed the Order itself with Mary as its head — become important as the means of informing Christians and also those "that shall be conuertyd" of the central role Mary plays, for from these examples they will learn "with how greate worshyp god wyll haue his mother worshypped" and that through her Christ will "do mercy to sinners" (p. 26).

By such recourse to the divine voice behind both the Order and its liturgy in authorizing the worship of Mary as a part of the worship of God, the author of *The Myroure*, with complete confidence in the orthodoxy of his work, takes his readers through the service, complementing his discussion, where appropriate, with references to the Bible, the Fathers, and other authorities. Since it is the custom to say a silent *Pater noster* and *Ave maria* on entering the Church before each service, he begins at a most basic level by explicating these prayers. At the conclusion of the explication of the *Pater noster*, he suggests how his expositions should be used here and throughout the work to enhance the devotions of his sisters. The actual words he has used, he points out, are only important as a guide to help them think about the meaning, or, in his words, the "inwarde sentence", of the prayers as they say them.

In explicating the *Ave maria* — said to be the most frequently uttered prayer in England[22] — the author voices many conventional comparisons, but he also gives a hint of the magnificent images of Mary's glory and power that he will develop in subsequent parts of his work, images which are intended to enhance the nuns' reverence and worship. This salutation of the Virgin, recounted in the gospel, marks, he explains, "the begynnynge of oure helthe" (p. 77): just as *Aue* spelled backward is *Eua*, and as "Eues talkynge with the fende was the begynnynge of oure perdycion", so "oure ladyes talkynge with the aungel . . . was the entre of oure redempcyon" (p. 78). The very name *Maria*, signifying "Sterre of the see. or lyghtened. or lady", is "reuerent": the first sense is seen in the way she leads those in "the see of bytternesse" through penance to "the hauen of helthe"; the second, in the way she "lyghteneth" the righteous by "encresynge of grace"; and the third, in the way "she shewyth herselfe lady and Emperesse of power", for she is "aboue all yuel spyrites in helpynge vs agenste them. bothe in oure lyfe. and in our deth. & after" (p. 78). Thus, we have images of succour, of grace, and — as was to become increasingly prominent in fifteenth-century England — of power against evil. The author further emphasizes the notion of the power of the Virgin's name by turning once again to the Revelations: on one occasion, the Virgin told Birgitta that the mere repetition of her name would cause "Fendes to trembel for feare", but, on the other hand, her name would keep even the worst sinner from sin.[23] Then, moving to a clause by clause explication of the *Ave Maria* itself, the author reworks and develops these themes, always underscoring Mary's uniqueness.

In a similarly detailed manner, T*he Myroure* treats all the parts of the service, some of which, of course, lend themselves more obviously to Marian explication or to praise of the Virgin. The first two stanzas of "*O Trinitatis gloria*", the first hymn to be sung at Matins on Sunday, for example, afford an opportunity for showing six ways in which Mary is exalted above all creation: for the great joy she brings the Trinity, the reverence accorded her in heaven, for her roles as "the spouse of the father of heuen" and also as "the mother of the sonne", the fact that she is ordained by God "quyene of heuen" and "quyene of blysse", and finally that she is "Lady aboue all that he made" (pp. 92-93) — and here the author, on the first of several occasions, pauses to elaborate on the full extent of God's creation to be sure his sisters realize that "all these are bounde to prayse oure lady" (p. 90).

While the author is concerned to exalt Mary, he is always careful to justify his claims. Thus his explication of Psalm 44, the *Eructauit*, for Prime on Sunday follows the commentators in pointing out that this Psalm refers to the marriage of Christ and the Church. The Church, however, can be taken to signify Mary, since "oure Ladye ys chyefe persone of holy chyrche vnder criste" and also because she alone maintained the faith at the time of her son's Passion. Thus, he concludes that "moche of the scrypture that is expounde by doctours of holy chyrche is redde of [i.e., can be applied to] oure lady" (p. 139), a claim he repeats elsewhere.[24]

It is on Saturday, however, the day of special devotion to Mary when her Assumption is celebrated, that the author of *The Myroure* becomes most lyrical in explicating the Office, although it is not until Part III, where he translates the special Masses, that he explains why this should be a special day for Mary, showing that the Saturday Office celebrates the redemption of mankind, made possible by Christ through Mary. For this reason, as seen in the hymn for the Saturday Office at Matins, she is called, in the words of the translator, "the gate of the hye kynge", for through her Christ came into the world, and "the gate of lyghte", for through her "mankynde entered in the lyghte euerlastynge" (p. 258). Thus, the second antiphon *Paradisi porte per te nobis aperte* . . . , "The gates of paradyse ar opened to vs by the thow gloryous vyrgyn wherin thow enterydest [*sic*] worshypfully wyth aungels. as an ouercomer"(p. 258), provides the occasion for a long aside on the role of Mary as "ouercomer", or conqueror.

Taking as his cue the last word of this antiphon "*triumphas*", the author describes the ceremony of a Roman "triumph", a solemn act of thanksgiving in which the victorious general returning to Rome in a sacred procession made his sacrifice to Jupiter on the Capitol, and applies it to the entry of the Virgin into heaven. It was not uncommon for Christian writers to adapt Roman military concepts to describe the victory of Christ over the devil, but the application to Mary is, I think, less common, although in English religious drama of this period Mary's Assumption was shown to mirror Christ's Resurrection. The author himself, however, seems to have been aware that some explanation, at least for the length of his digression (among the longest in the entire work), was necessary, and so in concluding he tells the nuns that he felt the "laste ende" of the antiphon, or "*triumphas*", was in his view "darckely spoken" and required "som declarynge" (p. 260). Thus, in describing the triumph, or *triumphus*, of the Virgin, detail by detail, he emphasizes the celebration of her glory by the entire community of heaven — angels, patriarchs, prophets, the common people "of all holy sowles that then were in heuen" — her status as victor on account of her victory over "all fendes" through her son, and in an important modification of the Roman victor who was taken to the highest place in the city, her placement on the highest seat in heaven next to God. Yet, as he takes great care to point out in his synopsis of the second lesson for Sunday, to which he directs the nuns at the conclusion of his exposition, Mary was given her place next to God and granted sovereignty over "all the worlde. & aungels and fendes" through her "mekenesse", or humility. The readers of *The Myroure*, therefore, are both shown Mary's glory and, at the same time, reminded of "the pouerty & the wysdome of this vyrgyn [Christ's] mother" (c.f., p. 25).

In comparing Mary's Assumption to a Roman *triumphas*, the author may have had in mind two contemporary cermonies, or triumphs, staged in London by Syon Abbey's founder, Henry V. Deeply concerned to integrate religious and secular authority (which had recently been challenged by the Lollards), Henry was aware of the value of ritual in public ceremonies. His return to London following his victory at Agincourt was, therefore, carefully staged as a *triumphas*. A surviving eyewitness account describes the event: first the mayor and twenty-four aldermen in scarlet and other citizens in hoods and gowns went outside the city gates to greet the King; then, once inside the gates, the King was greeted by a heavenly host of angels, prophets, and apostles — along with the people of London — who cheered him and sang hymns of praise to God. Henry, a consciously sober figure in purple, and, as the reporter imagined, "rendering thanks and glory to God alone, and not to man," made his way first to St Paul's Cathedral, where twelve bishops came to greet him and led him to the high altar, and then, one by one, he visited other London shrines to offer his thanks.[25] This scene, which made "a deep and long-remembered impression,"[26] was repeated on the arrival from France of Henry's Queen, Catherine, in 1421. It may perhaps have been this later event which occasioned the association with the Virgin Mary in the mind of the author of *The Myroure*.

An even longer digression occurs when, in translating an Easter sequence — *Tota pulchra* (p. 301) — the author comes to the stanzas beginning *Solis lune* and *Cristallinum* (i.e., "Heuen of cristal").[27] The first of these stanzas, in the translation of *The Myroure*, describes how much "the vertuousnes of the worthy mother of cryste" surpasses the brightness of the sun, moon, stars, and so on, while the second claims that any one of the heavens (i.e. of crystal, of stars, or the empyrean) "ys not more acceptable to god. then that hostel of the chaste wombe" (p. 302). From this follows a lengthy and detailed explanation of each one of the seventeen heavens which, according to the Ptolemaic scheme, surround the earth; itself "meruelously kepte by the power of god almyghty"(p. 303) firm and still at the centre. The purpose of the digression is made clear at the end when the author explains: "By all thys ye may se. how worshypful and worthy ys that precyous wombe of oure glorious lady. whiche is more acceptable to god. as this verse of the sequence sayeth. then al these heuens. And the vertues of her sowle more bryghte then all planettes, and starres" (p. 305).[28]

These examples bring us back to the author's original reason for writing *The Myroure*, which is to help his readers come to a deeper understanding of the "inwarde sentence" of the parts of their service so that they will "be styred the more deuoutly to prayse" their "souerayne lady". Writing recently about St Bernard's Marian homilies (*Homilies in Praise of the Virgin Mary*), Father Chrysogonus Waddell places them firmly in the genre of praise-literature, a genre that in his view has been little understood since the Renaissance.[29] Yet, as he notes, "the longing to live in a spiritual universe conditioned by an atmosphere of praise remains very much a part of the human experience"; moreover, "because we have within us a desperate longing to hear things praised", we are deeply moved when we do.[30]

Recently, Bridget Morris has translated some early prayers of St Birgitta which show that Birgitta too was very much aware of the value of praise in her personal devotions. Her meditation in praise of "God's body, for the Virgin who bore you", which concludes with the crowning of the Virgin as "the highest empress",[31] shows that, even though these works were most certainly unknown to him, the author of *The Myroure* was inspired by the same Birgittine tradition in his repeated use of regal and victorious images. In reading and re-reading *The Myroure*, moreover, one becomes more and more aware of its author's sensitivity to, and appropriateness for, the task he has set for himself — to help his sisters realize their vocation in following the path laid out by St Birgitta.

Noter

[1] I should like to express my special thanks to Professor, Dr Alf Härdelin for inviting me to come to Sweden to participate in this Symposium and for the wonderfully warm and generous hospitality he and his wife, Margareta, provided during my visit.

The opportunity to be in the country of St Birgitta, to visit Vadstena, the birth place of the Birgittine Order, and to speak in the new Birgittasystrarnas kyrka was a privilege I shall treasure. I would also like to thank York University, Toronto, for awarding me a travel grant which helped make this visit possible.

2 Rosemary Woolf, *The English Religious Lyric in the Middle Ages* (Oxford: The Clarendon Press, 1968), p. 114.

[3] Gail McMurray Gibson, *The Theater of Devotion, East Anglian Drama and Society in the Late Middle Ages* (Chicago & London: The University of Chicago Press, 1989), p. 138.

[4] Woolf, p. 116.

[5] Woolf, p. 134.

[6] From the speech of Gabriel in the N-Town "Salutation and Conception" (l.335) in *The N-Town Play, Cotton MS Vespasian D.8*, I, ed. Stephen Spector, Early English Text Society, S.S. 11 (Oxford, 1991), p. 123; cited in Gibson, p. 137. In the Commentary (Vol. II, p. 459), Spector notes a similar salutation in a 15th-century lyric: "Hayl! oure patron & lady of erthe,/ qwhene of heven & emprys of helle" (Carleton Brown, no. 26, ll. 1-2). The ballads are by Scottish poet, William Dunbar (1456?-1513?); *The Poems of William Dunbar*, ed. W. Mackay Mackenzie (London: Faber & Faber, 1932; repr. 1960). In "Ane Ballat of Our Lady" (pp. 160-2, ll. 37, 38, 61) and "Ros Mary: Ane Ballat of Our Lady" (pp. 175-7, l. 7) he is attempting to emulate the melodies of the Latin hymns.

[7] Gibson, p. 137.

[8] St George, not unexpectedly, was his other special patron. See *Gesta Henrici Quinti, The Deeds of Henry the Fifth*, edd. Frank Taylor and John S. Roskell (Oxford: The Clarendon Press, 1975), pp. xxiii, 186, *passim*.

[9] *Gesta*, pp. 144-145: "deo iubente, per intercessionem sue matris compacientis, ut pie creditur, genti dotis sue Anglie".

[10] See Sahlin, *supra*.

[11] Bodleian Library MS Rawlinson C. 41 contains a collection of revelations arranged to construct a life of the Virgin, as related to St Birgitta by the Virgin herself. See Roger Ellis, "FLORES AD FABRICANDUM . . . CORONAM: An Investigation into the Uses of the Revelations of St Bridget of Sweden in Fifteenth-century England", *Medium Aevum*, 51 (1982), 163-86.

[12] This story is recounted in the *Vita* prepared by St Birgitta's confessors soon after her death for the canonization proceedings: *Acta et processus canonizacionis beate Birgitte*, ed. Isak Collijn, Samlingar utgivna av svenska fornskriftsällskapet 2:1 (Uppsala: Almqvist, 1924-31), pp. 73-101. The *Vita*, translated into English by Albert Ryle Kezel, appears in *Birgitta of Sweden, Life and Selected Revelations*, ed., Marguerite Tjader Harris, The Classics of Western Spirituality (New York, Mahwah: Paulist Press, 1990), pp. 71-98, see especially p. 73.

[13] "Introduction", *Birgitta of Sweden*, p. 29.

[14] *Vita*, quoted in *Birgitta of Sweden*, p. 98.

[15] In his edition of *The Bridgettine Breviary of Syon Abbey*, Henry Bradshaw Society 96 (Worcester: Stanbrook Abbey Press, 1969), A. Jefferies Collins identifies the Cardinal as Hugues Roger or Rogier, the brother of the absent Pope, p. xvii.

[16] Collins, p. 134.

[17] Every day for at least a year, Birgitta would prepare herself to write "with pen, &

yncke, & paper or parchemyn" in her room, from which she could look down on the altar where the sacrament was kept in the adjoining Church, and await the arrival of the angel. When the angel appeared, he would stand by her side and, also looking toward the altar, dictate the lessons in Birgitta's native Swedish. As she had been divinely instructed, Birgitta would take each day's work to her confessor, Master Peter of Skänninge, to translate into Latin. When the dictation of the twenty-one lessons for matins had been completed, Master Peter, in turn divinely inspired, composed the hymns, antiphons, responses, and so on, necessary to complete the Office. The translation cited above is from *The Myroure of oure Ladye*, ed. J.H. Blunt, Early English Text Society, E.S. 19 (London: Kegan Paul, Trench, Trübner & Co., 1873), p. 19.

[18] *The Myroure*, pp. 18-19. See also Collins, p. 134, n. 1.

[19] Bridget Morris, "Labyrinths of the Urtext" in *Heliga Birgitta - budskapet och förebilden*, edd. Alf Härdelin and Mereth Lindgren (Stockholm: Kungl. Vitterhets, 1993), pp. 23-33, especially p. 30; Roger Ellis in a paper given at Leeds, July 1994.

[20] For a discussion of this theme, see Claire L. Sahlin, "'His Heart Was My Heart': Birgitta of Sweden's Devotion to the Heart of Mary"in *Heliga Birgitta*, pp. 213-227.

[21] *Sancta Birgitta. Reuelaciones Extrauagantes*, ed. Lennart Hollman (Uppsala: Almqvist & Wiksells Boktryckeri AB, 1956), Cap. III, especially p. 117.

[22] Richard Rex, *Henry VIII and the English Reformation* (New York: St Martin's Press, 1993), p. 87.

[23] *Rev.* I, ix; see Blunt, p. 78.

[24] See, for example, his discussion of the Chapter at the Feast of the Conception, p. 279.

[25] See *Gesta Henrici Quinti*, pp. 100, 113, and especially p. 133, n. 3.

[26] Jeremy Catto, "Religious Change under Henry V" in *Henry V The Practice of Kingship*, ed. G. L. Harriss (London, New York: Oxford University Press, 1985; pb Stroud: Alan Sutton, 1993), pp. 75–115, esp. p. 107.

[27] Henry Parker, Lord Morley's translation of "The Angelical Salutation", attributed to Thomas Aquinas, completed in the 1540s and presented to the Princess Mary, contains a similar statement: "Thy wombe also beinge of more capacite then heuen for whom the heuens coulde not holde" (British Library, Royal MS 17.C.XVI, f. 7v).

[28] Blunt compares the cosmogony of this passage in *The Myroure* to that of the Latin "Mirror of the World". This anonymous work was translated into French as *Image du Monde*, and then into English by Caxton and printed at Westminster in 1481 (*STC* 24762; Blunt pp. 351-52 mistakenly puts 1480).

[29] O.B. Hardison, Jr. presents a comprehensive study of the moral and didactic value imputed to praise-literature in *The Enduring Monument: A Study of the Idea of Praise in Renaissance Literary Theory and Practice* (Chapel Hill: The University of North Carolina Press, 1962).

[30] "Introduction" to Bernard of Clairvaux, *Homilies in Praise of the Blessed Virgin Mary* (Kalamazoo, Michigan: Cistercian Publications, 1993), pp. xi-xxii, see especially p. xii.

[31] From IV 145, translated by Bridget Morris from *Birgittas Uppenbarelser* II, ed. G.E. Klemming (Svenska Fornskrift - sällskapets Samlingar 14) Stockholm, 1860. This and other meditations were the subject of a paper given by Dr Morris at the Bridgettine Conference at Buckfast Abbey in July 1994.

Mereth Lindgren

Gideons fäll och Arons grönskande stav – om Maria-typologi i svensk medeltidskonst

Maria - Ecclesia

På en berömd målning av Jan van Eyck (bild 1) ser vi jungfru Maria med barnet på armen, stående i en gotisk katedral. Målningen är ytterst liten - bara drygt 30 cm hög - men den är ändå monumental. Här finns ett par tydligt orealistiska drag: ljuset faller in från norr, inte från söder, som hade varit det naturliga, och Marias gestalt uppfyller kyrkan. En känd konsthistoriker har uttryckt åsikten att målaren, ung som han var vid verkets tillblivelse, ännu inte hade lärt sig konsten att ange de rätta proportionerna.[1] Men en sådan tolkning faller ju redan på att van Eyck på ett överdådigt sätt lyckats skildra det intrikata gotiska kyrkorummet. Bilden rymmer istället en betydligt djupare innebörd. Den brukar kallas *Madonnan i kyrkan,* men borde hellre heta *Maria - Ecclesia,* Maria - Kyrkan.[2] Kyrkofadern Ambrosius (300-t) uttrycker tanken så i *De Spiritu sancto:* "Maria är inte templets Gud, utan Guds tempel".[3]

Bild 1. Maria Ecclesia. Målning av Jan van Eyck, 1430-talet.

Bild 2. Korsfästelsen. Målning på altartavla, tysk anonymmästare, o. 1420. Kristi försoningsdöd innebär också Kyrkans födelse: änglar samlar upp Kristi blod i kalkar.

Bild 3. Evas skapelse - KRISTI SIDA STICKS UPP - Moses slår vatten ur klippan. Träsnitt ur Biblia Pauperum, o 1450.

Bild 4. Evas frestelse - BEBÅDELSEN - Gideon och fällen. Träsnitt ur Biblia Pauperum, o 1450

Kyrkans födelse

På en sydtysk altarskåpsmålning från o. 1420 (bild 2) ser vi hur sorg och bestörtning råder bland alla dem som samlats kring korset. Maria ligger hopsjunken vid korsets fot. Också änglarna sörjer - man ser hur den nedersta ängeln torkar sina ögon med en duk. Men här finns också hoppets tecken: de två övre änglarna samlar upp Kristi blod i nattvardskalkar och visar därmed tydligt fram mot Kyrkans sakrament, till eukaristien. Vinet och vattnet i altarkalken erinrar om Golgata: när Kristi sida stacks upp kom där ut "blod och vatten" (Joh. 19:34). I Kristi försoningsdöd sker Kyrkans födelse.

Ännu tydligare uttrycks tanken om Kyrkans födelse på ett träsnitt ur en nederländsk blockbok från 1400-talets mitt (bild 3). Här skildras i mittbilden hur Kristi sida just stuckits upp. Scenen är omgiven av två gammaltestamentliga händelser. På ena sidan skildras Evas skapelse (1.Mos. 2). Den gammaltestamentliga scenen pekar framåt: liksom Eva skapas ur Adams sida, föds Kyrkan ur Kristi sidosår, symbolen för hans försoning. Redan på 300-talet hade kyrkofadern Augustinus uttryckt tanken med stor pregnans: *Eva de latere dormientis, Ecclesia de latere patientis* - "Eva ur den sovandes sida, Kyrkan ur den lidandes sida".[4]

Träsnittet är ett tydligt uttryck för en inte minst under medeltiden mycket central bibeltolkning. Detta s.k. typologiska synsätt innebär att det Gamla Testamentets händelser tolkas som förebilder, vars betydelse först blir uppenbar i Kristus och hans frälsningsgärning. Så hänvisar ju Kristus själv upprepade gånger till Gamla Testamentet, t.ex. med hänsyftning på sin korsdöd: "Så som Moses upphöjde ormen i öknen, så måste människosonen bliva upphöjd" (Joh. 3:14). På vägen till Emmaus talar han med de sorgsna lärjungarna, "... och med början hos Mose och alla profeterna förklarade han för dem vad som står överallt om honom i skrifterna" (Luk. 24:27). Augustinus sammanfattar: "Det nya förbundet vilar på ett fördolt sätt i det gamla och det gamla öppnar sig i det nya".[5] I linje med denna tradition lägger Martin Luther ut det nya testamentet i ljuset av det gamla. Konkret kan man avläsa detta tolkningsförfarande i de gamla lutherbiblarna: det gamla testamentets händelser beledsagas hela tiden av förklarande hänvisningar till det nya testamentet i marginalen.

Biblia Pauperum

I bild sattes detta tankekomplex i system i det som senare kom att kallas *Biblia pauperum*, de fattigas bibel. Böcker av detta slag stod givetvis inte inom räckhåll för fattigmans börs, utan beteckningen syftar på "de fattiga i anden", de som behövde bildens hjälp till att förstå frälsningshistoriens hemligheter. Principen är att på varje boksida i mitten skildra en nytestamentlig scen, omgiven av två förebilder från Gamla Testamentet samt profeter med tillhörande utsagor på språkband (se bild 3, 4, 11, 16). Från 1300-talet och framåt framställdes många manuskript av detta slag. Från och med 1400-talet trycktes Biblia Pauperum, först som blocktryck.[6] Ett vida spritt exempel är en blockbok, tryckt omkring 1450 i Nederländerna och använd som förlaga i många länder, bl.a. ofta av den svenske kyrkmålaren Albertus pictor vid 1400-talets slut.[7]

På en liknande bibeltolkning bygger *Speculum Humanae Salvationis*, författad 1324 av en dominikan, troligen Ludolf av Sachsen, och därefter spridd i många varianter.[8]

Eva - Maria

Relationen Eva-Maria är inte alltid så "neutral" som ifråga om Evas skapelse, som vi nyss behandlat. Oftare framstår Eva och hennes handlingar som en motbild till Maria och hennes del i frälsningshistorien. På bilden av Bebådelsen i Biblia Pauperum (bild 4) kan vi på språkbandet läsa Marias svar på Guds uppdrag: "Se, jag är Herrens tjänarinna, ske mig såsom du har sagt" (Luk. 1:38). Motbilden utgörs av Eva, som står vid det fatala trädet i lustgården och lyssnar till ormens frestande ord: "Skulle då Gud hava sagt ..." (1.Mos. 3:1). På träsnittet, liksom på kalkmålningen i Öja på Gotland (bild 5), står ormen på sin stjärt - han hade ju ännu inte dömts av Gud att kräla på sin buk (1. Mos. 3:14). Eva ser honom rätt i ögonen och låter hans falska budskap gå in genom öronen. Det är ett uttryck för samma tanke som vi finner hos Zeno av Verona (300-talet), som säger: "Genom övertalning hade djävulen slingrat sig in i Evas öra, sårat och krossat henne; genom örat trädde Kristus in i Maria och helade hennes sår genom sin födelse genom jungfrun" [9]

Liksom den anonyme målaren i Öja har också Albert i Täby avbildat träsnittet ur Biblia Pauperum, om än något mer självständigt (bild 6). Han övergår direkt till att skildra nästa moment i dramat, Syndafallet. Ormen är nu förklädd till kvinna för att inge förtroende. Denna tanke läggs bl.a. ut av Petrus Comestor, som säger att Lucifer förklädde sig till en jungfru *quia similia similibus applaudunt* ("för att det likartade skulle uppskatta det likartade").[10] Eva tar emot det röda äpplet från ormen och har redan räckt det vidare till Adam. Hon skänker dödens föda, medan Maria ger oss livets bröd, Kristus. Petrus Damianus (1100-talet) lägger ut antitesen Eva-Maria på följande sätt: "Genom en föda blev vi fördrivna

Bild 5. Evas frestas samt Gideon med fällen. Kalkmålning i Öja kyrka, Gotland. 1400-talets slut. Foto ATA.

Bild 6. Syndafallet samt - överst t.v. - Evas frestelse. Kalkmålning i Täby kyrka, Uppland, av Albert målare, 1480-talet. Foto ATA.

Bild 7. Anna-själv-tredje. Detalj av altarskåp från Hägerstad, Östergötland (nu SHM). 1400-talets slut. Foto ATA.

Bild 8. Triumfkrucifix i Öja kyrka, Gotland, o. 1270. I ringkorsets nedre svicklar ses Syndafallet och Utdrivandet ur Paradiset. Foto ATA.

från Paradisets underbara ängder, genom en annan föda återförs vi till Paradisets fröjder". [11]

Det fatala äpplet - som i och för sig inte nämns explicit i texten - står ibland som en koncentrerad symbol för hela syndafallet och för antitesen Eva-Maria. Ofta kan man finna denna koncentrerade symbol i bilder av Madonnan och likartade motiv. I altarskåpet från Hägerstad i Östergötland (nu SHM) från 1400-talets slut, upptas corpus av den heliga släkten, främst S. Anna med sin dotter Maria och Jesusbarnet, en s.k. Anna-själv-tredje-framställning (bild 7). Scenen ter sig i sin senmedeltida realism som ett rart familjeporträtt med den nakna barnungen som sprattlar i sin mors famn. Mormor Anna, klädd i sitt hustrudok, räcker sin lille dotterson ett rödglänsande äpple att leka med. Men äpplet har en långt mer meningsfull innebörd: det är Syndafallets frukt som påminner åskådaren om att Adams och Evas skuld nu är utplånad tack vare den andre Adams människoblivande genom den andra Eva, Maria.

"Den förste Adam" är alltså motpolen till Kristus, "den andre Adam": "Såsom i Adam alla dö, så skola och i Kristus alla göras levande" (1. Kor. 15:22). På samma sätt står Eva i sin olydnad mot Gud som kontrasten till "den andra Eva", Maria, i hennes lydnad och ödmjukhet. Tanken läggs ut hos snart sagt alla Kyrkans fäder. Origenes (200-t) säger i inledningen till sin marianska lovsång: "Liksom synden tog sin början hos kvinnan och övergick till mannen, så började också det goda hos kvinnan ..." [12] Hieronymus (300-t) sammanfattar: *Mors per Evam, vita per Mariam* ("Döden genom Eva, livet genom Maria") [13]

För att göra ett litet avsteg från det svenska materialet, kan här nämnas en av de många bebådelseframställningar, som målats av Fra Angelico, den "änglalike" dominikanbrodern i Florens, omkring 1430. Maria sitter läsande i en öppen arkad, när ängeln Gabriel träder in med det himmelska budskapet. Bokstavligt talat i bakgrunden är en annnan ängel i verksamhet: där drivs det första människoparet ut ur paradiset. Redan på 500-talet uttrycks denna kontrast bl.a. av den förste biskopen av Tournai, Eleutherius, som i en julpredikan säger:

> Genom Eva kom döden in i världen, genom Maria återfanns det förlorade livet ... Som kvinnan blev fördriven ur paradiset genom djävulens förförelse, så skulle kvinnan genom ängelns hälsning bevärdigas med odödligheten. [14]

Fra Angelicos bild kunde också stå som illustration till en Mariasång från 1200-talets Spanien:

> Ty EVA fråntog oss Paradiset,
> men Gud för oss med ett AVE åter därin
> därför råder en stor motsats mellan AVE och EVA [15]

I ordleken EVA - AVE uttrycks bokstavligen "omvändelsen" från det gamla förbundets syndaväg till den frälsningsväg som öppnas genom inkarnationen. Samma tanke uttrycks i den kända vesperhymnen *Ave Maris stella : Sumens illud Ave / Gabrielis ore / Funda nos in pace / Mutans Evae nomen* ("Du mottar ett Ave / från Gabriels mun / befäst oss i friden / i det du vänder Evas namn") [16]

Samma tanke speglas i det sköna triumfkrucifixet i Öja på Gotland från tiden omkring 1270 (bild 8). Det är ett ringkors med beledsagande bilder i svicklarna. Överst sörjer änglarna med uttrycksfullt kroppsspråk den döde Kristus. Nedtill skildras på ena sidan Syndafallet, där Adam och Eva överraskas av Herren, som förebrående betraktar dem. På andra sidan drivs de ut genom paradisets port, utformad som en gotisk stadsport. Syndens gärningar överkorsas av Kristi kors, från vilket Frälsaren ser på oss med stort medlidande. Men segern är given: Han bär den gyllene kungakronan och dödens träd har kommit till liv och blomstrar. Invid korset står den andra Eva, Maria, genom vilkens lydnadshandling försoningen blivit möjlig.

Också ett annat gotländskt triumfkrucifix, i Fröjel, bär ett typologiskt program. Korsarmarnas ändplattor bär ovanligt nog inte bilder av evangelistsymbolerna. Istället återges på Kristi vänstra sida, den onda sidan, hur Adam och Eva drivs ut ur Paradiset. På den högra sidan, "the right side", den goda sidan, möter de oss på nytt, men nu med positivt förtecken: den uppståndne Kristus med segerfanan i sin hand hämtar dem upp ur dödsriket. Syndafallets onda effekter har upphävts.

Den omedelbara följden av Syndafallet var ju att Adam skulle arbeta i sitt anletes svett och Eva föda sina barn med smärta. I Ärentuna (1440-talet; bild 9) ser vi detta uttryckt i ett ganska idylliskt "hemma-hos-reportage": Adam i struthätta gräver i jorden, medan Eva i sitt hustrudok spinner och samtidigt håller ett öga på de fyra barnen. Hon får litet hjälp av den äldste som gungar den sistfödde i en utsökt vacker gotisk vagga.

Också "den andra Eva" återges ibland spinnade - och inte utan anledning. Det är i första hand i de byzantinska bebådelseframställningarna som hon är ifärd med att spinna (bild 10). Direkt går denna detalj tillbaka på de apokryfa evangelierna, Pseudo-Matteus och Protevangelium Jacobi, som båda kompletterar de kanoniska skrifterna med att berätta om Marias tidigare historia.[17] Där sägs att Maria fått det viktiga uppdraget att spinna purpurgarnet till det nya förhänget i templet, och just detta var hon sysselsatt med när ängeln Gabriel trädde in till henne för att bebåda Jesu födelse. Kontrasten mot moder Eva är klar: Eva måste spinna garn till de kläder som blivit nödvändiga efter utdrivandet från den den paradisiska tillvaron i oskuldsfull nakenhet. Marias garn skulle däremot komma till användning i templet till den förlåt som senare, enligt tre av evangelierna, i det ögonblick då Jesus dog på korset skulle rämna

Bild 9. Eva spinner och Adam gräver. Kalkmålning i Ärentuna kyrka, Uppland, cirka 1440-1450. Foto ATA.

Bild 10. Bebådelsen. Maria är ifärd med att spinna purpurgarnet till förlåten i templet. Ikon, 1400-talet.

Bild 11. Herren förbannar ormen - BEBÅDELSEN - Gideon och fällen. Biblia Pauperum, illumination i tyskt manuskript från o. 1425-50. Bibliotheca Vaticana. Foto efter faksimil.

Bild 12. Bebådelsen samt Marias och Elisabeths möte. I det högra fältet ses den rustningsklädde Gideon i bön med fårskinnet på marken bredvid sig. (Överst Simson och lejonet). Kalkmålning i Härnevi kyrka, Uppland. Albert målare, 1400-talets slut. Foto ATA.

uppifrån och ända ner som ett tecken på att försoningen med Gud nu var fullbordad (Matt. 27:51; Mark. 15:38; Luk. 23:45).

Gideons fäll

Den andra gammaltestamentliga förebilden till Bebådelsen - eller mer exakt till inkarnationen - återgår på Domarboken (Dom. 6:36-40). Där berättas om Gideon som inför ett avgörande slag mot midjaniterna begärde ett tecken av Gud. Han lade ull på marken och bad Gud ge honom tecknet att låta daggen falla enbart på ullen men lämna marken torr runtomkring. När så skedde, gick han ut mot fienden och vann en stor seger. Vi kan se honom i en tysk Biblia Pauperum-handskrift från o 1425-50 (nu i Vatikanbiblioteket; bild 11, jfr även bild 4). [18] Klädd i rustning ber han till Gud och har brett ut ullen eller fårskinnet på marken. På samma sätt som daggen föll enbart på skinnet, föll "den himmelska daggen" på ett övernaturligt sätt på jungfru Maria. Den beledsagande texten säger att händelsen förebådar hur den ärofulla Jungfrun utan fläck skulle bli fruktsam (*impregnandam*) genom den helige Andes utgjutande. [19] Tolkningen förstärks genom ett psaltarcitat: *Descendet Dominus sicut pluvia in vellus* ... (Ps. 72:6; "Herren stiger ned såsom regn över ett skinn").

I korvalvet i Härnevi, Uppland, har Albert på 1480-talet målat Jesu barndomshistoria (bild 12). I valvkappan i norr, på Mariasidan, återges först Bebådelsen och därefter Marias och Elisabets möte. Däremellan - i det andra bildfältet, där det fanns mer plats - har Albert fogat in Gideon. Det triangelformade fältet har tvungit honom att spegelvända bilden i förhållande till förlagan samt att ersätta ängeln med Guds hand.

Den brinnande busken

Också i Almunge (Uppland) har Albert målat Mariamotiven på norra sidan av koret, men här placerat Gideon på rätt ställe invid Bebådelsen. Visitatioscenen har däremot kompletterats med en scen som egentligen hör till Jesu födelse, Moses och den brinnande busken (bild 13). Rätt placering har scenen fått i Stavby, också på norra korväggen (idag i tämligen fragmentariskt tillstånd). I förlagan, Biblia Pauperum, återges Jesu födelse på ett gammaldags sätt med Maria liggande i en säng, barnet i krubban och Josef sittande bredvid, vaktande elden. Men Albert vet hur födelsen rätteligen skall återges vid denna tid. Med ett djärvt grepp förändrar han hela framställningen till den som hade varit modern de senaste 50 åren: den på den heliga Birgittas uppenbarelse återgående födelsetypen, där Maria ligger på knä inför det lilla nakna Jesusbarnet, som ligger på marken, omstrålad av ljus. Också Josef har böjt knä inför barnet. Bakom Josef finns spår av Moses inför det brinnande busken (2. Mos 3).

I Härnevi är bilden tydligare (bild 14). Vi ser fåren som Moses vaktar, när han plötsligt får se en buske som flammar av eld men ändå inte förtärs. Han hör Guds röst, som uppmanar Moses att dra skorna av sina fötter, "ty platsen där du står är helig mark". Gud säger att han har sett sitt folks betryck i Egypten och fortsätter: "Därför har jag stigit ned för att rädda dem ur egyptiernas våld och föra dem ... upp till ett gott och rymligt land som flyter av mjölk och honung" (2.Mos. 3:8). Det ligger nära till hands att tolka dessa ord som likaväl syftande på hur Gud stiger ned i mans gestalt för att i försoningen rädda det nya Israel från det onda. Den franske 1400-talsmålaren Nicolas Froment har därför varit ännu tydligare: i den brinnande busken har han målat Kristus i Marias famn. *Hon* är busken som inte brinner upp, jungfrun vars jungfrudom inte förtärs av den gudomliga elden.

Skorna, som Moses förskräckt drar av sig i Guds närvaro, får ofta tjäna som ensam symbol i åtskilliga mariamotiv. De är frigjorda från sitt sammanhang, men ger ändå sitt tydliga symboliska budskap om platsens helighet. I bilden av Marias födelse, målad av en tysk anonymmästare från 1400-talet i en helt vardaglig, borgerlig hemmiljö, står ett par träskor, patinor, korslagda på golvet. Här vill de markera att det inte rör sig om en vanlig födelse: också här är marken helig. När samme mästare målar mötet mellan Maria och Elisabet, låter han en tjänsteflicka stå med ett par skor i handen. Gud själv är närvarande i Maria, som också Johannesbarnet i Elisabet gav vittnesbörd om, när det "spratt ... till i hennes liv" (Luk.1:41).

De båda gammaltestamentliga motiv som vi nu har talat om, Gideon med ullen och Moses inför den brinnande busken, återfinns också i flera senmedeltida altarskåp. Ett exempel är ett nederländskt mariaskåp i Strängnäs domkyrka från Jan Bormans verkstad i Bryssel (1507-08), där huvudmotivet Jesu födelse ledsagas av små scener med samma typologiska innehåll.

Arons stav

På en valvmålning i Härkeberga kyrka skildras Marias och Josefs trolovning ungefär som det brukade gå till på medeltiden (bild 15). Den unga flickan Maria, med utslaget hår som tecken på att hon är jungfru, lägger

Bild 13. Bebådelsen och Visitatio. Ytterst i de båda bildfälten syns Gideon resp. Moses vid den brinnande busken. Kalkmålning i Almunge kyrka, Uppland. Albert målare, 1400-talets slut. Foto ATA.

Bild 14. Under Nådastolen (Treenigheten) i korvalvets östkappa ses Jesu födelse och dess förebild Moses vid den brinnande busken. Kalkmålning i Härnevi kyrka, Uppland. Albert målare, 1400-talets slut. Foto ATA.

Bild 15. Josef bär den blomstrande staven vid trolovningen med Maria. Anna och Joakim står bakom sin dotter. Kalkmålning i Härkeberga kyrka, Uppland. Albert målare, 1480-talet. Foto ATA.

Bild 16. Moses vid den brinnande busken - JESU FÖDELSE - Arons grönskande stav. Biblia Pauperum, illumination i tyskt manuskript från o. 1425-50. Bibliotheca Vaticana. Foto efter faksimil

sin hand i Josefs, som enligt legenden var en gammal man. Översteprästen, som är klädd som en biskop med mitra på sitt huvud, är ifärd med att lägga den ena änden av sin stola över kontrahenternas sammanlagda händer som en symbol för att de nu förenat sina liv. Men den som bär det som mest liknar en brudbukett är faktiskt Josef, som i sin hand håller en kvist med röda blommor (nu svartnade). I de apokryfa evangelierna berättas, att när Marias man skulle väljas ut, lämnade man torra kvistar till alla ogifta män.[20] När man så bad om ett Guds tecken, var det just den gamle Josefs kvist som slog ut i blad och blomster, medan de andra männens förblev torra. Det är dessa ratade kandidater, som vi ser längst ner till höger. I sin besvikelse knäcker och biter de vredgat sönder sina kvistar. - I Risinge kyrka (östergötland) skildras det moment i berättelsen då Josef presenterar sin blomstrande kvist för översteprästen, som står vid sitt altare och här mest ser ut som en svensk lantpräst med tonsur och klädd i halslin och mässhake.

Men bakom denna blommande kvist finns en tidigare i Gamla Testamentet (4. Mos. 17). 12 stavar, en för var och en av Israels tolv stammar, lades i uppenbarelsetältet för att Herren skulle visa vem han hade utvalt. Nästa morgon visade det sig att det var en av stavarna, Arons stav, som grönskade, ja, än mer: " .. den hade knoppar och utslagna blommor och mogna mandlar" (v.8). Detta under blir, som vi kan se av en sida ur det tidigare nämnda Biblia Pauperum-manuskriptet i Vatikanbiblioteket, en förebild för jungfrufödelsen (bild 16). En av de versifierade texterna i Biblia Pauperum lyder: *Hic contra morem / producit virgula florem* - "Mot naturen skjuter den lilla kvisten en blomma". Häri ligger en ordlek: *virga* betyder "kvist", *virgo* "jungfru". Mot naturen kunde alltså det torra kvinnoskötet blomstra och bära frukt, och jungfrun förbli jungfru. Att Josef bär sin blomstrande stav vid trolovningen utgör alltså ett slags profetisk utsaga om Marias kommande uppdrag. - Arons grönskande stav kan vi också se i Stavby (Uppland), där Albert målat den helt enligt Biblia Pauperum.

Det obrutna inseglet

Ytterligare ett gammaltestamentligt motiv, även det använt av Albert, syftar på jungfrufödelsen. I Härkeberga, liksom också i Täby, kan vi se Daniel i lejongropen (bild 17; Dan. 6). Gropen är stadigt murad och full av rasande lejon, som hugger tänderna i sina offer så blodet dryper. Bödlar är behjälpliga med att med vassa piggar stöta ned människorna i gropen. Men mitt bland offrens skrik och lejonens vrål står Daniel lugnt på knä i bön. När han, enligt texten, hade vistats sex dagar i gropen utan att bli uppslukad, blev han omsider hungrig.[21] Den som, något överraskande, inte minst för honom själv, blev Guds redskap i denna situation var profeten Habakuk, som befann sig i Judéen, mer än 80 mil från lejongropen i Babylon.

> Han hade kokat något till soppa och betat bröd i en skål och var just på väg ut på fältet för att bära ut det till skördemännen ... Då grep Herrens ängel honom vid hjässan och förde honom genom sin andedräkts vinande stormvind till Babylon .. (Dan. till. 3:33ff).

Här får vi förklaringen till ett märkligt inslag i kalkmålningen: mannen som med en kanna och en trebent gryta i sina händer svävar ned över lejongropen och kommer den hungrande Daniel till undsättning. En ängel håller honom stadigt i håret och kan alltså sänka honom ned i gropen uppifrån och utan att konungens sigill bryts. Häri ligger den typologiska parallellen till jungfrufödelsen: Gud kan i sin suveränitet verka oberoende av jordiska hinder, såväl när det gäller den babyloniska lejongropens sigill som Marias jungfrulighets insegel. Resonemanget kan synas något pressat, men om inte annat fick menigheten sig en dramatisk historia till livs.

Drottning Ester

På en förnämlig plats i Härkeberga, rakt i öster ovanför triumfbågen, återges Marie kröning (bild 18). Motivet intill är mer svårtolkat. Det visar en krönt kvinna på knä inför en konung. Bakgrunden återfinns i Esters bok. Konung Ahasverus, "som regerade från Indien ända till Etiopien" (Ester 1:1), upphöjde den judiska flickan Ester till drottning. Hon kom att rädda hela sitt folk, som var svårt förföljda i riket. Galgen i bakgrunden syftar på det straff, som judarnas främste vedersakare Haman fick undergå.[22]

Förlagan till målningen utgörs av ett träsnitt i den ovan nämnda Biblia Pauperum (fol. 36). I den beledsagande läsningen på träsnittet står: "...Drottning Ester betecknar jungfru Maria, som Ahasverus, dvs Kristus, satte vid sin sida i sin himmelska härlighet den dag hon blev upptagen i himmelen". Albert har förkortat denna del av texten radikalt: "Ahasverus är Kristus, Ester är Maria".[23] Det typologiska förhållandet har ju målaren istället kunnat tydliggöra genom bilden av Marie himmelska kröning i valvkappan intill.

Bild 17. Profeten Habakuk bringar mat till Daniel i lejongropen. En ängel sänker honom ner utan att gropens insegel bryts. Kalkmålning i Härkeberga kyrka, Uppland. Albert målare, 1480-talet. Foto ATA.

Bild 18. Esters upphöjelse till drottning. Kalkmålning i valvkappan intill Marie kröning. Härkeberga kyrka, Uppland, Albert målare, 1480-talet. Foto ATA

Bild 19. Maria som Höga visans brud, omgiven av typologiska förebilder, bl.a. Gideon och Moses, Hesekiel vid den stängda porten samt Arons blomstrande stav. Kalkmålning i Risinge kyrka, Östergötland, 1410-talet. Foto ATA.

Bild 20. Den Apokalyptiska Madonnan, omgiven av spelande änglar samt, i svicklarna, överst Moses och Hesekiel, nederst kejsar Augustus och sibyllan samt Gideon med fällen. Mittpartiet i altarskåp i Falsterbo kyrka, Skåne. Nordtyskt arbete, 1500-talets början. Foto ATA.

Typologiska bildprogram

I några fall kan den typologiska aspekten på jungfru Maria förstärkas genom att hon omges av en hel krets av gammaltestamentliga förebilder. I Risinge kyrka, Östergötland, målad troligtvis på 1410-talet, uppfylls hela den västra kappan i korvalvet av en stor komposition med jungfru Maria i centrum (bild 19). Här har hon inte - vilket är mycket ovanligt - sitt barn i famnen, men förklaringen finns i språkbandet ovan. Kristus talar till henne såsom brudgummen i Höga Visan och säger: *Veni electa mea*, "Kom Du min utvalda brud". Den ljuskrans som omger Maria blir till synes materialiserad, och änglar lyfter henne till himlen.

I bågfält runt omkring finns en rad symboler. Fyra är hämtade ur Physiologus, t.ex. pelikanen, lejonhannen m.fl. Vanligen tolkas de kristologiskt men här får de syfta på Maria, vilket framgår av inskrifterna, leoninska hexametrar.[24] Men de resterande fyra motiven utgör gammaltestamentliga förebilder till Marias oförstörda jungfrulighet. Tre kan vi nu känna igen. Överst framställs Gideon, här med kungakrona, och den daggvåta fällen samt Moses vid den brinnande busken. På Marias vänstra sida ser man Aron med den grönskande staven. Den fjärde gestalten är profeten Hesekiel, som står framför en stängd port. Hesekiel hör en gång Herren säga om templets port mot öster: "Denna port skall förbliva stängd och icke mer öppnas, och ingen skall gå in genom den, ty Herren, Israels Gud har gått in genom den; därför skall den vara stängd" (Hes. 44:2). *Porta clausa* blir en symbol för Marias jungfrulighet "före, under och efter Jesu födelse".

Ett nordtyskt mariaskåp i Falsterbo från 1500-talets början visar en liknande kombination av typologiska motiv (bild 20). I mitten står, som ofta i senmedeltida altarskåp, den apokalyptiska Madonnan, klädd i solen och med månen under sina fötter (jfr Joh. Upp kap 12). I svicklarna kring hennes mandorla återges fyra typologiska scener. Överst ses Moses och den brinnande busken samt Den stängda porten. Längst ned på Marias vänstra sida knäböjer Gideon, klädd i rustning. Det fjärde motivet är ytterst ovanligt. Bakom en sittande konung står en person och pekar uppåt mot madonnan. Kungen följer med blicken handens riktning. Troligtvis framställs här kejsar Augustus och den tiburtinska sibyllan.[25] Enligt legenden, som kan påvisas från 500-talet, kunde sibyllan på Jesu födelses dag visa Augustus ett tecken på himlen: en skön jungfru med ett litet barn i en gyllene solkrans. Augustus skall ha blivit övertygad om att barnet skulle komma att få en större betydelse än han själv, hyllade det och lät sig hädanefter aldrig mer tillbedjas som gud. Han stiftade på platsen ett altare, helgat åt *Maria Aracoeli*, senare kyrkan S Maria in Aracoeli invid Capitolium. Bildtypen spreds främst genom

Bild 21. Jungfru Maria med Jesusbarnet, trampande på lejon och drake, symboler för djävulen. Träskulptur från o. 1250. Biri kyrka, Norge, nu i Universitetets Oldsakssamling, Oslo. Foto förf.

Legenda aurea på 1200-talet. I *Speculum humanae salvationis*, "den mänskliga frälsningsspegeln", som liksom Biblia Pauperum bygger på typologiska förebilder, står motivet som prototyp för Jesu födelse.

Låt oss avsluta med en blick på en norsk madonna från Biri (bild 21). Under hennes fötter ligger ett grinande lejon och en krokodilliknande drake. När man under medeltiden såg denna bild på Mariaaltaret gick tankarna säkerligen till söndagscompletoriets psalm: "Över lejon och huggormar skall du gå fram, du skall trampa ned unga lejon och drakar" (Ps. 91:13). I *Speculum Humanae Salvationis*, Frälsningsspegeln, läggs psaltarorden ut med hänvisning till Marias roll i frälsningsdramat: *Super aspidem et basiliscum, tu, Maria, ambulabis, leonem et draconem, id est Satanam, conculcabis ...*[26] I denna enda symbol sammanfattas hela frälsningshistorien, förutsagd redan i Gamla Testamentet: Maria bär fram sin son, som är den som slutgiltigt krossar döden och djävulen.

Noter

Jan van Eyck
Ambrosius

[1] de Tolnay 1938 s. 24

[2] Panofsky (1971 s. 145) gör en liknande bedömning.

[3] Ambrosius, *De Spiritu sancto* 3,80; PL 16, 829; Guldan s 15.

[4] Augustinus, *Enarratio in Psalmum* 138,2; PL 37, 1785; Guldan s 33 not 36.

[5] Augustinus, Sermo 22, 10; PL 38, 154.

[6] Blocktryck innebär att hela sidan, bild och text, skars i relief på tryckstocken, en teknik som användes från 1420-30-talen men som konkurrerades ut av Gutenbergs uppfinning av de gjutna lösa bokstavstyperna, det egentliga boktrycket.

[7] Om Biblia Pauperum i allmänhet se Henrik Cornell, *Biblia Pauperum,* Stockholm 1925. - Ett manuskript från o 1425-50, nu i

Vatikanbiblioteket (Codex Pal. lat 871) är utgivet i faksimil med inledning och kommentarer på svenska (Zürich 1982). - En användbar utgåva av den nederländska blockboken, där alla de latinska, ofta svårlästa, texterna finns översatta, är Knud Banning, *Biblia Pauperum. Billedbibelen fra Middelalderen,* KYbenhavn 1984.

[8] Lutz-Perdrizet 1907-09

[9] Zeno av Verona, *Tractatus* 13,10; PL 11, 352; Guldan s. 27. Tanken att avlelsen skett genom örat lever länge kvar, och en märklig rest av den finns ännu i ett av Molières dramer, Äktenskapsskolan (École des Femmes) från 1662. Arnolphe berättar för en vän om sin unga blivande hustru Agnès, som har uppfostrats i klosterskola (akt I, scen 1). Hon är, säger Arnolphe med ett överseende leende, så oskyldig och charmerande naiv: "Elle ... me vint demander / Avec une innocence à nulle autre pareille / Si les enfants qu'on fait se faisaient par l'oreille" (Molière s. 294). I den svenska översättningen går det djupare sammanhanget förlorat: "Nu skall du få höra / hon tror att barnen föds igenom öra'!" - XX tackas för detta påpekande.

[10] Petrus Comestor, Historia scholastica libri Genesis 21; PL 198, 1072; Guldan s 60.

[11] Petrus Damiani, Sermo 45 In Nativitate Beatae Virginis

Mariae 2; PL 144, 743; Guldan s. 60.

[12] Origines *Homilia 8 In Lucam* 3; GCS 35, 54-55; Guldan s. 28.

[13] Hieronymus, Epistula 22 Ad Eustochium 21; CSEL 54, 173; Guldan s. 28.

[14] Eleutherius av Tournai, *Sermo De Natali Domini*,; PL 65, 94-97; Guldan s. 127.

[15] Alfons den vise, Cantigas de Santa Maria; Guldan s. 58

[16] Guldan 1966 s. 45.

[17] Protevangelium Jacobi, Gärtner s xx; Jakobs Forevangelium .. 1980 s. 19, 42 ff.

[18] Vatikanbiblioteket, Codex Pal. lat. 871, fol 3v. Faksimilutgåva Zürich 1982.

[19] "Quod figurabat virginem gloriosam sine corrupcione inpregnandam (sic) ex Spiritus Sancti infusione ..." (Biblia Pauperum ... Vaticanum s. 50)

[20] Banning 1980 s. 19 och 40 ff.

En svit fresker, som detaljerat beskriver utväljandet av Josef har målats av Giotto i Capella Scrovegni, det s.k. Arenakapellet, i Padua 1305-08.

[21] Händelsen beskrivs i ett apokryfiskt tillägg till Daniels bok, kap. 3:31-39. (Gamla Testamentets apokryfiska böcker, Stockholm 1937)

[22] Vad det lilla förtjusande kärleksparet står för är oklart. De finns emellertid också med på förlagan, den fyrtiobladiga Biblia Pauperum (fol. 36). De är så unga - knappt mer än tonåringar -att de inte rimligen kan föreställa Ahasverus och Ester. Kilström (1968 s. 30) föreslår att de skall föreställa Ester och Haman, vilket dock är osannolikt, eftersom det enda närmande Haman gjorde Ester var för att be för sitt liv, då hans intriger blivit avslöjade (Ester 7:7f). Dessutom beskrivs han då som en mogen man med tio vuxna söner.

[23] Hela läsningen lyder i Biblia Pauperum (med upplösta förkortningar): "*Legitur in libro Hester II capitulo, quod cum regina Hester ad regem Assuerum in suum palacium, ipse rex Assuerus honorando eam juxta se posuit. Hester regina virginem Mariam significat, quam Assuerus id est Christus in /die/ assumptionis sue in gloria celesti juxta se collocavit*" (Banning 1984 s. 86; Banning läser dock felaktigt det abbrevierade "id est" som "scilicet").

Härkeberga: "*legitur quod regina hester venit ad regem asswerum in suum palacium. asswerus id est christus, hester id est maria*"

[24] Nisbeth 1986 s. 133 f.

[25] Schiller bd 4:2, s. 215 f.

[26] Lutz-Perdrizet 1907-09 s. 63

Litteratur:

Banning, *Biblia Pauperum. Billedbibelen fra Middelalderen*, KYbenhavn 1984.

Cornell, Henrik, *Biblia Pauperum*, Stockholm 1925.

Gamla Testamentets apokryfiska böcker, Stockholm 1937.

Guldan, E., *Eva und Maria. Eine Antithese als Bildmotiv*. Graz-Köln 1966.

Gärtner, Bertil, *Apokryferna till Nya Testamentet*. Stockholm 1972.

Jakobs Forevangelium og Det uægte Matthæusevangelium. Övers. o utg. Knud Banning. KYbenhavn 1980.

Kilström, Bengt Ingemar, *Härkeberga kyrka*. Sveriges kyrkor vol. 123. Stockholm 1968.

Lutz, J.- Perdrizet, P., *Speculum Humanae Salvationis*. Mühlhausen 1907-09.

Nisbeth, Åke, *Bildernas predikan*. Stockholm 1986.

Nilsén, A., *Program och funktion i senmedeltida kalkmåleri*. Stockholm 1986.

Panofsky, Erwin, *Early Netherlandish Painting*. (1953) Icon Edition: NY, Hagerstown, San Francisco, London 1971.

PL= Migne, J.P., *Patrologiae cursus completus*, Series Latina. Bd 1-221. Paris 1844-64.

Schiller, Gertrud, *Ikonographie der christlichen Kunst*, bd 4:2 Maria. Gütersloh 1980.

de Tolnay, C., *Le Maître de Flémalle et les Frères van Eyck*. Bryssel 1938.

Bengt Stolt:

Mariaskulpturer med förlorade jesusbarn.

En översikt av materialet.

Initiativtagaren till det tvärvetenskapliga symposium vi här är samlade till har förklarat, att symposiet inte skall uppfattas som en redovisning av ett avslutat arbete utan skall tjäna som inspiration till fortsatt forskning. Jag har därför valt att presentera ett problem och föreslå en lösning, inte att lägga fram en färdig undersökning. Det här är ett lämpligt tillfälle, eftersom symposiedeltagarna representerar många olika forskningsinriktningar. Det kommer också att framgå vilka typer av undersökningar, som skulle kunna ge ett bättre perspektiv på det problem som behandlas1.

Ämnet kan enklast illustreras med madonnan från Viklau kyrka, nu i SHM. Den är daterad till slutet av 1100-talet. Barnet och den sittande madonnan har skulpterats var för sig. Barnet är försvunnet. Skulpturen är förgylld, utom där barnet suttit, där den bara är grunderad. På barnets plats finns ett hål för en tapp, med vilken barnet varit fästat. Med stöd av den inventering han nyligen företagit menar Lennart Karlsson, att omkring 90% av de bevarade romanska madonnorna i Sverige saknar sitt barn.

Jag tänkte här visa, att barnets försvinnande inte behöver bero på att träet torkat eller på senare tiders vanvård. Det kan ha varit meningen redan från första stund att Jesusbarnet skulle kunna tas bort från sin plats. Jag kommer också att försöka att finna en förklaring till förhållandet.[1]

Jag utgår från skulpturer, där Jesusbarnet är ihåligt. De har ett runt hål i barnets hals. Hålet leder till ett konformat utrymme, 15 - 20 cm djupt. Jesusbarnets huvud sitter på ett långt skaft. Skaftet är något smalare än hålet i barnets hals. Avsikten är att skaftet med Jesusbarnets huvud skall kunna tas loss från skulpturen i övrigt. Bildtypen har daterats till mitten av 1200- talet och är huvudsakligen representerad i det medeltida Danmark. Man kan undra om uttrycket att ha huvudet på skaft kan ha något att göra med sådana här skulpturer.

Den ende i Sverige som behandlat det här fenomenet är Peter Tångeberg. Han har beskrivit en sådan madonna i Kiaby[2] i Skåne. Han menar, att skaftets yta tydligt visar, att skaftet hanterats av flera händer. Detsamma gäller enligt honom madonnorna från Ignaberga[3], nu i LUHM, och Stenestad[4] i Skåne, den senare i SHM. I Stenestad har Jesusbarnets huvud fixerats genom att en träplugg drivits genom kropp och skaft. Tångeberg nämner också några skulpturer av samma slag, där barnets huvud saknas, nämligen madonnorna från offerkyrkan i Skog[5] i Ångermanland, nu i Härnösands museum, Ravlunda[6] i Skåne, nu i LUHM, samt Selsö[7], nu i Danmarks nationalmuseum. Ännu 1862 hade madonnan i Selsö kvar sitt huvud. Till Tångebergs uppräkning kan läggas madonnorna från Hol[8] i Västergötland, nu i SHM, samt Gylle[9] och Simlinge[110] i Skåne, båda i LUHM. Skulpturen från Hol är skadad, så att det konformiga hålrummet lätt kan studeras. I Gylle har barnet ett huvud, som är yngre än skulpturen i övrigt.

Tångeberg har också fäst min uppmärksamhet på en madonnaskulptur från Jörl[11], nu i Flensburgs museum, där Jesusbarnets huvud saknas. - I Kumlinge[12] kyrka på Åland hittades 1961 ett löst huvud, fäst vid ett skaft. Skaftet är kortare och bredare än i Kiaby men kan ha tillhört barnet till en nu förlorad madonnabild.

Vad skulpturer av Viklaumadonnans typ beträffar förefaller vissa av dem utförda på ett sådant sätt, att barnet skulle kunna tas loss. Klaus Endemann framhåller i en uppsats från 1975, att de medeltida träsnidarna om möjligt gjorde en skulpturgrupp i ett enda stycke. Om det var nödvändigt med extra delar, så sattes tillskotten fast med lim samt spik eller dymlingar, varpå skarven täcktes med väv och grundering. Men i flera romanska skulpturer av Maria med barnet har Jesusbarnet skulpterats för sig och är bara fäst med en tapp. Man frågar sig varför.

De madonnaskulpturer det här är fråga om har vanligen varit förgyllda. I varje fall grunderingen har täckt hela Marias mantel och alltså löpt under jesusbarnet, precis som hos Viklaumadonnan. Detta har observerats av Endemann. Han beskriver en mariaskulptur från Werl[13], där man gjort på samma sätt också vid en nyförgyllning på 1200- talet.

Andra skulpturer där han uppger sig ha iakttagit grundering där barnet suttit, i vissa fall genom att studera ev. färgspår med mikroskop, är mariorna från Appuna[14] och Hammar[15], nu i SHM, Skellefteå[16], nu i Härnösands museum, i ehemaliges Diözesanmuseum i Münster[17], Kloster Oelinghausen[18] och kath. Kapelle i Waltringhausen[19], ursprungligen i augustinernunneklostret Annenborn. De förefaller inte att ha haft samma förebilder och uppträder i olika stift och kyrkoprovinser.

Också det nu försvunna barnet till en madonna från Randers i DNM, daterad till omkring 1100, förefaller ha varit tänkt att kunna tas bort och sättas dit.[20]

De 1200-talsmadonnor där barnets huvud suttit på ett långt skaft som sträckt sig genom hela barnfiguren har just behandlats. På 1300- talet är i regel Jesusbarnet skulpterat i samma stycke som skulpturen i övrigt. Men i vissa fall tycks Jesusbarnets huvud ha tillverkats för sig. Det har varit fäst vid en några centimeter lång plugg, som sedan trätts ned i halsöppningen. SHM har flera exempel, bl. a. en madonna från Lohärad[21] i Uppland. I Jesusbarnets hals finns ett fingertjockt hål, ungefär 4 cm djupt.

Huvudet har tydligen skulpterats för sig. Det behöver inte ha varit avsett för utlåning utan kan ha varit fäst på corpus med dymlingar eller lim, som torkat. Det kan också hända att Jesusbarnets huvud tillfälligtvis tagits bort från en färdig skulpturgrupp för att ges en annan och modernare frisyr. Ett exempel är en maria med barnet från Hörsne kyrka på Gotland, numera i Gotlands fornsal. Barnets huvud låg separat, när föremålen kom in till museet. Eftersom huvudet föreföll vara ungefär 70 år yngre än Mariabilden, så dröjde det till mitten av 1940- talet, innan Bertil Almgren upptäckte att huvud och Jesusbarn hörde samman.[22]

Många numera huvudlösa Jesusbarn har huvudet bortsågat på ett så omsorgsfullt sätt, att huvudet inte förefaller ha avlägsnats av illvilja. Lennart Karlsson har fäst min uppmärksamhet på att det också finns gotiska skulpturgrupper, där barnet är helt eller delvis bortsågat. Han nämner särskilt 1300-talsmadonnan av valnötsträ i Lövånger.[23] Med en mycket fin sågklinga har barnet sågats igenom i brösthöjd, på ett sätt som skadat skulpturen så litet som möjligt. Övre partiet av barnet är inte bevarat. I sådana fall har tydligen barnet eller endast dess huvud gjorts löstagbart för att användas till något bestämt ändamål.

I den medeltida uppbyggelsesamlingen "Själens tröst" finns en berättelse, som har sitt intresse i det här sammanhanget. Den handlar om en god kvinna, vars son blivit fånge. Kvinnan bad då till Vår Fru, att hennes son skulle bli fri. När det inte hjälpte, gick kvinnan till kyrkan till Vår Frus beläte och tog bort barnet ur hennes sköte, och sade: "Detta barn villjag behålla så länge, tills jag får tillbaka mitt barn." Natten därpå kom Vår Fru till tornet, där kvinnans son satt fången. Där låste hon upp alla lås och sade till sonen: "Gå nu raskeliga till din moder och bjud henne att bära tillbaka mitt barn." Så blev han lös, och Vår Fru fick tillbaka sitt barn.[24]

Den här berättelsen finns också i en av de tyska förlagorna, Der grosse Seelentrost.[25] Man kan undra om den inte den förutsätter, att åhörarna hört talas om mariaskulpturer, från vilka Jesusbarnet rent konkret kunde tas bort ur sin moders knä. Men man måste givetvis behandla alla slutsatser med stor försiktighet.

Det förefaller mig, som om vi skulle kunna ana en utvecklingsgång. Från slutet av 1100- talet, då madonnaskulpturer av viklautyp uppträder i Norden, så skulpteras jesusbarnet för sig och fästes på ett sätt, som gör det möjligt att lyfta bort det. När man under 1200-talet övergår till skulpturgrupper, där jesusbarnet är en fast del av kompositionen, så gör man barnets huvud löstagbart genom att förse det med ett skaft. Under höggotiken överger man skaftet och den konformiga urtagningen inne i jesusbarnets kropp och nöjer sig med att göra barnets huvud löstagbart.

Hur är det med de försvunna Jesusbarnen, när man mot slutet av medeltiden får altarskåp med snidade figurer? I de skåp som har intresse i sammanhanget förekommer en eller flera av följande scener: bebådelsen, födelsen, heliga tre konungars tillbedjan, omskärelsen och frambärandet i templet. Jag har studerat 30 svenska altarskåp och två finska, i Nykyrko[26] och Vånå.[27] De flesta är flamländska.

Den vedertagna uppfattningen är att figurerna snidades och färglades av särskilda yrkesmän och sedan placerades i altarskåpen.

I de 32 skåp jag har undersökt saknas jesusbarnet i 20 fall, vanligen vid Jesu födelse. I Årsunda i Gästrikland ersattes ett saknat barn med ett nytillverkat för något årtionde sedan. Födelsescenen återges mot slutet av medeltiden på det sätt, som skildras i Birgittas uppenbarelser men är äldre som motiv: Maria föder sin Son utan smärta, knäböjande inför honom i tillbedjan: min Herre och min Gud! Barnet ligger på golvet, direkt eller i en krubba, omgivet av Maria och Josef, oxen och åsnan, i regel också herdarna.

Barnets underlag kan vara utformat på olika vis. Ibland består det av ett fyrkantigt tygstycke, som i Häverö[28] och Singö i Uppland och på ett skåp från Heiligengeistspital i S:t Annenmuseum i Lübeck. Meningen är antagligen att ge en association till det fyrkantiga corporale, på vilket Kristus på altaret föds i mässan i gestalt av hostian, Vite Krist. Den vita duken kan också vara oval, som i Frustuna och Jäder i Sörmland. I Dillnäs[29] i Södermanland har barnet legat i en låg fyrkantig krubba, från vars botten ett metallstift sticker upp. I skåpet från Tortuna[30] i Västmanland, nu i SHM, förefaller barnet att ha legat direkt på golvet i stallet. Hålet efter pluggen i golvet är nämligen omgivet av en strålgloria. I Söndersogns kyrka[31] i det danska Viborg ligger barnet på en flik av

Marias blåa mantal. Så har barnet också legat i Hökhuvud [32] i Uppland, men bara ett hål efter en plugg visar platsen. I Hökhuvud är hela Marias mantel blå, också fliken där barnet har legat. Men det är en självklar följd av att Mariafiguren och Jesusbarnet kan ha snidats och färgsatts var för sig, och inget indicium på att barnet varit avsett att kunna tas loss.

I Västerås domkyrka finns två flamländska altarskåp som innehåller födelsesviten. I skåpet från Antwerpen förekommer en födelsescen, där barnet saknas[33]. Det andra skåpet är ett brüsselskåp. Det har sitt Jesusbarn kvar i födelsescenen. Men vid frambärandet i templet har barnet brutits bort.[34] Marie händer har följt med, därför att Maria snidats i samma stycke som barnet. Detta kan tolkas som att någon försökt komma över ett Jesusbarn. Och när inte barnet i födelsescenen varit löstagbart, så har man tagit ett barn från ett annat ställe i skåpet.

Detsamma kan ha skett i det stora Birgittaskåpet i Vadstena klosterkyrka. Vid frambärandet i templet saknas också här både barnet och Marie händer. I födelsescenen återstår av barnet bara en torso, som om någon förökt ta loss barnet men misslyckats. Vid omskärelsen saknas både Maria och barnet. Barnet har ingen överkropp vid heliga tre konungars tillbedjan.[35] Alla skador kan givetvis vara en följd av vanvård eller medveten skadegörelse men behöver inte vara det.

Också i skulpturgruppen Anna själv tredje fattas ibland ett Jesusbarn. I kompositioner, där Jesusbarnet sitter i Marie knä och Maria i sin tur i Annas, så saknas barnet bl a i Sköldinge[36] i Södermanland, Rimito i Egentliga Finland[37] och Hollola i Tavastland[38], för att nämna några få exempel bland många. En Annabild[39] från Väte kyrka på Gotland, nu i SHM och daterad till början av 1400- talet, är en av dem som haft Maria och Jesusbarnet på var sitt knä. Jesusbilden är nu förlorad.

2. Hur skall fenomenet förklaras?

Det börjar vara på tiden att försöka hitta en förklaring till fenomenet med de försvunna Jesusbarnen. Skulpturerna med Jesusbarnets huvud på ett löstagbart skaft visar, att det inte är möjligt att skylla alla förkomna huvuden och barn på senare tiders vanvård och vandalism. Redan när skulpturerna utfördes har man med vett och vilja gjort dem sådana, att Jesusbarnet eller dess huvud tillfälligt skulle kunna tas bort.

Vi tycker kanske, att det skulle ha sett egenartat ut med en Maria med ett förkommet eller huvudlöst Jesusbarn. Men det är möjligt att man kände en sådan vördnad för bilden och vad den representerade, att man inte fäste sig vid en sådan detalj. Var det dessutom välkänt för menigheten, att Jesusbarnet ibland var utlånat, så bör församlingen ha tagit den tillfälliga frånvaron som en naturlig företeelse. Kanske människornas inställning till en älskad och vördad bild var densamma som barnets till en älskad docka: det ser inte bristerna, fastän både armar och ben kan vara försvunna.

Dessutom var ju, åtminstone under senmedeltiden, många bilder insatta i skåp. Helgonskåpen kunde stängas, precis som de stora altarskåpen med flygeldörrar eller dubbla dörrar. Och det är tänkbart, att det inte bara var från askonsdagen till påskaftonen, som man höll dem stängda. Central-europeiska exempel, från äldre och nutida kyrkoliv, berättar att skåpens öppnande är eller varit förbehållet vissa högtidsdagar. Och om ett skåp var stängt kunde ingen ta anstöt av att ett Jesusbarn saknades.

Skador kan bero på materialets egenskaper. Träet kan ha haft en sådan struktur, att en nästipp eller eller par fingrar torkat och fallit bort vid minsta beröring. Särskilt stor måste risken ha varit, när skulpturerna flyttades eller ställdes undan som värdelöst skräp. Men skador kan ha uppkommit på annat vis. Peter Tångeberg menar att det finns anmärkningsvärt många fall, när ett huvud vridits av eller ett ansikte huggits bort, utan att en skulpturgrupp i övrigt är skadad. Det måste då vara fråga om en form av medveten skadegörelse. Han tar som ett belysande exempel altarskåpet med de fjorton nödhjälparna i Västerås domkyrka. Sankt Christoffer bär ett Jesusbarn, vars ansikte huggits bort, men figurerna i övrigt är oskadda[40].

Förekomsten av löstagbara skulpturer innebär givetvis att Jesusbarn lånats ut med den kyrkliga överhetens goda minne. Men hur stämmer detta för Jesusbarnen i Vadstena och Västerås, som handgripligen brutits bort ur altarskåpen?

Förhållandet kan förklaras om man antar, att sådana Jesusbarn så gott som permanent varit utlånade. Det har då aldrig varit aktuellt att försöka sätta fast dem igen på sin ursprungliga plats. Kanske har barnet efter återlämnandet förvarats provisoriskt. Det kan ha legat löst i altarskåpet. Jesusbarnet kan också ha legat på altaret, precis som det var föreskrivet att ett bäraltare skulle göra, i väntan på att behövas igen.[41]

Endemann konstaterar att skulpturerna av Viklaumadonnans typ med löstagbara Jesusbarn tillverkats av olika verkstäder. Alla torde inte enligt honom vara repliker av en och samma undergörande Mariabild. Endemann framhåller att några av de tyska madonnabilderna av Viklautyp tillhört nunnekloster. Men han är villrådig om hur detta skall kunna bidra till tolkningen. Endemann påminner om den i England redan på 1100-talet förekommande seden att i vissa nunnekloster ha ett Jesusbarn, som kläddes på och lades i en krubba eller en vagga.[42] I Tyskland är seden belagd från 1300- talet.[43] Så skulle man ha kunnat man hantera barnen från de senmedeltida altarskåpen. Men eftersom de tronande madonnornas försvunna Jesusbarn i likhet med de bevarade torde ha framställt barnet i Marias knä som den krönte och välsignande Kristus konungen, så menar Endemann, att sådana skulpturer inte gärna kan ha tagits bort och bäddats ned som en nyfödd.[44]

Samma argument gäller för de julspel, som från 900- talet finns belagda i Västerlandet. I herdespelen, där handlingen efter mönster av Quem queritisspelet inskränker sig till en dialog mellan herdarna och jordemödrarna vid krubban, har man inte gärna kunnat låta madonnaskulpturens krönta Jesusbarn illustrera en nyfödd.[45] Vid trekonungaspelen på trettondagen har de tre vise männen spelats av levande personer men Maria sannolikt representerats av en skulptur med det krönta och välsignande barnet i sitt knä. Där fanns ingen anledning att göra barnet löstagbart.[46]

Hilfeling berättar år 1777, hur besökande i S:t Olofs vallfartskyrka i Skåne lånade helgonets yxa och beströk sig med den nio gånger för att bli botade.[47] Eftersom även Kiaby och Skog var vallfartskyrkor, så skulle man kunna tänka sig att Jesusbarnens huvud på skaft använts på liknande vis. Men traditionen nämner inget om detta. Dessutom har övriga aktuella kyrkor knappast varit vallfartskyrkor.

Möjligen kunde man tänka sig att församlingsprästen medförde ett Jesusbarn vid sjukkommunion. Jag har träffat på ett modernt exempel från Sydbayern men vet inte om seden är belagd under medeltiden.[48]

Själv skulle jag vilja föreslå en annan förklaring. Kan det ha varit så, att Jesusbarnen lånades ut till havande kvinnor i socknen? Carl- Otto Nordström har berättat, att en studentska på en av hans föreläsningar förklarade frånvaron av ett Jesusbarn på det viset. Hon var från trakten av Enköping. Men hon kanske bara återgav en sekundär förklaringssägen.

Jag har inte undersökt något folkloristiskt arkivmaterial men ögnat i den tryckta litteraturen. Maria var den som i Norden övertog Frejas roll vid barnafödandet. Men även Anna och andra helgon åberopades.[49] Enligt ett apokryfiskt lukasevangelium var Maria medhjälpare, då Elisabet födde Johannes döparen. Från Norden föreligger ett antal anrop till Maria om födelsehjälp, bland annat en bön på latin, i dansk översättning: "Maria, laan mig Nöglerne dine, at jeg maa aabne Länderne mine.[50]" Vid Bryggen i Bergen har hittats en trästicka med en latinsk välsignelse, daterad till 1400- talet, i översättning: "Maria födde Kristus. Elisabet födde Johannes döparen. Var förlöst till ära för dem! Herren kallar dig till ljuset." Trästickan torde ha lagts på den födandes mage. Syftet var givetvis att medverka till en lycklig förlossning.[51]

Från västra Böhmen finns exempel på att man vid värkarnas inträde placerat en bild av den blivande moderns namnhelgon eller av jungfru Maria under hennes huvud.[52]

Ett Jesusbarn, lånat från kyrkorummet, borde ha haft en alldeles särskild kraft. Det bör också ha varit en uppmuntran för den blivande modern, när hon bett om en lätt förlossning och ett välskapt barn.

Även om en sådan sed inte finns återgiven i den tryckta litteraturen kan den ändå ha förekommit. Kanske har skulpturer vilkas Jesusbarn man kunnat låna ut varit relativt ovanliga, varför det kan ha varit fråga om traditioner med mycket lokal spridning. Någon måste i alla fall ha känt till bildtypen och beställt en representant till den egna kyrkan, alternativt gjort Jesusbarnet eller dess huvud löstagbart. Kanske, och det framför jag som en ännu helt obekräftad hypotes, kan det ha varit så, att jordemodern eller barnmorskan i socknen ständigt hade hand om kyrkans Jesusbarn, utom när hon lånade ut det till blivande barnaföderskor. Barnet har då förvarats hos barnmorskan, inte i kyrkorummet. Dess användning kan ha traderats som en speciellt kvinnlig läkedomskunskap, generation för generation.

3. Jungfru Maria efter reformationen.

Kan en sed som utlåningen av Jesusbarn ha överlevt reformationsårhundradet? Innan jag behandlar problemet några ord om bakgrunden, alltså inställningen till helgonen och jungfru Maria.

I den teologiska diskussionen under reformationstidevarvet förefaller inte jungfru Maria ha intagit någon central plats. En lämplig utgångspunkt för det följande är några uttalanden om Maria hos Martin Luther, som Sven-Erik Brodd[53] dragit fram. Enligt Luthers Magnificatkommentar ber Maria för oss, och det är rätt att anropa Maria
om förbön. I ett annat sammanhang förklarar Luther, att de som är svaga i tron må anropa helgonen, bara de vet, att det är i Kristus man har sin tillförsikt.

Samma vördnad som hos Luther för jungfru Maria finner man i en predikan av Olaus Petri. Den ingår i "Een lijten postilla" 1530. Predikan skrevs för Dyra Vårfrudag, den 15. augusti. Olaus säger inledningsvis, att den här dagen begås den högtid, då den högvärdiga jungfrun Maria avled och dödde bort av denna världen. Men eftersom ingenting står i Skriften om de närmare omständigheterna - och här talar Olaus som en humanist, med fältropet "till källorna", "ad fontes", som ledmotiv - så kan man inte veta om det som berättas är sant eller ej. Olaus menar, att man inte kan ära Maria på ett bättre sätt än genom att låta henne bli ett föredöme i att följa Guds vilja. Själv begär hon ingen annan ära av oss än att vi ska lova, prisa och tacka Gud för den nåd och barmhärtighet han har gjort henne och oss med henne.[54]

Här i Sverige beslutades 1529 på ett kyrkomöte i Örebro, att Ave Maria skulle läsas efter varje predikan[55] När Olaus Petri i sina samtida utläggningar uppfattar Ave Maria som en lovsång[56], torde detta innebära att Ave Maria hade kvar sin medeltida form, utan det direkta anropande om förbön som tillfogades under senmedeltiden.

De svenska reformatorerna ingrep som bekant mot sådant, som de betraktade som vidskepelse. De rev krucifixen på kyrkogårdarna, vid vägarna och vid Svinnegarns källa. De avskaffade bönevandringarna runt kyrkogården och krypandet på knä till krucifixet på långfredagen. Men de ingrep inte på samma sätt mot helgonen och Guds moder. Erik den heliges skrin fick stå kvar vid Uppsala domkyrkas högaltare ända till Åke Pornes restaurering på 1970-talet.

Under reformationsverkets gång ifrågasattes helgonens ställning som förmedlare av nåd, och därmed det riktiga i att anropa dem om förbön. Lösningen blev för Svenska kyrkans del, att Maria och helgonen fick vara kvar i bilder och föreställningsvärld, men utan att tillbedjas. Med tiden torde också det direkta anropandet inför kyrkorummets helgonbilder och Mariaskulptur ha upphört, även om bönerop till jungfru Maria länge är levande tradition i folkfromheten. Målet för kyrkoledningens ansträngningar kan illustreras av den latinska text man 1656 i Ekshärads kyrka i Värmland tillfogade under en skulptur av den heliga Anna, med Maria och Jesusbarnet på var sitt knä, i översättning: "Vi tro och betyga, att Kristus skall tillbedjas men Maria vördas."[57]

Det medeltida Mariaaltaret i kyrkan var ju kvinnornas särskilda altare. På det placerades i många kyrkor gåvor in natura till prästen, t ex vid kyrktagning. Dukar förärades 1639 till Mariaaltaret i Varv, 1640 till Mariaaltaret i Odensvi, båda kyrkorna i Linköpings stift.[58] 1684 byggdes ett nytt "kakaltare" i Tryserums kyrka.[59] Men när man möter uppgifter om att mataltaren nybyggs i slutet av 1600-talet eller senare, så kan det som i Augerum 1709 vara fråga om en bänk av trä, utan någon Mariabild.[60]

Även om1600- talets biskopar varnar allmogen för att tillbedja beläten, t ex i Adelöv 1633,[61] är de ofta toleranta mot den kyrkliga seden. I Hässelby kyrka i smålandsdelen av Linköpings stift hände 1641, att kyrkoherden, Dr Johannes Bock, klagade för den visiterande biskopen, Jonas Petri Gothus, över att församlingsborna skrapade av förgyllningen på kyrkans mariabild för att använda till vidskepelse. Biskopen föreskrev att kyrkan skulle hållas låst. Intressant nog tog biskopen inte händelsen som en förevändning för att avlägsna mariabilden. Maria i Hässelby stod antagligen på sin medeltida plats på kyrkans norra sidoaltare.[62]

Naturligtvis förekom det under 1600- talet att helgonbilder avlägsnades ur kyrkorna. Prosten Boethius Murenius´ framfart vid sina visitationer på Åland åren 1637-1666 är ett belysande exempel.[63] Den folkliga seden att anropa Maria om förbön torde inte ha upphört med ens. Å andra sidan förekom i Alfta i Hälsingland, att en 1600-talskyrkoherde tog ned de gamla helgonskulpturerna. Men kyrkoherden Aurivillius, som tillträdde pastoratet 1696, satte upp dem igen, en åtgärd som ärkebiskop Svebilius enligt visitationsprotokollets ord "lät sig mäkta väl behaga".[64] Orsaken torde ha varit att föremålen inte längre spelade någon roll i kulten.

Att döma av ett uttalande några årtionden senare var det som skedde i Afta ett undantag. "Helgonbilder avlägsnas nu på grund av ny smak" heter det i början av 1700- talet hos hälsingeprosten Johan Olof Broman.[65] Men också på 1700-talet möter man exempel på uppskattningen av det medeltida arvet. 1753 köpte Tillinge församling i Uppland ett medeltida altarskåp från Ängsö i Västmanland, styckade det och använde delarna till att pryda sin predikstol. Mittpartiet av corpus, två stora skulpturer av Maria med barnet och Sta Katarina av Alexandria, placerades på ryggskärmen bakom predikantens plats, där man tidigare haft "D: Lutheri Contrefai".[66] Scener från Katarinas legend fick pryda predikstolskorgen. 1783 lät man förgylla helgonbilderna. Men utvecklingen går mot bildlösa kyrkorum och kulminerar under de neologiskt fostrade prästerna under 1800- talets första årtionden. Dessa reagerar både mot medeltidens "naivité och egendomliga smak" och mot vidskepliga sedvänjor hos folket.

När helgonbilder ställdes undan, skedde det ofta mot församlingsbornas önskan. Ett exempel på motsättningar på hög nivå är när sedermera biskopen Jacob Serenius i Nyköping 1759 ville avlägsna S:ta Annas bild från kvarnen i Nyköping. Både magistraten och landshövdingen satte sig emot det. När Serenius till slut lyckades få igenom sin vilja, så lät magistraten tillverka en kopia av Annabilden, för säkerhets skull av sten, och mura in den i kvarnen, så att skulpturen inte så lätt skulle kunna flyttas bort.[67]

Vad kyrkornas högaltaren beträffar, har de medeltida altarskåpen ofta fått stå kvar i århundraden efter reformationen. Av Broocmans beskrivning över Östergötlands kyrkor från 1760 framgår att det medeltida altarskåpet då fanns kvar på högaltaret i 45% av kyrkorna.[68] Att det centrala motivet i åtminstone ett 20- tal kyrkor var Marie kröning eller himmelsfärd[69] eller utgjordes av ett helgon som Martin eller Staffan[70] utgjorde inget hinder. I de kyrkor där det gamla altarskåpet flyttats undan hade orsaken varit en önskan om en modernare altarprydnad, vanligen framställd och bekostad av en donator på slottet eller säteriet i socknen.

Att ett altarskåp hade marianska motiv var intet hinder för att det vårdades och renoverades. I Djursdala byggde församlingen 1696 en ny timmerkyrka. Man lät en konstnär dekorera den med bibliska scener i tidens smak. Men som altarprydnad lät församlingen på nytt sätta upp sin medeltida triptyk, en jungfru Maria med barnet, omgiven av fyra kvinnliga helgon.[71] Att den konservativa inställningen till det medeltida arvet kunde bottna i folkliga föreställningar framgår av en notis från Kräklingbo kyrka på Gotland. Altarskåpets centrala motiv var Marias och Elisabets möte, alltså Marie besökelse. 1799 berättas att ”altartaflan ... bibehålles endast derföre att Bönderne ej vilja mista sin goda S Bartholomeus, som skall vara Kyrkans gamla Patron.”[72]

Efter reformationen är det ovanligt att Mariabilder nytillverkas. Unik är därför den altaruppsats som Magnus Gabriel de la Gardie år 1666 skänkte till Solna kyrka.[73] Den har som sin centrala framställning herdarnas tillbedjan inför det nyfödda jesusbarnet. Där ovanför finns en oljemålning av Marie kyrkogång, och altarskåpet kröns av en snidad Mariabild. Domkyrkan i Mariestad har en altaruppsats från omkring år 1700. Den kröns av en skulptur av Maria med barnet, som i sammanhanget symboliserar kärleken.[74]

Det är sällan man under 1600-talet möter någon kritik av ett medeltida Mariamotiv. Men i Skultuna i Västmanland fanns ett altarskåp, vars centrala motiv var Marie kröning. Vid biskopsvisitationen 1673 tycks biskopen inte ha haft några kritiska synpunkter på altarprydnaden. Men bruksägaren Isac Cronström förklarade, att altarskåpets centralmotiv ”syntes aff dhes tydelse medh wår religions grundh icke wäl öfwer eens komma”. Cronström skänkte i stället 1679 en altartavla föreställande Getsemane, och altarskåpet flyttades undan.[75]

Ett altarskåp med Marie kröning som centralmotiv, troligen ett krigsbyte, renoverades 1629[76] och skänktes, troligen samma år, till Raumo klosterkyrka i Finland (nu i Raumo museum). Inga Lena Ångström menar att man vid kyrkornas prydande på 1600- talet i många fall sökt framhålla jungfru Maria.[77] Som exempel nämner hon Magnus Gabriel de la Gardies gåvor, också till andra kyrkor än Solna. Hon framhåller också, att även om altarskåp med Marie kröning inte nytillverkades, så förekommer motivet i många av de skåp, som rustades upp. Hon nämner Himmeta 1682[78], Rystad 1660- talet[79], Gränna omkring 1700[80], Herrestad 1703[81] och Björkäng (Töreboda) 1738.[82]

Här kan tilläggas ett par exempel som Inga Lena Ångström inte nämner. Först några från Gotland. När Haqvin Spegel var stiftschef i Visby, skaffade han1682 sin prebendekyrka Sta. Maria en altarprydnad i tidens smak. Men kyrkans gamla 1500-talsaltarskåp, med det centrala motivet Marie kröning, lät han 1684 sälja till Källunge kyrka. Där har skåpet sedan dess stått på högaltaret.[83] Altarskåp med samma motiv fanns i gotländska kyrkor på Spegels tid åtminstone i Ala[84], Burs[85], Lojsta[86], När[87] och Träkumla[88]. Det sistnämnda skåpet reparerades 1683, under Spegels tid på ön.

Om den förnämsta kyrkan i ett pastorat fick en modern altarprydnad, så kunde det utrangerade medeltida altarskåpet få göra tjänst i en annexkyrka. I början av 1700- talet skänkte Svanshals kyrka i Östergötland sitt 1400-talsaltarskåp med Marie kröning som centralmotiv till annexkyrkan Kumla.[89] 1755 skänkte Orsa två altarskåp till Skattunge kapell, ett med Marie kröning som centralmotiv, ett med Maria med barnet. Skåpen placerades ovanpå varandra[90]. Men när Västra Torsås 1737 skänkte sitt medeltida altarskåp med Marie kröning som huvudmotiv till annexkyrkan Skatelöv, heter det att tavlan "föreställer allenast Påfwisk widskepelse om J:fru Mariae tilbediande". Innan altarskåpet sattes på plats gjordes därför motivet om till en golgataframställning.[91]

Långt fram i tiden visade människor de medeltida skulpturerna sådan vördnad, att de litade till deras förmåga att bota sjukdomar, precis som på medeltiden. Mandelgren berättar 1847 hur man skrapade färgen från helgonen i det stora S:t Martinskåpet på högaltaret i Sya kyrka i Östergötland. En liknande sed förekom också i grannkyrkan Appuna.[92]

4. Utlåning av barn efter reformationen.

Det finns ingen anledning att anta, seden att låna ut Jesusbarnet från kyrkorna upphörde under 1500- talet. Den numera stulna skulpturen av Anna själv tredje i Ösmo från omkring 1500 har ett Jesusbarn, som är yngre än skulpturen i övrigt.[93] Barnet måste vara tillverkat i efterreformatorisk tid.

Mot bakgrunden av vad som tidigare anförts om Marias ställning i det allmänna medvetandet har traditionen varit möjlig in på 1800- talet. Så småningom torde utlåningen av Jesusbarn ha uppfattats som gammalmodig och de skulpterade Jesusbarnen behandlats som värdelöst skräp.

5. Andra skulpturer med löstagbara huvuden..

Man kan undra om det finns andra träskulpturer än Jesusbarn, som haft löstagbart huvud på skaft. Det gör det tyvärr, och det gör givetvis problemet mera komplicerat. Torkel Eriksson[94] har behandlat en skulptur av en tronande biskop från Eljaröds kyrka i Skåne, nu i LUHM. Den har daterats till 1200-talets tredje fjärdedel. Huvudet är löstagbart och sitter på ett kort skaft. I brist på bättre förklaring skulle Torkel Eriksson kunna tänka sig att man har ersatt ett äldre huvud med ett nyare. Själv har jag i litteraturen träffat på ett isländskt biskopligt helgon, som anropats som födelsehjälp, men det förefaller vågat att tolka bilden i Eljaröd som denne isländske biskop.

Ett annat exempel, som Peter Tångeberg hänvisat till, är en skulptur av en stående madonna, eller möjligen ett kvinnligt helgon. Figuren har daterats till slutet av 1200- talet. Den har antagits komma från Niedersachsen och tillhör Schnütgenmuseum i Köln. Ulrike Bergmann hänvisar i museets tryckta katalog till de svenska Jesusbarnen med huvud på skaft. Hon konstaterar också, att de tyska träskulpturer som figuren visar stilistisk frändskap med har fastsittande huvuden[95]. - Till detta är att säga att det i Norden finns madonnor, där huvudet sågats löst och kan tas bort. Så har skett i Jomala på Åland, där barnets huvud saknas[96]. Eftersom Maria var de födandes skyddspatron, så kan det tänkas att Jesusbarnets huvud förkommit och att därför madonnabildens huvud används som födelsehjälp.

Ett sista exempel! I SHM finns en Maria med barnet från Härna kyrka i Västergötland. Den är daterad till mitten av 1200- talet och har ett Jesusbarn, som utgör en fast del av skulpturen. Vid Mariabildens fötter ligger två knäfallande gestalter i fotsida dräkter. Deras huvuden saknas. Mellan axlarna har figurerna bara ett runt hål[97]. Kan det möjligen vara de båda läkarhelgonen Cosmas och Damianus?

6. Sammanfattning.

För några år sedan var jag med om att förbereda den medeltida mässa, som Sven-Erik Pernler tagit initiativet till och som hösten 1989 spelades in i Endre kyrka på Gotland[98]. Vid förarbetena konstaterades hur mycket som var självklart för medeltidens människor, fastän kunskapen inte fixerats i skrift och därför gått förlorad[99]. Till samma kategori hör användningen av de träskulpturer, där Jesusbarnets huvud eller eventuellt hela barnet varit löstagbart. Det har därför bara varit möjligt att lägga fram en hypotes om hur de möjligen använts. Det vore intressant om någon ville att göra ett mera detaljerat studium av materialet.

Zusammenfassung

Mittelalterliche Holzskulpturen mit verlorenen Jesuskindern.

Auf dieser Konferenz sollten keine abgeschlossenen Untersuchungen vorgelegt werden, sondern eine Anregung zu weiterer Forschung gegeben werden. Darum wird hier ein Problem vorgelegt, das noch keine Lösung gefunden hat.

Es gibt eine Reihe von Sitzmadonnen, aus romanischer Zeit und auch jüngere, wo das Kind mit einem Dübel im Schoss der Mutter befestigt ist. Die meisten von diesen Skulpturen haben das Kind verloren.

Aus dem 13. Jahrhundert gibt es eine Gruppe von Sitzmadonnen, wo der Hals des Kindes sich zur Spitze eines runden Zapfens verlängert, der in einem Loch im Halse des Kindskörpers befestigt ist. Man bekommt den Eindruck, dass die Wegnehmbarkeit des Köpfes beabsichtigt ist. Die dunkle, fettig glänzende Oberfläche des Zapfens bestätigt eine solche Vermutung.

Ferner gibt es mittelalterliche Sitzmadonnen, wo das Kind oder der Kopf des Kindes mit einer feinen Sägeklinge abgelöst worden ist. Die Absicht war offenbar nicht, die Skulptur zu beschädigen.

Die spätmittelalterlichen Altäre, besonders die flämischen, vermissen in der Geburtszene oft das Jesuskind. Es kommt vor, dass in Fällen, wo das Kind der Geburtszene mit der Umgebung fest verbunden war, man das Kind der Darbringung im Tempel, zusammen mit den Händen Mariä, entfernt hat.

Der Verfasser prüft die Hypothese, dass das Kind als Geburthilfe benutzt wurde. In gedruckter ethnographischer Literatur hat er jedoch keine Bestätigung gefunden. Die pietätsvolle schwedische Einstellung Maria gegenüber, der ein besonderer Abschnitt gewidmet ist, spricht nach dem Verfasser dafür, dass eine solche Sitte bis ins 19. Jahrhundert bestehen könnte.

Zum Abschluss präsentiert der Verfasser einige Holzskulpturen, wo andere Köpfe als der des Kindes mit einem Zapfen verbunden sind oder verschwunden sind. Daraus geht hervor, dass das Problem ein kompliziertes ist.

Noter

[1] Problemet och lösningshypotesen framfördes tidigare i Stolt1989 c.

[2] Wåhlin 1921 s. 24-28, 33-35, fig. 12. Tångeberg 1986, s 21 f, Abb. 17a, c, d, 211 a. Om möjlig förebild i Olofson 1965.

[3] Tångeberg 1986 s. 23. Wåhlin 1921 s. 25 f., fig. 13.

[4] Tångeberg 1986 s. 23. A. Andersson 1975 s. 61. Medieval wooden sculpture V, 1964, Pl.50.

[5] Tångeberg 1986 s. 23, Abb. l7 b, e.

[6] Tångeberg 1986 s. 23. Wåhlin 1921 s. 23, fig. 28

[7] Tångeberg 1986 s. 23. Jörgensen - Johansen 1975, s 2614, fig. 13.

[8] A. Andersson 1956 fig. 12, 1975 s. 39, c 1250. Medieval wooden sculpture V, 1964, pl.59.

[9] Wåhlin 1921 s. 53. Frostin 1983, s. 150, bild s.151.

[10] Wåhlin 1921 s. 53 f. Iconografiska registret, avb., c 1300.

[11] Barfod 1986, s 58, Abb. 40.

[12] Nordman1965 s. 74-75, fig. 47, 1200-talet.

[13] af Ugglas 1915 s. 186 f., fig. 37. Endemann 1975, s 74 f., Abb. 23-32, Pl. I. Peter Tångeberg har fäst min uppmärksamhet på Endemanns arbete.

[14] Endemann 1975 Abb. 43. A Andersson 1975, s. 11. Sent 1100-tal.

[15] af Ugglas 1915 s 121 f., fig. 15. A. Andersson 1975 s. 33-34. Medieval wooden sculpture V, 1964, pl. 36. Sent 1200-tal.

[16] Endemann 1975 s. 79 not 40, Abb. 40. Nordman 1965 fig. 10.

[17] af Ugglas 1915 s. 188 not 1. Endemann 1975 Abb. 47.

[18] af Ugglas 1915 s 187 not 7. Endemann 1975 Abb. 33, 37.

[19] Endemann 1975 s. 76 not 28, Abb. 48.

[20] Ulla Haastrup, privat meddelande.

[21] A. Andersson 1956 fig. 21, 1975 s. 49. c 1300. Medieval wooden sculpture V, 1964, pl.88.

[22] Roosval-Wachtmeister 1947 s 50-51, fig. 60, 61, 1200-talets senare del resp.1300-talets förra hälft.

[23] Hedquist 1942 s. 45 avb.

[24] Siaelinna tröst 1954, s 180.

[25] Der grosse Seelentrost 1959, 3. Gebot 45.

[26] Nordman 1965, s. 323 f., fig. 333, 1400-talets förra hälft.

[27] Nordman 1965, s. 503 ff., 507, fig 545, 1500-talets början.

[28] Asplund - Olsson 1918, fig. 37, 1500-talets förra hälft.

[29] A. Andersson 1980, fig. 120 resp. fig. 133.

[30] Rydbeck 1975 s. 252-253, Fig. 116, 1400-talets senare hälft.

[31] Beckett 1895, s 163.

[32] Bohrn - Tuulse 1956, s. 767 f., fig. 631. c 1510.

[33] A. Andersson 1980 fig. 131, Ekström 1976 bild s. 63.

[34] Ekström 1976 bild s. 60.

[35] A Andersson 1983 s 52-53, fig 45-47.

[36] Norberg 1939, s 93 fig. 6, c 1450.

[37] Nordman 1965 s. 533, fig. 603, c 1450.

[38] Nordman 1965 , s. 477, fig. 514, c 1500.

[39] Edle 1942 s. 302, fig 349.

[40] Ekström 1976 bild s. 48.

[41] Stolt 1970, med svenska exempel på praxis.

[42] Wenzel 1954, Abb. 11.

[43] Rupprich1970, s 260 f. På en Totentanz av Hans Holbein d y ses en nunnecell med två Jesusbarn i vagga på ett husaltare. Appuhn1985, avb. s 96.

[44] Endemann 1975 s. 74, not 26.

[45] Young 1933 s. 3 ff.

[46] Stolt 1993 b s. 11 f. Roosval 1943.

[47] Boström - Helm 1971, s 1 ff, bild s 3.

[48] Wimschneider 1987, s 135.

[49] Kreutzer 1987, s 116 f. Möller-Christensen 1944, s 121 f, 212. Forsblom 1927, s 492.

[50] Möller-Christensen 1944, s 37 f.

[51] Weiser-Aall 1968, s 116 f.

[52] John 1905 s. 102.

[53] Brodd 1983, s 11-18. Brodd 1989, s 162-202. Brodd 1990, s 127-140.

[54] Olaus Petri 1916, s 387.

[55] Svenska riksdagsakter I, 1887, s 119.

[56] Brodd 1994 s. 91.

[57] Ekelund 1927, s 59, bild s 54. Ångström 1992 s. 229, bild 193.

[58] Redin 1946, s 68-82, spec s 69.

[59] Hofrén 1957, s 56.

[60] W. Andersson, s 143.

[61] Lönnerholm 1967, s 189.

[62] Acta Visitationum Dioecesis Lincopensis Anno 1641: Linköpings domkapitels arkiv, A VII:2, p 132 v.

[63] Murenius 1908. Nyman 1947, s 55-91.

[64] Nisbeth 1968, s 252. - Andra exempel i af Ugglas 1951 och Thordeman 1964. Att toleransen beror på att skulpturerna inte längre är andaktsföremål framgår också av en passus i de la Motraye 1918, s 80.

[65] Broman 1912-1953, s 16.

[66] Stolt 1947-1949, s 114 f. Rosell 1968, s 239 f. Svanberg 1991, s. 321 ff., c 1500.

[67] Norberg 1939 s. 87 ff.

[68] Broocman 1760.

[69] Enligt Ikonografiska arkivets kortregister.

[70] Pegelow 1988 s. 35, fig. 23 (Sya). Broocman II 1760 s. 108 (Flistad).

[71] Rudmark 1942, bilder s. 4, 12, 13. Tångeberg 1986 s. 300 not 558, Abb. 92. 1400-talets senare hälft.

[72] Lagerlöf i Roosval - Lagerlöf 1959, s 497, fig. 535, 536.

[73] Brandel 1928, fig. 245, 347-250.

[74] Lannér 1933 s. 98. Tegborg 1983 s. 213.

[75] Erixon 1921, s 85-86.

[76] Nordman 1965 s. 332 f., fig. 340, c 1450.

[77] Ångström 1992 s. 234.

[78] Ångström 1992 s. 219, 236, 339 med felaktigt åral 1632. Henning 1968 s. 3, bild s. 2, 1400-talet.

[79] Ångström 1992 s. 221, 236, 360, bild 183.

[80] Ångström 1992 s. 223, 236, bild 188.

[81] Boström - Eriksson 1992, s. 9-10, bild s. 9, 1400-tal. Ångström 1992 s. 227, 236 med årtal 1706.

[82] Ångström 1992 s. 236.

[83] Svahnström 1986, s 14 f, fig 8a-g.

[84] Lagerlöf i Roosval - Lagerlöf 1959 s 630, fig 691-693

[85] Stolt i Lagerlöf - Stolt 1967 s 46-51, fig 54-58

[86] Stolt i Lagerlöf - Stolt 1977 s 52-54, fig 70

[87] Stolt i Lagerlöf - Stolt 1975 s. 612-617, fig. 723-730.

[88] Roosval 1942 s 39, fig 43, 44.

[89] Ström 1970 s. 4 f., bild s. 4.

[90] Boethius 1950, s. 130, 142, 155, bilder s. 162-163, 166-167, 191, c1350 resp. c1450.

[91] Johansson 1938, s 41. B. Andersson 1973, s 32 f, bilder s 33. Ångström 1992 s 237, bild 201, 202.

[92] Mandelgren 1847 s 88-89. - Exempel på altarskåp med skrapmärken i Tångeberg 1986 s 310.

[93] Bennett 1973 s 190-191, fig 206.

[94] Eriksson 1975, s 35-53, fig 5, 7.

[95] Schnütgen-Museum 1989, s 218-219.

[96] Nordman 1965 s. 121, bild s. 119.

[97] A. Andersson 1964 fig. s. 58, 1975 s. 34, c 1250. Medieval wooden sculpture V, 1964, pl.58.

[98] Kuttainen 1989, Pernler 1989, Sollerman 1989, Stolt 1989 a, b.

[99] Helander 1993, Pernler 1993, Piltz 1993, Stolt 1990, 1993 a.

Litteraturförteckning

Otryckta källor

Linköping

Linköpings domkapitels arkiv
Acta Visitationum Dioecesis Lincopensis Anno 1638, 1639, 1640, 1641, 1642, et 1644 a M. Jona Petri Episcop. Lincop., A VII:2

Stockholm

Riksantikvarieämbetet, ikonografiska registret
Riksantikvarieämbetets antikvariskt-topografiska arkiv (ATA):
Nils Månsson Mandelgren, Reseberättelse 1847

Tryckta källor och litteratur samt förkortningar

Andersson, A 1956 =
Aron Andersson, Mariabilden i skulptur 1150-1450. Ur Statens historiska museums samlingar 6, Stockholm 1956

Andersson, A 1964 =
Aron Andersson, Medieval wooden sculpture in Sweden V, Sthlm. 1964

Andersson, A 1975 =
Aron Andersson, Romanesque and Gothic Sculpture: Medieval wooden Sculpture in Sweden IV, Sthlm. 1975, s. 9-90

Andersson, A 1980 =
Medieval wooden sculpture in Sweden III, Late medieval sculpture, Sthlm. 1980

Andersson, A 1983 =
Aron Andersson, Vadstena klosterkyrka II, Inredning, SvK vol 194, Sthlm. 1983

Andersson, B 1973 =
Bengt Andersson, Västra Torsås kyrka 1873-1973, Växjö 1973

Andersson, W 1941 =
William Andersson, Bräkne härad och Listers härad, SvK Bl II, Sthlm 1941

Appuhn 1985 =
Horst Appuhn, Einführung in die Iconographie, Darmstadt 1985

Asplund - Olsson 1918 =
Karl Asplund och Martin Olsson, Kyrkor i Häverö och Väddö skeppslag, SvK Up II:1, Sthlm. 1918

Barfod 1986 =
Jörl Barfod, Die Holzskulptur des 13. Jahrhunderts im Herzogtum Schleswig, Husum 1986

Beckett 1895 =
Francis Beckett, Altertavler i Danmark, Kbhvn 1895

Bennett 1973 =
Robert Bennett, Ösmo kyrka, SvK Sö III:1, Sthlm 1973

Bl =
Blekinge

Boethius 1950 =
Gerda Boethius, Kyrkorna i Orsa: Orsa I, Sthlm 1950, s. 121-192

Bohrn - Tuulse 1956 =
Erik Bohrn och Armin Tuulse, Kyrkor i Fröåkers härad, södra delen, SvK Up II:5, Sthlm. 1956

Boström - Eriksson 1992 =
Ragnhild Boström och Jan Eriksson, Herrestad kyrka, Linköping 1992

Boström - Helm 1971 =
Nils Boström - Thure Helm, Beskrivning av S:t Olofs kyrka, Ystad 1971

Brandel 1928 =
Sven Brandel, Kyrkor i Danderyds skeppslag: SvK Up I:2, Sthlm 1928

Brodd 1983 =
Sven-Erik Brodd, Maria i den lutherskt-katolska dialogen: Maria och den lovsjungande Kyrkan, Bilaga till Kyrkligt magasin 5-6, Stockaryd1983, s. 11-18

Brodd 1989 =
Sven-Erik Brodd, "Exemplet af en ren och hjertlig fromhet": Johan Olof Wallin, En minnesskrift 1989, Uppsala 1989, s. 162-202

Brodd 1990 =
Sven-Erik Brodd, Mary in Doctrine and Devotion: Papers of the Liverpool Congress 1989, Dublin-London 1990, s. 127-140

Brodd 1994 =
Sven-Erik Brodd, O tw reena modher Maria: Svensk spiritualitet, Tro och tanke 1-2, Uppsala 1994, s. 83-107

Broman 1912-1953 =
Johan Olof Broman, Glysisvallur II, Uppsala 1912-1953

Broocman 1760 =
Carl Fredric Broocman, Beskrifning öfver the i Östergötland befintelige städer, slott, soknekyrkor, soknar, ..., Norrköping 1760

DNM =
Danmarks nationalmuseum, Köpenhamn

Edle 1942 =
Alfred Edle, Väte kyrka: SvK Go III, Sthlm. 1942, s. 272-314

Ekelund 1927 =
Theofil Ekelund, Om kyrkliga sinnebilder: Karlstads stifts julbok 18, Karlstad 1927, s. 40-60

Ekström 1976 =
Gunnar Ekström, Västerås domkyrkas inventarier genom tiderna. Västerås kulturnämnds skriftserie nr 3, Västerås 1976

Endemann 1975 =
Klaus Endemann, Das Marienbild von Werl: Westfalen 53, Köln 1975, s. 53-80

Eriksson 1975 =
Torkel Eriksson, Madonnan och biskoparna: Tomelilla hembygdskrets årsbok 1975, Tomelilla 1975, s. 35-53

Erixon 1921 =
Sigurd Erixon, Skultuna bruks historia I, Sthlm. 1921

Forsblom 1927 =
Valter Forsblom, Folktro och trolldom 5. Magisk folkmedicin, Helsingfors 1927

Frostin 1983 =
Ernst Frostin, Gammalt och nytt i Gylle kyrka: Helgedomar på Söderslätt II, Jordholmen 1966, s. 137-155. Även utgiven separat, Trelleborg 1983

Go =
Gotland

Hedquist 1942 =
J. Hedquist, Förteckning över Lövångers lösa inventarier jämte historiska upplysningar: Västerbotten 1942, s. 45-74

Helander 1993 =
Sven Helander, Mässans liturgi: Mässa i medeltida socken, Skellefteå 1993, s. 56-99

Henning 1968 =
Gunnar W. Henning, Himmeta kyrka, Kolsva 1968

Hofrén 1957 =
Manne Hofrén, Tryserum, Västervik 1957

Johansson 1938 =
K. H. Johansson, Kyrkobruk och gudstjänstliv under 1700-talet, Lund 1938

John 1905 =
Alois John, Sitte, Brauch und Volksglaube im deutschen Westböhmen, Prag 1905

Jörgensen - Johansen 1975 =
Marie-Louise Jörgensen - Hugo Johansen, Frederiksborgs amt, Danmarks Kirker II:4, s. 2173-2928, Kbhvn. 1975

Kreutzer 1987 =
Gert Kreutzer, Kindheit und Jugend in der altnordischen Literatur, Teil I, Schwangerschaft, Geburt und früheste Kindheit, Münster 1987

Kuttainen 1989 =
Christer Kuttainen, Med 80-talets teknik skapas medeltidsmässa: Gotlands allehanda, Visby 7/11, 8/11 1989

Lagerlöf - Stolt 1967 =
Erland Lagerlöf och Bengt Stolt, Burs kyrka, SvK Go VI:1, Sthlm. 1967

Lagerlöf - Stolt 1975 =
Erland Lagerlöf och Bengt Stolt, Lau kyrka, SvK Go VI:7, Sthlm. 1975

Lagerlöf - Stolt 1977 =
Erland Lagerlöf och Bengt Stolt, Lojsta kyrka, SvK Go VII:1, Sthlm 1977

Lannér 1933 =
R. Lannér, Kyrka och församlingsliv: Mariestad 1583-1983, Mariestad 1933, s. 89-127

LUHM =
Lunds universitets historiska museum, Lund

Lönnerholm 1967 =
Erik Lönnerholm, Linderås och Adelöv. Två socknar i Holaveden, Tranås 1967

Medieval wooden sculpture V, 1964 =
Medieval wooden sculpture in Sweden V, Sthlm. 1964

de la Motraye 1918 =
Seigneur A. de la Motrayes resor 1711-1725, Sthlm 1918

Murenius 1908 =
Boethius Murenius´ Acta Visitatoria 1637-1666, utg. Kaarlo Österbladh, Finska kyrkohistoriska samfundets handlingar VI, Borgå 1908

Möller-Christensen 1944 =
Vilhelm Möller-Christensen, Middelalderens laegekunst i Danmark, Kbhvn. 1944

Nisbeth 1968 =
Åke Nisbeth, Alfta kyrka: Hälsinglands kyrkor 1, Uppsala 1968, s. 252-267. Även utgiven separat, Uppsala 1964

Norberg 1939 =
Rune Norberg, Den heliga Anna i Sörmland: Sörmlandsbygden 1939, Nyköping 1939, s. 87-102

Nordman 1965 =
C. A. Nordman, Medeltida skulptur i Finland, Helsingfors 1965

Nyman 1947 =
Valdemar Nyman, Ålands medeltida träskulptur: Åländsk odling 1947, Mariehamn 1947, s. 55-91

Olofson 1965 =
Christer Olofson: Vår fru från Chartres i Kiaby: Handlingar angående Villands härad 22, Kristianstad 1965, s. 5-21

Pegelow 1988 =
Ingalill Pegelow, Sankt Martin i medeltida svensk kult och konst, Sthlm. 1988

Pernler 1989 =
Sven-Erik Pernler, 1400-talsmässa i TV: Kristi lekamens församlings kyrkoblad Advent, Visby 1989

Pernler 1993 =
Sven-Erik Pernler, En mässa för folket?: Mässa i medeltida socken, Skellefteå 1993, s. 102-134

Petri, Olaus 1916 =
Olaus Petri, Een lijten postilla (1530): Samlade skrifter 3, Uppsala 1916, s. 1-470

Piltz 1993 =
Anders Piltz, Mässan i Linköpings stift omkring 1450: Mässa i medeltida socken, Skellefteå 1993, s. 13-54

Redin 1946 =
Jan Redin, Jungfru Maria i svenskt gudstjänstliv efter reformationen: Svenskt gudstjänstliv 21, Lund 1946, s. 68-82

Roosval 1942 =
Johnny Roosval, Träkumla kyrka: SvK Go III, Sthlm. 1942, s. 27-49

Roosval 1943 =
Johnny Roosval, Heliga tre konungar i den svenska medeltidskonsten: Svenska journalen 1943:50, s. 6-11

Roosval - Lagerlöf 1959 =
Johnny Roosval och Erland Lagerlöf, Kyrkor i Kräklinge ting, nordvästra delen, SvK Go IV:2, Sthlm. 1959

Roosval - Wachtmeister 1947 =
Johnny Roosval och Hans Wachtmeister, Hörsne kyrka: SvK Go IV:1, Sthlm. 1947, s. 21-58

Rosell 1968 =
Ingrid Rosell, Tillinge kyrka, SvK Up XI:2, Sthlm. 1968

Rudmark 1942 =
Ivar Rudmark, Djursdala kyrka genom tiderna, Linköping 1942

Rupprich 1970 =
Helmut Rupprich, Die deutsche Literatur vom späten Mittelalter bis zum Barock, Erster Teil, Das ausgehende Mittelalter, Humanismus und Renaissance. Geschichte der deutschen Literatur von den Anfängen bis zur Gegenwart von Helmut de Boor und Richard Newald IV/1, München 1970

Rydbeck 1975 =
Monica Rydbeck, Late Medieval Sculpture: Medieval wooden sculpture in Sweden IV, Sthlm. 1975

Schnütgen-Museum 1989 =
Schnütgen-Museum, Die Holzskulpturen des Mittelalters (1000-1400), Bearb. v. Ulrike Bergmann, Köln 1989

Der grosse Seelentrost 1959 =
Der grosse Seelentrost, Hrsg. Margrete Schmitt, Köln-Graz 1959

SHM =
Statens historiska museum, Stockholm

Sielinna tröst 1954 =
Sielinna tröst, utg. Sven Henning, Samlingar utg. av Svenska fornskrift-sällskapet 59, Uppsala 1954

Ström 1970 =
John Ström, Kumla kyrka, Kumla 1970

Sollerman 1989 =
Ola Sollerman, 1400-tal i Endre kyrka när TV spelar in katolsk mässa: Gotlands tidningar, Visby 8/11 1989

Stolt 1947-1949 =
Bengt Stolt, Tillinge kyrka: Upplands kyrkor II, Uppsala 1947-1949, s. 105-120. Även utgiven separat, Uppsala 1948

Stolt 1970 =
Bengt Stolt, Tyngd för gapande böcker eller medeltida resealtare?: De hundra kyrkornas ö 48, Visby 1970, s. 61-72

Stolt 1989 a =
Bengt Stolt, Utbildnings-TV gör storsatsning. Medeltida gudstjänst i Endre kyrka: Gotlands allehanda, Visby 1/11 1989

Stolt 1989 b =
Bengt Stolt, Högmässa i Endre vid 1400-talets mitt: Gotlands allehanda , Visby 7/11 1989

Stolt 1989 c =
Bengt Stolt, Bengt Stolt med ny teori: Därför saknas barnet hos Viklaumadonnan: Gotlands allehanda 13/11 1989

Stolt 1990 =
Bengt Stolt, Att välsigna med patenen: Gotländskt arkiv 62, Visby 1990, s. 59-66

Stolt 1993 a =
Bengt Stolt, Kyrkorum och kyrkoskrud: Mässa i medeltida socken, Skellefteå 1993, s. 136-167

Stolt 1993 b =
Bengt Stolt, Medeltida teater och gotländsk kyrkokonst, Visby 1993

Svahnström 1986 =
Gunnar och Karin Svahnström, Visby domkyrka, inredning, SvK Go XI:2, Stockholm 1986

Svanberg 1991 =
Jan Svanberg, Ett helgonskåps historia. Från altare i Ängsö till predikstol i Tillinge: Kyrka och socken i medeltidens Sverige. Studier till Det medeltida Sverige 5, Sthlm. 1991, s. 321-351

Svenska riksdagsakter I 1887 =
Svenska riksdagsakter I, Stockholm 1887

SvK =
Sveriges kyrkor, konsthistoriskt inventarium

Sö =
Södermanland

Tegborg 1983 =
Lennart Tegborg, Domkyrkan och staden genom 400 år: Mariestad - som vi ser det, 400 år 1983, Mariestad 1983, s. 211-222

Thordeman 1964 =
Bengt Thordeman, Attitudes to the heritage, Medieval wooden sculpture in Sweden I, Sthlm. 1964

Tångeberg 1986 =
Peter Tångeberg, Mittelalterliche Holzskulpturen und Altarschreine in Schweden, Sthlm. 1986

af Ugglas 1915 =
Carl R. af Ugglas, Gotlands medeltida träskulptur till och med höggotikens inbrott. Sthlm 1915

af Ugglas 1951 =
Carl R. af Ugglas, Jungfru Maria och helgonen i medeltidens konst: Efterlämnade konsthistoriska studier, Kungl. Vitterhets historie och antikvitetsakademiens handlingar del 75, Sthlm. 1951, s. 257-287

Up =
Uppland

Weiser-Aall 1968 =
Lily Weiser-Aall, Svangerskap og födsel i nyere norsk tradisjon, Oslo 1968

Wenzel 1954 =
Hans Wenzel, Christkind: Reallexikon zur deutschen Kunstgeschichte III, Stuttgart 1954, sp. 601-606

Wimschneider 1987 =
Anna Wimschneider, Herbstmilch, München/Zürich 1987

Wåhlin 1921 =
Hans Wåhlin, Fransk stil i Skånes medeltida träskulptur. Lund 1921

Young 1933 =
Karl Young, The Drama of the Medieval Church, Volume II, Oxford 1933

Ångström 1992 =
Inga Lena Ångström, Altartavlor i Sverige under renässans och barock, Studier i deras ikonografi och stil 1527-1686, Acta Universitatis Stockholmiensis, Stockholm Studies in the History of Art 36, Stockholm 1992

Cecilia Hildeman Sjölin

Jesu födelse i ord och bild

Den berättelse i evangelierna, där jungfru Maria spelar den centrala rollen, är naturligt nog historien om händelserna kring Jesu födelse. Närmast själva födelsen kommer vi i Luk 2:1-19, den berättelse som läses som julevangelium. Där berättas hur, medan Josef och Maria var i Betlehem, tiden var inne för henne att föda, "...och hon födde sin förstfödde son och lindade honom och lade honom i en krubba, ty det fanns icke rum för dem i härbärget". Det är inte många ord som används för att beskriva en så central händelse; berättelsen kompletteras av andra texter, för att under medeltidens lopp bli föremål för återberättande, som sker i form av verbal bearbetning och bildframställning.

När vi talar om återberättande här, är det således ett berättande som sker både i ord och i bild, och med mycket olika utgångspunkter. Alla texter och bilder bygger upp vad som utgör berättelsen om Jesu födelse, men utrymmet här medger endast att några få texter och bilder granskas. Jag har därför valt några texter som vunnit spridning och haft betydelse på olika sätt, och som representerar olika utgångspunkter, och mot dem ställt några bilder ur nordiskt kalkmåleri. Målsättningen är att undersöka hur texterna och bilderna förhåller sig till varandra; vad och med vilka medel berättar de?

Texten i Luk 2 som vi utgick från kompletteras av *Matteusevangeliet*, som berättar om de vise männen. Till detta läggs apokryfiska texter och annat stoff.[1] Den bild som introduceras i Norden och vinner insteg i bildprogrammen under 1100-talet har dock liksom *Lukasevangeliets* berättelse ganska få element. Den visar oftast ett barn som ligger lindat i en krubba, en oxe och en åsna vid krubban, jungfru Maria liggande på en bädd. Josef sitter avsides, ofta bortvänd med huvudet i handen, markerad som jude genom sin hatt och ibland genom sina drag, och då representerande det Gamla Förbundet i motsats till det Nya Förbundet som kommer till stånd genom Maria.[2]

Det är på detta stadium alltid en bild i perfektum vi ser. Maria *har* fött barnet, hon *har* lindat det och lagt det, så att det nu ligger där. Ett händelseförlopp impliceras, men man visar det inte medan det sker. Bilden är stilla, allmängiltig och icke tidspreciserad. Man kan inte av bildframställningen avgöra, om födelsen ägt rum för en halvtimme sedan eller för en vecka sedan. I bilden i Kräklingbo från tidigt 1200-tal (bild 1) har redan en liten avvikelse från det tidigare vanliga skett. Maria sträcker fram händerna till barnet som vänder ansiktet i hennes riktning, men i övrigt följer bilden ganska väl det givna mönstret.

Under det kommande seklet kommer bland andra två texter till, som kan vara av särskilt intresse att se närmare på, nämligen *Legenda Aurea* och *Meditationes Vitae Christi*. *Legenda Aurea* är ett kompileringsarbete av legendmaterial, ordnat efter kyrkoåret, utfört av dominikanern Jacobus de Voragine på 1260-talet.[3] Jacobus redovisar ofta sina källor med en sorts vetenskaplig noggrannhet; det hänvisas t ex på flera ställen i födelsekapitlet till *Historia Scholastica*, som här tycks vara en av huvudkällorna. Det ger oss dels en viss överblick över vad som kunde anses relevant att citera – det indikerar också vilken typ av text det gäller.

Av det långa kapitlet om Jesu födelse i *Legenda Aurea* är det en jämförelsevis kort passus som berättar om själva födelsen och händelserna däromkring. Platsen beskrivs enligt källorna – en övertäckt gång mellan två hus där man kunde söka skydd. Jacobus frågar sig om Josef, som ju var timmerman, snickrade en krubba eller om den redan fanns där ifall platsen brukade användas av bönderna som förde sina djur till marknad i staden. I övrigt delas texten systematiskt och pedagogiskt upp i huvuddelar med underavdelningar som redogör för de tecken och under som åtföljde födelsen, vittnesbörden om födelsen och nyttan därmed för människorna. I samband med ”nyttan” citeras Augustinus om ödmjukheten; Kristi födelse ska lära människorna ödmjukhet i Kristi efterföljd – det är en punkt som ofta betonas i texterna, och som vi har anledning att återkomma till.

Berättelsen bryts upp av tolkningar, t ex då Maria och Josef närmade sig Betlehem såg Maria två grupper av människor; den ena fröjdade sig och den andra sörjde. Det innebär, får vi veta, att hedningarna som väntade på frälsaren fröjdade sig, medan judarna sörjde.

Berättartekniken är koncentrerad på förloppet och dess tolkningar. Det finns få om ens några egentliga miljöbeskrivningar eller beskrivningar av personer. Först händer det ena, sedan det andra. Ingen dramatik frammanas. Det finns ingenting i texten som ger några associationer till bilder, och texten vittnar inte om att författaren sett några bilder, som inspirerat till beskrivningar eller liknande. Berättelsen frammanar inte inre bilder hos läsaren, och det är säkert inte meningen heller. Det är en verbal utläggning av en text för internt verbala sammanhang.

Även om *Legenda Aurea* varken är inspirerad av bilder eller fungerar som inspirationskälla för bilder, förändras bildframställningen avsevärt just vid denna tid. Under 1200-talet vänder sig Maria och barnet mot varandra mer än tidigare. Man kan iaktta samma förändring hos Madonnabilder som hos födelsescener.[4] Det är inte heller något, som är unikt i relationen mellan Maria och barnet, utan snarare generellt tilltagande inom figurgrupper. T ex i en scen som S Kristoffer med barnet kan man mot 1200-talets slut och under 1300-talet iaktta hur figurerna i ökande omfattning vänder sig mot varandra och utvecklar ögonkontakt.

I födelsescenerna kan man alltså se hur en närmare kontakt mellan Maria och barnet betonas; Maria sträcker sig efter barnet, lyfter det ur krubban, håller det i famnen, så som man kan se i Giottos födelsesvit i S Francescos underkyrka i Assisi och i Arenakapellet i Padua.[5] I svenskt bildmaterial kan vi se många exempel på detta. Ett finns i fönstermålningarna i Lye kyrka på Gotland, där Maria håller barnet i famnen (bild 2). Det nära förhållandet mellan mor och barn, det känslomässigt appellerande, betonar mänskligheten hos Kristus; det är verkligen en mor och ett barn vi ser, ett förhållande som alla människor känner från det jordiska livet och kan identifiera sig med.

Närheten till händelseförloppet genom identifikation är också drivkraften i nästa text: *Meditationes Vitae Christi*, som är skriven kort före 1300 av en anonym franciskanerbroder, troligen till en clarissa. Skriften utgörs av just vad titeln anger: meditationer över Kristi liv – den uppehåller sig i hög grad vid Kristi lidande, men även bebådelsen, födelsen, konungarnas tillbedjan, frambärandet i templet och flykten till Egypten behandlas utförligt.[6] Texten skiljer sig från *Legenda Aurea* till sitt innehåll, uttryckssätt och syfte. Den innehåller målande beskrivningar, är emotionellt appellerande och vill hjälpa läsaren att göra sig närvarande i skeendet, att måla upp så att läsaren ser det hela för sig och lever med i händelseförloppet. Inlevelse är nyckelordet, och det kan vara meningsfullt att erinra sig de nya former inom andaktslivet, med strävan efter inlevelse och deltagande, som uppträder parallellt med nya bilder med annan tyngdpunkt än tidigare. Man talar ibland om andaktsbilder för att karakterisera de nya motiv som utvecklas nu, såsom pietà och smärtomannen, där just inlevelsen och identifikationen med känslorna är i centrum för intresset.[7]

Medan passionshistorien i *Meditationes* i stor utsträckning koncentrerar sig på inlevelse i Jesu lidande – även om Marias smärta är närvarande i hög grad – är det i födelseberättelsen Maria som står i centrum, det är henne som läsaren får följa, leva sig in i, identifiera sig med. Tidigt i texten utbrister författaren, efter att inledningsvis ha följt Luk 2 ganska troget: "... Ha medlidande med henne... hon var bara femton år gammal, då hon går skamsen bland folket, uttröttad av resan och letar efter en plats att vila, men kan inte finna det i folkträngseln."[8] Platsen beskrivs, och sedan berättas hur Maria vid midnatt mot söndag reser sig upp och föder sitt barn, stående. Josef sitter bortvänd, berättas det, kanske nedslagen över att inte kunna göra de nödvändiga förberedelserna.[9] Denna sista kommentar framstår som en tolkning av de gängse bildframställningarna av Josef vid födelsen, sittande bortvänd med huvudet i handen, vilket kan uppfattas som trötthet eller t o m sovande men också som uttryck för bekymmer.

När barnet är fött beskriver författaren hur Maria lyfter upp det, tvättar det, sveper in det i sin slöja, lägger det i krubban. Oxen och åsnan knäböjer och andas på barnet som om de förstått att han behövde värmas. Modern knäböjer och hälsar barnet som den levande Gudens son och som sin son och tackar Gud. Josef tillber barnet medan det ligger i krubban och arrangerar sedan en bädd till Maria bredvid krubban, där hon vakar över sitt barn, vilket beskrivs på ett sätt som för tankarna till den traditionella bildframställningen av födelsen. Därefter beskrivs hur änglarna flyger ner till jorden för att tillbe barnet; detta leder över i en betraktelse över ödmjukheten – Kristi ödmjukhet och Marias ödmjukhet och hur dessa exempel kan lära människorna ödmjukhet.

Då nu bilden målats upp, öppnas den för läsaren: "Även Du som dröjt så länge, böj knä för din Herre Gud. Be modern att få hålla honom. Lyft upp honom och håll honom i famnen ... kyss honom vördnadsfullt och gläds åt honom.... Se på hur modern sköter honom, och hjälp henne om du kan."[10]

Till *Meditationes* kan man anknyta på två olika plan, ett bokstavligt, ikonografiskt, där intresset fokuseras på bildelementens överensstämmelse med texten, och ett som gäller den mentalitet som bilderna och texten ger uttryck för, syftet med bilderna och texten.

Det är känt att födelseikonografin under 1300-talet och framför allt omkring 1400 genomgår en stor förändring, vilket vi har anledning att fördjupa oss i senare. Det vördnadsfulla knäböjande som omtalas i *Meditationes* blir dominerande, framför allt genom det stora inflytande på bildframställningarna som den heliga Birgittas uppenbarelse av födelsen i Betlehem kommer att få.[11] Därför är det anmärkningsvärt, att man så sent som mot mitten av 1400-talet i Brönnestad i Skåne har valt att återge den scen som representerar Jesu födelse på det sätt som skett (bild

3). Maria kan här ses sittande i sängen ätande barselsgröt – tillagningen av denna rätt är ett vanligt drag inom det danska senmedeltida kalkmåleriet och ett välbelagt inslag i tyska medeltida dramatiseringar av födelseberättelsen.

Vi skulle vid den tiden ha väntat oss en bild av Maria knäböjande, och ett starkare betonande av barnet. Här är barnet visserligen i mitten av bilden, men inte särskilt tydligt markerat – det ligger lindat i krubban utan kontakt med Maria eller med Josef, som sitter bortvänd och tycks sova med huvudet i handen. Maria serveras gröten av en kvinna.

Man skulle kunna tänka sig möjligheten att bilden kompletterats av en för tiden mer representativ födelseframställning, så som t ex är fallet i Sölvesborg i Blekinge,[12] där en och samma bildsvit innehåller en knäböjande Maria med barnet framför sig och en sängliggande Maria med barnet i famnen. Dock måste slutsatsen bli att bilden i Brönnestad här ensam representerar Jesu födelse, eftersom den föregås av Marie besök hos Elisabet och omedelbart följs av konungarnas tillbedjan. I svicklarna ser vi frambärandet i templet, barnamorden i Betlehem, flykten till Egypten med skördeundret, och två ovanligare scener: badvattenmiraklet (som också förekommer i *Meditationes Vitae Christi*) och en scen ur den heliga familjens liv, där Jesusbarnet övar sig i att gå med en liten gåvagn medan Josef och den sömmande Maria ser på.[13]

Eftersom födelsescenen inte följer den för tiden gängse ikonografin, och dessutom åtföljs av andra ovanliga framställningar som badvattenmiraklet och den heliga familjens liv, kan vi tänka oss ett medvetet val i fråga om födelsescenens utformning. Det utmärkande för Brönnestadsbilden är dess vardaglighet – ingenting i bilden lägger vikt på det övernaturliga eller gudomliga. Det är en bild som säkert de besökande i kyrkan lätt kunde identifiera – och identifiera sig med. Bilden kunde väcka minnen och associationer till den egna erfarenheten. Det är också fallet i scenen med den heliga familjen och kanske badvattenmiraklet. Man ser ett barn som lär sig att gå, men enligt legendmaterialet hade Jesusbarnet bland andra gåvor ovanligt lätt att lära sig gå, och skulle inte behöva gåstol. Maria hade fött utan smärta och behövde inte ligga i sängen. Men det är vad andra barn och mödrar gör, vad kyrkobesökarna och deras barn och mödrar upplevde, liksom det är en vanlig syn att se ett litet barn badas och torkas i ett badlakan, som vi ser i badvattenmiraklet.

Där det var möjligt, knöt man an till de bilder, som redan fanns i människors minnen, och till deras vardag, för att därigenom skapa en identifikationsmöjlighet. Man minskade avståndet mellan människan och det gudomliga, vardagslivet och frälsningshistorien.[14]

Paradoxalt nog är det just inlevelsen, deltagandet, närheten, som flyttar tyngdpunkten i bilden mot att framhäva det gudomliga. I *Meditationes* inbjuds läsaren att närma sig, att stiga in i "scenen", knäböja, ta upp barnet. Här kan man erinra sig den helige Franciscus' julkrubba i Greccio, om vilken Bonaventura berättar hur Franciscus lät ställa upp en krubba med hö i kyrkan i Greccio, och föra dit en oxe och en åsna.[15] Då man sedan på julnatten firade gudstjänst där, predikade Franciscus om Jesu födelse, och en av de närvarande såg då ett sovande barn i krubban och hur Franciscus slöt det i sina armar. Just den scenen ingår i Giottos Franciscussvit från c:a 1300 i S Francescos överkyrka i Assisi; den knäböjande Franciscus lyfter till synes det – liksom han – glorieförsedda barnet ur krubban, som är placerad tätt intill altaret, och de ser på varandra.[16] I samma kyrka framställs Jesu födelse enligt det traditionella mönstret, med barnet lindat i krubban och Maria vilande på en bädd bredvid.

Franciscus' iscensättning för betraktaren så nära händelseförloppet, så nära Jesusbarnet och ett faktiskt närvarande vid krubban, som det är möjligt. Genom den skapas förutsättningar att uppleva närhet och deltagande i scenen – och det leder till känsla av faktisk närvaro. Känsloengagemang betonas i berättelsen om händelsen – Franciscus' ögon fylls med tårar av rörelse, enligt Bonaventuras framställning. Genom den knäböjande figuren vid krubban i bilden tar betraktaren del av upplevelsen. Franciscus intar här en plats som senare Maria kommer att regelmässigt inta i bildframställningarna, och i sin attityd kan man säga, att han i visst mått intar Marias plats, då hon ju inte finns med i scenen.

Den vid krubban knäböjande Maria uppträder i *Meditationes Vitae Christi*, efter födelsen, då hon lagt barnet i krubban, och även Josef böjer knä för Kristus. Bildframställningar av dem båda knäböjande inför krubban är sporadiskt belagda under 1300-talet (dock inte i Norden).[17] Däremot blir bilden av Maria inför krubban vanlig under 1400-talet, och även Josef förs ibland in i själva skeendet. Här smälter bilden samman med den heliga Birgittas vision av födelsen, som ger bilden uppenbarelsens auktoritet och beskriver skeendet med en oöverträffad detaljrikedom, som ger rika möjligheter till bildskapande. En mycket trogen återgivning av Birgittas vision möter vi i Undløse på Själland, där Unionsmästarens verkstad (så kallad eftersom den också varit verksam i Sverige) utfört en utsmyckning c:a 1425 (bild 4). Här ser vi Birgitta själv bevittna scenen, och det är genom henne och hennes vision som vi tar del av denna. Hon knäböjer inför uppenbarelsen, lutar sig mot sin pilgrimsstav – hon är på pilgrimsresa till det heliga landet – och hon ser: "...en mycket fager havande jungfru.... Med henne var en mycket hedervärd gammal man, och de hade både en oxe och en åsna med sig. När de kommit in i grottan, band åldringen oxen och åsnan vid krubban, gick ut och kom tillbaka till jungfrun med ett tänt ljus, som han fäste i muren. Sedan gick han ut igen, ty han skulle icke själv närvara vid förlossningen. Jungfrun tog skorna av sina fötter, tog av sig den vita manteln hon bar och drog slöjan av huvudet samt lade plaggen bredvid sig.... Då allt var i ordning, föll jungfrun vördnadsfullt på knä för att bedja, varvid hon vände ryggen mot vaggan (sic) men lyfte huvudet mot himmelen, i östlig riktning...så på ett ögonblick födde hon sin son, från vilken en så outsäglig strålglans utgick, att solen icke kunde jämföras med den. Det vaxljus, som den gamle mannen satt dit, spred icke något sken, ty den gudomliga strålglansen dränkte helt vaxljusets lekamliga sken...När hon kände att hon hade fött tillbad hon gossen mycket höviskt och vördnadsfullt med böjt huvud och sammanlagda händer och sade till honom: 'Var hälsad, min Gud, min Herre, min Son.' "[18] Därefter beskrivs hur barnet skalv av köld, och sträckte sig mot modern, som tog upp honom, och höll honom ömt, sittande på golvet, varefter hon klädde honom i de kläder hon haft med sig för ändamålet. Josef kom sedan in, tillbad gossen och grät av glädje. De lade sedan barnet i krubban och tillbad det.

Beskrivningen av hur Maria sitter på golvet, ömt hållande sin son i famnen, motsvarar bildframställningen av den på golvet sittande ödmjukhetsmadonnan, som redan under 1300-talet blivit ett vanligt motiv, framför allt i Italien.[19] Olika förslag om intryck, som kunnat prägla Birgittas visioner, har framförts. Enligt Hjalmar Sundén besatt Birgitta en ovanlig eidetisk begåvning, vilket skulle innebära att hon kunde lagra synintryck, som sedan omsattes i ny form, och däri ser Sundén förbindelseled mellan bilder och visioner.[20] Medan den av Birgit Klockars antydda möjligheten att födelsevisionen inspirerats av en bildframställning i Neapel dessvärre inte kan beläggas – eller förkastas – eftersom inte någon bild av den typen (om den funnits) har bevarats,[21] kan korsnedtagningsvisionens slående likhet med 1300-talets tyska pietàbilder, såsom påpekats av Aron Andersson[22] och möjligen födelsegrottans utformning enligt italiensk-bysantinska förebilder,[23] iakttas utifrån ett bevarat bildmaterial. Det är därför inte omöjligt att Birgitta tagit intryck av bildframställningar av ödmjukhetsmadonnan under sin vistelse i Italien kort före besöket i Betlehem.

I Undløse kan vi se ögonblicken efter födelsen; Josef har gått ut, vilket visas av hans undanskymda position, Maria knäböjer med ryggen mot krubban, vid vilken oxen och åsnan står, hennes långa ljusa hår är utslaget, skorna och kläderna ligger bredvid henne, och framför henne ligger barnet i sin strålgloria, medan hon höjer händerna och böjer huvudet i tillbedjan.

Den scen, som vi kallar Jesu födelse, är nu en helt annan än 1100- och 1200-talets, nämligen en framställning av Marias tillbedjan av sin nyfödde son, samlad i ett dramatiskt ögonblick, där ljusskenet kring barnet fäster uppmärksamheten på det, och Maria framstår som den ödmjukt tillbedjande. Barnet får genom strålglorian nästan karaktär av vision i sig själv, såsom barnet i Franciscus' krubba.

Den knäböjande Maria inför barnet blir den gängse födelseframställningen, men inom denna ram finns avsevärda variationsmöjligheter.

I bilden i Elmelunde på Mön från c. 1500 (bild 5) är barnet lagt på krubban, medan Maria knäböjer i ödmjukhet. Bilden visar en punkt i berättelsen, som utspelar sig senare än den i Undløse. I Birgittas uppenbarelser – och även i *Meditationes* – beskrivs hur Maria lägger barnet i krubban och tillber det.[24] Barnet i krubban och Maria inför den kan tolkas bokstavligt, men krubban och barnet tolkades också som altaret och hostian – ett uttryck bland flera för fokuseringen på nattvardsmystik omkring och efter 1215, då läran om transsubstantiationen – hostians restlösa förvandling till Kristi kropp – fastslogs av IV. Laterankonciliet.[25] Då hostian fr o m 1200-talet blir föremål för ökad vördnad och kult, blir också symboliska bildframställningar av hostians förvandling till Kristi kropp vanligare.[26] Krubban i födelsescenerna lånar gärna drag av altare, och även om den symboliken inte är ny, tilltar benägenheten att använda den i bild märkbart under senmedeltiden. Ibland förekommer också ett vitt corporale under barnet liksom under hostian.[27]

I synnerhet i altarbilder och bilder över altaret får dessa födelsebilder karaktär av en sorts eukaristisk vision – en förklaring i bild till vad nattvarden egentligen innebär, vad som egentligen händer med hostian vid konsekrationen på altaret.[28] Den knäböjande Maria visar vördnad och ödmjukhet; det är henne som vi ska identifiera oss med inför uppenbarelsen, mysteriet. I *Meditationes* sägs också: ”Böj även du knä...”(liksom Maria). Maria står mellan betraktaren och Kristus i samma ställning vid Yttersta domen, då hon i bilderna som förmedlerska knäböjer inför den dömande Kristus och genom att visa på sitt bröst påminner om sitt moderskap.

Vi ser på en och samma gång en bild som visar hur Maria tillber sitt barn efter att ha lagt det i krubban, och en framställning av hur den kristna människan bör följa Marias exempel och knäböja vördnadsfullt inför altaret, där hostian dagligen förvandlas till Kristus i mässan.

Scenen i Elmelunde ingår i en bildserie, liksom den i Undløse, men eftersom bilderna i båda fallen är placerade i ett kryssvalv, är de väl skilda från varandra, och disponerade så att de var och en upptar en valvkappa. I Albertus Pictors framställning från ca 1480 i Husby-Sjutolft i Uppland (bild 6) är födelsescenen, som ingår i en motsvarande bildserie, placerad på en vägg, vilket innebär andra förutsättningar. Bilden omges av herdarna på marken och den gammaltestamentliga berättelsen om Arons grönskande stav. Sammanställningen tillför bilden ytterligare en dimension, trots att själva födelsescenen innehåller ungefär samma element som i Undløse. Maria knäböjer, och barnet ligger på golvet framför henne i en strålgloria. Ett par änglar, som deltar i tillbedjan, håller ett vitt tygstycke, som barnet ligger på (jfr corporalet). I scenens högra kant, till synes knäböjande och med en stav i ena handen, befinner sig Josef. Han lutar sig mot krubbans kant och är vänd mot barnet. I hans högra hand ligger en ögla, som ser ut att vara ett remtyg för djuren, och hans ögon är slutna. Man kan tänka sig att Josef faktiskt har somnat med en rem i handen, men med tanke på det kraftigt restaurerade tillståndet hos bilden[29] är det inte omöjligt att han ursprungligen knäböjt vaken, med en rosenkrans i handen – han och Maria är nästan symmetriskt placerade på ömse sidor om krubban, framför vilken barnet ligger. Genom en öppning i stallets vägg betraktar en kvinna scenen. Hennes klädsel tycks vara av medeltida snitt. Det är inte omöjligt, att Birgitta här, liksom i Undløse, själv avbildats betraktande födelsen, men med tanke på bildens tydligen ganska hårt restaurerade skick, är det svårt att säga helt säkert.

Scenen utspelar sig här i en byggnad, som är öppen för vår insyn, och vars hörnstolpar markerar gränsen mot de omgivande scenerna. Mellan andra scener i programmet finns ornamentala ramar som avgränsning, och genom att just dessa scener nästan går i varandra, ger de tydligt intryck av att höra samman. Till höger förankras jungfrufödelsen i GT:s förebud. I *Biblia Pauperum* och *Speculum Humanae Salvationis* används just Arons grönskande stav för att förebåda Kristi födelse – den mirakulöst, mot alla naturlagar grönskande staven används som parallell, förebud och förklaring till hur, mirakulöst och mot alla naturlagar, jungfrun blir havande och föder, fortfarande som jungfru, Guds son.[30]

Till vänster om födelsescenen, omedelbart utanför stallet, tar herdarna emot budet om Kristi födelse av änglarna, som också deltar i tillbedjan inne i stallet, och så förbinder scenerna ytterligare. Scenen med herdarna pekar framåt, implicerar att skeendet som vi ser inne i byggnaden ska fortsätta; herdarna kommer att skynda till stallet och delta i tillbedjan. Så pekar bildsviten på olika plan både bakåt och framåt – i förebudet och den yttre fortsättningen av skeendet i tillbedjan av Kristus.

Bilden av ögonblicken efter födelsen kombineras i Husby-Sjutolft med andra scener, så att perspektivet vidgas och ett längre förlopp visas. På ett annat sätt har berättelsen förlängts och kombinerats med återblickande och föregripande i Skivholme på Jylland (bild 7). Här (i målningssviten från 1500-talets första decennium) spelar Josef en annan roll än den vi hittills sett. Han är resklädd, med hatt och vandringsstav och är vänd från födelsescenen; om man "läser" bilden från höger till vänster, vänder han sig mot den väg den kommit på, och griper så tillbaka på vandringen till Betlehem. Till vänster om honom knäböjer Maria i dörröppningen till en byggnad, och inne i byggnaden ligger barnet på golvet. Byggnaden är emellertid inte det bräckliga stall som vi t ex kan se i Husby-Sjutolft, utan en stabil stenbyggnad med ett kors på taket – en kyrka.[31] Återigen anspelas på nattvarden och Kristi närvaro i mässan. Här byggs också upp en handfast parallell till den anspelning på Ecclesia, NT, som vi inledningsvis såg i den antitetiska uppfattningen av Josef som Synagoga och Maria (med Jesusbarnet) som Ecclesia. Här är själva kyrkobyggnaden närvarande, och visar Ecclesia – Kyrkan, som har kommit till genom Kristus och Maria. Betoningen av Maria blir tydligare i bildaxelns förlängning; längst till vänster ser vi Maria som Mater Dolorosa, med svärden, som symboliserar hennes smärtor, riktade mot hennes hjärta.[32] Därigenom föregriper man Kristi lidande ur Marias perspektiv. På det sättet berättar bilden om Jesu födelse från vandringen till Betlehem, fokuserar på Jesu födelse med dess betydelse och följder, och blickar fram mot Passionen.

Vi har i födelsebilderna mött olika utgångspunkter som i viss mån svarar mot texternas utgångspunkter, och olika förhållande mellan bilder och texter, med innehåll på olika plan. Den romanska bilden av den vakande Maria och den sovande Josef, som samtidigt visar Ecclesia och Synagoga. Den oväntat vardagliga bilden av den sängliggande Maria i Brönnestad, där vardagligheten och identifikationen med bilden fungerar på liknande vis som den verbala framställningen i *Meditationes*. I Birgittas uppenbarelser beskrivs flera olika faser av födelsenattens händelser, och även bilderna flyttar under 1400-talet närmare ögonblicksskildringar, utan att helt bli det, samtidigt som de bevarar och uttrycker betydelser på olika plan. Undløsebilden visar ögonblicken efter födelsen, sedda med Birgittas ögon, vilket också målningen i Husby-Sjutolft gör, samtidigt som möjligheten till skildring av ett vidare händelseförlopp tas tillvara genom herdarna, som änglarna ytterligare förbinder med födelsescenen. I Elmelunde visas ett senare skede, då barnet lagts i/på krubban – så som skildrats i *Meditationes* och i Birgittas uppenbarelser – och samtidigt Marias tillbedjan inför barnet i krubban som förebild till människans tillbedjan inför Kristus (hostian) på altaret. I Skivholme, slutligen, har ett längre händelseförlopp förenats med skildringen av själva födelsen. Denna äger rum i en kyrka, och Maria som Mater Dolorosa ställs i bildaxelns förlängning, och därigenom omfattar bilden hela Marias liv som Jesu moder.

Summary:

The birth of Christ: a study of verbal and pictorial representations

The present paper is a comparative study, concerning the birth of Christ as described in pictorial and verbal narrative. These are represented by Scandinavian wall-paintings on one hand and the *Legenda Aurea* (LA), c. 1264, *Meditationes Vitae Christi* (MVChr), c. 1300, and the *Revelations of S Bridget*, (RSB), c. 1370, on the other. It takes its departure in the Romanesque picture of the Christchild in the manger and Mary watching over her child, showing the event after the fact.

LA and MVChr are then examined in relation to the pictorial tradition. Whereas LA shows a very slight correspondence to this (if any), MVChr seems to a certain extent to interact with it in iconographical detail, while in aim and mentality it corresponds e g to the remarkably everyday scenes of Brönnestad (Scania c. 1440).

In the RSB different phases of the events of the birth of Christ are described, while the pictures of the 15th century move their scope closer to a description of the dramatic moment, while retaining and expressing meanings on different levels. The paintings of Undløse (Sealand c. 1425) and Husby-Sjutolft (Uppland c. 1480) show the moments after the birth, as seen through the eyes of S Bridget.

Through the manger/altar of Elmelunde (Mön c. 1500) and the church in the birth-scene of Skivholme (Jutland, shortly after 1500) the pictures are invested with eucharistic implications, and the kneeling Mary becomes an example to Man in her veneration of Christ. Through juxtaposing the birth of Christ with Mary as Mater Dolorosa, the picture in Skivholme also implies a later train of events in Mary's life as the Mother of Christ.

Noter

1 *Lexikon der christlichen Ikonograhie, sp 86f*

2 *Marienlexikon, s 601*

3 *Legenda Aurea*, ed Benz, s 47ff . Se i övr t ex Gad.

4 Réau, s 93ff

5 Se t ex *Lexikon der christlichen Ikonographie*, sp 97. Mästarnamn, t ex "Giotto" eller "Albertus Pictor", anger här "Giotto och hans verkstad" resp. "Albertus Pictor och hans verkstad".

6 *Meditationes*, ed Ragusa/Green s 9ff

7 Fenomenet andaktsbilder och meditation inför bilder har behandlats av Ringbom och Belting.

8 "Have pity on the Lady, and watch the delicate young girl, for she was only fifteen years old, as she walks ashamed among the people, fatigued by the journey and looking for a place to rest but not being able to find it because of the crowds." *Meditationes*, ed Ragusa/Green, s 31

9 "But Joseph remained seated, downcast perhaps because he could not prepare what was necessary... and turned away. " *Meditationes*, ed Ragusa/Green, s 32f

10 "You too, who lingered so long, kneel and adore your Lord God...beg His mother to let you hold Him a while. Pick him up and hold him in your arms. Gaze on His face with devotion and reverently kiss Him and delight in Him. Then return Him to the mother and watch her attentively as she cares for Him assiduously and wisely, nursing Him and rendering all services, and remain to help her if you can." Op cit, s 38f

11 Cornell, passim

12 *A Catalogue of Wall-paintings,* bd 3, s 134

13 Eriksson, s 8ff. Som förlaga till födelsescenen kan en bild av Marie födelse ha använts; Cand.mag. Ulla Haastrup, Köpenhamn tackas för detta påpekande.

14 *Hermeneutics*, s 39ff. Jfr Kryger, s 26f

15 Ruf, s 166ff

16 Ibid

17 Lane, s 52f

18 *Den heliga Birgittas himmelska uppenbarelser*, s 238ff

19 van Os, s 75ff. Jfr Réau, s 97

20 Sundén, s 29f

21 Op cit, s 167 & not 5, jfr Klockars, s 181

22 Andersson, s 119

23 Panofsky, s 46

24 Angående Elmelundebildens förhållande till Birgittas uppenbarelse, se äv Hammer, s 29ff

25 Browe, s 18ff och passim

26 Rosenfeld, s 424f

[27] Lane, s 52ff. Jfr op cit s 13f

[28] Op cit s 52ff

[29] Nilsén, s 322

[30] *Lexikon der christlichen Ikonographie*, sp 90. Jfr Lindgren, s 166

[31] *Danske kalkmalerier*, s 41

[32] Op cit, s 52f

LITTERATUR:

Andersson =
Andersson, Aron, "Birgitta och konsten", *Credo* 1973:2, s 116-122

Belting =
Belting, Hans, *Das Bild und sein Publikum im Mittelalter*, Berlin 1981

Bibeln, 1917 års övers.

Browe =
Browe, Peter, *Die Verehrung der Eucharistie im Mittelalter*, München 1933

A Catalogue of Wall-paintings =
A Catalogue of Wall-Paintings in the Churches of Medieval Denmark 1100-1600,

Scania Halland Blekinge, Copenhagen 1976

Cornell =
Cornell, Henrik, *The Iconography of the Nativity of Christ*, Uppsala 1924

Danske kalkmalerier =
Danske kalkmalerier. Sengotik 1500-1536. Red Ulla Haastrup, København 1992

Eriksson =
Eriksson, Torkel, "Nyframtagna medeltidsmålningar i Brönnestad", *Ale* 1982:2, s 1-19

Gad =
Gad, Tue, *Legenden i Danmarks middelalder*, København 1961

Hammer =
Hammer, Karen Elisabeth, "Elmelundevaerkstedets syn på den birgittinske mystik", *ICO* 1994:3. s 29-35

Den Heliga Birgittas himmelska uppenbarelser, ed och övers Tryggve Lundén, Malmö 1957-59

Hermeneutics =
Hermeneutics and Medieval Culture, ed Patrick J Gallacher & Helen Damico, New York 1989

Klockars =
Klockars, Birgit, *Birgittas värld*, Stockholm 1973

Kryger =

Kryger, Karin, "Den hellige familie – den ideale familie", *ICO* 1985:1, s 25-32

Lane =
Lane, Barbara G, *The Altar and the Altarpiece, Sacramental Themes in Early Netherlandish Painting*, New York 1984

Legenda Aurea =
Die Legenda Aurea des Jacobus de Voragine, ed Richard Benz, 10. Aufl Heidelberg 1984

Lexikon der christlichen Ikonographie, bd 2, ed E Kirschbaum, Freiburg im Breisgau 1970

Lindgren =
Lindgren, Mereth, "Himmelsk änglaskara och jordisk barnaskara, om två birgittinska träsnitt", *Den ljusa medeltiden, Studier tillägnade Aron Andersson*, Stockholm 1984

Marienlexikon, bd 2, ed R Bäumer & L Scheffczyk, St Ottilien 1989

Meditationes =
Meditationes Vitae Christi, transl by Isa Ragusa, ed Isa Ragusa & Rosalie B Green, Princeton 1961

Nilsén =
Nilsén, Anna, *Program och funktion i senmedeltida kalkmåleri. Kyrkmålningar i Mälarlandskapen och Finland 1400-1534*. Stockholm 1986

van Os =
Os, H W van, *Marias Demut und Verherrlichung in der sienesischen Malerei 1300- 1450*, 's Gravenhage 1969

Panofsky =
Panofsky, Erwin, *Early Netherlandish Painting*, vol 1, New York 1970

Réau =
Réau, Louis, *Iconographie de l'art chrétien*, bd 2, Paris 1957

Ringbom =
Ringbom, Sixten, *Icon to Narrative*, Åbo 1965

Rosenfeld =
Rosenfeld, Hans-Friedrich, *Der hl. Christophorus, seine Verehrung und seine Legende*, Åbo 1937

Ruf =
Ruf, Gerhard, *Giotto in Assisi, die heilsgeschichtliche Deutung der Fresken im Langhaus der Oberkirche von San Francesco in Assisi aus der Theologie des Heiligen Bonaventura*, Assisi 1974

Sundén =
Sundén, Hjalmar, *Den heliga Birgitta – Ormungens moder som blev Kristi brud*, Stockholm 1974

Ritva Jacobsson

Om Maria i tidegärden.

Titeln "Maria i Sverige under tusen år" betyder att man börjar studiet av Guds moders roll i vårt land runt det första årtusenskiftet. Dessförinnan ligger ett millenium av icke-svensk kyrkohistoria. Vi kan under detta första årtusende iakttaga, delvis väl dokumenterat, delvis fragmentariskt, hur Marias plats i det kristna fromhetslivet växte fram.

Vi kan också under detta första årtusende följa hur kyrkans dagliga bön, officiet eller tidegärden, utvecklades, redan under apostlarnas tid, hos kyrkofäderna och genom munkreglerna. I *Regula Sancti Benedicti* från cirka 540 finns en detaljerad beskrivning med angivande av psalmer, läsningar och "ambrosianum" (alltså hymner); där finns anvisning om t. ex. hymnen *Te deum* och där finns ett flertal omnämnanden av fenomenet responsorier och antifoner. Men för att taga del av dessa antifoners och responsoriers texter får vi vänta ända till cirka 870, då den första handskriften som innehåller tidebönens texter föreligger[1].

Denna, Paris Bibl. Nat. Ms. latin 17436, som ofta kallas Compiègnehandskriften, är en praktfull bok med gyllene rubriker och initialer; den har även benämnts "Karl den skalliges antifonarium". (Ursprungligen måste man för att fira tidebönen använda ett antal olika böcker: *antiphonale eller antiphonarium* för antifoner och även responsorier, *hymnarium* för hymner, *scriptura sacra* för de bibliska läsningarna, *lectionarium* för kyrkofädernas predikningar, samlingar av helgonens *vitae* och *passiones* etc.) Men denna bok är alltså inte mera än cirka två hundra år äldre än det årtusende, då Sverige finns med i den kristna gemenskapen. I vissa fall vet vi att texter i denna bok har förelegat tidigare, t. ex. genom att de är citerade hos Amalarius av Metz[2]. Men före 800 kommer vi knappast, när det gäller tidebönens texter.

I detta bidrag är uppgiften att studera Marias roll i tidebönen utifrån Compiègnehandskriften, alltså det äldsta bevarade antifonariet. Det i sammanhanget verkligt intressanta är att den största delen av antifonernas och responsoriernas texter, som vi finner i denna handskrift, också förekommer i de flesta senare antifonarier. Detta framgår klart vid jämförelsen mellan de sammanlagt 12 äldre och representativa källor, som dom Hesbert har redovisat[3]. Stabiliteten är påfallande, och den sträcker sig fram genom historien, in i de tryckta breviarier som använts fram till våra dagar. Vi kommer att jämföra den gamla Compiègnehandskriften med det i Sverige år 1493 tryckta *Breviarium Lincopense*, som till stora delar innehåller exakt samma texter[4].

Paris Bibl. Nat. Ms. latin 17436 består av två delar, först mässans sångtexter, alltså gradualet, här kallat *Liber Antiphonarius*, fol. 1—30, och därefter tidebönens sångtexter, normalt benämnt antifonariet men här rubricerat *Liber Responsalis*, fol. 31—109. Handskriften saknar notation och är, som redan nämnts, försedd med ett stort antal förgyllda initialer: det är en verkligt luxuös bok. Samtidigt vimlar denna handskrift av alla slags fel: rubriker är felaktigt insatta, latinet är bristfälligt, och de språkliga varianter, vilka bara har återfunnits här, är nästan samtliga omöjliga[5] .

En viktig iakttagelse är den stora oregelbundenheten i boken. Antalet responsorier och antifoner växlar på ett sätt som gör att det är svårt att finna något klart mönster. Ja, det är inte ens säkert om det är en sekulär eller monastisk bok. Övervägande följer handskriften visserligen det sekulära bruket, men undantag finns, t. ex. för den helige Benedictus fest, som har monastiskt bruk. De övertaliga sångerna är många. Märkligt är också att en rad texter förekommer endast med sitt incipit, dvs sina begynnelseord. I somliga fall finns de hela texterna i boken, men inte sällan på en plats senare i boken. I andra fall existerar endast incipit av en viss text.

Boken har ägnats flera grundläggande studier, nu senast av Michel Huglo[6]. Denne sammanfattar tidigare teorier och formulerar sina egna slutsatser: Compiègnehandskriften var troligen skriven nära Saint-Médard i Soissons, direkt för kung Karl den skallige. Gradualet hade redan fullbordats, men antifonariet blev aldrig perfekt färdigskrivet. Anledningen var, enligt Huglos hypotes, att boken skulle färdigställas till invigningen av det åttkantiga kapellet i det kungliga palatset i Saint Médard de Soissons, den 5 maj 877.

Redan i denna äldsta tidegärdsbok finner vi flera Mariafester, nämligen *Purificatio*, här med det gamla namnet *Hypapanti* ”möte”, alltså Kyndelsmässodagen eller Marie reningsdag (2 februari), *Assumptio*,

Marias upptagning i himmelen (15 augusti) och *Nativitas*, Marias födelse (8 september). *Annuntiatio* (Bebådelsefesten, 25 mars), som firades i Rom från 800-talet, förekommer däremot ej i Compiègnehandskriften. Den viktigaste av Mariafesterna skulle jag emellertid vilja kalla julen, också med dess förberedelsetid advent. De många marianska jul- och adventstexterna har utforskats framför allt av Henri Barré[7].

Vi skall i det följande studera en rad av Compiègnehandskriftens marianska antifoner och responsorier[8]. Emellertid är det ur utrymmessynpunkt orimligt att här citera och kommentera dem alla eller att anföra alla de aspekter, som vore möjliga att belysa. Det följande blir därför ett med nödvändighet subjektivt urval, där avsikten är att med olika exempel något visa hur den allra äldsta Marialiturgin var gestaltad. Vi kommer att följa texterna i kalenderordning, alltså så som de förekommer i Compiègneantifonariet, inte tematiskt. Men naturligtvis återkommer samma temata, bilder, uttryck och hela texter på olika ställen i de olika Mariafesterna.

Texterna i Matteus- och Lukasevangelierna, där Maria har en egen ställning, är använda framför allt som antifoner under adventstiden. Särskilt har ängelns hälsning och Magnificat varit dessa antifoners källor. Man kan först lägga märke till de skilda aspekterna: Maria omnämns i tredje person, hon tilltalas i andra person, i en saligprisning, och hon talar själv, i första person:

> Antequam convenirent,
> inventa est Maria habens in utero de spiritu sancto, alleluia. (Mt 1, 18)[9]
> "Innan de hade kommit samman, befanns Maria vara havande i sitt sköte av den helige ande."

Antifon första tisdagen i advent

> Benedicta tu in mulieribus et benedictus fructus ventris tui. (Lc 1, 42)
> "Välsignad du bland kvinnor och välsignad ditt skötes frukt."

Antifon första torsdagen i advent

> Beata es, Maria, quae credidisti,
> perficientur in te quae dicta sunt tibi a domino, alleluia. (Lc 1, 45)[10]
> "Salig är du, Maria, som trodde, i dig skall fullbordas vad som har sagts dig av Herren, alleluia."

Benedictusantifon andra söndagen i advent

> Beatam me dicent omnes generationes,
> quia ancillam humilem respexit Dominus. (Lc 1, 48)

”Salig skall alla släkten kalla mig, eftersom Herren har sett till sin ödmjuka tjänarinna.”

Antifon tredje måndagen i advent[11]

Denna sista antifon är alltså ett citat ur Magnificat: *quia respexit humilitatem ancillae suae, ecce enim ex hoc beatam me dicent omnes generationes*. Här kan vi observera hur den liturgiske författaren fritt har förfogat över sitt material. *Beatam* är det viktigaste ordet, och därför gör han en omställning av de två leden i texten och imiterar därmed en klassisk saligprisning. Ordet *Dominus* har tillagts för att göra det absolut klart vem som är subjektet till *respexit*. Vidare har det opersonliga och abstrakta ”sin tjänarinnas ödmjukhet” bytts ut mot det personliga ”sin ödmjuka tjänarinna”. Denna typ av liturgisk anpassning av bibliska texter är mycket vanlig. Det är i dessa fall intressant att i varje detalj se hur den liturgiske författaren arbetar: det finns både rent praktiska tydlighetsskäl till omställningar och andra förändringar och, framför allt, ett liturgiskt syfte, nämligen att framhäva festämnet, att höja intensitetsgraden i det man firar.

Men också fria sammanfattningar av det bibliska händelseförloppet bildar antifoner:

Prophetae praedicaverunt nasci salvatorem de virgine Maria.

”Profeterna har förkunnat att en frälsare skulle födas av jungfru Maria.”

Antifon fjärde onsdagen i advent[12]

Ecce, completa sunt omnia,
quae dicta sunt per angelum de virgine Maria.

”Se, allt har fullbordats som sades genom ängeln om jungfru Maria.”

Antifon fjärde fredagen i advent[13]

Denna typ av fri sammanfattning förses i några av responsorierna med nya förklarande drag och får formen av direkt tilltal till Maria:

Suscipe verbum, virgo Maria,
quod tibi a domino per angelum transmissum est.
Concipies per aurem dominum pariter et hominem,
ut benedicta dicaris inter omnes mulieres.
V. Ave Maria gratia plena, dominus tecum.

”Mottag ordet, jungfru Maria,
som har förts över till dig från Herren genom en ängel.

Du skall genom örat avla Herren och likaledes människan,
för att du må sägas välsignad bland alla kvinnor.
V. Hell dig, Maria, full av nåd, Herren är med dig."[14]

Responsorium för tredje söndagen i advent

Här kan man observera att ordet *verbum* har en dubbel betydelse: det är ängelns ord, men det är också Ordet, Guds son. Denna den allra äldsta versionen av responsoriet har en konkret formulering: avlelsen av sonen, Gud och människa, sker genom örat. Det är adventstid, och texten står i futurum, syftar fram mot födelsen. Observera hur texten har förbundits med det exakta bibelcitatet (Lc 1, 42). Samma tema förekommer i ett annat adventsresponsorium, där texten är ännu mera konkret:

Annuntiatum est per Gabriel archangelum
ad Mariam virginem de introitu[m] regis.
Et ingressus est per splendidam regionem, aurem virginis,
visitare palatium uteri,
et regressus est per auream virginis portam.

"Det blev kungjort genom ärkeängeln Gabriel
för jungfru Maria om konungens inträde.
Och han trädde in genom den strålande nejden, jungfruns öra, för att besöka skötets palats,
och han återvände genom jungfruns gyllene port."15

Responsorium för den fjärde adventsveckan

Efter den bibliska inledningen anges vad bebådelsen verkligen gäller: en konungs intåg, *introitus regis*, vilket har skett genom en strålande nejd, alltså jungfruns öra, för att besöka det palats som är hennes livmoder, *uteri*[16] . Sedan har han gått ut - här skall man se det till *ingressus est* parallella *regressus est* - genom den gyllene porten. Orden *per...aurem* och *per auream portam* utgör naturligtvis en medveten ordlek. Det är alltså fråga om tre rörelseverb: inträda, besöka, utträda/återvända, och varje plats har ett skönt epitet, som i det första och sista fallet, eller är en konungslig byggnad, såsom i det mellersta fallet.

De sju så kallade O-antifonerna (*O Sapientia, O Adonai* etc.), som sjungs till Magnificat i vespern den sista veckan före jul, är berömda. I de gamla antifonarierna finns emellertid fler än sju antifoner; en av dessa, riktad direkt till Maria, förekommer nästan överallt i de gamla böckerna, nämligen *O virgo virginum*[17].

O virgo virginum, quomodo fiet istud?
Quia nec primam similem visa est nec habere sequentem.
Filiae Ierusalem, quid admiramini?

Divinum est mysterium hoc quod cernitis.

"O jungfrurnas jungfru, hur skall detta ske?
Ty hon syntes varken ha en tidigare eller en senare like. Jerusalems döttrar, varför häpnar ni?
Gudomligt är det mysterium som ni skådar."

Ur "de stora antifonerna" sista adventsveckan[18]

Texten inleds med en hebraism (typ "konungarnas konung") och följs av ett citat ur dialogen mellan Maria och ängeln Gabriel i Lukasevangeliet, *quomodo fiet istud* (1, 34). Därefter finner vi ett ordagrant citat ur 400-talsförfattaren Sedulius *Paschale Carmen*, vilken är en hexameterparafras av evangeliernas berättelser. Just den passagen, som i olika genrer ofta används i liturgin för Maria, är i sin första vers en parafras av två ställen hos Vergilius, både hans epos om jordbruket, *Georgica* (2, 173) och hans nationalepos, Aeneiden (5, 80):

Salve, sancta parens, enixa puerpera regem,
qui caelum terramque tenet per saecula, cuius
nomen et aeterno conplectens omnia gyro
imperium sine fine manet; quae ventre beato
gaudia matris habens cum virginitatis honore
nec primam similem visa es nec habere sequentem.
Sola sine exemplo placuisti femina Christo.[19]

Uttrycket *Filiae Ierusalem* är ett tilltal som förekommer i Höga visan sex gånger, men också i evangelierna (Lc 23, 28). Detta är kombinerat med texten från Kristi himmelsfärdsdagens introitus *Viri Galilaei, quid admiramini aspicientes in caelum* (Act 1, 11, där Vulgata dock har *Viri Galilaei quid statis aspicientes in caelum*). *Divinum mysterium* syftar i liturgiska sammanhang nästan alltid på eukaristin; här avser det inkarnationens mysterium. Antifonens text är något oklar: den har först ett tilltal till Maria med en fråga, därefter en påståendesats i tredje person, som avser Maria, och slutligen ett tilltal till Jerusalems döttrar, där man gärna tror att Maria själv talar. En rad handskrifter har valt formen *visa es*, "du syntes", såsom det står hos Sedulius, och det finns andra varianter[20]. Det är intressant att så många olika liturgiska delar är hopfogade. Av dessa har några en direkt anknytning till bibliska Mariatexter, andra däremot, såsom vi har sett, kommer från helt andra sammanhang.

I den långa räckan av sammanlagt 23 responsorier för julnattens matutin är de flesta påfallande Mariainriktade[21]. Vi skall studera några av dem. Det första nämner endast jungfrun:

Hodie nobis caelorum rex de virgine nasci dignatus est,
ut hominem perditum ad regna caelestia revocaret.
Gaudet exercitus angelorum,
quia salus aeterna humano generi apparuit.
V. Gloria in excelsis...

"Idag har åt oss himlarnas konung värdigats födas av jungfrun,
för att han skulle återkalla den förlorade människan
till de himmelska rikena.
Änglarnas här gläder sig,
ty den eviga frälsningen har uppenbarats för människosläktet.
Ära vare Gud i höjden..."

Responsorium I: 122

Man kan observera ordföljden. Responsoriet inleds med ordet *Hodie* efter bysantinsk förebild, och därefter är människorna, "oss", närmast gudstjänstdeltagarna fokuserade, *nobis*. Det är för oss som detta sker. Först som tredje ord kommer "himlarnas konung", julens huvudperson, följt av "jungfrun". Det så vanliga himmelstemat återkommer i *caelorum rex* , *caelestia regna* (observera den för latinet ovanliga ordställningen) och i änglakören, men hela tiden nära anknutet till människosläktets öde[23].

Det tredje responsoriet är en komplicerad text, vilken har förorsakat många diskussioner. Vi kan se att den delvis har samma uttryck som i den ovan diskuterade antifonen *Suscipe verbum*:

Descendit de caelis missus ab arce Patris,
introivit per aurem virginis in regionem nostram,
indutus stolam purpuream,
et exivit per auream portam
lux et decus universae fabricae mundi.
V. Tamquam sponsus Dominus procedens de thalamo suo.[24]

"Han har stigit ned från himlarna, sänd från Faderns borg. Han inträdde genom jungfruns öra in i vår värld, iklädd purpurmantel. Och han gick ut genom den gyllene porten, hela den skapade världens ljus och skönhet.
V. Liksom en brudgum träder Herren ut ur sin brudkammare.
Responsorium I: 3

De tre finita verben är viktiga och markerar de olika stadierna: *descendit*, nedstigandet från det ursprungliga tillståndet hos Fadern, *introivit*, människoblivandet, konceptionen, som sker genom att Sonen inträder genom jungfruns öra som genom en port, men fullt iklädd kunglig purpur, och slutligen *exivit*, födelsen. (Man kan jämföra med den ovan iakttagna serien *ingressus - visitare - egressus*). Här används på nytt just ordet *auream portam*, markerande det kungliga. Vi har kommit långt bort från urkyrkans mycket återhållsamma formuleringar om människoblivandet, såsom i t.ex. hymnen *Te deum*:

Tu ad liberandum suscepturus hominem
non horruisti virginis uterum.
"För att befria människan och för att antaga människogestalt har du inte skytt jungfruns sköte."

Enligt Agobardus av Lyon, en biblicist som kritiserade de nya liturgiska texterna och en fruktansvärd vedersakare av Amalarius av Metz, är *Descendit de caelis* en obiblisk och oacceptabel text[25]. Redan i det något yngre antifonariet från Sankt Gallen finns varianten *introivit in uterum virginis*, som är mindre kontroversiell[26]. Som i så många Mariatexter, inspirerade både av Höga Visan och av Psalm 43 (Vulgata 44) finns både en erotiskt färgad brudmystik och kungliga rekvisita. Uttrycket *ab arce patris* är vanligt i kristen poesi och finns bl. a. i den kända hymnen *Pange lingua* av Venantius Fortunatus: *Missus est ab arce patris natus orbis conditor* [27] . Psalm 18, varifrån versen är hämtad, är central i julens liturgi[28].

Det skall också nämnas, att *Fabrice mundi* var en av de texter som försågs med en lång melodislinga, en så kallad melism, på vilken nya ord lades till, texterades, s.k. Fabrice mundi-prosulor[29].

I den andra nokturnen finns i Compiègnehandskriften nästa apostrofering av Maria:

O magnum mysterium et admirabile sacramentum,
ut animalia viderent Dominum natum iacentem in praesepio!
Beata Virgo, cuius viscera meruerunt portare Christum Dominum! [30]
"O stora hemlighet och beundransvärda sakrament
att djuren fick se den nyfödde Herren vila i krubban!
Saliga jungfru, vilkens sköte förtjänade att bära Kristus, Herren!"
Responsorium II: 2

Texten går tillbaka till Lukas 11, 27, där en kvinna utropar *Beatus venter qui te portavit et ubera quae suxisti* (saligt är det moderssköte som har burit dig och de bröst som du har diat). Men poängen hos Lukas är att Jesus avvisar henne och säger: Ja, saliga är de som hör Guds ord och gömmer det! Denna fortsättning, som ger en helt annan klang åt utropet, är inte medtagen i responsorietexten. Vi har alltså här ett annat exempel på mycket medveten selektion och adaptation av skrifttexterna.

Det tredje responsoriet är helt och hållet en Mariatext:

Beata dei genitrix Maria, cuius viscera intacta permanent.

Hodie genuit salvatorem saeculi.
V. Ave, Maria, gratia plena, dominus tecum.[31]
"Salig Guds moder Maria, vilkens sköte förblir orört.
Idag har hon fött världens frälsare.
V. Hell dig Maria, full av nåd, Herren är med dig."
Responsorium II: 3

Beata ...cuius viscera är exakt orden i det föregående responsoriet *O magnum mysterium*, och det är en annan saligprisning, men i stället för jungfrun finner vi här uttrycket från Efesoskonciliet, "gudaföderska"[32]. Föderskans sköte förblir orört, alltså en betydligt mera utvecklad mariologi (*semper virgo*), som framför allt i senare medeltida texter utvecklades med en rent fysisk precision[33]. Detta responsorium innehåller ytterligare en *Hodie*-text, där uttrycket *salvator saeculi* har en något annan nyans än *salvator mundi*. *Saeculum* betyder "generation, tid i denna värld, människornas värld" och kan också ha en klang av hedningarnas värld.

Den tredje nokturnen i Compiègneboken innehåller inte mindre än 17 responsorier. Av dem är 11 marianska. Det första har en allusion till en julpredikan av Augustinus[34]:

Sancta et immaculata virginitas,
quibus te laudibus referam nescio,
quia quem caeli capere non poterant,
tuis gremiis contulisti.
Benedicta tu in mulieribus ...[35]
"Heliga och obefläckade jungfrulighet,
med vilka lovsånger jag skall prisa dig vet jag icke,
ty honom som himlarna inte hade kunnat rymma,
har du burit i ditt sköte.
Välsignad är du bland kvinnor..."
Responsorium III: 1
©

Man lägger här märke till det abstrakta ordet *virginitas* i stället för *virgo*, på samma sätt som man i liturgiska texter ibland finner *deitas* använt i stället för *Deus*[36]. Texten innehåller också det urgamla retoriska greppet "här saknar man ord"[37]. Viktigast är emellertid den effektfulla motsatsen mellan det kosmiskt uttryckta, oändliga gudsbegreppet och den ringa platsen i jungfruns liv, en poetiskt verkningfull bild, som är vanlig i den kristna poesin[38]. Men dessa djärva marianska bilder sammanfattas i Elisabeths hälsning till Maria, *Benedicta tu in mulieribus* (Lc 1, 42), en av de fåtaliga bibliska Maria-texterna, som ju är mycket frekvent använd i liturgin. Vi ser detta fenomen gång på gång, hur ett poetiskt friare responsorium följs av en vers, som består av ett ordagrant bibelcitat.

Det andra responsoriet är också en saligprisning, som liknar den bibliska i *O magnum mysterium*:

Beata viscera Mariae virginis,
quae portaverunt aeterni patris filium,
et beata ubera,
quae lactaverunt Christum dominum!
Quia hodie pro salute mundi
de virgine nasci dignatus est.
V. Ave Maria.
"Saligt jungfru Marias moderliv,
som har burit den evige Faderns Son,
och saliga de bröst,
som har givit di åt Kristus, Herren!
Ty idag har han för världens frälsning
värdigats födas av en jungfru.
V. Hell dig, Maria."

Responsorium III: 239

Detta är den tredje texten som varierar begreppet *viscera* (och som kan föras tillbaka till Lc 11, 27); här har det vidgats genom att den evige Fadern nämns. Det är i de gamla jultexterna ofta viktigt att tala först om Faderns Son, av evighet, och därefter om Marias Son, i tiden. Motsatsen mellan födseln i evighet, av Fadern, och den jordiska födseln, av modern, är därmed diskret apostroferad. Andra delen av responsoriet utgörs av nästan ordagrant samma text som det allra första responsoriet I:1 (*Hodie nobis caelorum rex de virgine nasci dignatus est*), men efter signalordet *hodie* finns i III:2 uttrycket *pro salute mundi*. Det innebär alltså: saligprisningen omfattar mötet mellan den evige Faderns Son, Kristus Herren och allt det som är havandeskap, födelse, digivning, alltså inkarnationen; evigheten och världen möts. I denna text, liksom i andra, har bibelmodellens *venter qui te portavit et ubera quae suxisti* (Lc 11, 27) bytts ut mot *viscera quae portaverunt* - en av flera poetiska synonymer för livmoder eller sköte - och *ubera quae te lactaverunt*. Det innebär alltså att också *ubera*, "brösten" fungerar som subjekt, liksom *viscera*: den aktiva rollen flyttas helt över till modern, från barnet. Barré har även velat se ett språkligt inflytande från Lc 23, 29: *beatae steriles... et ubera quae non lactaverunt* [40].

Följande responsorium, vilket kommer efter två texter, som är kristocentriska, är annorlunda såtillvida att det är utsagt av jungfrun själv:

Congratulamini mihi omnes qui diligitis dominum,
quia cum essem parvula, placui altissimo,

et de meis visceribus genui Deum et hominem.
V. Beatam me dicent omnes generationes.
V. Casta parentis viscera
caelestis intrat gratia;
venter puellae baiulat
secreta, quae non noverat.41

"Lyckönska mig, alla ni som älskar Herren,
ty då jag var en liten flicka, behagade jag den högste,
och ur mitt moderliv födde jag (honom som är) Gud och människa.
V. Alla släkten skall prisa mig salig.
V. I den kyska moderns sköte träder den himmelska nåden in;
flickans moderliv bär hemligheter som hon inte kände."

Responsorium III: 5

*Congratulamini mihi förekom*mer två gånger i Jesu liknelser: så säger nämligen herden, som har återfått det förlorade fåret, och kvinnan, som har funnit den förlorade penningen (Lc 15, 6; 9). *Qui diligitis dominum (odite malum)* är ett psaltarcitat (96,10). *Cum essem parvulus* finns i 1 Cor 13, 11. Tilltalets adressat är de troende. Barré (s. 181) har visat att förlagan till denna text troligen är en afrikansk predikan för kyndelsmässan.[42] Vad som emellertid är särskilt intressant är att denna text i sin tur reflekterar det apokryfa Jacobs-evangeliet, med en allusion till berättelsen om Marias barndom. Den ena av de två verserna är ett citat ur Magnificat (Lc 1, 48), den andra är c-strofen ur Sedulius abecedariska hymn *A solis ortus cardine*[43]. Den är väl vald: *puella* korresponderar med *parvula*, *viscera* återkommer i båda texterna. *Deum et hominem* har sin motsvarighet i *secreta quae non noverat*. Men aspekten är olika. Från Marias tilltal till de troende och hennes återberättande skildring i första person (följd av den första versen, också den med verbet i första person) kommer så i den andra versen (Seduliuscitatet) en text i tredje person.

När man ser hela det liturgiska sammanhanget, är det klart hur väl hymnstrofen passar som responsorievers[44]. Just denna Seduliushymn är källan för flera andra responsorieverser, t. ex. samma nokturns responsorium 8:

Domus pudici pectoris
templum repente fit Dei;
intacta nesciens virum
virgo concepit filium
- Deum.

"Det kyska skötets hem blir plötsligt Guds tempel;
den orörda jungfrun, som inte visste av en man, undfick en Son - Gud".

Följande responsorium är ett av många med b*eata* som sitt första ord:

Beata et venerabilis virgo,
quae sine tactu pudoris
mater est inventa salvatoris!
Iacebat in praesepio
et fulgebat in caelo.

”Saliga och vördnadsvärda jungfru,
som utan att kyskheten rubbades
har befunnits vara frälsarens moder!
Han vilade i krubban
och strålade i himmelen.

Responsorium III: 645

Texten är alltså en ny saligprisning, med epitetet venerabilis, som allittererar med vi*rgo* och som kvalificeras av den följande relativsatsen. *Tactu pudoris* är ett ovanligt uttryck, som bygger på det vanliga *intacta*, ”orörd”, ofta ett epitet till jungfru Maria. Det har också påpekats att det vanliga *Dei genitrix*, alltså den latinska översättningen av Efesoskonciliets *theotokos,* här har en fullödigare form, ”frälsarens moder”[46] . Texten bygger på kontrasterna: jungfrun - modern och *iacebat in praesepio - fulgebat in caelo.* Man kan se hur genomstrukturerad denna text är: det är verkligen fråga om konstprosa, med rim, assonanser, paralleller och antiteser. Ordställningen är också raffinerad: de båda sista verben - i imperfektum, som betecknar ett pågående, oavslutat tillstånd och alltså markerar att inkarnationen och den strålande evigheten är parallella - står före sina bestämningar och får därmed en speciell skärpa.

Följande responsorium har med all sannolikhet sitt ursprung i en inskription hörande till en mosaik i kyrkan Santa Maria Nuova i Rom. Versen är tagen ur en hymn [47] .

Continet in gremium (=gremio) caelum terramque regentem
virgo dei genitrix; proceres comitantur herilem (= heriles),
per quos orbis ovans Christo sub principe pollens (=pollet).
V. Virgo Dei genitrix, quem totus non capit orbis,
in tua se clausit viscera factus homo.[48]

”I sitt sköte omsluter hon honom som styr himmel och jord,
jungfrun, Guds moder; Herrens främsta följer,
genom vilka världen jublande är mäktig under Kristus, sin furste.
V. Jungfru, Guds moder, honom som hela världen ej rymmer,
i ditt sköte har han stängts inne, när han blev människa.”

Responsorium III:7

Texten har karaktären av en beskrivning: de tre hexameterverserna börjar med verbet: continet, "innesluter, omfattar" och kan avse fostret i livmodern likaväl som det lilla barnet i moderns famn. Efter *gremio* följer direkt *caelum terramque*, som avslutas med den andra verbformen, *regentem* - så blir kontrasten mellan skötet och världsalltet här starkt framhävd. Detta är raffinerat. Det följande, *proceres comitantur heriles* är obegripligt om man inte förstår ursprunget: en bild där jungfrun är omgiven av apostlar. Men texten är inte lätt, och den äldsta versionen i Compiègnehandskriften är fördärvad. I de olika källorna finns också olika varianter. Alla de kända uttrycken kommer sedan en gång till, i det elegiska distikon, som utgör versen[49].

Denna text återkommer i olika liturgiska sammanhang, däribland som en av antifonerna till Benedictus (juldagens Laudes), också i Compiègneboken. Här finns ett tillägg, som i likhet med responsorieversen likaledes är ett elegiskt distikon (dock med bristfällig prosodi), *Virgo Dei genitrix*:

Vera fide genitus purgavit crimina mundi,
et tibi virginitas inviolata manet.[50]

"Han som föddes genom den sanna tron har renat världens synder,
och hos dig förblir jungfruligheten okränkt".[51]

Det finns, som Barré har påpekat, likheter mellan de ovan citerade Sedulius-texterna och följande, framför allt idémässigt, men också i uttryck som t. ex. p*eperit ...ipsum regem* och "den enda", *sola*:

Nesciens mater virgo virum
peperit sine dolore salvatorem saeculorum,
ipsum regem angelorum,
sola virgo lactabat ubera de caelo plena.
V. Ave Maria.
V. Beata viscera.[52]

"Modern, jungfrun som inte visste av en man
födde utan smärta världsåldrarnas frälsare,
själve konungen över änglarna,
jungfrun ensam gav di med bröst, fulla av himmelen."

Responsorium III: 9

Det är en retorisk text med sina rim, assonanser och alliterationer och med den märkliga bilden av himmelsk mjölk. Hirn har tagit upp en rad exempel på hur man har låtit Marias mjölk ha en symbolisk eller mystisk funktion53. Speciellt intressant är uttrycket pep*erit sine dolore*. Maria var undantagen arvsynden och därför slapp hon Evas straff att föda sitt barn i smärta. Just detta motiv kom långt senare att utvecklas i konsten, där man ser jungfrun knäböja inför det barn hon nyss fött - men temat finns alltså i den allra äldsta kända Marialiturgin, i julofficiet[54].

Julofficiet, som de facto är det första Mariaofficiet, är det viktigaste i bidraget till Maria i tidegärden. Men vi skall också se på några få texter ur de egentliga Mariafesterna. Kyndelsmässan är i likhet med julen till sitt ursprung biblisk. Emellertid kom den att mer och mer bli betraktad som en Mariafest[55]. Många av antifonerna är naturligtvis hämtade ur Lukasevangeliets beskrivning av mötet i templet mellan Simeon och Jesusbarnet, som där bars fram för att omskäras. Dock finns det redan i Compiègneboken rent Maria-orienterade texter också för denna fest, såsom följande antifon:

> Sicut myrrha electa
> odorem dedisti suavitatis,
> sancta Dei genitrix.
>
> "Såsom den utvalda myrran har du givit ljuvlighetens doft,
> heliga Guds moder."
> Purificatio (kyndelsmässan), antifon[56]

Här är ett citat ur Ecclesiasticus (som vi på svenska kallar Jesu Syraks bok, 24, 20), kombinerat med den latinska motsvarigheten till "theotokos". Myrran är Maria, doften är Sonen. Samtidigt har denna text naturligtvis konnotationer från Höga Visans erotiska sfär, och fokus är helt på Maria. Även följande text innehåller brudtematik:

> Adorna thalamum tuum, Sion, et suscipe regem Christum!
> Quem virgo concepit, virgo peperit,
> virgo post partum quem genuit adoraverit.
> V. Accipiens Simeon in manibus, gratias agens, benedixit puerum dominum.[57]
>
> "Smycka ditt brudgemak, Sion, och tag emot din konung, Kristus! Honom vilken hon som jungfru har undfått, har hon som jungfru fött; honom vilken hon som jungfru efter födelsen har fött, skall hon dyrka.
> V. Simeon tog emot honom i sina händer, tackade och välsignade gossen, Herren."
>
> Purificatio (kyndelsmässan), responsorium

Inledningen ger en märklig bild utan många motsvarigheter: både en uppmaning till Sion, Jerusalems heliga berg, en symbol för Kyrkan, att smyckad bereda sig för Herrens ankomst och samtidigt en hänsyftning till jungfrun, som är Sion, och brudkammaren som är skötet58. Texten fortsätter ju också med det trefaldigt upprepade ordet *virgo*.

Av de fyra gamla Mariafesterna är det Assumptio och Nativitas som är direkt helgade till jungfrun, utan direkt biblisk anknytning. I texterna till dessa fester finns många element från Höga visan och från Ecclesiasticus:

Vidi speciosam sicut columbam
ascendentem desuper rivos aquarum,
cuius inaestimabilis odor erat nimis in vestimentis eius.
Et sicut dies verni
circumdabant eam flores rosarum et lilia convallium.
V. Quae est ista quae ascendit per desertum
sicut virgula fumi,
ex aromatibus myrrhae et thuris?

"Jag har sett min sköna älskade såsom en duva
som stiger upp ovan vattubäckarna,
i vilkens dräkt fanns en övermåttan utsökt väldoft.
Och liksom vårens dagar
omgav henne rosornas blomster och dalarnas liljor.
V. Vem är hon som kommer upp hit genom öknen såsom en stod av rök,
kringdoftad av myrra och rökelse?"

Assumptio Mariae, Responsorium[59]

Inget bibelställe innehåller hela texten, utan den är en mosaik av en rad olika passager i Höga visan och dessutom från Ecclesiasticus 50, 8. Versen är däremot en ordagrant hämtad från Höga visan (Ct 3, 6). Det är en poetisk kärlekssång, lagd i den älskande mannens mun. Den sköna, som stiger upp liksom en duva ur det vederkvickande vattnet, och doften i hennes kläder, allt detta har en erotisk atmosfär. Man kan observera tempus: "Jag har sett - det fanns en doft - vårens dagar omgav henne", alltså, de två sista verben står i imperfektum, som betecknar något pågående och oavslutat. Denna text förbereder versens text, fokuserad på den sköna doften, i frågeform: Vem är hon?

Det finns många Mariatexter av detta slag, både i Assumptio- och i Nativitas festen, men också sådana som har ett mera direkt uttryckssätt, utan det symbolspråk vi nyss studerat:

Beata es, virgo Maria Dei genitrix, quae credidisti dominum.
Perfecta sunt in te que dicta sunt tibi.
Ecce exaltata es super choros angelorum.
Intercede pro nobis ad dominum Deum nostrum. [60]
V. Ave Maria...

”Salig är du, Maria Guds moder som trodde på Herren. I dig har det fullbordats som sagts dig. Se, upphöjd är du över änglarnas skaror. Bed för oss till Herren vår Gud.
V. Hell dig Maria...”

Assumptio Mariae Responsorium

I ovanstående responsorium känner vi igen typen från julofficiet med dess saligprisning och dess bibliska anknytning, alltså till bebådelsen. Men två fenomen är annorlunda här. Dels kommer motivet om Marias upphöjelse som drottning i himmelen, ovan änglarnas skaror. Hon är *exaltata*, ”upphöjd”, vanligen ett uttryck reserverat för Gud. De himmelska härskaror som i julens evangelium omgav herdarna i Betlehem är här henne underlagda. Dels finns en direkt bön till henne. Denna är formulerad som en anmodan om förbön hos Gud, och så ser de klassiska Mariabönerna (och helgonbönerna ut). De är emellertid inte särskilt vanliga i officiets antifoner och responsorier.

Följande responsorium kombinerar lovprisningen av jungfruns skönhet med himmelsfärdsmotivet:

O quam pulchra et speciosa est Maria virgo Dei,
quae de mundo migravit ad Christum!
Inter choros virginum fulget
sicut sol in virtute caelesti.
V. Gaudent angeli, exsultant archangeli in Maria virgine.[61]

”O hur skön och strålande är inte Maria, Guds jungfru,
som från världen har farit till Kristus!
Bland jungfrurnas skaror glänser hon
såsom solen i himmelska styrka.
V. Änglarna gläder sig, ärkeänglarna jublar i jungfru Maria.”

Assumptio Mariae, Responsorium

Det språkliga mönstret är saligprisningens, här i tredje person. Man kan lägga märke till hur Guds jungfru har flyttat (bokstavligen står det ju ”migrerat”) till Kristus. Uttrycket att hon strålar i jungfrurnas skara är historiskt intressant, eftersom liturgin för de heliga jungfrurna, där man använde Psalm 44 och Höga visan, tycks vara äldre än Marialiturgin[62] . Man kan också se hur det bildspråk som används för Kristus här tillämpas på Maria. Solen är den normala bilden för Kristus, och julen, som kom att firas på den obesegrade solens högtid 25 december, den antika solgudsfesten, är mycket rik på en varierad solsymbolik. Likaså versen om de jublande änglarna och ärkeänglarna har ett språk, som oftast tillkommer Gud.

De kan vara intressant att se på tre antifoner till samma fest:

Hortus conclusus es, sancta Dei genitrix,
hortus conclusus, fons signatus. (Ct 4, 12)[63]

"En stängd örtagård är du, heliga Guds moder,
en stängd örtagård, en förseglad brunn."

Laeva eius sub capite meo
et dextera illius amplexabitur me. (Ct 2,6)[64]

"Hans vänstra arm under mitt huvud
och hans högra arm skall omfamna mig."

Adiuro vos, filiae Ierusalem,
si inveneritis dilectum meum,
ut annuntietis mihi, quia amore langueo. (Ct 5,8)[65]

"Jag besvär eder, Jerusalems döttrar,
om ni finner min älskade,
att ni berättar för mig, ty jag är sjuk av kärlek."

I kyrkofädernas bibelförklaringar är det vanligast att man allegoriskt tolkar bruden i Höga visan som kyrkan och brudgummen som Kristus. Men ändå, så långt man kan komma tillbaka i tidegärdens texter, är det alltså klart att denna ursprungliga bröllopssång direkt har fått tolka vördnaden för Guds moder: bruden är kyrkan, kyrkan är Maria. Daniélou skriver att det kristna medvetandet i Maria gradvis personaliserar moderskapet, som först hade utvecklats att gälla för kyrkan. Det är i detta sammanhang som brudsymboliken kommer in [66] . För de präster, munkar och nunnor, vilka också var bildkonstnärer och poeter, måste denna liturgiska näring ha påverkat dem i deras skapande, inte bara direkt utan också undermedvetet, i synen på Maria: den skönaste, den ljuvaste, den eftertraktansvärda och älskade.

Låt oss något sammanfatta våra iakttagelser:

Den första, den största, ja, den ursprungliga Mariafesten är julen. Psalmschemat i Mariafesterna är direkt beroende av julens psalmer, via juloktaven (*Circumcisio*) och *Purificatio* [67] . Utifrån antifonerna och responsorierna till julen har de egentliga Mariafesterna i hög grad byggts upp. Barré tänker sig att texterna till denna fest, i så hög grad icke-bibliska och dessutom stilmässigt väl sammanhållna, skulle ha skapats samtidigt och även redigerats enhetligt. Han menar att den senare hälften av 500-talet vore den mest sannolika perioden och antyder till och med att Gregorius Magnus själv kunde ha spelat en aktiv roll i detta officiums uppbyggnad. Även advent, som ju hör till julen, har en mariansk prägel, men med nästan uteslutande bibliska texter.

Förutom julen finns före 1000-talet endast fyra Mariafester, de bibliska Purificatio och Annuntiatio och den stora festen, Assumptio, samt Nativitas. Om man emellertid ser till samtliga liturgiska Mariatexter, skall man finna att i de flesta och i de äldsta av dem Maria beskrivs, tilltalas och vördas i sitt förhållande till Sonen, och inte sällan i direkt relation till Treenigheten.

De viktigaste bibelkällorna för Marialiturgin är Lukasevangeliet, Matteusevangeliet, vissa psalmer, framför allt 18 och 44, Höga visan samt Jesu Syraks bok. Som så ofta i liturgin är de bibliska texterna adapterade, arrangerade, försedda med uteslutningar eller tillägg samt ibland förändrade. Eftersom det rör sig om mycket gamla texter, kan översättningar äldre än Vulgata ha använts.

Direkta källor eller inspirerande förebilder för de icke-bibliska texterna tycks först och främst finnas i kyrkofädernas predikningar och bibelkommentarer. Här måste man emellertid göra den reservationen att vi inte alltid kan vara säkra på vilken text som var den ursprungliga. Det kan också vara så att patristiska texter i vissa fall har inspirerats av liturgiska. Det finns vidare översättningar från grekiska liturgiska texter, vilket är logiskt, eftersom Mariafesterna och även julen har ett ursprung i öster. Också här måste en reservation tillfogas: det är i varje enskilt fall inte alltid klart om det finns ett direkt beroende av bestämda grekiska modeller - det kan ju också vara en parallell utveckling från gemensamma förebilder. Slutligen har vi i en del fall funnit hymner och inskrifter som utnyttjats som antifoner och responsorier.

Om man kan konstatera en utveckling, som ger Maria en allt viktigare självständig roll, finner allt fler bilder för hennes utvaldhet, också spinner en legendflora runt henne, skall man dock inte glömma att det samtidigt också finns ett slags motström, en strävan emot en viss återhållsamhet. I alla de Mariatexter, som återfinns i Compiègneantifonariet, är det endast i två antifoner som man kan finna allusioner, och mycket svaga sådana, till ett rent legendmaterial, *Regali progenie* och *Cum parvula essem.* Marias himmelsfärd och upphöjelse i himmelen är naturligtvis besjungna i en del texter, men uttrycken är ganska allmänt hållna, i all sin lovprisning. Ofta är det fråga om samma slags psaltarspråk som används för Gud.

Det gamla talesättet *Lex orandi - lex credendi* är i högsta grad tillämpligt på Mariafesterna. Allra tydligast är det när det gäller Assumptio, Marie himmelsfärd, som vi finner belagd som fest i alla de äldsta liturgiska källorna, men som inte blev en dogm förrän 1950.

Av det äldsta materialet, från Compiègneboken, återfinns det mesta i senare liturgiska böcker. Det är varken möjligt eller ens önskvärt att i denna begränsade genomgång av Marias roll i tidegärden också regionalt och kronologiskt följa de anförda texternas förekomster och varianter i liturgiska böcker. Men det övergripande temat är Maria i Sverige under 1000 år. Därför var det viktigt att jämföra Compiègneboken med en svensk liturgisk bok, från senmedeltiden. Vi valde det äldsta av de fem tryckta svenska medeltidsbreviarierna, vilket dessutom är nästan komplett bevarat, Breviarium Lincopense. Detta tryckes för Linköpings stift i Nürnberg 1493 under Henrik Tidemanns episkopat[68] . Vi har kunnat konstatera att de flesta antifonerna och responsorierna också förekommer i Breviarium Lincopense, ehuru ibland på annan plats och stundom i något förändrad form.

Detta innebär att Maria i Sverige liturgiskt har en solid internationell grund, från kyrkans äldsta tradition, så långt vi kan nå den. Denna tradition har naturligtvis utvecklats: ytterligare fester har kommit till och nya texter, därav en hel rad som skapats i Sverige, har tillfogats.

Summary

About the Blessed Virgin Mary in the Liturgy of the Hours

Before the latest thousand years when Mary figures in Swedish history, there is a Church prehistory of another thousand years.

However, within this history, we do not have any written records of the office chants (mainly antiphons and responsories) prior to 800. The oldest entire book containing these texts is the socalled antiphonary of Charles the Bald (Paris Bibl. Nat. Ms. Latin 17436) from around 870. Interestingly enough, most of the texts of this book will also be found in later office books. We have studied the texts in honour of the Blessed Virgin which occur in the oldest antiphonary and we found that the majority of them figure as well in the Swedish *Breviarium Lincopense*, printed in 1493.

The most important feast of God's Mother is in fact Christmas, with Advent time and the Christmas Octave feasts. Mary figures in many of the Christmas chant texts, and some of them are even exclusively directed towards her. The texts draw on the few gospel passages about Jesus' mother Mary, particularly from Matthew and Luke. However, also free texts, many inspired from the Church Fathers, while others of Byzantine origin, and some versified texts, from poets like Ambrose and Sedulius, have also been used. A current theme is the contrast between the almighty creator, who holds the whole world, and the infant in a woman's womb. Many texts are filled with expressions of royal splendour. The virginity of God's mother is emphasized in poetical metaphors. The texts are both exclamations to the virgin, words put in Mary's mouth, and accounts in the third person.

However, Candlemass (Purification), Assumption, and Nativity are also represented in the oldest antiphonary. We find there highly poetical texts built on Psalm 43 (44), on Ecclesiasticus and particularly on the Song of Songs.

An important feature is that Mary is the symbol of the Church. This is visible in the many texts which originate from the Song of Songs, whose bride traditionally was understood as the Church. The Marian chant texts praise the beautiful young woman in colourful words.

Although the important role of the Virgin Mary, described with metaphorical elements, can be observed already in the oldest chant texts, there is at the same time a certain moderation. The office texts do hardly offer legendary material, and Mary is mostly seen in relation to her son Jesus. It is clear, though, that much of what later was to be developed in poetry and in art, is found in the poetical language of those older chant texts in honour of the Blessed Virgin Mary.

Noter

[1] *Regula sancti Benedicti* finns översatt till svenska.

[2] Amalarius, *De ordine antiphonarii*. Citaten föreligger i incipitform.

[3] CAO 1—2.

[4] En viktig skillnad är naturligtvis att den senare boken innehåller också andra texter än responsorier och antifoner, nämligen hymner och läsningar. - Endast när Brev. Linc. har andra varianter och placeringar eller helt saknar Compiègnetexter, redovisar vi detta explicit.

[5] Se Jacobsson, "The Office in Honour of the Apostle Andrew", som utgår från Compiègneboken (under utgivning). Se också Jonsson 1968.

[6] Huglo, 1993.

[7] Barré 1967. I denna stora artikel, försedd med flera register, finns en mycket omfattande dokumentation av tänkbara källor och modeller, särskilt ur patristisk litteratur, samt en mängd anförd sekundärlitteratur. I fortsättningen kommer vi varken att hänvisa till Barré på varje ställe eller att anföra all den litteratur han dragit fram; bara det viktigaste redovisas.

[8] Den redan i handskriften ofta fördärvade texten finns utgiven under Gregorius Magnus skrifter i PL 78, col. 725—850, på ett otillfredsställande vis. Vi citerar direkt efter handskriften men normaliserar ortografin. Ibland har vi gjort små rättelser av texten.

[9] Brev. Linc. s. 187. - Vulgatatexter citeras efter Weber (se i bibliografin under Vulgata); bibelböckers förkortningar (vid latinska texter) är Webers, och psaltarnumreringen följer Vulgata. Vid svenska översättningar använder vi inte 1981 års översättning utan försöker att följa en mera ordagrann version, ofta 1917 års översättning.

[10] Denna antifon kan förmodligen också användas till vesper. I Brev. Linc. finns rubriken "Ad Vesperas" (alltså Magnificat), s. 192.

[11] I Brev. Linc. till Magnificat, s. 198.

[12] Brev. Linc. s. 208.

[13] I Brev. Linc. till Purificatio, II vesper, med rubriken "De beata virgine", s. 592.

[14] Det finns en stor litteratur kring uttrycket *per aurem*. Vi hänvisar närmast till Barré, s. 168f. och till den litteratur han anför, både medeltida författare och modern forskning. I många fall ersattes *per aurem* av *in uterum*. - I Brev. Linc. s. 195 finns "normalvarianten" *concipies per aurem, deum paries et hominem*, "du skall genom örat bli havande, och du skall föda Gud och människa".

[15] Variant i Brev. Linc. s. 207 : *Anunciatum est per Gabrielem archangelum Marie virgini... Et ingressus* (sic!) *est per auream portam virginis.* (Fjärde adventssöndagen.)

[16] Se Catta 1959, s. 78f.

[17] Martimort 1983, IV, s. 110; CAO 1 och 2, nr 16.

[18] Brev. Linc. har varianten *visa es* samt rubriken "*Sequitur de domina ant*", s. 209.

[19] "Var hälsad, heliga moder; såsom barnsängskvinna födde du en konung, vilken genom tiderna upprätthåller himmel och jord, vilkens namn i den eviga sfären omfattar allt och vilkens herravälde förblir utan ände; genom sitt saliga sköte har hon en moders glädje samtidigt med jungfrulighetens ära; du synes varken ha en tidigare

eller senare like. Ensam utan motstycke har du som kvinna behagat Kristus." (II, 63—69. CSEL 10, s. 48—49). Se Barré 1967, s. 171f. Seduliustexten är i liturgiskt sammanhang också känd som ett introitus till Mariafester. Detta finns ej i AMS men till exempel i gradualet från Benevento (Benevento Bibl. cap. VI 34, fol. 220, Pal. Mus. 15). Vidare förekommer en adaptering av texten som prosula (CT II, nr 56, 5).

[20] Texten i CAO 3, nr 4091, s.378.

[21] Jonsson 1968, särskilt ss. 33—46.

[22] Brev. Linc. s. 213.

[23] För responsoriernas texter och deras förebilder, se Jonsson, 1968 s. 202—204 med källor. Se också Baumstark 1936, s.167f.

[24] Brev. Linc. s. 214: *indutus stola purpurea.*

[25] *De correctione antiphonarii,* 19 (PL 104, col. 329—350, särskilt col. 332).

[26] Baumstark 1936, Catta 1959; Catta och Barré (s. 168, not 70) anför ett stort antal parallellställen ur framför allt patristisk litteratur samt diskuterar utförligt på de följande sidorna hela problematiken kring texten.

[27] Walpole 1922, nr 33, vers 11. Se Barré 1967, s. 186.

[28] Pascher 1963, s. 371, 376 och passim.

[29] Om Fabrice mundi-prosulor: Weakland 1958, s. 483f. ; Hiley 1993, s. 200.

[30] Brev. Linc. s. 214: *Dominum Christum.*

[31] Brev. Linc. s. 215 ger en annan vers, *Beata et venerabilis.*

[32] Blaise Voc. s. 346; Pascher 1963, s. 383f.

[33] Barré 1967 påpekar (s. 189) att först genom Ambrosius och Augustinus denna lära klart hade formulerats. - Tack vare bilden av ljusstrålen, som tränger genom glaset utan att skada detta, kunde man uttrycka att Jesus föddes utan att jungfruns moderliv skadades. Se Hirn 1909, kap. "Den jungfruliga börden, ss. 318—335. Se också Capelle 1949.

[34] PL 38, col. 997.

[35] Brev. Linc. s. 215: *tuo gremio.*

[36] Se Blaise Voc. s. 349 ("*Virginitas* désigne la Virginité personnifiée"). Barré 1967 har funnit två paralleller, i "Rotulus från Ravenna" och hos Maximus av Turin (s. 191).

[37] Curtius 1963, s. 166f. ("Unsagbarkeitstopoi").

[38] Jämför t.ex hymnen *Quem terra pontus aethera,* Walpole 1922, nr 39.

[39] Brev. Linc. s. 216, med versen *Dies sanctificatus.*

[40] Barré 1967, s. 174f. Förf. menar att också en predikan av Augustinus kan finnas som en vidare influens: *Lacta, mater, cibum nostrum...* Se också Capelle 1949.

[41] Brev. Linc. s. 240 har denna text i juloktaven, "*In die que sequitur festum S. Thomae*" (alltså Thomas av Canterbury). Endast versen *Casta parentis* förekommer.

[42] Pseudo-Augustinus, App. 195, 2: PL 39, 2108: *Eram, inquit Maria, in domo mea puella Iudaea....desponsata sum coniugi, et placui alteri...*

[43] Walpole 1922, nr 31.

[44] Se Jonsson 1968, s. 43f; s. 68f.

[45] Brev. Linc. s. 240.

[46] Barré 1967, s. 193.

[47] Jonsson 1968, s. 44f.; 203.

[48] Brev. Linc. s. 240 (juloktaven): läsarterna *gremio, heriles, pollet*. Som vers står D*omus pudici* (se ovan).

[49] AH 11, s. 54; Jonsson 1968, s. 246, not 18.

[50] Brev. Linc. s. 222: detta tillägg saknas.

[51] Textvarianterna har utförligt diskuterats av Frénaud 1952.

[52] Brev. Linc. s. 241 (juloktaven): *ubere de celo pleno*. Endast versen *Beata viscera* förekommer. - Barré 1967, s. 180.

[53] Hirn 1909, s. 344—52.

[54] Jonsson 1968, s. 203f.

[55] Se Pascher 1963, s. 612f.

[56] Brev. Linc. s. 588.

[57] Brev. Linc. s. 588, med varianterna *adoravit* och i versen: *Accipiens Simeon puerum in manibus, gratias agens, benedixit dominum.*

[58] Rose 1981, s. 161; Barré 1967, s. 209.

[59] Brev. Linc. s. 760, med varianten *descendentem.*

[60] Brev. Linc. s. 761: *credidisti domino. - Intercede pro nobis ad dominum Iesum Christum.*

[61] Denna text återfinns inte i Brev. Linc.

[62] Om Psalm 44, se Pascher 1963, s. 586ff. samt Rose 1981, s.162ff.

[63] Brev. Linc. s. 759: *Ortus conclusus es, Dei genitrix, ortus conclusus, fons signatus. Surge propera amica mea.*

[64] I Brev. Linc. för "*Commune unius virginis*", s. 895.

[65] Antifonen saknas i Brev. Linc.

[66] Daniélou 1949, s. 178.

[67] Barré 1967, s. 155.

[68] Se Brev. Linc.: företalet av utgivaren Knut Peters s. VII—IX och efterskriften av Karl-Erik Wallin, fascikel 4, s. 169—185.

Litteratur:

AH =
Analecta Hymnica Medii Aevi, ed. G. M. Dreves, C. Blume & H.M. Bannister, 55 vol., Leipzig 1886—1922.

Amalarius =
Amalarii Episcopi opera liturgica omnia, ed. J. M. Hanssens (Studi e testi 138—140) Città del Vaticano 1948—50.

AMS =
Antiphonale Missarum Sextuplex, ed. R.-J. Hesbert, Bruxelles 1935.

Apocryphal NT =

The Apocryphal New Testament...transl by M. R. James, Oxford 1924.

Barré 1967=
H. Barré, Antiennes et répons de la Vierge: Marianum 39 (1967), s. 153—254.

Baumstark 1936 =
A. Baumstark, Byzantinisches in den Weihnachtstexten: Oriens Christianus 11 (1936), s. 163—187.

Den helige Benedictus regel, utg. av B. Högberg och A. Härdelin, Uppsala 1991 (Kristna klassiker).

Blaise Voc. =
A. Blaise - A. Dumas, Le vocabulaire latin des principaux thèmes liturgiques, Turnhout 1966.

Brev. Linc. =
Breviarium Lincopense utg. av K. Peters (Laurentius Petri Sällskapets Urkundsserie V), Lund 1950—57.

CAO =
Corpus Antiphonalium Officii 1—4, ed. R.-J. Hesbert, Rom 1963—70.

Capelle 1949 =
B. Capelle, La liturgie mariale en occident: Maria. Etudes sur la sainte vierge, éd. H. du Manoir, I, Paris 1949, s. 217—275.

Catta 1959 =
D. Catta, Le texte du répons ”Descendit” dans les manuscrits: Etudes Grégoriennes III (1959), s. 75—82.

CSEL =
Corpus Scriptorum Ecclesiasticorum Latinorum, Wien 1866-

CT II =
Corpus Troporum II, Prosules de la messe 1. Tropes de l'alleluia, éd. O. Marcusson, Stockholm 1976 (Studia Latina Stockholmiensia 22).

Curtius 1963=
E. R. Curtius, Europäische Literatur und lateinisches Mittelalter, Bern 1963.

Daniélou 1949 =
J. Daniélou, Le culte marial et le paganisme: Maria. Etudes sur la sainte vierge, éd. H. du Manoir, I, Paris 1949, s. 161—181.

Fontaine 1992 =
Ambroise de Milan, Hymnes. Texte établi, traduit et annoté, sous la direction de J. Fontaine, Paris 1992.

Frénaud 1952 =
G. Frénaud, L'antienne Mariale ”Virgo Dei...” pour le temps de Noël: Revue Grégorienne 31 (1952), s. 201—209.

Hiley 1993 =
D. Hiley, Western Plainchant, A Handbook, Oxford 1993.

Hirn 1909 =
Y. Hirn, Det heliga skrinet, Stockholm 1909. Den engelska översättningen, The Holy Shrine, *a Study of the Poetry and Art of the Catholic Church*, London 1958, är försedd med hänvisningar till senare litteratur.

Huglo 1993 =

M. Huglo, Observations codicologiques sur l'antiphonaire de Compiègne: De musica et cantu. Studien zur Geschichte der Kirchenmusik und der Oper. Helmut Hucke zum 60. Gebturtstag, hrsg P. Cahn & A.-K. Heimer, Hildesheim 1993, s. 117—129.

R. Jacobsson, The Office in Honour of the Apostle Andrew: Opus Dei. The Divine Office in the Latin Middle Ages. A Monograph in honor of Professor Ruth Steiner, ed. R. Baltzer & M. Fassler, Yale, under förberedelse.

Jonsson 1968 =
R. Jonsson, Historia. Etudes sur la genèse des offices versifiés (Studia Latina Stockholmiensia 15), Stockholm 1968.

Marienlexikon, hrsg. R. Bäumer & L. Scheffczyk, Sankt Ottilien 1991.

Martimort =
A. G. Martimort 1983, L'église en prière I—IV, Paris 1983.

PL =
Patrologiae cursus completus, Series latina, éd. J. P. Migne, Paris 1879-

Pal. Mus. =
Paléographie Musicale, Les principaux manuscrits de chant...Solesmes 1889— (XV Tournay 1935).

Pascher 1963=
J. Pascher 1963, Das liturgische Jahr, München 1963.

Rose 1981 =
A. Rose, Les psaumes. Voix du Christ et de l'Eglise, Paris 1981.

Vulgata =
Biblia sacra iuxta vulgatam versionem, ed. R. Weber, Württembergische Bibelanstalt, Stuttgart 1969.

Walpole 1922 =
A. S. Walpole, Early Latin Hymns, Cambridge 1922.

Weakland 1958 =
R. Weakland, The Beginnings of Troping: The Musical Quarterly 44 (1958), s. 477—488.

Gunilla Björkvall

Maria i troper och sekvenser under svensk medeltid

Förknippade med etableringen av den romersk-frankiska liturgin under karolingisk tid framstår troper som så centrala och integrerade i liturgin att man har anledning fråga sig om man alltid upplevde någon strikt skillnad mellan de "nya" tilldiktningarna, dvs troperna, och den ursprungliga liturgiska värdsången. Till en kyrkas uppsättning av liturgiska böcker hörde inte bara ett graduale utan ofta också ett kompletterande troparium-prosarium[1], en samling av troper och sekvenser. Åtminstone kan det anses gälla för någorlunda resursrika kyrkliga institutioner med kompetenta sångare, som kunde framföra de mer musikaliskt krävande troperna. En av tropernas och sekvensernas viktigaste funktioner är att förhöja det liturgiska firandet, och därför förekommer de i princip på större helgdagar[2].

Man kan naturligtvis inte utesluta att den stora europeiska troptraditionen var känd även här i Norden redan under missionstiden, 800–900-talet, som sammanfaller med tropernas första stora blomstringstid, men dessvärre finns det inte några spår av det[3]. Några få troper från ett senare skikt påträffas däremot i böcker, och i fragment av böcker, från svensk medeltid. Det är mest fråga om troper till mässans ordinarium: *Kyrie*, *Gloria*, *Sanctus* och *Agnus dei*. Vidare finns någon enstaka offertorietrop och slutligen en grupp troper till *Benedicamus domino* som hör till birgittinernas veckoritual, *Cantus sororum*. Orsaken till att inga större nedslag av troper finns i det medeltida svenska materialet kan givetvis vara att det är bevarat i ett så fragmentariskt skick: förutom

Vadstena klosterbibliotek, har vi i stort sett bara de handskriftsfragment som tjänar som omslag till vasafogdarnas räkenskaper.

Sekvenserna däremot är betydligt starkare representerade i det svenska materialet, vilket visats av Carl-Allan Moberg, trots att hans studie begränsades till att omfatta handskrifter och tryckta böcker och lämnade åsido de liturgiska fragmenten[4].

Faktum är att nästan alla de bevarade troperna i det svenska materialet är förknippade med Maria. Det är säkerligen inte någon slump. Sekvenserna har mycket mer varierande temata, men en stor del av dem har ändå Maria som firningsämne. I det följande kommer huvudsakligen texterna till dessa marianska troper att behandlas och placeras in i traditionen, men jag komer också att i någon mån ta upp de marianska sekvenser som kan ha svenskt ursprung.

Troperna till mässans ordinarium omfattar följande marianska texter:

Kyrie:	*Kyrie virginis amator*
	Rex, virginum amator
Gloria:	*Spiritus et alme*
	Per precem piissimam
Sanctus:	*Sancte ingenite pater*
Agnus:	*Gloriosa spes reorum*

Sigurd Kroon har inventerat dessa troper i samband med studiet av ordinariumsångernas melodier i Sverige[5]. Den viktigaste källan är en handskrift, ett Kyriale, skriven i Linköping mellan 1419-1446 (Stockholm Kungl. Bibl. A 54, fol.103-114), samt ett par fragment med osäker proveniens och datering (Kroons numrering: XLI, XLVI). Av materialet framgår att de två gloriatroperna *Spiritus et alme* och *Per precem piissimam* ofta förekommer tillsammans, och när festrubrik förekommer är den "De domina", dvs till Vår Frus ära. Troperna är alltså avsedda att sjungas under Mariafester[6]. Till Kyrietroperna, som ibland uppträder tillsammans, eller en av dem tillsammans med någon eller några av de andra ordinariumtroperna, förekommer rubriken "in summis", dvs till de högsta festerna, och Sanctustropen kan ha rubriken "De corpore Christi", dvs till Helga Lekamen.

Eftersom materialet är så fragmentariskt, vågar man knappast ha någon mening om hur de fullständiga kyrialena kan ha sett ut, om det t.ex. kan ha innehållit fler troper. Av de varierande festrubrikerna att döma, kan man inte heller föra samman troptexterna till en cykel, utan varje text bör ses som fristående.

Kyrietroperna *Kyrie, virginitatis amator*[7] och *Rex virginum amator*[8] är två texter som har en helt genomförd mariansk tematik[9]:

1. *Kyrie*, virginitatis amator inclite,
pater et creator Mariae, *eleison.*

2. *Kyrie*, qui nasci natum volens de virgine
corpus elegisti Mariae, *eleison.*

3. *Kyrie*, qui septiformi repletum pneumate
pectus consecrasti, Mariae, *eleison.*

4. *Christe*, unice de Maria genite,
quem de virgine nasciturum stirpis Davidicae
desideraverunt prophetae, *eleison.*

5. *Christe*, usiae gigas fortis geminae,
qui pro homine homo sine virili semine
prodisti de ventre Mariae, *eleison.*

6. *Christe*, caelitus nostris assis laudibus,
quas pro viribus corde, voce actuque psallimus,
proles pie, Iesu, Mariae, *eleison.*

7. *Kyrie*, spiritus alme, amborum nexus amorque,
caelestis gratiae rorem infudisti Mariae, *eleison.*

8. *Kyrie*, qui incarnato de Mariae carne Christo
sub nostra specie super florem requievisti, *eleison.*

9. *Kyrie*, simplex et trine, chrismate sacro nos reple,
ut digno carmine decantemus laudes Mariae, *eleison.*

1. *Herre*, du som prisas för att omhulda jungfrudomen,
Marias fader och skapare, *förbarma dig över oss.*

2. *Herre*, du som ville att en son skulle födas av en jungfru
utvalde Marias kropp, *förbarma dig över oss.*

3. *Herre*, du som helgade Marias hjärta, uppfyllt
av den sjufaldige anden, *förbarma dig över oss.*

4. *Kristus*, Marias enfödde son,
vilken profeterna önskade skulle födas
av en jungfru av Davids ätt, *förbarma dig över oss.*

5. *Kristus*, starke kämpe av tvåfaldig essens,
du som för människans skull såsom människa
utan en mans säd kom fram ur Marias sköte,
förbarma dig över oss.

6. *Kristus*, hör våra lovsånger i himlen,
vilka vi låter ljuda så mycket vi förmår
med vårt hjärta, vår röst och vårt framförande,
Jesus, Marias kärleksfulle son, *förbarma dig över oss.*

7. *Herre*, helige Ande, bådas band och kärlek,
du ingjöt den himmelska nådens dagg i Maria,
förbarma dig över oss.

8. *Herre*, du som vilade på blomster, efter det att Kristus
fått vår mänskliga gestalt av Marias kropp,
förbarma dig över oss.

9. *Herre*, ende och treenige, uppfyll oss
med helig smörjelse, så att vi kan lovprisa Maria
med värdig sång, *förbarma dig över oss.*

1. Rex, virginum amator, Deus, Mariae decus.
eleison; *Kyrie eleison.*

2. Qui de stirpe regia claram producis Mariam,
eleison; *Kyrie eleison.*

3. Preces eius suscipe dignas pro mundo fusas,
eleison; *Kyrie eleison.*

4. Christe, Deus de patre, homo natus Maria de matre,
eleison; *Christe eleison.*

5. Quem ventre beato Maria edidit mundo,
eleison; *Christe eleison.*

6. Sume laudes nostras Mariae almae dicatas,
eleison; *Christe eleison.*

7. O paraclite, obumbrans corpus Mariae,
eleison; *Kyrie eleison.*

8. Qui dignum facis thalamum pectus Mariae,

eleison; *Kyrie eleison.*

9. Qui super caelos spiritum levas Mariae,
fac nos post ipsam scandere tua virtute,
spiritus alme; eleison, *Kyrie eleison.*

1. Konung, du som omhuldar jungfrur, Gud,
Marias stolthet, förbarma dig över oss;
Herre, förbarma dig över oss.

2. Du som för fram Maria strålande
av konungslig ätt, förbarma dig över oss;
Herre, förbarma dig över oss.

3. Mottag hennes värdiga böner
som hon bett för världen, förbarma dig över oss;
Herre, förbarma dig över oss.

4. Kristus, Gud av Fadern, född människa
av hans moder Maria, förbarma dig över oss;
Kristus, förbarma dig över oss.

5. Dig som Maria utgav för världen
ur sitt heliga sköte, förbarma dig över oss;
Kristus, förbarma dig över oss.

6. Tag emot våra lovprisningar
som vi tillägnat den nåderika Maria,
förbarma dig över oss;
Kristus, förbarma dig över oss.

7. O hugsvalare, du som breder ut din skugga
över Marias kropp, förbarma dig över oss.
Herre, förbarma dig över oss.

8. Du som gör Marias hjärta till ett värdigt gemak,
förbarma dig över oss.
Herre, förbarma dig över oss.

9. Du som lyfter upp Marias själ till himlen,
gör så att vi med din krafts hjälp får uppstiga dit
i hennes efterföljd, helige Ande, förbarma dig över oss.
Herre, förbarma dig över oss.

Dessa texter, är av en typ som inte förekommer i den tidigaste tropproduktionen. Enstaka referenser till Maria dyker visserligen upp också i tidiga kyrietroper från 900- och 1000-talet, men referenserna inskränker sig då i regel till endast en rad. I synnerhet rör det sig om anspelningar på inkarnationen av typen "född av den rena jungfrun" (*casta de virgine natus*), "son till den orörda modern" (*intactae fili matris*) och liknande.

Det är däremot mycket vanligt – alltifrån de allra äldsta till de sena kyrietroperna – att de följer ett trinitariskt schema: de tre första anropen vänder sig till Fadern, de tre följande till Sonen och de tre sista till den helige Ande. *Kyrie virginitatis* och *Rex virginum amator* har också den övergripande trinitariska strukturen med stroferna uppdelade på de tre personerna. Ändå framstår Maria som den gemensamma nämnaren, genom att hennes namn förekommer i nästan varje strof. Men hon ställs på ett andra plan genom att hon är objekt för de i treenigheten gudomliga personernas verkan. Först i det avslutande böneropet, som riktas till henne, övergår hon till att bli huvudföremålet för uppmärksamheten .

I *Kyrie virginitatis* rekapituleras stationerna i Marias förutbestämda roll i frälsningsverket på följande sätt: 1) Herren utvalde Maria till helig boning för inkarnationen (strof 1a-c). 2) Kristus föddes av Maria som enligt profetian (Jesaja 7, 4) skulle vara en jungfru av Davids konungsliga ätt (2a-c) och som skulle föda utan mänsklig beröring (3a). 3) Den helige Andes närvaro under konceptionen i form av den himmelska nådens dagg (3a); 4) återkoppling till Marias roll som jordisk moder till Kristus vilande i krubban i människogestalt (3b). 5) Bön till treenigheten om nåden att få lovsjunga Maria (3c). Troptexten behandlar alltså ett utsnitt ur Marias livscykel: den allra första tiden från hennes utvaldhet fram till och med tiden för Jesu födelse.

Rex virginum amator börjar också med att 1) Gud utvalt Maria för hennes jungfrulighet och hennes konungsliga härkomst (1a-b). 2) Parallellen mellan Kristi födsel i gudomlig gestalt av Fadern och i mänsklig gestalt av modern i hennes heliga sköte (2a-b); 3) den helige Andes närvaro vid bebådelsen och den heliga konceptionen; den helige Ande gjorde Marias kropp till ett värdigt gemak; han förde hennes själ till himlen (3a-c). Varje avdelning avslutas med en strof som är en bön till treenighetens olika personer, att de skall lyssna till Marias förböner för världen, till folkets lovsånger till Maria själv, och att människorna skall upptas i himlen i Marias efterföljd. I den här tropen är alltså perspektivet vidgat och inbegriper den eskatologiska dimensionen med Marias roll som förbedjerska för mänskligheten.

Stilistiskt liknar de båda Kyrietroperna varandra: den strukturerade prosan, det trinitariska grundschemat och tendenser till rim. Ofta uppträder assonanser på *-e*, som rimmar på slutvokalen i *Kyrie*. Enhetligheten i formen skapas inte minst genom att stroferna inom varje sektion har samma antal stavelser och samma rytmiska accentmönster i slutet av varje kortvers.

Kyrie virginitatis har exakt samma form, stavelseantal och melodi, som den sedan 1000-talet vitt spridda *Kyrie fons bonitatis.* Melodin var oerhört populär under 1300- och 1400-talet, då olika nya troptexter sattes till den för nya fester och nya helgon. I själva verket följer *Kyrie virginitatis amator* mycket nära *Kyrie fons bonitatis* på ett subtilt sätt: ordalydelserna är flerstädes nästan desamma, i synnerhet i anspelningen på Kristi inkarnation förutsagd genom profetian om jungfruns födsel, den födsel som tillbes av himmel och jord. Man kan lätt se hur samma huvudstruktur behålls i *Kyrie virginitatis* och samma uppläggning av de enskilda stroferna, men perspektivet är så att säga utdraget längre för att ge Maria en plats i varje skede[10]. Båda kyrietroperna tillhör den internationella repertoaren men är inte belagda före 1200-talet[11]. Marianska kyrietroper av den här typen börjar dyka upp i källorna först under 1100-talet, men även då är de sällsynta. Fler kommer först under 1200-talet och senare[12].

Gloriatroperna *Spiritus et alme* [13] och *Per precem piissimam* [14] har flera gemensamma drag, inte minst att tropinskotten infaller först ungefär i mitten av gloriasången. Gloriasången kan indelas i tre huvuddelar: 1) änglarnas sång 2) lovprisningen till Gud 3) åkallan av Kristus. Den helige Ande åkallas först alldeles mot slutet. Bägge troperna kommer alltså först i den tredje avdelningen, den kristocentriska delen, och bägge består av sex inskott vardera:

> *Gloria in excelsis Deo et in terra pax hominibus bonae voluntatis.*
> *Laudamus te. Benedicimus te. Adoramus te. Glorificamus te.*
> *Gratias agimus tibi propter magnam gloriam tuam.*
> *Domine Deus, rex caelestis, Deus pater omnipotens.*
> *Domine fili unigenite, Iesu Christe.*
> Spiritus et alme orphanorum paraclite.
> *Domine Deus, agnus Dei, filius patris.*
> Primogenitus Mariae virginis matris,
> *Qui tollis peccata mundi, miserere nobis.*
> *Qui tollis peccata mundi, suscipe deprecationem nostram.*
> Ad Mariae gloriam
> *Qui sedes ad dexteram patris, miserere nobis.*
> *Quoniam tu solus sanctus*
> Mariam sanctificans.
> *Tu solus dominus*
> Mariam gubernans.
> *Tu solus altissimus*
> Mariam coronans.

Iesu Christe. Cum sancto spiritu in gloria Dei patris. Amen.

Ära vare Gud i höjden och frid på jorden
åt människor som har hans välbehag.
Vi lovar dig. Vi tillber dig. Vi prisar och ärar dig.
Vi tackar dig för din stora härlighet.
Herre, himmelske konung, Gud Fader allsmäktig.
Herre, Guds enfödde son, Jesus Kristus.
Helige Ande och de faderlösas hugsvalare.
Herre Gud, Guds lamm, Faderns son.
Jungfrumoderns, Marias förstfödde,
du som borttager världens synder, förbarma dig över oss.
Du som borttager världens synder, tag emot vår bön.
Du som sitter på faderns högra sida till Marias ära,
förbarma dig över oss.
Ty du allena är helig,
du som helgar Maria.
Du allena är herre,
du som härskar över Maria.
Du allena är den högste,
du som kröner Maria.
Jesus Kristus, med den helige Ande, i Guds Faderns härlighet.
Amen.

Gloria in excelsis Deo et in terra pax
hominibus bonae voluntatis.
Laudamus te. Benedicimus te. Adoramus te. Glorificamus te.
Gratias agimus tibi propter magnam gloriam tuam.
Domine Deus, rex caelestis, Deus pater omnipotens.
Domine, fili Mariae *unigenite, Iesu Christe.*
Domine Deus, agnus Dei, filius patris.
Qui tollis peccata mundi, miserere nobis,
Per precem piissimam tuae matris Mariae virginis.
Qui tollis peccata mundi, suscipe deprecationem nostram,
Ut nos tibi placeamus iugiter et sacrosanctae tuae
matri Mariae virgini.
Qui sedes ad dexteram patris, miserere nobis,
Per Mariae suffragia, quae est mater suae prolis et filia.
Quoniam tu solus sanctus.
Maria sola mater innupta.
Tu solus dominus.
Maria sola domina.
Tu solus altissimus.
Pater Mariae et filius,
Iesu Christe. Cum sancto spiritu in gloria Dei patris. Amen.

Ära vare Gud i höjden och frid på jorden
åt människor som har hans välbehag.
Vi lovar dig. Vi tillber dig. Vi prisar och ärar dig.
Vi tackar dig för din stora härlighet.
Herre, himmelske konung, Gud Fader allsmäktig.
Herre, Marias enfödde son, Jesus Kristus.
Herre Gud, Guds lamm, Faderns son.
Du som borttager världens synder, förbarma dig över oss
genom din moders, jungfru Marias allra kärleksfullaste bön.
Du som borttager världens synder, tag emot vår bön,
så att vi städse kan behaga dig och din heliga moder,
jungfru Maria.
Du som sitter på Faderns högra sida, förbarma dig över oss,
med Marias stöd, hon som är både moder och dotter till sin
son.
Ty du allena är helig.
Maria allena är jungfrulig moder.
Du allena är herre.
Maria allena är härskarinna.
Du allena är den högste.
Marias fader och son,
Jesus Kristus, med den helige Ande, i Guds Faderns härlighet.
Amen.

Spiritus et alme är en mariansk trop men inleds med en åkallan av den helige Ande, som därmed förs in i treenigheten på samma plan som Fadern och Sonen[15]. Men redan här görs ett tillägg, där Maria benämns som den "vars förstfödde Kristus är". Genom inkarnationen förs också hon in i treenighetens konstellation. Fyra ytterligare korta tropverser, alla med likartad grammatisk konstruktion: ett presens particip följt av personobjektet "Mariam", följer efter utsagorna om Kristi heliga och konungsliga natur, där Maria framhålls som helgad i härlighet och krönt till drottning av den högste härskaren.

Den andra gloriatropen *Per precem piissimam* har en mer utvecklad form och ett mer utvecklat innehåll: de tre första tropverserna är längre och inbegriper även de troende, men saknar referens till den helige Ande. I inledningen till den avdelning av gloriasången som åkallar Kristus (där *Spiritus et alme* har sina två första tropverser) tilläggs blott namnet "Mariae". Istället är det Marias speciella roll som kärleksfull förbedjerska för mänskligheten som står i förgrunden i de tre första längre tropverserna: uttrycken "per precem piissimam", "per Mariae suffragia" och formeln "ut nos tibi placeamus ... et ... Mariae virgini" är en vanlig typ av uttryck i böner, men som inte förekommer i gloriasången. Maria benämns genomgående "mater" med varierande bestämningar ("tuae matris Mariae virgini", "sacrosanctae tuae matri Mariae virgini", "mater suae prolis et filia", "Maria sola mater innupta", och indirekt även i den sista genom att Kristus kallas Marias son "pater Mariae et filius"), utom i den näst sista tropversen: där hon bara benämns "domina", närmast en parallell till "Mariam coronans" i *Spiritus et alme.* I samtliga tropinskott finns hennes namn med och i de tre sista tilltalas hon i direkt form och inte i indirekt som i *Spiritus et alme*, vilket för upp henne till ett plan jämsides med Kristus: "Maria sola innupta" korresponderar med "Quoniam tu solus sanctus", "Maria sola domina" med "Tu solus Dominus". Uttrycket "Tu solus altissimus" blir definierat genom troptillägget "pater Mariae et filius" ("Marias fader och son").

Att troperingen begränsas till den senare delen av bassången har dessa två gloriatroper gemensamt; vilket skiljer dem från de flesta andra gloriatroper som oftast är tillägg till de fyra lovprisningsfraserna i gloriasångens början. Stilistiskt närmar sig båda troperna bassångens enkla strukturerade prosa.

Bernhold Schmid har framhållit att *Spiritus et alme* har en fastare karaktär än vanliga troper, eftersom t.o.m. troperna troperas ibland och den tycks ha betraktats snarare som en mariansk gloriasång än en vanlig troperad Gloria[16] .

Kan man säga något om de båda gloriatropernas ursprungsmiljö? Den äldsta källan till *Spiritus et alme* är en handskrift från Jumièges i Nordfrankrike (Rouen Bibl. Mun. U. 158) daterad till 1000- (Hesbert) eller 1100-talet (Omont)[17]. I Akvitanien finns den bara från och med slutet av 1100-talet. Den spreds snabbt över hela Europa. I Skandinavien kan den ha dykt upp så pass tidigt som under 1200-talet[18]. Tropen var särskild omhuldad i franciskan- och cisterciensmiljöer. Som tidigare nämndes, förekommer ofta *Spiritus et alme* och *Per precem piissimam* tillsammans i de skandinaviska källorna, vilket är både anmärkningsvärt och svårt att förklara. Överhuvudtaget är det svårt att spåra varifrån *Per precem piissimam* har sitt ursprung. Max Lütolf, som studerat de flerstämmiga versionerna av tropen, uppger inga tidigare kända källor till tropen än wolfenbüttelhandskriften Herzog Aug. Bibl. 677 (W1 hos Lütolf) från 1200-talet innehållande Perotinus *Liber Magnus* med flerstämmig musik. Där har tropen en tvåstämmig melodi utan känd förebild[19]. Sedan dyker den alltså märkligt nog upp i skandinaviska källor med några textvarianter och med samma enstämmiga melodi som *Spiritus et alme*[20] och dröjer sig kvar i de tryckta missalena *Upsalense vetus* från 1484 och *novum* från 1513, *Strengnense* från 1487 och *Lundense* från 1514[21].

Sanctustropen *Sancte ingenite pater* har sex tropinskott som infogas jämt över sången [22]:

Sanctus, Sancte ingenite genitor	*Helig, helige ofödde Fader*
sine genitrice geniti Mariae.	utan sonens moder, Maria.
Sanctus, Sancte fili in gloria	*Helig, helige Son*
equalis patri.	*jämbördig med Fadern i ära.*
O qualis dignitas	O vilken värdighet som tillkommer
sine patre Mariae matri!	hans moder Maria utan fader!
Sanctus, Sancte spiritus,	*Helig, helige Ande,*
amborum amor suavissimus,	*bådas ljuvaste kärlek,*
sub cuius umbra	under vars skugga
exultat virgo mater Maria.	jungfrumodern Maria gläder sig,
Dominus Deus Sabaoth,	*är herren Gud Sebaoth.*
Pleni sunt caeli et terra gloria tua.	*Himlarna och jorden är fulla av din ära.*
Osanna,	*Hosianna,*
Cuius gloria prae cunctis	vars härlighet förhärligade Maria
Mariam glorificavit,	mer än alla andra,
In excelsis.	*i höjden.*
Benedictus	*Välsignad vare han,*
Mariae filius,	Marias son
Qui venit in nomine domini,	*som kommer, i herrens namn*
A celsa gloria patris	från Faderns höga härlighet
ad humilitatem ancillae,	till den ödmjuka tjänarinnan,
sed reginae matris,	men samtidigt konungamodern,
osanna in excelsis.	*hosianna i höjden.*

De första tre sanctusropen är troperade, det första ”Osanna”, ”Benedictus” och det sista ”osanna”. Här, som så ofta, tolkas tre första sanctusanropen trinitariskt, men varje tropvers har också en referens till Maria. Precis som i de tidigare diskuterade kyrietroperna utvidgas och balanseras anropen till de tre personerna i gudomen med en utsaga om Maria. Detta görs på ett tämligen intrikat sätt: om Fadern sägs att ”han är ofödd utan Sonens moder Maria”, Sonen är ”jämbördig med Fadern, vilket är en ära för hans moder Maria, han som är född utan jordisk fader”, den helige Ande ”är bägge personernas ljuvaste kärlek under vars skugga jungfrumodern Maria gläder sig”. Efter det första ”Osanna” tas ordet ”gloria” upp i tropen från bassången: ”Pleni sunt caeli et terra gloria tua” och riktas till Maria ”(han) vars ära upphöjde Maria framför alla”, dvs en allusion till hennes glorifiering. Temat med glorifieringen fortsätter till slutet av tropen, där Maria får epitetet drottning ”från Faderns höga härlighet till den ödmjuka tjänarinnan, men som samtidigt är moderdrottning” (”A celsa gloria patris ad humilitatem ancillae, sed reginae matris”). För första gången i dessa troper kallas här Maria drottning[23].

Marias ödmjukhet som tjänarinna ställs emot hennes upphöjda ställning som drottning. Det korta inskottet "Mariae filius" mellan "Benedictus" och "Qui venit" är en vandrande fras som inte sällan förekommer som enda texttillägg i Sanctussången.

Stilistiskt är den här, liksom de hittills diskuterade texterna, avfattad på strukturerad prosa, men den är exempel på en mer raffinerad användning av antiteser, t. ex. de olika teologiska innebördena av orden fader och moder: "aequalis patri ... sine patre Mariae matri" och det stildrag som brukar kallas *adnominatio* (olika ord bildade på samma stam) t. ex. verbet *gigno* "föda": "ingenite genitor sine genitrice geniti".

Det tycks bara vara en känd svensk källa som innehåller den här sanctustropen: ett gradualfragment med okänd proveniens och datering[24]. Enligt Gunilla Iversens utgåva av de äldsta sanctustroperna är *Sancte ingenite* belagd sedan 1000/1100-talet både i centrala Frankrike (Paris Bibl. Nat. lat. 13252) och i Akvitanien (Paris Bibl. Nat. lat. 1137), samt i nuvarande Sydtyskland (München Bayerische Staatsbibl. clm 27130), och senare runt om i Europa utom i Italien[25]. På vilken väg tropen kommit till Sverige låter sig alltså inte lätt avgöras.

Kroon upptar den inte i sin bok, men det finns också en mariansk agnustrop, *Gloriosa spes reorum,* i en handskrift som tillhört cisterciensnunnornas kloster i Skokloster (Stockholm Kungl. Bibl. A 53). Generellt är marianska inskott ovanliga i agnustroperna. Den svenska källan är ett hymnarium-sequentiarium daterat till 1400-talet allra senast med okänd proveniens. Enda andra säkra källa som uppges i AH 47 (n. 470) är en engelsk handskrift från slutet av 1200-talet (Paris Bibl. de l'Arsenal 135) mot vilken den svenska källan har en del textliga varianter och omkastningar av rader. Carl-Allan Moberg har framkastat möjligheten att denna trop har förmedlats till Sverige via en engelsk franciskansk miljö[26]. Texten har närmast formen av en botgöringsbön: den anropar Maria att rena människornas sinnen från synden. Versformen är regelbunden, uppbyggd av rytmiska trokeiska septenarer [27] :

1.	
Agnus dei, qui tollis peccata mundi,	*Guds lamm, som borttager världens synder,*
Gloriosa spes reorum,	Syndarnas ärorika hopp,
Virgo, morem instrue,	jungfru, lär oss hur vi ska leva,
O Maria, fons hortorum,	Maria, trädgårdarnas källa,
Iugi stilla difflue,	giv ett ständigt flöde,
miserere nobis.	*förbarma dig över oss.*
2.	
Agnus dei, qui tollis peccata mundi,	*Guds lamm, som borttager världens synder,*
Mundans lepram vitiorum	

Hostis fraudes dissue, Nos virtute beans morum Luto servos exue, *miserere nobis.*	Rena syndens skabb, upplös fiendens list, lyckliggör oss med goda levnadsvanor, befria dina tjänare från orenhet, *förbarma dig över oss.*
3. *Agnus dei, qui tollis peccata mundi,* Virgo tutrix pupillorum, Mentis sordes exue, A contactu peccatorum Circumventos erue, *dona nobis pacem.*	 *Guds lamm, som borttager* *världens synder,* Jungfru, du som skyddar de föräldrarlösa, tag bort sinnets smuts, rädda dem som snärjts från syndens inflytande, *giv oss din frid.*

I birgittasystrarnas veckoritual avslutades alla bönetimmar med troperade benedicamusverser. Dessa troper har studerats och analyserats av Viveca Servatius[28]. Till versikeln *Benedicamus domino* och svarsformeln *Deo gratias* fogades texter, som alla är marianska. Det är alltid versikeln som är troperad. Troptexten kan vara inskjuten antingen mellan orden "Benedicamus" och "domino", eller den kan följa enbart efter "domino", eller vara uppdelad och följa efter båda orden[29]:

1. "Dominica" *Benedicamus* virginis filio cum patre et flamine sacro, vero Deo et *domino.*	 *Låt oss prisa* jungfruns son med Fadern och den helige Ande, sann Gud och *herre.*
2. "Dominica T(empore) P(aschali)" *Benedicamus* virginis filio. Alleluia, alleluia, alleluia.	 *Låt oss prisa* jungfruns son. Halleluja, halleluja, halleluja.
3. "Feria II" *Benedicamus* superni regis unigenito, quem benedicit angelorum i nfinita contio. O virgo Maria, quem genuisti, nos commenda *domino.*	 *Låt oss prisa* den högste konungens enfödde son, som prisas av änglarnas oräkneliga skara, O jungfru Maria, bed för oss inför *herren,* som du födde.

4. “Feria II T.P.” B*enedicamus* angelicae potestatis *domino,* quem virgo pura concepit Gabriele nuntio. Alleluia, alleluia, alleluia.	 *Låt oss prisa* änglamaktens *herre,* som den rena jungfrun blev havande med genom Gabriels budskap. Halleluja, halleluja, halleluja.
5. “Feria III” *Benedicamus,* quem nobis ora prophetica nasci spondebant ex matre criminis nescia, *domino.*	 *Låt oss prisa* den vilken propheternas ord har lovat skulle födas av en moder utan synd, *herren.*
6. “Feria III T.P.” *Benedicamus domino* voce prophetica nasci promisso ex stirpe Davitica. Alleluia.	 *Låt oss prisa herren,* som profeternas röst utlovade skulle födas av Davids ätt. Halleluja.
7. “Feria IV” *Benedicamus* pro nativitate suae matris aeterni regis filio, caeli terraeque ac infernorum *domino.*	 *Låt oss tacka* den evige konungens son för hans moders födelse, han som är *herre* över himme- len, jorden och underjorden.
8. “Feria IV T.P.” *Benedicamus* pro nativitate suae matris aeterni regis filio. Alleluia, alleluia, alleluia.	 *Låt oss tacka* den evige konungens son för hans moders födelse. Halleluja, halleluja, halleluja.
9. “Feria V” *Benedicamus* devotis mentibus sugenti humillimae puellulae virgineas mamillas immenso *domino.*	 *Låt oss med trofast sinne* *lovprisa* den mäktige herren, som diade vid den ödmjuka möns jungfruliga bröst.
10. “Feria V T.P.” *Benedicamus* caelesti *domino* inter servos educato ubere virgineo. Alleluia, alleluia, alleluia.	 *Låt oss lovprisa* himmelens *herre,* som närdes av jungfruns bröst bland jordens trälar, Halleluja, halleluja, halleluja.

11. “Feria VI och T.P. med tillägg av alleluia”	
Benedicamus	*Låt oss prisa* jungfruns
innocenti virginis	oskyldige son,
filio pro reis morti	som dömdes till döden för
tradito perenniter	syndare,
viventi *domino.*	den evigt levande *herren.*
12. “Sabbato”	
Benedicamus	*Låt oss ära*
in laudem patris,	Fadern och lova herren
qui matrem suam	som har välsignat
Mariam benedixit	sin moder Maria
in aeternum, *domino.*	i evighet.
13. “Sabbato T.P.”	
Benedicamus domino	*Låt oss prisa herren,*
suam matrem collocanti	som låter sin moder bo
in caeli palatio,	i himmelens palats,
ubi summo sine fine	där hon evigt njuter
perfruetur gaudio.	den största glädje.
Haec est enim virgo digna	Ty hon är en jungfru
tali privilegio.	som är värd en sådan lön.
Alleluia, alleluia, alleluia.	Halleluja, halleluja, halleluja.

Mestadels är troptexten en kortare eller längre apposition till ordet ”domino”. I appositionen ingår en referens till Maria, men den kan också vara utvidgad till att omfatta de två övriga personerna i treenigheten. Några gånger framskymtar de bedjande, det “vi” som är subjektet till verbet ”benedicamus” och som vänder sig till Maria som förbedjerska: ”nos commenda, nobis nasci spondebant”, ”nobis ... nasci promisso, devotis mentibus”. Marias roll i inkarnationen och som jordisk moder är det centrala temat (”virginis filio”, ”pro nativitate suae matris”, ”sugenti humillimae puellulae virgineas mamillas immenso”, ”inter servis educato ubere virgineo”), men också bebådelsen och profetian förkommer (”quem virgo pura concepit Gabriele nuntio”, ”quem nobis ora prophetica nasci spondebant ex matre criminis nescia”, ”voce prophetica nasci promisso ex stirpe Davitica”) och temat med Marias glorifiering (”qui matrem suam benedixit in eternum”, ”suam matrem collocanti in caeli palatio”, ”ubi summo sine fine perfruetur gaudio”, ”haec est enim virgo digna tali privilegio”).

I själva verket bildar dessa Benedicamustroper en innehållslig cykel, som precis motsvarar de firningsämnen som föreskrevs för birgittinerna för varje veckodag: under söndagen firas treenigheten och jungfru Marias värdighet, under måndagen änglaskarans jubel över Maria, under tisdagen Marias lov förebådad av profeterna, under onsdagen gudamoderns födsel och lovprisning, under torsdagen jungfrun som födde en son, under fredagen Marias sorg över sonens död och under lördagen jungfru Marias himmelsfärd.

Den stilistiska formen i troperna är strukturerad prosa, ofta med assonanser på *-o*, som rimmar med sista stavelsen i *domino* och ofta med parallella led t. ex. i trop n. 1:

Benedicamus
virginis filio
cum patre et flamine sacro,
vero deo et *domino.*

Några gånger uppträder emellertid texter med en större regelbundenhet i accentmönster och stavelseantal, t. ex. trop n. 13, som består av rytmiska trokeiska septenarer 8p+7pp[30] och som har slutrim på -io i varje vers:

Benedicamus domino
súam mátrem còllocánti 8p
in caéli palátio, 7pp
úbi súmmo síne fíne 8p
pèrfruétur gaúdio. 7pp
Haéc est énim vírgo dígna 8p
táli prìvilégio. 7pp

De viktigaste källorna till dessa troper är fyra handskrifter från 1400-talet i Uppsala Universitetsbiblioteks C-samling (442, 468, 482 och 483)[31], samt tre ytterligare i Kungliga Biblioteket i Stockholm (A 84, A 534 och Cod. Magl.)[32]. Enligt Viveca Servatius har fem av troperna känd melodi (n. 3, 5, 7, 9, 12), de övriga har inte någon känd förebild. Inte heller texterna , utom något enda undantagsfall (n. 12), är tidigare belagda och har troligen sitt ursprung i Vadstenamiljön. Petrus Olavi från Skänninge, Birgittas biktfader och lärare (†1378), har föreslagits som författare[33].

Den enda tropen till mässans propriumsånger som möter i det svenska materialet (*Graduale Arosiense* tryckt 1493) hör till offertoriet[34]. Det rör sig om en s.k. prosula, *Ab hac familia*, till *Recordare, virgo mater*, ett offertorium som är en mariansk adaptering av Jeremias 18, 20[35]. Detta offertorium används till olika mariafester. Prepositionen *a* i *a nobis* uppbär en lång räcka av toner, som fått ett texttillägg, en fortsättning på den bön som uttrycks i offertorieantifonen. Medan Maria tilltalas i egenskap av förbedjerska för människorna i offertorieantifonen, anropas i tropen hennes hjälp direkt att avvärja synden, bringa läkedom och livets glädje åt syndarna:[36]

	Off. ant. Recordare, virgo mater, dum consteteris in conspectu Dei, ut loquaris pro nobis bonum et ut avertas indignationem suam *a nobis.*	 Kom ihåg, jungfrumoder, där du står inför Guds åsyn, att du skall tala gott för vår skull och att du skall avvärja hans vrede från oss.
1a 1b	*A*b hac familia tu propitia, Mater eximia pelle vitia;	Nådiga, enastående moder, tag bort synderna *från* denna din familj,
2a	Fer remedia reis in via,	bringa botemedel åt de syndiga på deras väg
2b	Dans in patria vitae gaudia,	och giv dem livets glädje i deras fädernesland,
3a	Pro quibus dulcia tu praeconia	för vilkas skull du, kärleksfulla,
3b	Laudis cum gratia suscipe, pia	mottag lovprisningens ljuva budskap med nåd,
4	Virgo Maria, a *nobis.*	jungfru Maria, från *oss.*

Tropen, som är mycket vitt spridd, tillhör ett senare skikt i den internationella repertoaren och kan inte beläggas före slutet av 1100- eller början av 1200-talet. Den förekommer i flera textversioner, vilka hör till olika mariafester. Även flerstämmiga melodier förekommer. *Ab hac familia* är strängt strukturerad, uppbyggd av korta parallella fraser till en sekvensliknande form med tre strofer och motstrofer och en avslutande strof. Inte bara strukturen utan även slutassonanserna på *-a* och de inre assonanserna på samma vokal närmar den här tropen sekvensgenren. Ytligt sett blir då formen densamma som i de sekvenser som rimmar på *-a*, men en grundläggande skillnad är att *a*-assonanserna i *Ab hac familia* rimmar på prepositionen *a* i bastexten, medan sekvensernas *a*-assonanser rimmar på slutvokalen i *alleluia.*

Sekvenserna är, som nämndes inledningsvis, mycket starkare representerade än troperna i det svenska materialet, men skall här bara behandlas flyktigt. Som genre har sekvensen både överenstämmelser och stora skillnader gentemot troperna. Generellt har sekvenserna andra och rikare möjligheter att utveckla en tematik än tropen, som ju nästan alltid är begränsad av den givna bassångens ram. Sekvensen däremot är oberoende och har oftast en längre form. Förenklat sagt, består ett vanligt sekvensschema av en inledning, där firningsämnet presenteras, varefter ett kortare eller längre parti följer som resumerar och lyfter fram betydelsefulla aspekter, t. ex. av ett helgons verksamhet: underverk och liknande. Mot slutet av sången höjs blicken mot evigheten i en bön om frälsning och evigt liv, dvs den eskatologiska dimensionen inbegrips. Den nästan undantagslöst parallella formstrukturen bestående av strof och motstrof motsvaras ofta av innehållsliga paralleller, gärna antiteser.

De sekvenser som förekommer i svenskt medeltidsmaterial har behandlats av Carl-Allan Moberg. Han har uppskattat att drygt 200 sekvenser (59 stycken möjligen svenska)[37] bör ha sjungits i liturgin i Sverige under medeltiden. Av dessa är ett femtiotal knutna till mariafester[38]. De allra flesta texterna är kända från kontinentala källor och har skiftande ursprung: Tyskland, Frankrike, England och ordensmiljöer, främst franciskaner och dominikaner. De representerar olika stilar: den äldre oregelbundna sekvensen t. ex. av Notker Balbulus, likaväl som den senare typen med regelbunden form och med rim representerad av Adam från S. Victor. Åtta mariasekvenser (samtliga utgivna i AH) har inte belagts utanför Skandinavien och har därför antagits vara tillkomna här: det är de festbundna *Osculetur nos dilectus* (AH 42 n. 147), *Praesens dies refulget* (AH 42 n. 55), *Laeta caeli ierarchia* (AH 54 n. 195), *Veni sancte spiritus et illustra* (AH 42 n. 56) till Marie besök hos Elisabet (*Visitatio Mariae*); *Adest dies qua firmatur* (AH 42 n. 146), *Quam figurat lex /lux* (AH 54 n. 187) till Den obefläckade avlelsens fest (*Conceptio Mariae*); och de obundna *Stella solem praeter morem* (AH 54 n. 276) och *Tota pulchra es* (AH 37 n. 94)[39]. Den sista hör till birgittinernas rit[40], *Osculetur nos dilectus* finns endast i Västerås, *Stella solem* endast i Uppsala och *Laeta caeli* och *Quam figurat* endast i Strängnäs[41].

Marias besök hos Elisabet är huvudtemat för tre av de fyra sekvenserna till visitatiofesten. Den fjärde, *Veni sancte spiritus*, är en mariansk bearbetning med pingstsekvensen med samma början som modell: den anropar Maria att komma de bedjande till mötes med nåd, förlåtelse och tröst i deras nöd och klagan och bringa det eviga livets glädje.

Skildringen av Marias besök hos Elisabet upptar hela utrymmet i *Praesens dies* med uttryck och bilder som ligger nära den bibliska berättelsen i Lukasevangeliet. I *Laeta caeli ierarchia* och *Osculetur nos dilectus* är detta tema visserligen centralt, men det kompletteras av flera andra i dessa poetiskt fullmatade texter. Marias jungfruliga havandeskap skildras i yppigt bildspråk inspirerat framför allt av Höga Visan: hon är ”bröllopssalen” (”aula nuptialis” [1b]), ”kärleksfröjdens stängda trädgård” (”hortum clausum voluptatis” [2b]), ”ljusets port, livets väg” (”porta lucis, vitae via” [2]). *Osculetur nos dilectus* har en ton av innerlighet som utmärker den bland de övriga: Marias smärta nämns (9a), hon är ”treenighetens tempel” (”templum trinitatis” [10a]) och krönt drottning (”O regina coronata” [11a]), hon ger sitt bröstes näring, och den är mer värd än vin och smörjelse ("Super vinum et unguentum tuae mammae dant fomentum, fove, lacta parvulos [12a]).

Av Conceptiofestens två sekvenser *Adest dies* och *Quam figurat* är den förra en mer allmänt hållen text, som berättar om Marias liv och roll i frälsningshistorien från profetian till hennes himmelsfärd och kunde egentligen ha passat till vilken mariafest som helst. *Quam figurat* däremot behandlar verkligen temat med Marias syndfrihet. Det är en intressant text med ett raffinerat språk: den ställer den rena jungfru Maria mot den syndabefläckade Eva, Marias fromma ursprung och gudfruktiga föräldrar framhålls, och texten utmynnar i en besvärjelse mot de onda människor som vill ifrågasätta Marias syndfrihet: *Absit a te, mens humana, suspicari quaeque vana, dum divinum agitur* (11).

De två obundna sekvenserna *Tota pulchra es* och *Stella solem praeter morem* är tematisk olika: den förra, som är birgittinsk, anknyter till bildspråket i Höga visan. Den lovprisar jungfru Marias strålande skönhet och renhet, hon som ensam var en värdig boning för Kristus. I slutet öppnas det eskatologiska perspektivet med en bön till Maria att vara människornas förbedjerska inför Kristus. Som författare till sekvensen har föreslagits Petrus Olavi[42].

I *Stella solem* anhopas de gammaltestamentliga prefigurationerna för Maria. De benämns *exempla* ("Ad exempla transeamus"): Jesse kvist, den brinnande busken, Gideons skinn och Daniel i lejongropen; texten utmynnar i förmaningen att exemplen tjänar till att befästa tron, befrämja frälsningen och utgör ett argument för sanningen.

Stilistiskt hör alla dessa sekvenser till den senare typen med regelbunden form och, på något undantag när, med fullständiga rim[43]. Kvalitativt varierar texterna kanske något, men de flesta når upp till en hög poetisk nivå.

Vilka slutsatser kan nu dras med utgångspunkt från de diskuterade troperna och sekvenserna om Marias ställning i Sverige under medeltiden och om de kulturella strömningarna överhuvudtaget? Sverige kommer in sent i den europeiska kulturgemenskapen, men blotta närvaron i det svenska materialet av de här diskuterade marianska trop- och sekvenstexterna med sitt rika innehåll och medvetna form visar klart att, när kulten väl var etablerad, Sverige tar del av de centrala kulturella och liturgiska strömningarna och svarar på impulserna med en egen litterär produktion.

Att troperingskonsten inte var okänd hos oss visar den intressanta cykeln av benedicamustroper, vilka ger prov på olika musikaliska troperingstekniker. Att just benedicamustroperna tilldragit sig intresse kan tolkas som en medveten känsla för vad som var föremål för liturgiskt-musikaliskt nyskapande i Europa. Det är en tropkategori som var expansiv under 1100-talet och som präglades av nya musikaliska former. Allmänt sett avtog däremot bruket att sjunga troper i den gamla stilen, och endast en begränsad repertoar av äldre troper överlevde[44]. Att de troper, som bevarats i det svenska materialet, i så hög grad har ett marianskt innehåll är säkerligen ändå inte någon slump; det stämmer väl med det ökade intresset för mariakulten, inte bara i Sverige utan överhuvudtaget under den senare medeltiden. Det är signifikativt att de sekvenser som förmodligen har svenskt ursprung i så hög grad har diktats till de sena mariafesterna Visitatio och Conceptio[45].

Jämfört med troperna behöll sekvensen hela tiden sin popularitet som genre och kunde anta nya uttrycksformer. De allra flesta av de svenska sekvenserna hör stilistiskt till den regelbundna typen, och innehållsmässigt kan de karaktäriseras som en kombination av utsagor om Marias roll i frälsningsverket och berättande element ur hennes livs historia med bildspråk och epitet hämtade från Gamla Testamentet, kyrkofäderna och den liturgiska poesin.

Troper och sekvenser gick ett hårt öde till mötes under reformkonciliet i Trento 1545-1563, som hade mottot "De emendanda ecclesia" ("Om kyrkans förbättring"). Förkastelsedom utfärdades mot sådan musik "där något lättsinnigt eller orent blandas antingen genom orgel eller genom sång ("ubi sive organo sive cantu lascivum aut impurum aliquid misceatur"). Intressant nog är just gloriatropen *Spiritus et alme* den trop som framhålls som exempel på missbruk i kyrkosången (1562)[46]: "Likaledes borde man märka de ord som tillagts om jungfru Maria i änglarnas hymn: Gubernans Mariam, coronans Mariam ... ty alla dessa synes stoppas in på ett smaklöst sätt" ("Item forte essent animadvertenda in hymno angelorum verba illa addita de Beata Virgine Maria: Gubernans Mariam, coronans Mariam ... videntur enim illa omnia inepte inculcari"). Tropen visar sig emellertid inte alls vara så lätt att utrota; den finns exempelvis i Palestrinas mässa "de Beata Maria Virgine" från 1570, och den lever kvar långt in på 1600-talet. En del sekvenser[47] och Kyrietroper överlevde[48]; några av de senare som kyrkovisor.

Under reformationen i Sverige rensades så småningom de troper ut som hade marianska inslag. Endast ett par ickemarianska troper levde kvar i svensk översättning[49]: *Kirie Gudh Fader*[50] med rubriken "De sancta trinitate" och sanctustropen *Tigh vare lof*[51] med rubriken "de corpore Christi". Men man finner överhuvudtaget inte längre några rubriker till ordinariumsångerna, som hänvisar till Maria.

Sekvenserna däremot höll sig kvar i den mån festerna till vilka de hörde fortfarande firades. Av Mariafesterna återstod Purificatio, Annuntiatio och Visitatio. En del sekvenser, dock inte de marianska, översattes till svenska och fann en plats i den svenska psalmboken.

Summary

Tropes and sequences belong to the new musical liturgical genres of the middle ages that developed in connection with the Roman–Frankish liturgy. They were of great importance as a poetic and musical means of enhancing and interpreting the major feasts of the liturgical year. The reception of these genres in Sweden seemes to have taken place relatively late. At that time the older repertoires of the tropes of the proper had diminished by lsrge in favour of the tropes of the ordinary; by contrast, the sequences had a firm position in the liturgy and adopted new stylistic features, such as regular form and rhymes.

The occurrences of the tropes in the manuscript sources in Sweden are few – perhaps because of lacunas in the material – and they are mostly tropes of the ordinary. Sequences are more richly represented. Some eight Marian sequences have been suggested to be of Swedish origin, while all the tropes, with the important exception of the interesting cycle of Bebedicamus tropes, belonging to the weekly ritual of Cantus sororum, are found elsewhere.

Almost all the tropes and many sequences, that were sung in Sweden, have the Blessed Virgin Mary as the festal theme. In this texts statements about Mary's role in the history of salvation and descriptive elements of her life are combined with imagery from the Old Testament, the church fathers and the liturgical poetry. Mary's prominent role in these texts can be seen as an expression of the generally growing interest in her cult during the middle ages. After the reformation many Marian texts were banned and left only insignificant traces in the liturgy.

Noter

[1] Ibland kallas den här typen av böcker också *sequentiarium* eller *sequentionarium*.

[2] Bland den rikliga litteraturen om troper och sekvenser som litterära och musikaliska genrer, se t. ex. Von den Steinen 1948; Crocker 1977; Jonsson 1983; Haug 1991; Hiley 1993.

[3] I detta sammanhang tänker man på de 40 böcker Ansgar erhöll av Ludvig den Fromme för att ta med till Sverige under den första missionsresan. De gick, som

bekant, förlorade, men det är inte otroligt att ett troparium-prosarium kan ha ingått bland dem. Jfr Rimbert, *Vita Anskarii* kap. 10 (Ed. G. Waitz, *MGH Scriptores rerum Germanicarum* 1884).

[4] Moberg 1927, s. 10-11, 34.

[5] Kroon 1953, som ger texterna i enlighet med källorna.

[6] Festerna rubriceras ofta "Missa de BMV". Jfr Josephson 1973 och Jungmann 1966 I, s. 173 om *missa de BMV*, såsom en votivmässa som kunde ersätta den vanliga mässan.

[7] AH 47 n. 9.

[8] AH 47 n. 8.

[9] I denna artikel ges texterna efter AH, om inte annat anges, alltid med stavningen normaliserad.

[10] I de svenska källorna är ofta stroferna omkastade i *Kyrie virginitatis amator*, vilket lätt händer, när stavelseantal och melodi är samma för alla strofer inom en sektion. Jfr Boe 1989 II:1, s. 49ff.: enligt John Boe uppstod*Kyrie fons bonitatis* någonstans i norra Frankrike: Cambrai? Metz?

[11] Bägge finns som senare tillägg från 1200-talet utan musiknotation i handskriften Paris Bibl. Nat. lat. 1139 från Limoges.

[12] AH 47 förtecknar bara en mariansk kyrietrop från 1100-talet (Benevento), 11 stycken från 1200-talet.

[13] Texten i Kroon 1953, s. 28.

[14] Texten ibidem, s. 29.

[15] Man kan fundera över varför den helige Ande åkallas just på detta ställe i texten. Jfr Schmid 1988, s. 63, vilken tolkar det som ett sätt att återskapa det ursprungliga trinitariska sammanhanget i en äldre version av gloriasången representerad i Bangorantiphonariet, som just här vid det första "Iesu Christe" hade orden "Sancte spiritus Dei". Sambandet mellan Maria och den helige Ande kan förklaras genom den helige Andes avgörande betydelse vid bebådelsen.

[16] Schmid 1988, s. 69;

[17] 1000-talet enligt Hesbert 1954, s. 58-64 eller 1100-talet enligt Omont 1886, s. 362. Jfr Schmid 1988, s. 13.

[18] Haapanen 1922, s. 91-92; idem 1925, s. 16-17 och Schmid 1988, s. 16 not 24, vilken även refererar till Ermo Äikääs undersökningar av handskriftsfragment från Helsingfors, som redovisas i en kommande doktorsavhandling.

[19] Lütolf 1970, s. 146: W1 dateras till mellan 1160/70 och ca 1210/1220.

[20] Melodi n. IX i Graduale Romanum.

[21] Till dessa kan läggas också *Graduale Arosiense* från ca 1493, *Missale Aboense* från 1488 och *Missale Nidarosiense* från 1519.

[22] AH 47 n. 310, CT VII n. 139.

[23] Epitetet *regina caeli*: förekommer t. ex. i Notker Balbulus († 912) sekvens till Assumptio BMV, *Congaudent angelorum*, se Von den Steinen 1948, II, s. 66.

[24] Kroon 1953, n. XLVI: Kammararkivet Sth, Landskapshandlingar Småland 1598:12, Wexiö domkyrkas räkenskaper. Melodin är n. IV i Graduale Romanum.

[25] Se CT VII s. 180, där följande belägg ges: (från östområdet) Sankt Gallen 378b (XIII), 382b (XIII), Wien 13314 (1100), Prag 4 (1180-1200), Oxford 340 (före 1216), 341 (XII), München 27130 (XI); (från västområdet) London 4 (XII), Worcester 160

(XIII), Paris Arsenal 135 (XIII), London 13 (XIex), Paris 10508 (XIIin), Assisi 695 (XIII), Madrid 289 (1130), 19421 (XII), Paris 13252 (XI), 1137 (XI), 778 (XII), Tortosa 135 (1228), Vic 106 (XII), Paris 3126 (XII). Transmissionen koncentreras alltså till 1100- och 1200-talet; I AH 47 s. 310 anges inga senare gradualen eller missalen.

[26] Moberg 1927, s. 23. Följande varianter finns mot texten i AH: 1,3 *morem* AH: *mores* ; 2,2 *hostis fraudis dissue* AH: *mentis sordis dilue* ; 2,4 *luto servos exue* AH: *tuto servos exsule* ; 3,3 *mentis sordes exue* AH: *hostis fraudes dissue*.

[27] 3 strofer med 2 gånger [8p+7pp]), en form som återkommer i flera ordinariumtroper (varav ett par marianska), i denna engelska handskrift, jfr CT VII n. 55, 137, 173. För systemet att beteckna rytmisk vers med p (paroxyton slutbetoning) och pp (proparoxyton) se Norberg 1958, s. 6. Eftersom handskriften Paris Arsenal 135 är sen, inkluderades inte texten *Gloriosa spes reorum* i CT IV, som omfattar tidiga agnustroper; däremot togs handskriften med i editionen av sanctustroper. Några troper med marianskt innehåll påträffas efter 1100: AH 47 n. 392 *Christe theos hagie* ; n. 393 *Factus homo sumpta* ; n. 397 *Cuius ad imperium* ; n. 413 *Assis placatus* ; n. 415 *Splendor Christe* ; n. 417 *Laus matris* ; n. 443 *Qui de caelis* ; n. 446 *Iesu summi fili* ; n. 447 *Iesu dulcis fili* ; n. 449 *Quem virgo concepit* ; n. 460 *Haec est caro* ; n. 464 *Maria videns angelum* ; n. 465-470 är alla marianska.

[28] Otryckt uppsats 1977.

[29] Text enligt Viveca Servatius 1977, övs. huvudsakligen efter Olof Åby.

[30] Samma form finns i troperna n. 10 och 11.

[31] Alla dessa är handskrifter av typen *Directorium chori*.

[32] Se Servatius 1977, s. 8-16. Texterna till feriornas troper finns i en äldre svensk översättning av Nicolaus Ragvaldi i en svensk 1500-talshandskrift (Stockholm Kungl. Bibl. A 12 från 1510) och till både feriornas och påsktidens troper i en annan anonym översättning (Uppsala Universitetsbibl. C 476 från 1537). Jfr Geete 1895, s. 36-136.

[33] Se Milveden 1974, spalt 698.

[34] Haapanen 1922, s. 118 och 1925, s. 69 omnämner tropens förekomst i finskt material. Denna trop diskuteras av Johansson 1958, s. 83-87, och Göllner 1958, s. 89-106.

[35] Ursprungligen var detta en offertorievers, som senare kom att användas som offertorieantifon.

[36] AH 49 n. 634.

[37] Moberg 1927, s. 63-73.

[38] 23 till specifika mariafester, 31 till obundna mariafester.

[39] Moberg ger incipit *Quam figurat lux*; i kommentaren i AH 54 s. 288 står: "Wir zweifeln, ob in 1,1 *lux primaeva* oder *lex* zu lesen ist."

[40] Svensk text i Geete 1895, s. 184-200.

[41] Moberg 1927, s. 133 nämner ytterligare sekvensen *Veneremur mundo datum* till "Compassio BMV", men i sin lista på s. 117 hör den till "Ioannis ante portam latinam" (R.H. n. 21180).

[42] Se Moberg 1927, s. 72.

[43] Det rör sig oftast om formen 8p+8p+7pp (den s.k. sekvensstrofen eller *Stabat mater*-strofen, som närmar sig hymngenren). Se Moberg 1927, s. 251 och Norberg 1958, s. 173.

[44] Se Haug 1995.

[45] Man kan jämföra med de svenska hymnerna, som också till stor del har diktats till visitatiofesten, se Moberg 1927, s. 133.

[46] Se Ehses 1911, s. 917; allmänt om konciliets betydelse för kyrkosången, se Beck 1964, s. 108-117.

[47] De sekvenser som bevarades i det romerska missalet är som bekant *Victimae paschali*, *Veni sancte spiritus*, *Lauda Sion* och *Dies irae*. *Stabat mater* inkluderades under 1700-talet.

[48] *Kyrie fons bonitatis* och *Kyrie magne deus*.

[49] T.o.m. i några efterreformatoriska sångböcker från Uppsala ärkestift tryckta före 1579 respektive 1583.

[50] Adell 1941, s. 29.

[51] Ibidem.

Bibliografi:

Adell 1941 =
Arthur Adell, Musikhandskrifter från Högs och Bjuråkers kyrkor, 1941 (Laurentius Petri sällskapets urkundsserie 1).

AH =
Guido Maria Dreves, Clemens Blume, Henry Marriott Bannister (ed.), Analecta hymnica medii aevi, 55 vol., Leipzig 1886-.

Beck 1964 =
Hermann Beck, Das Konzil von Trient und die Probleme der Kirchenmusik: Kirchenmusikalisches Jahrbuch 48 (1964), s. 108-117.

Boe 1989 =
John Boe, Beneventanum Troporum Corpus II:1, Ordinary Chants and tropes for the Mass from Southern Italy, A.D. 1000-1250, The Kyrie Tropes, Madison 1989 (Recent Research in the Music of the Middle Ages and Early Renaissance, 19-21).

Crocker 1977 =
Richard L. Crocker, The Early Medieval Sequence, Berkeley ... 1977.

CT VII =
Gunilla Iversen, Corpus Troporum VII. Tropes de l'ordinaire de la messe. Tropes du Sanctus, Stockholm 1990 (Studia Latina Stockholmiensia 34).

Ehses 1911 =
Stephanus Ehses (ed.), Concilii Tridentini Actorum pars quinta. Band 7, Freiburg im Br. 1911.

Geete 1895 =
Robert Geete, Jungfru Marie örtagård. Vadstena nunnornas veckoritual. Stockholm 1895.

GR =

Graduale Romanum ... restitutum et editum Pauli VI, Solesmes 1974.

Göllner 1985 =
Marie-Louise Göllner, Musical Settings of the Trope 'Ab hac familia': Liturgische Tropen. ed. Gabriel Silagi, München 1985 (Münchener Beiträge zur Mediävistik und Renaissance-Forschung 36) , s. 89-106.

Haapanen 1922, 1925, 1932 =
Toivo Haapanen, Verzeichnis der mittelalterlichen Handschriftenfragmente in der Universitätsbibliothek zu Helsingfors, I-III , Helsingfors 1922, 1925 och 1932 (Helsingfors Universitetsbiblioteks Skrifter IV, VII och XVI).

Haug 1991 =
Andreas Haug, Neue Ansätze im 9. Jahrhundert: Neues Handbuch der Musikwissenschaft , hrsg. von Hartmut Möller ..., Laaber 1991, Bd. 2, s. 94-128.

Haug 1995 =
Andreas Haug, Troparia tardiva., Kassel ... 1995 (Monumenta Monodica Medii Aevi. Subsidia Bd. I) .

Hesbert 1954 =
René-Jean Hesbert (ed.), Les manuscrits musicaux de Jumièges, Macon 1954 (Monumenta Musicae Sacrae II).

Hiley 1993 =
David Hiley, Western Plainchant. A Handbook, Oxford 1993, s. 172-238.

Johansson 1985 =
Ann-Katrin Johansson, Observations on the Text of the Offertory Trope 'Ab hac familia': Liturgische Tropen. ed. Gabriel Silagi, München 1985 (Münchener Beiträge zur Mediävistik und Renaissance-Forschung 36), s. 83-87.

Jonsson 1983 =
Ritva Jonsson, The Liturgical Function of the Tropes: Research on Tropes, ed. Gunilla Iversen, Stockholm 1983 (Kungl. Vitterhets Historie och Antikvitets Akademien Konferenser 8), s. 99-123.

Josephson 1973 =
N. S. Josephson, "Zur Geschichte der Missa de Beata Virgine", Kirchenmusikalisches Jahrbuch 57 (1973), s. 37-43;

Jungmann 1966 =
Josef A. Jungmann, Missarum Sollemnia: Eine genetische Erklärung der römischen Messe, I-II, Wien 1948 (1966).

Kroon 1953 =
Sigurd Kroon, Ordinarium missae. Studier kring melodierna till Kyrie, Gloria, Sanctus och Agnus Dei t.o.m. 1697 års koralpsalmbok, Lund 1953 (Lunds universitets årsskrift. N.F. Avd. 1. Bd. 49. Nr. 6).

Lütolf 1970 =
Max Lütolf, Die Mehrstimmigen Ordinarium Missae-Sätze von ausgehenden 11. bis zur Wende des 13. zum 14. Jahrhundert, Bern 1970.

Milveden 1974 =
Ingmar Milveden, Trop: Kulturhistoriskt lexikon för nordisk medeltid 18, Malmö 1974, spalt 695-702.

Moberg 1927 =
Allan Moberg, Über die schwedischen Sequenzen. Eine Musikgeschichtliche Studie, 1-2, Uppsala 1927 (Veröffentlichungen der gregorianischen Akademie zu Freiburg in der Schweiz 12).

Norberg 1958 =
Dag Norberg, Introduction à l'étude de la versification médiévale, Stockholm 1958 (Studia Latina Stockholmiensia 5).

Omont 1886 =
Henri Omont, Catalogue général des manuscrits des bibliothèques publiques de France. Départements, t. 1: Rouen, Paris 1886.

R.H. =
Ulysse Chevalier, Repertorium hymnologicum, 1-6, Louvain ... 1892-1921.

Schmidt 1988 =
Bernhold Schmid, Der Gloria-Tropus 'Spiritus et alme' bis zur Mitte des 15. Jahrhunderts, Tutzing 1988 (Münchner Veröffentlichungen zur Musikgeschichte 46).

Servatius 1977 =
Viveca Servatius, Benedicamustroperna i Cantus Sororum. Maskinskriven uppsats, Stockholms universitet, Musikvetenskapliga institutionen, 1977.

Von den Steinen 1948 =
Wolfram von den Steinen, Notker der Dichter und seine geistige Welt, 1-2, Bern 1948.

Viveca Servatius

Ave Maria
- Guds Moder i den medeltida kyrkosången

Med vilka sånger lovsjöngs Guds moder Maria i den medeltida kyrkans gudstjänster? Med vilka texter och melodier firades hon från medeltidens tidigaste århundraden till dess utgång? Det äldsta nedslaget av sjungen liturgi i västerlandet utgörs av den gregorianska sången[1], den romersk-katolska kyrkans egen form av sjungen bön, och här ingår de äldre sånger som sjöngs till Jungfru Marias ära. De äldsta bevarade nedteckningarna i notskrift härrör från 800-talet, men sångernas ursprung är att söka mycket längre bakåt i tiden.

Under 900-, 1000- och 1100-talen kom många nya sånger till. De uppvisar en annorlunda stil som man kan kalla *postgregoriansk*, därför att melodierna lånar stildrag från den äldre repertoaren samtidigt som de tillförs ett nytt tonspråk. Det är hit merparten av de mest kända och älskade mariasångerna hör.

Hur gick det till att förse en mariafests gudstjänster med lämpliga texter och melodier? I gregoriansk sång är texterna huvudsakligen bibliska, de flesta ur Psaltaren. Grunden utgörs av *psalmodin*, det talsångsliknande utförandet av psaltarpsalmerna och andra bibliska sånger på speciella *psalmtoner*.[2] Vad beträffar det melodiska materialet kan man urskilja ett gemensamt bestånd av existerande melodier och melodiformler som på olika sätt och med stor variationsrikedom anpassades till texterna.

Förenklat kan man urskilja tre olika typer av marianska sångtexter, som på olika sätt behandlar Maria och hennes delaktighet i frälsningshistorien. För det första är det texter ur Nya testamentet som handlar *om* Maria, för det andra profetiska texter ur Gamla testamentet som *förebådar* Maria och för det tredje bibliska texter som genom tillägg har fått en *mariansk inriktning*. Till den första typen hör Ave Maria, som utgår från ängeln Gabriels hälsning i Lukasevangeliet, "Hell dig, du högtbenådade! Herren är med dig".[3] Denna text förekommer till ett flertal tonsättningar och sjungs bl.a. på Marie Bebådelses fest och under adventstilen. Ett exempel utgör den korta antifonen Ave Maria.[4] (textbil. nr 1; bildex. 1):

Antifonerna i tidegärden, kyrkans dagliga bönestunder, är ramvisor som sjungs till - dvs före och efter - psaltarpsalmerna. Antifonmelodiernas ursprung går tillbaka till en grupp enkla kärnmelodier som anpassades till de olika texterna, s.k. *adaption*. I mässan sjungs antifonerna på mer utvecklade melodier, t.ex. som inledningssång, *introitus*, och under nattvarden som kommunionsantifon, *communio*. Antifoner kan också användas som processionssånger. Det var mer ovanligt att utnyttja dem som sångstycken i liturgiska spel. I en handskrift från omkring år 1300 från katedralen i Padua finns likväl ett exempel på detta.[5] Ur inledningen läser vi:

> Vid ett bestämt klockslag efter middagen ringer den stora klockan. Under tiden samlas prästerskapet i kyrkan. I den större sakristian förbereder sig några av prästerna med att ikläda sig kåpor och andra tillbehör, och i samma sakristia står Maria, Elisabeth, Josef och Joakim färdiga med diakonen och subdiakonen, vilka håller silverböcker i sina händer. Och på den utsatta tiden går de i procession ut ur sakristian och intar sina platser. Efter dem fortsätter de övriga i procession till baptisteriet, och där, ovanför en tron, står en gosse förberedd, utklädd till Gabriel. Man bär honom ut ur baptisteriet och för honom in i kyrkan, där han bärs uppför trapporna fram till koret. Prästerna står såsom kör mitt i kyrkan. Under tiden börjar subdiakonen läsningen ur profeterna (...). Efter detta kommer Gabriel fram, och med böjda knän lyfter han två fingrar på sin högra hand och börjar med hög röst antifonen *Ave Maria.*

Till den andra texttypen hör Jesajas välkända profetiska ord "Se, Jungfrun skall varda havande och föda en son".[6] Som sångtext återfinns orden i kommunionsantifonen *Ecce virgo concipiet*[7] (textbil. nr 2) som inleds på följande sätt:

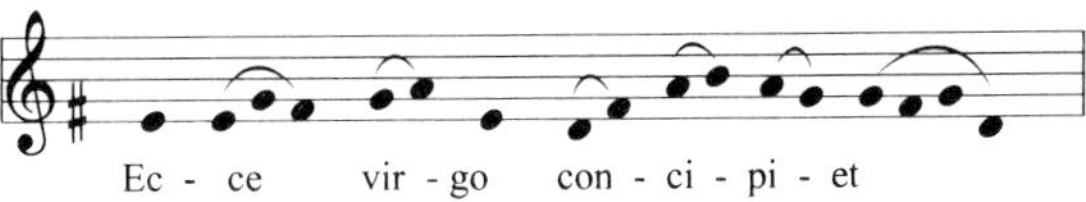

Ett exempel på den tredje texttypen utgör tidegärdsantifonen *Ecce Maria*[8] ("Se, Maria"; textbil. nr 3):

Antifonen består av två textled. Den ur Johannesevangeliet hämtade grundtexten *Ecce Agnus Dei...*, "Se Guds lamm, som borttager världens synd!"[9] föregås av ett längre tillägg som utgör sångens första led: *Ecce Maria genuit nobis...*, "Se, Maria har fött oss en frälsare! När Johannes såg honom, utropade han och sade". Mycket talar för att det andra ledet inte bara textligt utan även musikaliskt är det ursprungliga, eftersom den delen av melodin förekommer i liknande varianter i flera andra antifoner i samma tonart.[10] Det första ledet är däremot stilistiskt något annorlunda, speciellt från *quem Joannes* med sina mer senmedeltida vändningar, vilket kan ses som ytterligare belägg för att det handlar om ett senare tillägg. Det är också intressant att notera att inledningstonerna är desamma som i antifonen *Ave Maria*, men utan det karakteristiska kvintsprånget:

Ave Maria
Ecce Maria

Kring detta centrala tema, Marie Bebådelse och Jesu födelse, kretsar många sånger i mässan och tidegärden. Änglahälsningen *Ave Maria* och senare även andra ickebibliska sånger på samma tema har inspirerat till ett flertal "kompositioner" för olika tillfällen i olika musikaliska genrer, från de enklaste körsånger till rikt utsmyckade solosånger.

Mer känd än den korta antifonen *Ave Maria* är dess senmedeltida utvidgning[11] som vi känner från rosenkransbönen (textbil. nr 4). Den har tilläggen *et benedictus...*, "och välsignad är din livsfrukt, Jesus", och *Sancta Maria....* "Heliga Maria, Guds moder, bed för oss syndare, nu och i vår dödsstund. Amen." Melodins första del är densamma som i den korta antifonen och har nytt musikaliskt stoff för de nytillkomna textleden:

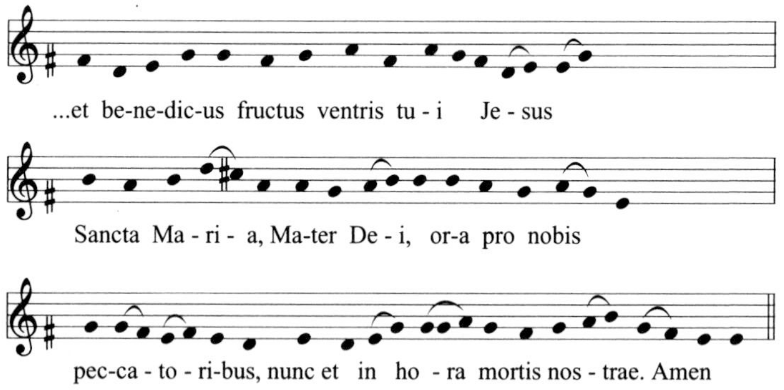
...et be-ne-dic-us fructus ventris tu - i Je - sus
Sancta Ma - ri - a, Ma-ter De - i, or-a pro nobis
pec-ca - to - ri-bus, nunc et in ho - ra mortis nos - trae. Amen

Musikaliskt rikare än tidegärdsantifonerna är de stora responsorierna[12] i dagens första tidebön, matutinen. Så förekommer ofta flera toner på stavelserna, s.k. melismer, de långa textlösa tonrankor, som är så typiska för gregoriansk sång och som bidrar till dess särpräglade karaktär. Därav följer att de troligen sjöngs av en mindre sånggrupp, en *schola*, eller av solister.[13] I responsoriet *Beata es, Virgo Maria*[14] ("Salig är du, Jungfru

Maria"; textbil. nr 5) som sjungs vid Marie Himmelsfärds fest, återfinns *Ave Maria* som vers:

Som inledning till mässan vid de olika mariafesterna är det andra sångtexter som anger tonen. En ofta förekommande introitus är *Salve, sancta parens*[15] ("Var hälsad heliga Moder"; textbil. nr 6). Texten är för ovanlighetens skull inte biblisk utan tillskriven 400-talsdiktaren Sedulius. I motsats till tidegärdsantifonernas melodier, som till största delen är adaptioner, är som introitusmelodierna vanligen unika. Endast i enstaka fall förekommer melodilån, vilket är fallet med just *Salve, sancta parens*, där melodin är hämtad från trettondagens introitus *Ecce advenit*[16] ("Se, han kommer"):

Ave Maria förekommer i mässan bl.a. som vers till *Alleluia*, en melodiskt rikt utsmyckad sång med långa melismer som sjungs före evangeliet. *Alleluia. Ave Maria*[17] (textbil. nr 7) finns nedtecknad i en av de allra äldsta bevarade sångböckerna med tidig notskrift - s.k. nevmer[18] - från 900-talet och benediktinklostret Einsiedeln i Schweiz[19] (Bildex. 2). Här återges *Alleluia* och versens inledning:

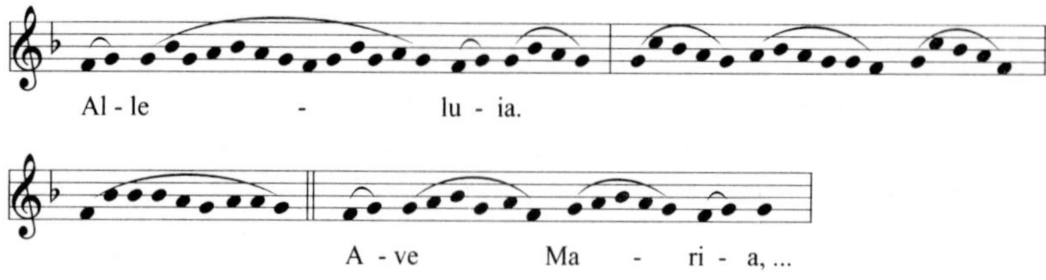

Som ett led i ett intensivt nyskapande såg under hög- och senmedeltiden många nya mariasånger dagens ljus, dels i de traditionella antifonernas, hymnernas och responsoriernas former, dels i nya kompositionsformer såsom troper och sekvenser liksom metriska och rimmade mariaofficier.[20] I motsats till de gregorianska melodiernas mer stegvisa rörelser utmärker sig den här repertoaren gärna genom större tonomfång och upprepade intervallsprång samt alltsomoftast genom sin längd. Hit räknas inte minst de s.k. stora mariaantifonerna som man än idag sjunger som avslutning till kompletoriet, dagens sista tidebön. Av dessa är det framförallt *Alma redemptoris Mater*[21] ("Frälsarens milda moder"), Ave Regina caelorum[22] ("Var hälsad, himlarnas drottning"), *Regina caeli*[23] ("Himmelens drottning") och inte minst *Salve Regina*[24] (Hell dig, vår Drottning"; textbil. nr 8a) som sjungs än idag:

Vid större fester försågs de här sångerna ofta med troper, eller verser, dvs tillägg av nya text- och melodiavsnitt. En omtyckt sådan trop till *Salve Regina* var *Salve caeli digna* ('Var hälsad, du som är himlen värdig"; textbil. nr 8b), som även sjöngs av birgittinsystrarna i Vadstena. Tropelementen lades in mot slutet av den långa antifonen mellan de avslutande *O clemens, o pia, o dulcis Virgo Maria* ("0 milda, o goda, o ljuva Jungfru Maria"). Varje tropelement - eller vers sjungs här, liksom stroferna i en hymn, på samma melodi. Inledningen - här i den birgittinska varianten - anknyter något varierad till antifonens högtidliga intonation:

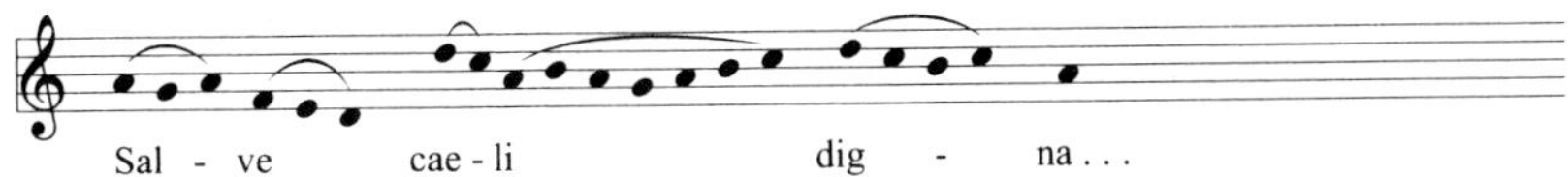
Sal - ve
cae - li
dig - na . . .

En annorlunda och mycket särpräglad musikalisk stil möter vi hos den tyska 1100talsabbedissan Hidegard av Bingen.[25] Hon var inte bara en märklig visionär, flitig brevskrivare och läkekunnig, utan även skapare av en stor samling sånger. Hennes melodier utmärker sig genom ett starkt personligt tonspråk som i flera avseenden skiljer sig både från den gregorianska sången och annan samtida musik.[26] Flera sånger är riktade till Jungfru Maria, som på ett ställe i hennes uppenbarelser beskrivs på följande sätt:

> Från hennes bröst glödde och blixtrade det såsom morgonrodnaden (...). Därför förnimmer också du därifrån en sång, som med de mest underbara samklanger av de mest skilda sorters musik besjunger den glittrande morgonrodnaden.[27]

Det var inte ovanligt att Hildegard lånade textavsnitt från Bibeln eller andra kända mariasånger, vilket är fallet med responsoriet *Ave Maria, o auctrix vitae*[28] ("Var hälsad, Maria, du livets upphov"; textbil. nr 9). Liksom många andra av hennes sånger utmärker sig den här melodin genom sina säregna och ofta svårsjungna vändningar liksom sin osedvanliga längd, sitt stora melodiomfång och sina långa melismer, vilket framgår redan av inledningen:

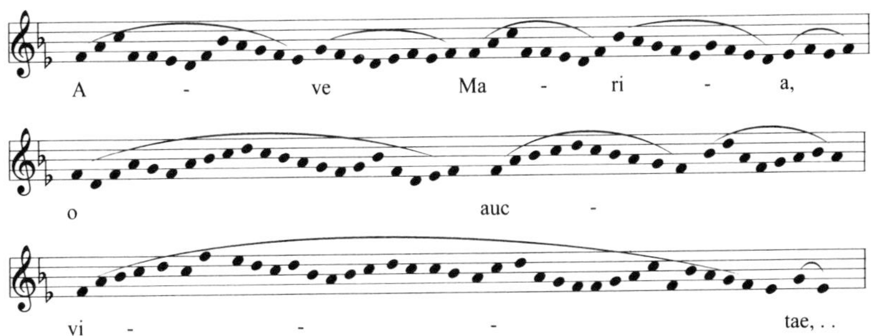
A - ve Ma - ri - a,
o auc -
vi - - - tae, . .

I Sverige sjöng man i likhet med övriga katolska länder den gemensamma gregorianska repertoaren i olika traditioner och varianter som kunde växla mellan stiften och klosterordnarna. Även nya musikaliska former förekom, men precis som på andra håll utgjorde de ingen ersättning för utan endast tillägg till den gregorianska sången. Hit hör förutom troper och sekvenser framförallt officier - historiae - till Maria och helgonen. En svensk sådan mariahistoria som skrevs omkring år 1300 har, om än mycket omdiskuterat, tlllskrivits skarabiskopen Brynolf Algotsson (+1317).[29] Melodin till den första antifonen i första vespern, *Stella, Maria, maris* ("Maria, havets stjärna"; textbil. nr 10) är till sin karaktär senmedeltida, långt ifrån de gcegorianska antifonernas "ålderdomliga" melodik[30] :

Mest känd av medeltida svensk liturgisk mariadiktning är väl birgittinernas *Cantus sororum*, "Systrarnas sång", en veckoserie av sju mariaofficier med en *historia* för var dag i veckan.[31] Det av den heliga Birgittas biktfader magister Petrus Olavi någon gång mellan 1350 och 1366[32] sammanställda sångmaterialet innehåller både gregorianskt allmängods och nydiktningar. De magister Petrus tillskrivna sångerna i senmedeltida stil visar ofta tecken på en förvånansvärd självständighet[33], vilket tydligt framgår av antifonen *Maria, Maria* (textbil. nr 11; bildex. 3)[34], som sjöngs till Magnificat, Marias lovsång[35] i vespern, aftonsången. Intonationen har om än starkt varierad, liksom även *Stella, Maria, maris*, vissa likheter med *Salve Regina*:

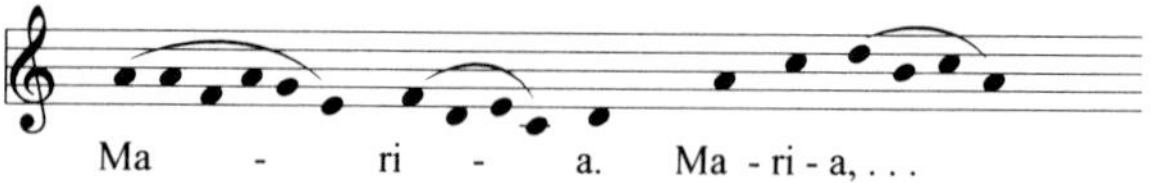

Av det i Cantus sororum som tillhör kyrkans allmängods hör den kända mariahymnen Ave, maris stella[36] ("Hell dig havets stjärna"; textbil. nr 12). I en uppenbarelse som den heliga Birgitta fick under sin tid i Rom ger Jungfru Maria själv instruktioner om hur den skulle sjungas:

> Min Son, som har makt över alla människor och djävlar och över varje annan skapad varelse, han gör osynligen alla deras onda ansträngningar om intet. Och jag skall vara en skyddande sköld för dig och de dina, emot de andliga

> och kroppsliga ovännernas alla angrepp. Fördenskull vill jag, att du och ditt tjänstefolk varje kväll samlas för att sjunga hymnen Ave maris stella, och jag skall giva eder hjälp i alla edra trångmål.[37]

I tidegärdshymnen överges den gregorianska melodiken. Till skillnad från den gregorianska sångens fria bibliska prosa har hymnen i likhet med andra strofiska sånger en metriskt bunden form, ofta med rim, vilket påverkar både rytm och melodibildning. Den mest kända melodin till Ave, maris stella förekommer i många varianter. Den birgittinska sjöngs växelvis mellan munkarna i sitt kor och systrarna på sin läktare efter brödernas och före systrarnas vesper.[38]

A - ve ma - ris stel - la, De - i Ma - ter al - ma,
At-que sem-per Vir-go, fe - lix cae - li por - a.

Under senmedeltiden börjar den här typen av mariadiktning alltmer avta, men många av de mest populära mariasångerna lever vidare som en del av den gregorianska sångrepertoaren ända in i vår tid.

Under senmedeltiden börjar den här typen av mariadiktning alltmer avta, men många av de mest populära mariasångerna lever vidare som en del av den gregorianska sångrepertoaren ända in i vår tid.

Sammanfattning

De äldsta nedslagen av sånger till Jungfru Marias ära finner man i den gregorianska sången, västerlandets äldsta i noter bevarade musik. Under högmedeltiden kom många nya sånger till, och det är hit merparten av de mest kända mariasångerna hör.

I gregoriansk sång kan man urskilja tre typer av marianska sångtexter, för det första texter ur Nya testamentet som handlar om Maria, för det andra texter ur Gamla testamentet som förebådar Maria och för det tredje bibliska texter som genom tillägg fått en mariansk inriktning. Till den första typen hör t.ex. ängeln Gabriels hälsning i Lukasevangeliet som givit upphov till sångtexten Ave Maria. Texten förekommer sjungen både som enkel!tidegärdsantifon och musikaliskt rikt utsmyckad som vers till alleluia i mässan. Den andra texttypen representeras t.ex. av Jesaias ord "Se, Jungfrun skall varda havande", som återfinns i kommunionsantifonen Ecce virgo concipiet. Den tredje texttypen återfinner vi i antifonen Ecce Maria ("Se, Maria"), vars nytestamentliga text Ecce agnus Del ("Se, Guds lamm") har fått ett nytt marianskt inledande tilllägg.

Till de nya sånger i s.k. postgregoriansk stil som kom till under högmedeltiden hör bl.a. den berömda stora mariaantifonerna, t.ex. Salve Regina ("Hell dig, vår Drottning"), som vid större fester gärna försågs med troper, dvs tillägg av ny text och musik.

En annorlunda och särpräglad musikalisk stil möter oss hos den tyska 1100-talsabbedissan Hildegard av Bingen, som diktat och tonsatt ett flertal sånger till Guds Moder. Dit hör responsoriet Ave Maria, o auctrix vitae ("Var hälsad, Maria, du livets upphov").

Även i Sverige sjöng man den gemensamma repertoaren av gregorianska och nyare sånger. Men också här komponerades nytt. Hit hör t.ex. det skarabiskopen Brynolf Algotsson (+ 1317) tillskrivna officiet Stella, Maria, maris ("Maria, havets stjärna"). Mest känd är väl birgittinernas Cantus sororum, "Systrarnas sång", sammanställd av den heliga Birgittas biktfader magister Petrus Olavi från Skänninge. De honom tillskrivna sångerna uppvisar ofta tecken på stor självständighet, vilket tydligt framgår av antifonen Maria, Maria.

Summary:

Ave Maria
- Mother of God in The Medieval Church Music

The oldest documents of songs to the honour of Virgin Mary are to be found in the gregorian chant repertory, the oldest notated music of the West. In the middle of the medieval ages many new songs were created and the majority of the most wellknown chants to Mary are from this period..

In gregorian chant it is possible to distinguish between three types of marian songtexts. Firstly, texts from the New Testament concerning Mary herself, secondly, texts from the Old Testament foreboding Mary and thirdly, biblical texts given a marian direction by textual additions. An illustration of the first type is found in the salutation of the angel Gabriel in the Gospel according to St. Luke, which has resulted in the songtext *Ave Maria* ("Hail, Mary"). As a chant it occurs both as a simple antiphon of the office as well as a very richly ornated verse to the solemn alleluia of the Mass. The second texttype could be represented by the words of Isaiah (Isaiah 7:14): ("Behold, a virgin shall conceive, and bear a son..."), which is found in the communion *Ecce virgo concipiet* and the third type, finally, in the antiphon *Ecce Maria* ("See, Mary"). Here the text of the New Testament *Ecce Agnus Dei* ("See, the Lamb of God") has got a marian addition.

Among the later songs in "postgregorian" style we can distinguish the so called great antiphons of St. Mary, an example of which is the famous *Salve Regina* ("Hail, holy Queen"). On greater feasts these antiphons often were combined with tropes, i.e. special additions of new text and music.

A different and very special musical style is to be found in the songs composed by the German abbess Hildegard of Bingen in the 12th century. She composed several songs in the honour of the Virgin, among others the responsory *Ave Maria, o auctrix vitae* ("Hail, Mary, the source of life").

In Sweden, too, the common repertory of gregorian chant and later songs were sung, but here also, new items were composed, for example the office *Stella, Maria, maris* ("Mary, the star of the ocean"), attributed to the bishop of Skara Brynolf Algotsson (+ 1317). Even more known is the *Cantus sororum*, the Brigdettine sororal liturgy, composed by Petrus Olavi of Skänninge, the confessor of St. Bridget. The songs attributed to Master Petrus are often showing a considerable independance, of which the antiphon *Maria, Maria* is an excellent illustration.

Noter

[1] Se härom Bohlin 1976; Milveden 1964; Moberg 1973; Ling 1983; Servatius 1993:1

[2] Se Milveden 1968.

[3] Luk. 1:28.

[4] AM s. 862.

[5] Cattin 1984.

[6] Jes. 7:14.

[7] GR/GT s. 37.

[8] AM s. 273.

[9] Joh. 1:29.

[10] För att skilja det medeltida tonartssystemet från vart moderna, talar man hellre om *kyrkotoner* eller *modi*. Se härom Eppstein 1977.

[11] Cecilia 1987, nr 479.

[12] Lat. *responsoria prolixa* sjungs i matutinens s.k. nokturner och har följande form: *responsorium* - *versus* - *repetenda* (dvs responsoriets andra del) - ev. *Gloria Patri* ("Ära vare Fadern") och *repetenda*.

[13] Se härom Servatius 1993:1.

[14] AP s. 738 f.

[15] GR/GT s. 403.

[16] GR/GT s. 56.

[17] GR/GT s. 412 f.

[18] Se härom allmänt Milveden 1967; Hambraeus 1970; Asketorp 1977.

[19] Paleographie musicale 1992.

[20] För dessa former se Milveden 1974, 1970 och 1969.

[21] AM s. 173 f.

[22] AM s. 175.

[23] AM s. 176.

[24] AM s. 176 f.; Cecilia 1987, nr 466b.

[25] 1098-1179. Se härom allmänt Härdelin 1988; Fox 1985; Flanagan 1989; Iversen 1991; Härdelin 1995.

[26] Ett flertal sånger finns inspelade på CD, t.ex. Hildegard von Bingen, Ordo Virtutum, Sequentia, Harmonia mundi, GD 77051; Hildegard von Bingen, Symphonia (Geistliche Gesänge), Sequentia, Harmonia mundi EMI 19 99761; Sequences and hymns by Abbess Hildegard of Bingen, Gothic voices, Hyperion CDA 66039; Hildegard von Bingen und ihre Zeit, Ensemble für frühe Musik Augsburg, Musica practica CD 74584; Hildegard von Bingen :1098–1179, Canticles of Ectasy, Sequentia, Deutsche Marmonica mundi 05472 77320 2..

[27] Hildegard 1978, s. 140.

[28] Hildegard 1969, s. 24-26.

[29] Se härom Milveden 1972 och 1992.

30 Uppsala Universitetsbibliotek C23, fol. 94r.

31 Cantus sororum sjungs idag på svenska av birgittasystrarna i Vadstena. Melodierna är anpassade till den svenska texten av Nicolaus de Goede. Se vidare Milveden 1973; Servatius 1980, 1990:1 och 1993:2.

32 Se härom Collins 1969; se även Servatius 1990:2.

33 Se Servatius 1990:1, särskilt s. 105-144.

34 Servatius 1990, s. 285f.

35 Luk. 1:46-55.

36 Cecilia 1987, nr 463.

37 Birgitta 1959, s.119.

38 Stockholm KB A84, fol. 57r. Melodin är utgiven av Moberg & Nilsson 1991, s.53

Tryckta källor och litteratur

AM =
Antiphonale monasticum pro diurnis horis, Tournai 1934

AP =
Antiphonarium ad usum sacri et canonici ordinis praemonstratensis, Parisiis, Tornaci, Romae 1934

Asketorp 1977 =
Bodil Asketorp, Neumer, Stockholm 1977 (Sohlmans musiklexikon 4, 1977), s. 705-706.

Birgitta 1959 =
Birgitta, Himmelska uppenbarelser IV, övers. Tryggve Lunden, Malmö 1959

Bohlin 1976 =
Folke Bohlin, Gregoriansk sång, Stockholm 1976 (Sohlmans musiklexikon 3, 1976), s. 193-200

Cattin 1984 =
Giulio Cattin, Music of the Middle Ages I, Cambridge 1984

Cecilia 1987 =
Cecilia, Katolsk psalmbok. Tredje, fullständigt omarbetade upplagan med ekumenisk psalmboksdel, Stockholm 1987

Collins 1969 =
A. Jefferies Collins, The Bridgettine Breviary of Syon Abbey, Worcester 1969 (Henry Bradshaw Society 96)

Flanagan 1989 =
Sabina Flanagan, Hildegard of Bingen. A Visionary Life, London 1989

Fox 1985 =
Matthew Fox, Illuminations of Hildegard of Bingen. Text By Hildegard of Bingen with commentary by Matthew Fox, O.P., Santa Fe 1985

GR =
Graduale sacrosanctae romanae ecclesiae de tempore et de sanctis, Solesmes

1974
GT =
Graduale Triplex, Solesmes 1979
Hambraeus 1970 =
Bengt Hambraeus, Om notskrifter, Stockholm 1970
Hertzka & Vatheuer 1993 =
Gottfried Hertzka & Ingeborg Vatheuer, Så botar Gud. Den heliga Hildegards medicin som ny naturläkemetod. Visby 1993
Hildegard 1969 =
Hildegard von Bingen, Lieder. Nach den Handschriften herausgegeben von Pudentiana Barth O.S.B., M. Immaculata Ritscher O.S.B. und Joseph Schmidt-Görg, Salzburg 1969
Hildegard 1978 =
Hildegardis Scivias, ed. Adelgundis Führkötter & Angela Carlevaris, Brepols 1978 (Corpus Christianorum Continuatio Mediaevalis 43 A-B)
Härdelin 1988 =
Alf Härdelin, En poetisk "Summa". Om Hildegard av Bingen och hennes liturgiska diktning: Svenskt Gudstjänstliv 63 (1988),s. 6-20
Härdelin 1995 = Alf Härdelin, Hildegard av Bingen, Den himmelska harmonin. Liturgisk lyrik & Spelet om krafterna. Presentation och tolkning av Alf Härdelin, Skellefteå 1995
Iversen 1991 =
Gunilla Iversen, Den skimrande ädelstenen. Om Hildegard från Bingen: Artes 17 (1991), s. 75-87
Ling 1983 =
Jan Ling, Europas musikhistoria -1730, Uppsala 1983
Milveden 1964 =
Ingmar Milveden, koral, Gregoriansk, Malmö 1964 (KLNM 9), sp. 116-129
Milveden 1967 =
Ingmar Milveden, Notskrift, Malmö 1967 (KLNM 12), sp. 372-378
Milveden 1968 =
Ingmar Milveden, Psalmodi, Malmö 1968 (KLNM 13), sp. 579-583
Milveden 1970 =
Ingmar Milveden, Sekvens, Malmö 1970 (KLNM 15), sp. 86-102
Milveden 1972 =
Ingmar Milveden, Neue Funde zur Brynolphus-Kritik: Svensk tidskrift för musikforskning 54 (1972), s. 5-51
Milveden 1973 =
Ingmar Milveden, Sjungen ödmjukhet, i: Andreas Lindblom, Vadstena klosters öden, Vadstena 1973, s. 145-159
Milveden 1974 =
Ingmar Milveden, Trop, Malmö 1974 (KLNM 18), sp. 695-702
Milveden 1992 =
Ingmar Milveden, Vem skrev Brynolfskorets altartext?: Skaraborgs läns tidning 7.10. 1992, s. 14

Moberg 1973 =
Carl-Allan Moberg, Musikens historia i västerlandet intill 1600, Stockholm 1973

Moberg & Nilsson 1991 =
Carl-Allan Moberg & Ann-Marie Nilsson, Die liturgischen Hymnen in Schweden II, Uppsala 1991 (Acta universitatis Upsaliensis. Studia musicologica Upsaliensia. Nova series 13:1)

Paleographie musicale 1992 =
Paleographie musicale. IV Lo codex 121 de la bibliotheque d'Einsiedeln, Solesmes 1992

Servatius 1980 =
Viveca Servatius, Gregoriansk sång på svenska? - Ett testfall: Signum 6 (1980), s. 218-221

Servatius 1990:1 =
Viveca Servatius, Cantus sororum. Musik- und liturgiegeschichtliche Studien zu den Antiphonen des birgittinischen Eigenrepertoires. Nebst 91 Transkriptionen. Diss., Uppsala l990 (Acta universitatis Upsaliensis. Studia musicologica Upsaliensia. Nova series 12)

Servatius 1990:2 =
Viveca Servatius, Magister Petrus från Skänninge som "diktare" och "tonsättare" till Cantus sororum, i: I heliga Birgittas trakter. Nitton uppsatser om medeltida samhälle och kultur i Östergötland "västanstång". Uppsala 1990, s. 215-234

Servatius 1993:1 =
Viveca Servatius, Heliga Birgitta som musikalisk visionär, i: Heliga Birgitta - budskapet och förebilden, Stockholm 1993 (Kungl. Vitterhets Historie och Antikvitets Akademien. Konferenser 28), s. 253-264

Servatius 1993:2 =
Viveca Servatius, Deus, canticum novum ... Att sjunga Guds lov, i: Helgeränet. Från mässböcker till munkepärmar, Stockholm l993, s. 128-137

Textexempel

1 Antifon

Ave Maria, gratia plena, Dominus tecum, benedicta tu in mulieribus.

Hell dig, Maria, full av nåd, Herren är med dig. Välsignad är du bland kvinnor. (Luk. 1:28)

2 Kommunionsantifon

Ecce virgo concipiet, et pariet filium: et vocabitur nomen eius Emmanuel.

Se, jungfrun skall varda havande och föda en son, och hon skall giva honom namnet Immanuel. (Jes. 7:14)

3 Antifon

Ecce Maria genuit nobis Salvatorem, quem Joannes videns exclamavit, dicens:
Ecce Agnus Dei, ecce qui tollit peccata mundi.

Se, Maria har fött oss en frälsare! När Johannes såg honom, utropade han och sade:
"Se Guds Lamm, se honom som borttager världens synder."
(Övers. Gunilla Björkvall

4 Ave Maria

Ave Maria, gratia plena, Dominus tecum, benedicta tu in mulieribus, et benedictus fructus ventris tui, Jesus.
Sancta Maria, Mater Dei,
ora pro nobis peccatoribus,
nunc et in hora mortis nostrae. Amen

Hell dig, Maria, full av nåd, Herren är med dig. Välsignad är du bland kvinnor, och välsignad är din livsfrukt, Jesus. Heliga Maria, Guds moder, bed för oss syndare, nu och i vår dödsstund. Amen.

5 Responsorium

Beata es, Virgo Maria, Dei Genitrix, quae credidisti Domino.Perfecta sunt in te, quae dicta sunt tibi. Ecce exaltata es super choros angelorum. Intercede pro nobis ad Dominum Deum nostrum.

Vers: Ave Maria, gratia plena, Dominus tecum.

Salig är du,Jungfru Maria, Guds Moder, du som trodde på Herren. Det som sagts dig, har uppfyllts i dig. Se, du har upphöjts till änglaskarorna! Bed för oss inför Herren, vår Gud.

Hell dig, Maria, full av nåd, Herren är med dig. (Övers. Gunilla Björkvall)

6 Introitusantifon

Salve, sancta Parens, enixa puerpera Regem, qui caelum terramque regit in saecula saeculorum.

Var hälsad heliga Moder, barnaföderska som frambragt en Konung, han som styr himmel och jord i evigheters evighet. (Övers. Gunilla Björkvall)

7 Alleluia

Alleluia. Ave Maria, gratia plena, Dominus tecum, benedicta tu in mulieribus. Alleluia.

Halleluia! Hell dig, Maria, full av nåd, Herren är med dig. Väsignad är du bland kvinnor. Halleluja! (Luk. 1:28)

8a Salve Regina

Salve Regina, Mater misericordiae, vita dulcedo, et spes nostra, salve.
Ad te clamamus,exules filii Evae. Ad te suspiramus,gementes et flentes in hac lacrimarum valle.
Eia ergo, advocata nostra, illos tuos misericordes oculos ad nos converte.

Et Jesum, benedictum fructum ventris tui, nobis post hoc exilium ostende. O clemens, o pia, o dulcis Virgo Maria.

Hell dig, vår Drottning, Moder till all barmhärtighet, livet och glädjen, dig, vårt hopp, vi hälsar. Till dig vi ropar, Evas förskingrade söner. Till dig går nu vår bön med suckan och klagan: tungt är här i tåredalen. Du är Modern, för då barnens talan, vänd dig till oss, låt dina milda ögon se till oss, elända. Låt Jesus, han som är din livsfrukt, högt välsignad, till sist bli uppenbar för våra blickar. O milda, o goda, o ljuva Jungfru Maria.

8a Salve Regina

Salve Regina, Mater misericordiae, vita dulcedo, et spes nostra, salve.

Ad te clamamus,exules filii Evae. Ad te suspiramus,gementes et flentes in hac lacrimarum valle. Eia ergo, advocata nostra, illos tuos misericordes oculos ad nos converte.
Et Jesum, benedictum fructum ventris tui, nobis post hoc exilium ostende.
O clemens, o pia, o dulcis Virgo Maria.

Hell dig, vår Drottning, Moder till all barmhärtighet, livet och glädjen, dig, vårt hopp, vi hälsar. Till dig vi ropar, Evas förskingrade söner. Till dig går nu vår bön med suckan och klagan: tungt är här i tåredalen. Du är Modern, för då barnens talan, vänd dig till oss, låt dina milda ögon se till oss, elända. Låt Jesus, han som är din livsfrukt, högt välsignad, till sist bli uppenbar för våra blickar. O milda, o goda, o ljuva Jungfru Maria.

8b Troper/verser:

Salve caeli digna mitis et benigna, quae es Christi flosculus amenitatis et rivulus, salve Mater pia, et clemens, o Maria.

(O clemens Maria)

Var hälsad, du som är himlen värdig, du barmhärtiga och goda, du som är Kristi blomster, ett flöde av skönhet! Var hälsad, goda Moder Maria barmhärtig är du, o du barmhärtiga Maria!

Ave Christi cella, nobis mundi mella, semper da despicere et saevum hostem vincere. Ave Mater pia, Et mitis, o Maria.

(O pia Maria)

Hell dig, du Kristi boning, lär oss att alltid förakta världens bedrägliga sötma, att nedslå ondskans furste! Hell dig, goda Moder, o Maria, du milda, du goda!

Vale pulchrum lilium, nobis placa Filium, ut nos purget a crimine, pro tuo pio precamine. Vale, Mater pia, et dulcis, o Maria.

(O dulcis Virgo Maria)

Farväl, du sköna lilja, bönfall Sonen för oss, att han för din fromma förböns skull ville rena oss från allt vad vi brutit! Farväl, du godhetens Moder, du ljuva Maria, o du ljuva Maria. (Övers. 8a-8b Alf Härdelin)

9 Hildegard av Bingen:

Ave Maria,
o auctrix vitae,
reaedificando salutem,

quae mortem conturbasti
et serpentem contrivisti,

Var hälsad, Maria,
du livets upphov,
du som lät frälsningen
åter resa sig upp!
Du gäckade döden och krossade
ormen, den som Eva sett upp till,

ad quem se Eva erexit
erecta cervice cum sufflatu superbiae.
Hunc conculcasti,
dumde caelo Filium Dei genuisti,
quem inspiravit Spiritus Dei.

hårdnackad och uppblåst av högmod.
Den trampade du under fötterna,
då du från himlen födde Guds Son.
Han är en gåva av Guds Andes andning.

Vers: O dulcissima
atque amantissima Mater, salve,
quae natum tuum de caelo
missum mundo edidisti.
- Quem inspiravit Spiritus Dei.

O du ljuva,
du älskliga Moder, var hälsad,
du som skänkte världen din Son,
den från himmelen sände.
- Han är en gåva av Guds Andes andning.

Gloria Patri, et Filio, et Spiritui Sancto.

Ära vare Fadern och Sonen och den Helige Ande.

- Quem inspiravit Spiritus Dei.

- Han är en gåva av Guds Andes andning.
(Övers. Alf Härdelin)

10 Antifon

Stella, Maria, maris, paris expers,
nos tuearis.

Maria, havets stjärna, du
oförlikneliga, beskydda oss!
(Övers. Tryggve Lunden)

11 Antifon

Maria, Maria, totius sanctitatis tu principalis gemma, nos tibi humiliter da servire, et ab hostis antiqui mille millenis fraudibus conserva, Maria.

Maria, Maria, du all helighets oförlikneliga ädelsten, låt oss ödmjukt tjäna dig, och bevara oss du, Maria, från den gamle fiendens tusen och åter tusen svek! (Övers. Alf Härdelin)

12 Hymn

Ave, maris stella, Dei Mater alma, atque semper Virgo, felix caeli porta. Sumens illud "Ave", Gabrielis ore, funda nos in pace, mutans Evae nomen.

Hell dig havets stjärna, du Guds milda moder, alltid rena Jungfru, himlens port, o sälla. All den skam som Eva över släktet samlat blev till frid förvandlad genom ängelns "Ave".

Solve vincla reis, profer lumen caecis, mala nostra pelle, bona cuncta posce.

Lossa skuldens bojor, skänk de blinda ljuset, driv allt ont på flykten, bed om goda gåvor.

Monstra te esse matrem,
sumat per te preces,
qui pro nobis natus, tulit esse tuus.

Träd nu fram som moder. Han hör dina böner, han som ville gästa i ditt rena sköte.

Virgo singularis,
inter omnes mitis,
nos culpis solutos, mites fac et castos.

Vitam praesta puram, iter para tutum,
ut videntes Iesum semper collaetemur.

Sit laus Deo Patri, summo Christo decus, Spiritui Sancto, tribus honor unus. Amen.

Jungfru, underbara,
mild som ingen annan, lär oss du att leva från allt ont förlösta.

För oss fram till livet, visa väg till riket, låt oss där tillsammans glada skåda Jesus.

Låt oss lova Fadern, dyrka ende Sonen, prisa helga Anden, ära Gud Treenig. Amen. (Övers. Alf Härdelin)

Roger Andersson

Den fattiges värn. Marias roll i det medeltida predikoexemplet

Det finns ett stort antal typer av källor som kan användas för att belysa väsentliga aspekter av Gudsmoderns roll i det medeltida livet. Utvecklingen av dogmat framträder i den teologiska traktaten, utvecklingen av kulten i de liturgiska källorna m.m. Dessa grunder återspeglas sedan i — och samverkar med — det sätt på vilket Maria framställs i det konstnärliga uttrycket, som t.ex. i officiediktningen och i den avbildande konsten eller i de olika typerna av texter i det allmänt edifikatoriska genrekomplex till vilket jag räknar legender, mirakelsamlingar, predikningar, tröstelitteratur m.m. En utgångspunkt för detta arbete är att eventuella förändringar av eller nyanser i mariabilden bäst låter sig avläsa i de bruksorienterade källorna, d.v.s. de som är avsedda att på något sätt fungera i det praktiska kyrkolivet. Ibland talar man om mariologi å ena sidan och mariafromhet å den andra. Dessa båda begrepp svarar ungefär mot dogm, lära eller teori respektive trosliv, utövande eller praktik. Begreppen förhåller sig till varandra på så sätt att fromhetslivet (praktiken) förutsätter en lära (teorin), på samma sätt som varje variation förutsätter en struktur. Utsagor med krav på bredare förankring i folkmedvetandet bör hellre inriktas på det faktiska utövandet än på den teoretiska bakgrunden. När det gäller Gudsmodern alltså hellre på mariafromheten än på mariologin, även om skiljelinjen — särskilt i ett historiskt material — kan vara svår att dra. Först när en förändring i mariologin fått genomslag också i mariafromheten är det möjligt att göra generaliserbara iakttagelser, och det är främst i de bruksorienterade källorna vi kan dra slutsatser om fromhetslivet. Som i detta avseende lämpligt källmaterial bortfaller därför den teologiska spekulationen. Både den konstnärliga och liturgiska behandlingen av Maria måste under denna tid betraktas som tydligt anknutet till det praktiska kyrkolivet, men behandlas i ett flertal andra bidrag till denna bok.

Maria i exempelpredikan

Jag har i stället valt att undersöka vilken roll Maria spelar i det medeltida predikoexemplet. Predikan är ju definitionsmässigt förankrad i samtiden, och även om predikan i sin skriftliga gestalt, vilket ju är det enda vi kan utgå från, inte nödvändigtvis behöver vara en direkt återspegling av en muntligt framförd förkunnelse och dessutom — särskilt under medeltiden — också är starkt traditionsberoende, råder inget tvivel om att predikan också som skriftgenre är tydligt bruksorienterad.[1]

Att använda uppbyggliga anekdoter (s.k. *exempla*) i förkunnelsen är en direkt anpassning till den folkliga publik för vilken den största delen av de bevarade predikningarna från svensk medeltid måste antas ha varit avsedd. De medgav nämligen möjlighet att illustrera eller konkretisera predikans innehåll, att alltså leverera föredömliga bilder eller avskräckande exempel, som ett obildat auditorium lättare kunde ta till sig.[2] Att åskådliggöra genom exempel är ett universellt och tidlöst drag i predikan, men i den stora predikoverksamhet som blev en följd av tiggarordnarnas framväxt fr.o.m. början av 1200-talet blev ett ymnigt bruk av exempla snarare regel än undantag, och de kom att uppta en allt större del av utrymmet i predikan för att slutligen också själva bli föremål för moraliserande allegoriseringar.[3]

Att exempla om just Maria var en viktig byggsten i den medeltida predikan framgår av deras ymniga förekomst i det homiletiska källmaterialet. Således är Maria den i särklass mest frekvente huvudaktören i de exempla som indexerats i katalogen över den s.k. C-samlingen i Uppsala universitetsbibliotek (MHUU), där ju nästan alla av våra medeltida predikningar (det rör sig fr.a. om predikningar från Vadstena kloster) finns bevarade. Dessa exempla står än i särskilda exempla- eller mirakelsamlingar, än i vad jag vill kalla ”levande kontext”, d.v.s. i själva predikningarna där de fullgör sin homiletiska funktion (att meddela t.ex. lärdom, förmaning eller tröst). Ett rimligt antagande kunde vara att mariamirakel främst förekommer i predikningar på mariadagarna. Men de förekommer också ymnigt i predikningar till andra dagar på kyrkoåret. Det visar att Marias roll är generaliserbar. Hennes exempel och föredöme har en räckvidd som är allmän och potentiellt möjlig att tillämpa i all moralisk undervisning. Jag vill ge ett par korta exempel på hur arbetet med Maria i predikoförberedelsen kan gestalta sig i det autentiska handskriftsmaterialet från medeltiden.

Den betydande vadstenapredikanten *Clemens Petri* ställer mot slutet av 1400-talet samman en speciell samling om femton predikningar till några av de viktigaste mariafesterna (Cod. Ups. C 350 fol. 114r-185v). Detta i motsats till det vanliga mönstret att låta mariapredikningarna ingå i allmänna samlingar med helgonpredikningar.

År 1462 avslutar prästen Simon i Noraskogs församling i Västmanland arbetet på en handskriven bok (nuvarande Cod. Ups. C 359). Den innehåller en bearbetad avskrift av en predikosamling av den inflytelserike italienske 1200-talspredikanten, dominikanbrodern *Antonius de Parma*. Efter predikosamlingen (fol. 176v-190r) följer ett större arbete som i MHUU givits titeln *Collectio exemplorum de Beata Maria Virgine*. Såväl innehållet (mariamirakel) som placeringen (omedelbart i anslutning till predikningarna) röjer att samlingen varit avsedd att användas i kombination med eller som ett komplement till predikosamlingen, alltså som ett homiletiskt hjälpmedel.

En brett anlagd predikosamling, kompilerad av f.d. prästen i Lommaryd, sedermera brodern i Vadstena kloster *Ericus Simonis* (Cod. Ups. C 9) avslutas med ett femtontal sidor (fol. 313r-320r) som innehåller diverse homiletiskt råmaterial. Häribland återfinns bl.a. en uppräkning av allegoriska beteckningar på Maria av typen ”Maria kallas berg, hand, skepp, vår moder, måne, tempel, fru” etc.[4] Vart och ett av dessa stycken är försett med en kortare utläggning och utan varje tvekan avsett att användas direkt i den folkliga predikan. Metaforen eller liknelsen var ju ett viktigt sätt att visualisera olika aspekter av en ibland svårgripbar mariologi.

Min uppgift är alltså att angripa mariafromheten där den är som starkast och tydligast, d.v.s. i det senmedeltida fromhetslivet. Detta innebär en svårighet. Även under medeltiden var bilden sammansatt. Innan vi övergår till att studera vilken roll Maria spelar i predikoexemplen, måste därför några ord sägas om den allmänna synen på Gudsmodern under senmedeltiden.

Den medeltida mariabilden

Det mest generella omdömet är väl att mariakulten och mariafromheten tilltog med tiden för att kulminera i rosenkransrörelsen vid 1400-talets slut.[5] I övrigt ges grunden i den vanliga bönen *Gaude, Dei genetrix!*, där Maria hälsas som gudsföderska (*Dei genetrix*), ren och förblivande jungfru (*semper virgo*) och obefläckad av arvssynden (*immaculata*). Även om dessa epitet är uppkomna vid någon tidpunkt och i någon historisk kontext har de en förhållandevis tidlös prägel. De återfinns till dels även hos Luther, även om en del spekulation hos denne ägnas delar av detta dogma som t.ex. tidpunkten för hennes syndfrihets inträdande, liksom det f.ö. också hade gjorts tidigare under medeltiden.[6]

En aspekt som är viktig att framhålla är att Maria inte endast ses som Guds utan även som hela mänsklighetens moder. En tradition med anor till fornkyrkan kallar Maria för den andra Eva och i och med att Maria förklarade sig villig att som moder bära fram Frälsaren kan hon också sägas vara moder åt allt levande.[7] Vår moder är hon dessutom i en utveckling av denna tradition där Maria ses som prototyp för Kyrkan (*typus ecclesiae*).[8] Med hänvisning ytterst till ett av Jesu ord på korset, nämligen det han riktar till sin moder och till sin lärjunge Johannes ("Kvinna, se din son!"), betraktas inte bara lärjungen utan även alla kristna människor som Marias barn. Även denna synpunkt tycks delad av Luther.[9]

Vad som tycks vara eget för den förreformatoriska mariabilden är föreställningen om hennes roll som medlare mellan mänskligheten och Gud och som medhjälpare i frälsningsverket, alltså som medåterlöserska. En stor del av den kritik mot den medeltida mariafromheten som framfördes av reformatorerna inriktade sig just på dessa delar. Man hävdade att den tilltagande mariakulten kom att skymma Kristus. Särskilt stötande var det förstås när Maria själv hade makt att inte bara vara medlare utan också att själv kunna påverka själens öde.[10]

Vad som egentligen ligger i begreppet medåterlöserska (*corredemptrix*) är inte helt tydligt. Alldeles klart har Maria del i frälsningsverket redan från det ögonblick hon säger ja till att ta emot och föda den som skall återlösa mänskligheten (Luk 1,38). Härigenom har hon en roll som medåterlöserska. Men det är ju inte hon själv som fullgör eller verkar själva återlösningen. Snarare utgör hon en förutsättning för den genom att gå med på att bära fram Återlösaren och själv företräda människosläktet inför honom. Men är det så att hon också har eller kommer att få en mer aktiv roll i delgivandet av nåden? Svaret på den frågan är ja, och för att förstå denna förändrade maktställning måste vi utgå från hennes roll som medlare, alltså från den hierarkiska maktrelationen till såväl Fadern och Sonen som till människosläktet.

Med medlare avses att Maria i likhet med övriga heliga män och kvinnor tjänar som en förmedlande länk mellan oss och Jesus. Exempelvis på så sätt att hon förmedlar våra *böner* till den högre instansen. Denna lära om Maria som förbedjerska omfattas även av Luther och Svenska kyrkan.[11] Men medlarrollen kan också vara mer aktiv: antingen så att hon liksom en försvarsadvokat själv söker *påverka* Domarens utslag, eller så att hon förmedlar eller på annat sätt *effektuerar* den av Kristus (domaren) delgivna nåden, och i vissa fall även själv tycks kunna *verka* den. En sådan ökad makt hos Maria, som då med nödvändighet kommer att ske på bekostnad av Kristus, avvisas tvärt av reformatorerna.

Men på ett sätt är ju också Sonen en medlare inför Fadern, delvis av samma typ som Maria är det inför Sonen. Maria blir därför vad *Bernhard av Clairvaux* kallar en ”medlerska inför medlaren”.[12] Det synes ligga något slag av psykologisk relevans i detta som möjligen kan uttryckas på följande sätt: när makten blir för avlägsen måste ett mellanled skjutas in för att göra situationen hanterlig för den vanliga människan. Människan behövde Sonen för att försonas med Fadern. Det var därför Kristus kom till världen. När sedan Kristus under högmedeltiden alltmer framträder som den envåldige Domaren kan makten på nytt ha börjat känna för avlägsen. För att — om uttrycket tillåts — fylla tomrummet framträder därför vid Marias sida den stora medlarskaran, alltså alla helgon. Det som sedan blir senmedeltidens eget bidrag till utvecklingen är Sonens roll som domare alltmer avtar till förmån för ett ökande intresse för hans passion, hans lidande, och för Marias medlidande med honom.[13] Domaren blir smärtomannen. En logisk följd av denna mindre majestätiska framtoning är att Marias och helgonens makt och betydelse tilltar. Maria framträder nu alltså som vår moder, och till på köpet en mycket mäktig moder, om än bedrövad.

Ibland tycks man anse att denna utveckling är psykologiskt betingad då den innebär ett mot de kvinnliga värdena inriktat nödvändigt komplement till en hävdvunnen och patriarkaliskt profilerad maktstruktur.[14] Hur det än förhåller sig med detta är grunden för den specifika mariabild som kännetecknar det senmedeltida fromhetslivet lagd, liksom ett av de viktigaste dragen i denna: synen på Maria som den beskyddande modern med befogenhet att påverka den enskilda människan i hennes dagliga gärning. Man kan säga att hon har *närmat sig* människan. *Michael Sunonis* som var generalkonfessor i Vadstena på 1450-talet skriver i en marginalnotis i en av honom själv författad eller sammanställd predikosamling att Maria är ”såsom den goda modern, som ombesörjer vårt dagliga välbefinnande”.[15]

Undersökningen

Som jag hoppas ha motiverat är predikoexemplen en ovanligt gynnsam källa för att avläsa dynamiken i fromhetslivet. Närmare bestämt har jag valt att studera Gudsmoderns roll i ett antal exempla hämtade ur våra på svenska bevarade predikosamlingar från 1400-talet, utgivna under samlingsbenämningen *Svenska medeltidspostillor* (MP).[16] Jag vågar påstå att dessa predikningar till sin allmänna karaktär — om än förstås inte i varje enskildhet — är representativa för den svenska medeltidspredikan i dess folkliga gestalt.[17] Att tillmäta dessa predikningar ett sådant källvärde innebär ett brott mot en tradition inom svensk forskning där man kan spåra en motvilja mot – eller rädsla för – att använda den folkspråkliga religiösa prosan som direkt källmaterial för slutsatser om fromhet och praktiskt kyrkoliv.[18]

Sammanlagt finns mellan 20 och 30 exempla där Maria figurerar på något sätt i de medeltida postillorna. Av dessa har sjutton valts ut, där Maria spelar en så pass framträdande roll att de kan användas i materialet. Till detta kommer förstås att Maria ibland också behandlas inuti själva predikningarna (som t.ex. ett längre utdrag ur legendmaterialet om Marie födelse i MP 3), men detta material har inte använts. Exemplen listas nedan med sidhänvisning till utgåvorna.

Ex. nr	I pred. till	Utgåva
I.	Marie himmelsfärd	MP 3 s. 484
II.	Marie himmelsfärd	MP 3 s. 489-490
III.	Marie födelse	MP 3 s. 505-506
IV.	Marie bebådelse	MP 3 s. 519-521
V.	1:a sönd. efter Påsk	MP 4 s. 6
VI.	4:e sönd. efter Påsk	MP 4 s. 28
VII.	5:e sönd. efter Påsk	MP 4 s. 36-38
VIII.	2:a sönd. efter Tref.	MP 4 s. 97-98
IX.	3:e sönd. efter Tref.	MP 4 s. 106-108
X.	7:e sönd. efter Tref.	MP 4 s. 142-143
XI.	20:e sönd. efter Tref.	MP 4 s. 239-240
XII.	20:e sönd. efter Tref.	MP 4 s. 242-243
XIII.	22:a sönd. efter Tref.	MP 4 s. 253-255
XIV.	2:a sönd. i advent	MP 5 s. 17-18
XV.	Sönd. efter Juldagen	MP 5 s. 75-76
XVI.	Juldagen	MP 6 s. 44-45
XVII.	15:e sönd. efter Tref.	JäP s. 61-62

Dessa exempla låter sig indela i två huvudgrupper. Exempla i den första gruppen är främst inriktade på att stödja *dogmat* om Maria. Det rör sig exempelvis om berättelser som skall bevisa någon teologisk frågeställning. Hit hör också berättelser som skall illustrera hennes betydelse för själarnas välfärd i det hinsides. Här fokuseras Marias roll som försvarsadvokat och det goda det för med sig att bedja till henne. Gemensamt för denna grupp är att de är *undervisande* och att handlingen eller den domän där Maria verkar oftast inte är här på jorden utan i himmelen eller inför domaren. Många av dem har också mycket gamla anor och behandlar inte sällan antika personer från kyrkans grundläggningstid. De tillhör de allra mest spridda i de medeltida exemplasamlingarna. Till denna kategori räknar jag följande åtta exempla.

Marias kroppsliga upptagelse i himmelen bevisas i en syn för S:t Elisabeth (**I**). Dagen för Marias födelse uppenbaras för en eremit i en fager änglasång från himmelen (**III**). Djävulen och Jesus träter om en mans själ. Själen får hjälp av advokaterna Veritas och Justitia och befrias slutligen av Maria, som tynger ned vågskålen med de goda gärningarna (**IV**). En klentrogen jude övertygas om jungfrufödseln genom att en stenskulptur av Jungfrun blir tjock om magen liksom en kvinna i grossess (**V**). Läsning av mariamässor minskar tiden i skärselden för en fördömd. Detta för att illustrera tesen att domen över själen faller så snart som solen (Kristus) går över himmelen utan att skymmas av något moln (Maria) (**X**). Domaren Stephanus anklagas efter sin död. Tre helgon går till Maria. Tillsammans går de alla fyra till domaren Jesus som ger själen nåd. Maria stadfäster boten (**XII**). Jungfrun med barnet visar sig i himmelen för den tiburtinska sibyllan (**XIV**). Apollotemplet i Rom störtar samman natten då Jungfrun födde barnet (**XV**).

Den andra gruppen vill jag ägna ett något större utrymme, då dess karakteristiska kännetecken mer direkt kan relateras till utvecklingen av den medeltida mariabilden som tecknades ovan. Om exemplen i den första gruppen mer var inriktade på att stödja olika delar av det mariologiska dogmat (alltså utgöra ett teologiskt argument) är dessa mer beräknade på att *mana* åhörarna till efterföljd eller på annat sätt *påverka* deras religiösa liv. Man kan alltså säga att det moraliserande inslaget är mer framträdande i denna grupp. Temat med det goda det för med sig med bön till Maria är tidlöst och därför gemensamt med exempla i den första gruppen, men tonläget är här annorlunda.

Det handlar inte så mycket om att verka själens frälsning i det hinsides som att klara sig ur prekära situationer i detta livet. Maria uppträder som hjälpare t.ex. i dödsögonblicket eller ibland ännu tidigare. Inte sällan är det den fattige och värnlöse eller den olyckliga kvinnan som står i händelsens centrum. Värnandet om den svage går hand i hand med en allmän kritik av de mäktiga i samhället, oavsett om dessa är präster, riddare eller klosterpersonal.

Maria har makt både att sända en själ tillbaka till kroppen för botgöring och att föra en annan direkt till paradiset. Hon träder också in i detta jordelivet och hjälper svaga och utsatta. Förutsättningen är att de är trogna. Om de inte är det går hon in med tillrättavisningar och pekar ut den rätta vägen, den hon vill att de skall följa. Den speciella typ av tillämpning (*applicatio*) som accentueras i dessa mariaexempla kan således sägas vara mer inriktad på lärdomen (*doctrina*) i den förra gruppen och på förmaningen (*adhortatio*) och trösten (*consolatio*) i den senare. Till denna kategori räknar jag följande nio exempla.

En dominikanbroder skickas av sin prior i ett ärende i båt över en sjö. När han skall tillbaka är båten försvunnen. Han blir förtvivlad eftersom han på inga villkor vill gå miste om aftonsången. Han slänger ut kappan på vattnet, läser en Ave Maria för var och en av sina fötter, tar så en åra och ror torrskodd hem till klostret (**II**). En man hugger på djävulens inrådan av sitt hemliga ting för att bli kvitt köttets frestelser, vilket sedermera kostar honom livet. Eftersom han troget tjänat Maria utverkar hon dock nåd hos Jesus, och effektuerar sedan detta domsutslag genom att sända tillbaka själen till kroppen och göra honom frisk (**VII**). En munk som alltid ville ha bättre mat än sina bröder tillrättavisas skarpt av Maria (**VIII**). Theophilus, syssloman hos en biskop, ingår pakt med djävulen, vilket beseglas i ett brev skrivet med hans eget blod. Detta för att komma undan den plötsliga fattigdom han drabbats av sedan biskopen fråntagit honom all hans egendom. Tre dagars bön inför en mariabild lyckas frälsa honom (**IX**). En fattig kvinna misshandlas och bedras av sin onde make. För att komma undan tar hon tjänst som amma hos en riddare. För att hämnas mördar maken riddarens barn och får det att se ut som om kvinnan är den skyldiga. Således oskyldigt anklagad för barnamord räddas hon från bålet först genom bönen *Salve Regina mater misericordia* (**XI**). En vacker och olycklig nunna stympar sig för att bli kvitt en efterhängsen riddare då varken abbedissan eller klostersystrarna kan eller vill erbjuda henne skydd. Tacksägelse inför ett Mariabeläte gör henne helbrägda (**XIII**). En god präst skakade av skräck på sin dödsbädd, men eftersom han dagligen hälsat Maria med bönen ”Gläd dig, gudsföderska!”, kommer hon till honom med de trösterika orden: ”Käre son! Varför rädes du så mycket? Du som så ofta berett mig så stor glädje med dina dagliga böner. På det att du må glädjas för evigt, kom med mig!” (**XVII**).

Till denna kategori räknar jag också nr VI och XVI. Dessa skall dock presenteras aningen mer utförligt och återges därför nedan i sin helhet i stiltrogen fri översättning till nusvenska.

> Det hände en gång så att en rik riddare blev sjuk i den socken där han bodde. Vid samma tid blev i samma socken en fattig änka också sjuk. På så vis fick kyrkherrn ärende till dem båda. Han tog med sig sin kaplan och sin klockare och gick först till den rike mannen.
>
> Där var mycket folk, både rika och fattiga, och alla förbarmade sig över honom och hans sjukdom, och han låg på många bolstrar och i en ståtlig säng. Kyrkherrn låtsades bli alldeles bedrövad vid åsynen av riddaren. Han hoppades nämligen att denne skulle giva honom ett stort testamente, vilket han också gjorde. Då sade kaplanen till kyrkherrn:

"Käre, inte tillbör det oss att försmå den fattiga kvinnan som också ligger sjuk i sin säng?" Då svarade kyrkherrn och sade: "Det tycks mig som du har litet förstånd eller visdom då du vill gå bort från denne gode mannen, som vi kan vänta oss så mycket gott av, och i stället gå till en fattig, usel kvinna, som inte har något gott att giva oss. Men vill du gå får du råda för detta själv. Jag förblir här med min klockare för att ta hand om min vän och patron."

Då gick den unge prästen till den fattiga kvinnan med Guds lekamen, och genast han kom in i gården mötte honom Jungfru Maria, som föll på sina knän. Med henne var många heliga jungfrur och heliga män. De bevisade alla den största heder och vördnad för sakramentet, i yttersta ödmjukhet. Tillsammans med kaplanen gick de in i huset där kvinnan låg på fattiga strån på golvet. Jungfru Maria gjorde all den tjänst för prästen som klockaren rätteligen borde ha gjort. Genast det arbetet var avslutat försvann allt folket bort ur prästens åsyn och därefter gav kvinnan upp sin anda. Det är att hoppas att hennes själ fick ett gott härbärge i himmelriket hos Vår Herre!

Nu därefter gick kaplanen åter till kyrkherrn, d.v.s. tillbaka till den rike riddaren som låg sjuk. Med detsamma han kom in i huset fick han där se många leda djävlar, och han såg särskilt en som hade en krok i sin hand, med vilken han krökte själen ur den usle mannens mun, som dog i samma ögonblick. Det är nog att rädas att de onda djävulens tjänstesvenner som vakade på själen, krökte den till sig och förde den bort med sig. Och allt detta till ett olika skifte i så måtto att kvinnan för sin fattigdoms och sitt tålamods skull förunnades att ha jungfru Maria och heliga jungfrur och heliga män till hjälp i sin yttersta tid, medan den rike mannen för sin ängslan, otålamod och högfärds skull på sitt yttersta bistods av leda djävlar.

Maria uppenbarar sig här tillsammans med andra heliga jungfrur och heliga män för att bistå kaplanen att ge den fattiga kvinnan Guds lekamen. Därmed förebrår hon den rike riddaren och hyllar den fattiga kvinnan. Dessutom förebrår hon förstås kyrkoherden och klockaren som ville hjälpa riddaren för att bli ihågkomna i dennes testamente, samtidigt som hon hyllar kaplanen som vågar stå emot sina ämbetsbröder.

Denna moral synliggörs genom att sakramentet blir verkningslöst för riddaren. I stället kommer djävlar och drar med sig själen till helvetet. Prästens onda uppsåt återverkar alltså på riddarens själs välfärd, på samma sätt som hjälpprästens goda uppsåt återverkar på den fattiga kvinnans. Vi noterar också att Maria och de övriga helgonen hade makt att föra den fattiga kvinnans själ med sig till himmelriket utan att gå omvägen via en högre domarinstans. Här är det den mäktiga och goda modern som verkar. Nästa exempel lyder som följer.

I en predikan gav vår Herre sin nåd till en fattig synderska så att hon greps av ånger och ruelse och kom att betänka sin egen självåda eftersom hon var en löst farande kvinna. Den samma kvinnan började ångra att hon någonsin hade brutit mot Gud, och hon gick in i en kyrka där det fanns många bilder och altaren.

Hon bad ödmjukt i sina böner inför dem alla att Gud ville förlåta henne hennes synder. Då strax fick hon där se en Mariabild på ett altare med ett litet kors och ett litet Jesusbarn i sin famn, precis som det är brukligt i kyrkor. Då tänkte hon för sig själv:

"Jag har tyvärr på ett så skamligt vis brutit mot Jungfru Maria i mitt ogudaktiga leverne att jag inte törs bedja henne om nåd, och på inget sätt är jag heller värd att vända mig till henne. Men jag vet för sant att av naturliga skäl låter sig små barn snart bedja och locka."

Och därmed gick hon fram till Mariaaltaret och bad vår Herre Jesus för sin barndoms skull att han måtte förlåta henne alla synder. Då fick hon se att den lilla Jesusbilden lutade sig fram från moderns sköte och räckte båda sina armar och händer mot henne, liksom om han skulle ha förlåtit henne och åter ville taga henne in i sin vänskap. Därefter gick kvinnan till skrift och gjorde en fullkomlig bekännelse för allt det hon hade brutit mot Gud, tog emot avlösningen och gjorde så full bättring, och blev därefter en trogen Guds tjänarinna så länge hon levde.

Kvinnans egna tankar inför Mariabilden på altaret erbjuder nyckeln till denna berättelse. Hon upplever sig ha brutit mot Jungfru Maria i sitt tidigare liv och hade egentligen velat bedja henne om nåd. Men hon betraktar sig som ovärdig att ens närma sig Jungfrun. Därför vänder hon sig till det lilla Jesusbarnet att han för sin barndoms skull ville förlåta henne. Små barn låter sig nämligen lättare beveka.[19] Även om det faktiskt här är Jesusbarnet som meddelar förlåtelsen och gången från Maria till Jesus är den traditionella, tycks maktrelationen mellan Modern och Sonen vara den omkastade i kvinnans eget fromhetsliv. Sonen verkar här inte i egenskap av den högre domarinstansen utan i egenskap av det lilla barnet som är lättare att komma till tals med än den upphöjda Modern. Ser vi här ytterligare ett steg i utvecklingen? Håller till och med Maria på att bli för avlägsen för den vanliga människan?

Min tanke är att den andra gruppen representerar ett senare stadium i utvecklingen än den förra. En sådan utveckling kan relateras till de förändringar i mariologin som antyddes ovan: en ökad maktbefogenhet i frälsningsverket och ett mer direkt inflytande över den enskildes liv här på jorden.

Möjligen kan förändringen också relateras till motiviska förändringar i den avbildande konsten. Om man utför den parallellen kan man säga att vi i den första gruppen ser den i himmelen vid sin sons sida tronande Himladrottningen. Någon direkt motsvarighet till gotikens och riddartidens jungfruideal ser vi kanske inte i den andra, men nog innebär den upphöjdas nedstigande till jorden och den goda moderns omvårdnad om den fattige en åtminstone möjlig beröringspunkt? Bägge innebär ju ett slags förmänskligande. Skall vi kanske se den goda modern som en skyddsmantelmadonna? Eller skall vi hellre söka parallellen i den utgående svenska medeltidens rustika bondhustrumadonna, så genialiskt avporträtterad av den hälsingske mästaren Håkon Gullesson?[20]

I förlängningen av medeltiden

Vi kan nu skissera huvuddragen av en viktig aspekt i den utgående medeltidens mariafromhet. Maria ses som den goda modern som värnar om den svage och fattige. Hon har också stor makt att påverka både oss i detta jordelivet och själarna i det hinsides. Hon tycks ständigt vara närvarande i livets avgörande skiften. Detta leder i sin tur till att hon oftast verkar i vardagliga och privata situationer. De grundläggande villkoren för och omständigheterna kring det mänskliga livet är hennes arbetsområde. Hon framträder alltså som ett mäktigt språkrör för samhällets små, och nu inte endast inför den himmelska makten utan även inför den jordiska överheten. Denna samhällskritiska accent är ett vanligt tema i tidens uppbyggelselitteratur (som bekant inte minst i Birgittas uppenbarelser) och är förstås ytterst ett bevis för upphovsmännens populära ambition och för att texterna inte talar maktens utan folkets språk.

Den goda moderns omsorger om de små framträder aldrig tydligare än i nedanstående senmedeltida bön som skall ställas till Jungfrun vid sänggåendet. Bönen står i en handskrift som ursprungligen producerats för franciskanerna i Bergen och återges i fri översättning från fornsvenskan.[21]

> O Jungfru Maria, Du som lade samman min herre Jesu Kristi ögon, då han hade dött och vilade i ditt sköte! I Ditt namn lägger jag nu samman mina ögon. Vid den sorg Du erfor vid Din sons död beder jag Dig att Du lägger samman mina ögon, nu liksom i min yttersta stund. Amen.

Hur ser då denna mariabild ut om vi följer utvecklingen framåt efter medeltiden? Här är inte platsen för någon utförlig framställning, utan vi får nöja oss med några smärre iakttagelser. Ett gemensamt drag för de strömningar som från skilda håll kritiserar enhetskyrkan och som utmynnar i den lutherska reformationen, är att man visserligen erkänner helgonen, men vill reducera deras maktbefogenhet, särskilt deras roll som medlare (jfr ovan).[22] Men förändringen sker inte automatiskt. Avskaffandet av mariafesterna i de kyrkliga kalendarierna går långsamt och ryckvis och det officiella bruket stabiliseras inte förrän efter Uppsala möte 1593, även om otillåtna dagar också därefter fortsatte att firas här och var.[23] Det tycks som en folklig mariafromhet hela tiden hålls levande alldeles oberoende av teologernas tvister. Hennes festdagar tycks också ha varit några av de mest folkkära under kyrkoåret.

Som motiv i konsten lever Maria förstås vidare. Detta förvånar inte när det gäller de stora renässansmålarna för vilka den upphöjda madonnan var ett lika självskrivet som fantasieggande ideal. Möjligen är det mer förvånande att Maria också lever vidare som motiv i kyrkorummet. Även om reformationstidevarvet helt naturligt innebar en del turbulens på området, inskärper Kyrkoordningen 1571 bildernas pedagogiska värde för de olärda, men varnar samtidigt för ett vidskepligt dyrkande av dem. B. I. Kilström konstaterar att "...inga tecken på bildstorm kan noteras i Sverige vare sig på 1500- eller 1600-talet. Det är först i och med upplysningen som altarskåp, krucifix och helgonbilder i större utsträckning börjar avlägsnas ur kyrkorna — men då av helt andra skäl än reformatoriskt renlärighetsnit."[24] Detta gäller också mariabilderna. Påfallande många av de altarskåp som på 1600-talet flyttades mellan kyrkorna som resultat av renoveringsarbeten o.l., och som kom att få framskjutna placeringar, har Maria i centrum. Som I.-L. Ångström har påpekat tycks man snarast ha velat framhålla hennes bilder i kyrkan. I stället för att göra sig av med dem har man eftersträvat att anpassa dem till det lutherska kyrkorummet.[25]

I andaktslitteraturen tycks Jungfrun ha spelat en mycket blygsam (om än inte helt obefintlig) roll efter reformationen, såväl under 1500-, 1600- som 1700-talen.[26] Den stora utbredningen av själva genren (andaktslitteratur), fr.a. under 1600-talet, tycks dock ha sin förutsättning i en folklig katolsk fromhet som förblivit opåverkad av reformationens vågsvall och givits tillfälle att finna nya uttryck efter det att stormen bedarrat.[27] Denna typ av litteratur förefaller också stå närmare de populära uttrycksformerna än att vara en kanal för teologernas eller det högre prästerskapets officiella ståndpunkter.[28]

Vilken mariabild är det då som accentueras i arvet från medeltiden? I sin genomgång av mariabilden i Laurentius Petris postillor visar Sven-Erik Brodd att den viktigaste rollen Maria spelar hos ärkebiskopen är exemplets. Maria visar nämligen på "hur barn-föräldrarelationen skall utgestaltas, är exempel i tro och förtröstan och slutligen på fromhet och trohet i den dagliga gärningen".[29] Maria framträder här tydligt som föredöme för den som sköter sin dagliga kallelse och för den lidande människan.

Maria i folktraditionen

En utgångspunkt för att komma vidare måste vara den medeltida mariafromhetens folkliga dimension och att det är i den fortsatta folkliga traditionen vi bör söka förlängningen från medeltiden. Men i den folkliga traditionen finns också en kraft som vill reducera de gudomliga inslagen eller transformera dem till folkloristiska motiv. När det medeltida mirakel som brukar kallas Målaren och djävulen upptecknas på 1700- eller 1800-talen ur den muntliga traditionen, har allt som i de medeltida versionerna sägs om den heliga Jungfruns intervention försvunnit. Mer intresse riktas här på djävulen.[30] Själv har jag också fäst uppmärksamheten på ett medeltida mirakel, där det gudomliga ingripandet – om än inte Maria är inblandad i detta fall – i den efterföljande folkliga traditionen ersätts eller smälter samman med den folkloristiska föreställningen om Skogsfrun.[31]

Alltnog. Några äldre forskare har dokumenterat mycket av den folkliga mariafromheten och i några fall också spårat dess medeltida rötter. I folktron har Jungfru Maria sedan gammalt förbundits med nyckelpigan. Från nyare tid har ett betydande antal besvärjelseliknande läsningar till nyckelpigan dokumenterats och sammanställts av E. Louis Backman.[32] Motiven i dessa, som ofta rör sig om sådana för det vardagliga livet så centrala företeelser som väder, mat, kläder, bröllop m.m., kan nästan utan undantag visas återgå på en medeltida tematik och symbolik. I vissa fall finns även melodier dokumenterade ur den muntliga traditionen, vilka typologiskt kan återföras på den senmedeltida kyrkosången.[33]

Det finns vidare ett stort antal andra besvärjelser från medeltiden och framåt, samlade och utgivna av Emanuel Linderholm.[34] I dessa spelar inte sällan Maria en avgörande roll och även här ser vi tydliga likheter med den medeltida mariabilden. Hon uppträder således ofta tillsammans med Jesus och ber honom där om hjälp, alltså enligt det vanliga mönstret i de medeltida domsscenerna.[35] Följande läsning från 1870- eller 1880-talet (Signelser ock besvärjelser nr 929) mot s.k. modstulenhet, d.v.s. ursprungligen genom trolleri uppkommen livsleda hos kreatur, härrör från Rengsjö i Hälsingland.

> Jungfru Maria gick ut i en by / och väckte upp sin son så dyr. / "Stat up min son" sade Jumfru Maria att Jesus, / "och bota mina kreatur." / Jesus frågade Jumfru Maria, vad fattades. / Jumfru Maria svarades: / "Min ko är magt stulen, / mostulen, / blostulen, / mjölkstulen." / Jesus Christus svarades: / "Gif henne salt, / gif henne mal[t], / och gif henne miöl / och annat täjie miöl; / till skogx skall dom gå, / hem skall dom komma, / stridor i sidorna, / full och fet, / deras spänar skall trinna, / såsom skärnorna på himmelen brinna!"

I denna och med den besläktade läsningar ser vi att det är Maria som spelar rollen av den behövande.[36] Hon tycks alltså tjäna som den olyckliges identifieringsobjekt, vilket kan vara en logisk följd av en senmedeltida privatisering av mariabilden och av Gudsmoderns allt mänskligare drag.

Ibland uppträder Maria tillsammans med sina mör, alltså ungefär på samma sätt som Maria ofta uppträdde tillsammans med andra heliga jungfrur (jfr även predikoexemplet ovan).[37] Följande besvärjelse mot huvudvärk (nr 844) är dokumenterad från Norrköping 1617-18:

> Jungfru Maria och hennes Möjor, / de till stranden gingo: / Då sågo de hjernen flyta, / de vodo ut och togo den / och lade honom i hjerna och hjerneskål, / med Guds nåd. / I nampn [Faders, Sons och den Helige Andes]

Alla besvärjelser av denna art är tydligt inriktade på människans grundläggande livsvillkor som t.ex. att bota eller förebygga sjukdomar hos människor eller djur, att lindra vid barnsbörd, att stilla blod, att skydda sig mot råttor och ormar m.m. Avslutningsvis skall jag anföra ett par besvärjelser som skall lindra vid barnsbörd. Den första (nr 209) är upptecknad i Rommele i Västergötland år 1722. Den skall läsas tre gånger och avslutas med Fader Vår.

> Jungfru maria, millda moder, / läna mig nycklarna dina, / medan jag läser upp lemmar / och ledamotter mina! / I namn: Faders, Sons och den H. Andes

Nyckelmotivet känner vi från annat håll. Det är ytterst ett tecken på makt och också anledningen till att nyckelpigan fått sitt namn. Nedanstående (nr 210) är från Finnveden i Småland, 1840-talet. Den skall läsas vid svår barnsbörd av jordemodern och sedan upprepas av barnsängskvinnan:

> Jungfru Marja, / låna mig nycklarne dina / till att öppna mitt lif / och föda mitt barn.

Otvivelaktigt har Maria åkallats i detta syfte redan under medeltiden.[38] Födelsesymboliken är ju också mycket framträdande i den traditionella mariologin. Att Maria medger att bära och föda Frälsaren blir en avgörande vändpunkt i hela frälsningsverket med omätbara konsekvenser för alla människor. Det är därför naturligt att Maria kommer att förknippas med födelsen. Och i och med att hennes roll förskjuts från den himmelska till den jordiska sfären, och i och med att hon alltmer framträder som den goda modern, kommer hon också alltmer att förknippas inte endast med den andliga utan även med den jordiska födelsen.

Maria tycks alltså ha spelat en roll i den fortsatta folkliga traditionen efter medeltiden. Till allt väsentligt måste denna roll sägas vara modellerad på, och utgöra en logisk fortsättning av den mariabild som utgestaltats under slutet av den katolska epoken. Ytterst blir detta förstås en bekräftelse på de drag i den senmedeltida mariabilden som tecknades ovan. Indirekt blir det också en bekräftelse på att den medeltida predikan verkligen var framgångsrik i så måtto att den lyckades förmedla en världsbild och ett fromhetsideal som nådde djupt ned i folksjälen och dessutom kom att bevaras långt efter den nya tidens insteg.

Summary

Comfort for the Poor.
Mary in the medieval homiletic exemplum

The homiletic *exemplum* is a type of source material extremely well fitted for uncovering important aspects of medieval popular religious life. In general terms, this is due to the fact that sermons normally address a popular audience. More specifically, the function of the *exemplum* in the sermon is to concretizise and visualizise the often abstract concepts of the Christian dogma. Hereby, the consequences for the individual churchgoer intended by the preacher in his application of the Word, can more easily be understood.

The medieval picture of the Holy Virgin is manifold. As a *typos* for the Church, she is regarded not only as the mother of Christ, but also as the mother of all humanity. As a result of the increasing cult of saints, the power of Mary becomes more prominent during the course of time. At the end of the period, Mary has the capacity not only to affect the Judge by her prayers, but also to act more powerfully on her own for the fulfillment of God´s salvatory plan. She also intervenes directly in this life to correct sinners that have gone astray.

The Reformation changes this state of affairs drastically at the official level. But a popular devotion for Mary can be supposed to continue well into the sixteenth century and onwards.

Seventeen *exempla* mentioning or treating the Virgin, all collected from sermon collections in the vernacular, have been studied. Concerning the role of Mary, these can neatly be divided into two groups. In the first, the preachers focus on certain aspects of the dogma. The miracle here serves as a theological argument, prooving concepts such as Mary´s corporal assumption or her exeption from original sin. These *exempla* have a clearly didactic purpose. In the second group, the individual´s devotional life is emphazised. Mary serves as a moral guide and provides consolation to the distressed. By her own power she can influence the welfare of the soul after death, and as a good and caring mother she intervenes in our daily life to reliefe us from pain and point out the right path to follow. She stands out as a representative of the poor and unhappy in opposition to the wealthy and mighty in society.

Seen in relation to the general development, the second group is regarded as representing a more advanced stadium. Two *exempla* from this group are studied in detail to support such an assumption. Finally, some motives in post-Reformation folk-lore are studied. The function of Mary in this material seems to be modelled on that of the out-going Middle Ages, which in its turn suggests an unbroken popular understream of popular devotion for the Holy Virgin.

Noter

[1] Viktiga synpunkter på skriftpredikans olika funktioner meddelas av t.ex. Kienzle 1993 och Bacci 1993.

[2] Om funktionen hos det medeltida predikoexemplet, se t.ex. Bremond & Le Goff 1982, s. 27-38.

[3] Om den svenska medeltidspredikans beroende den mendikantiska traditionen, se Strömberg 1944. Om utvecklingen över tiden av exemplets roll i predikan, se dens. s. 129-133; Welter 1927, s. 335 not 1.

[4] *Maria dicitur mons....manus....nauis....mater nostra....luna....templum....domina* etc (fol. 316v-319r).

[5] Se härom Carlsson 1947 samt Sven-Erik Pernlers bidrag till denna bok. I den

senmedeltida predikoverksamheten i Vadstena kloster kommer Maria i ett avseende att inta en närmast programmatisk plats. Textbehandlingen i predikningarnas exordier (eller *prothemata*) går mot en nästan undantagslös applikation på Jungfru Maria. Mönstret framgår tydligt då *Nicolaus Ragvaldi* som var generalkonfessor i början av 1500-talet, inleder en predikan till fjärde sönd. efter trettondagens oktav med instruktionen *Dic textum* [alltså dagens evangelium; min anm.] *sicud jacet plane. Deinde applica de bono semine, scilicet virgine maria* (Cod. Ups. C 327 fol. 240r).

[6] Jfr Brodd 1983, s. 11-12.

[7] Jfr Lundén 1979, s. 32.

[8] Jfr Nyberg 1991, s. 15, 21 passim.

[9] Brodd 1983, s. 11.

[10] Den betydande vadstenapredikanten *Clemens Petri* skriver i en notis på fornsvenska i en predikosamling följande: *Sanna fredhin forwerffdhe jomfru maria mankönino, Ok thy kallas hon medheliska ok forlikärska* (Cod. Ups. C 321 fol. 12r). Denna syn på Maria som medlare görs inte sällan tydlig i predikningarnas symbolik. I en predikan till Marie himmelsfärd i Cod. Ups. C 56 (MP 3) liknas Maria vid en molnsky på två sätt: 1) på samma sätt som molnet erbjuder svalka för solens hetta, står Maria med sina böner mellan den rättfärdiga gudomen och det syndiga människosläktet 2) på samma sätt som molnet renar himmelen så att solen lyser desto klarare när det dragit förbi, fördriver den Helige Ande djävulens mörker från en människas hjärta efter att Maria bedit för hennes själ (MP 3, s. 488-489).

[11] Luther skiljer mellan "förbedjerska", vilket han accepterar och "förespråkerska" vilket han förkastar.

[12] I predikan till *Dominica infra octauam Assumpcionis beate virginis Mariae* skriver Bernhard: *Opus est enim mediatore ad mediatorem istum, nec aliter nobis utilior quam Maria* (PL 183, col. 429).

[13] Att Maria lider med sin son blir en aspekt av hennes roll som medåterlöserska. Hon deltar i Kristi lidande för mänskligheten.

[14] Inte bara hävdat av moderna feministiskt orienterade teologer, utan även i en äldre tradition; jfr Estborn 1929 s. 22 not 68.

[15] *Maria est quasi mater bona, salutem cotidie procurans* (Cod. Ups. C 349 fol. 112v).

[16] SFSS 23. En av handskrifterna (Cod. Holm. A 111) är utgiven av Ernst Rietz under titeln *Svensk Järteckens Postilla* (JäP).

[17] Som ett allmänt argument för detta gäller att texterna i de bevarade handskrifterna uppvisar så stor inbördes variation att ett osjälvständigt beroende av källorna är uteslutet. Som ett specifikt argument gäller att texterna i texttraditionen förändras på sätt som blir logiska mot bakgrund av faktorer i den historiska kontexten, som t.ex. föreskrifter om prästernas predikoskyldighet o.l. Förändringen avser såväl arrangemanget av helgdagar i hela samlingen som förändringar i textstruktur och stil i de enskilda predikningarna. Se vidare Andersson 1993.

[18] En sådan uppfattning tycks ytterst ha att göra med en fram till de senaste decennierna kvardröjande föreställning om den medeltida textens stabilitet och därigenom om textvittnets lägre källvärde. En stor del av den folkspråkiga medeltidsprosan består ju av översättningar eller bearbetningar, vilka inte sällan endast bevarats i avskrift. I nyare medeltidsfilologi och litteraturteori kan man dock se en tydlig uppvärdering av texttraditionen. Man talar sålunda om texten som "event" för att betona att styrkan i den kommunikativa handling som utförs med hjälp av texten inte i princip är mindre vid återskapande än vid skapande, men också för att beteckna

textens ständiga förändring och anpassning till den verklighet där den är avsedd att fungera (se t.ex. Jauss 1982, s. 32-36). Härigenom "familiariseras" texten av läsaren/textanvändaren (Carruthers 1990, s. 164).

[19] Tydligen anspelar predikanten här på versen *Sunt pueri puri, parui, paruisque cibantur, currunt, letantur, cito dant, cito pacificantur* (i synnerhet förstås ordet *cito dant*). Versen förtecknas av Walther 1963-86 som nummer 30799.

[20] Jfr Lindblom 1978, s. 35-43.

[21] Svenska böner från medeltiden, s. 238 (nr 118).

[22] Frågan debatteras dock flitigt, även av reformationens förespråkare. I den rundskrivelse som Gustav Vasa, i syfte att åstadkomma en offentlig disputation i lärofrågan, år 1526 sänder ut till kyrkliga dignitärer från bägge partierna, frågas bl.a. efter dessas syn på helgonkulten. Det svar som Olaus Petri inger kan ses som symptomatiskt. Vi bör hedra och vörda helgonen, men medlarrollen tillkommer ingen annan än Kristus. Jfr Westman 1918, s. 304, 345.

[23] Malmstedt 1994, s. 59-79. Jfr även Brodd 1982, s. 185-189. De tre mariafester som bibehålls är de som har sitt ursprung i nytestamentliga berättelser.

[24] Kilström 1991, s. 195. Jfr även Grefbäck 1994, s. 6.

[25] Ångström 1991, s. 292, 298.

[26] Estborn 1929, s. 299. Jfr äv. bidragen av Stina Hansson och Magnus Nyman i denna bok.

[27] Estborn 1929, s. 430, Lindquist 1939, s. 425-432.

[28] Lindquist 1939, s. 429.

[29] Brodd 1982, s. 196.

[30] Odenius 1957, s. 148-156.

[31] Andersson 1991, s. 289-291.

[32] Backman 1947.

[33] *A.a.*, s. 277-286.

[34] *Signelser ock besvärjelser*. Bland mycket annat kan det röra sig om besvärjelser, bevarade i tingsprotokoll som använts av kvinnor anklagade för häxeri.

[35] Jfr äv. Ljunggren 1960.

[36] Jfr t.ex. *Signelser och besvärjelser* nr 926-928, 930-931.

[37] Ytterst kan denna föreställning gå tillbaka på en kristen variation av den hedniska föreställningen om de tre hjälpande nornorna. Hur Maria i folklig lapsk tradition blandas samman med icke-kristna gudar visas av Grundström 1959.

[38] Thomas 1991, s. 222. En annan domän där mariafromheten lever vidare utgörs av de folkliga växtnamnen. Många blommor som givits marianamn har medicinsk användning. Som exempel kan nämnas Jungfru Marie sänghalm (Gulmåran) som haft funktionen just att lindra smärta vid barnsbörd. Blomman skulle läggas i sängen hos den havande kvinnnan (Backman 1947, s. 186).

Litteraturförteckning

Otryckta källor

Uppsala, Universitetsbiblioteket

Cod. Ups. C 9
Cod. Ups. C 321
Cod. Ups. C 327
Cod. Ups. C 349
Cod. Ups. C 350
Cop. Ups. C 359

Tryckta källor och litteratur samt förkortningar

Andersson 1991 =
Roger Andersson, Användningen av exempla i den svenska medeltidspredikan: Kyrka och socken i medeltidens Sverige, utg. Olle Ferm (Studier till det medeltida Sverige 5), Stockholm 1991, s. 265-296

Andersson 1993 =
Roger Andersson, Postillor och predikan. En medeltida texttradition i filologisk och funktionell belysning (Runica et Medievalia. Scripta minora I), Stockholm 1993

Bacci 1993 =
Anna Maria Valente Bacci, The Typology of Medieval German Preaching: De l'homélie au sermon. Histoire de la prédication médiévale. Actes du Colloque international de Louvain-la-Neuve (9-11 juillet 1992), Louvain-la-Neuve 1993, s. 313-329

Backman 1947 =
E. Louis Backman, Jungfru Maria nyckelpiga, Stockholm 1947

Bremont & Le Goff 1982 =
Claude Bremont & Jacques Le Goff, L'exemplum (Typologie des sources du moyen âge occidental, fasc. 40), Turnhout 1982

Brodd 1982 =
Sven-Erik Brodd, Predikan om Jungfru Maria i Laurentius Petris postillor: Predikohistoriska perspektiv, red. Alf Härdelin, Stockholm 1982, s. 183-212

Brodd 1983 =
Sven-Erik Brodd, Maria i den luthersk-katolska dialogen: Maria och den lovsjungande kyrkan: Bilaga till kyrkligt magasin, 1983, s. 11-18

Carlsson 1947 =
Gottfrid Carlsson, Jungfru Marie psaltares brödraskap i Sverige. En studie i senmedeltida fromhetsliv och gilleväsen: KÅ 47 (1947), s. 1-49

Carruthers 1990 =
Mary Carruthers, The Book of Memory. A Study of Memory in Medieval Culture, Cambridge 1990

Estborn 1929 =
Sigfrid Estborn, Evangeliska svenska bönböcker under reformationstidevarvet, Lund 1929

Grefbäck 1994 =
Göran Grefbäck, Vadstena klosterkyrka efter reformationen (Birgittastiftelsens småskriftserie nr 2), Vadstena 1994

Grundström 1959 =
Harald Grundström, Jungfru-Maria-motivet i lapska joikningslåtar: Kungliga Vitterhets Historie och Antikvitets Akademiens handlingar 91 (1959), s. 164-170

Jauss 1982 =
Hans Robert Jauss, Toward an Aesthetic of Reception, i övers. av Timothy Bahti, Minneapolis 1982

JäP =
Svensk Järteckens Postilla, utg. av Ernst Rietz, Lund 1850

Kienzle 1993 =
Beverly Mayne Kienzle, The Typology of the Medieval Sermon and its Development in the Middle Ages: Report on Work in Progrss: De l'homélie au sermon. Histoire de la prédication médiévale. Actes du Colloque international de Louvain-la-Neuve (9-11 juillet 1992), Louvain-la-Neuve 1993, s. 83-101

Kilström 1991 =
Bengt Ingmar Kilström, Synen på kyrkoprydnader i Laurentius Petris kyrkoordning 1571 och konsekvensen av denna: Tro og bilde i Norden i Reformasjonens århundre, Oslo 1991, s. 193-200.

KÅ =
Kyrkohistorisk årsskrift

Lindblom 1978 =
Andreas Lindblom, Madonnabilder från svensk medeltid, Vadstena 1978

Lindquist 1939 =
David Lindquist, Studier i den svenska andaktslitteraturen under stormaktstidevarvet med särskild hänsyn till bön-, tröste- och nattvardsböner, Uppsala 1939

Ljunggren 1960 =
Karl Gustav Ljunggren, Två magiska formler från 1600-talets Halmstad: Folkloristica. Festskrift till Dag Strömbäck 13 augusti 1960, Uppsala 1960, s. 70-74

Lundén 1979 =
Tryggve Lundén, Jungfru Maria såsom corredemptrix eller medåterlösarinna framställd i liturgisk diktning och bildkonst från Sveriges medeltid: KÅ 79 (1979), s. 32-60

Malmstedt 1994 =
Göran Malmstedt, Helgdagsreduktionen. Övergången från ett medeltida till ett modernt år i Sverige 1500-1800 (Avhandlingar från Historiska institutionen i Göteborg, nr 8), Göteborg 1994

MHUU =
Mittelalterliche Handschriften der Universitätsbibliothek Uppsala. Katalog über die C-Sammlung, (Acta Bibliothecae R. Universitatis Upsaliensis), utg. Margarete Andersson-Scmitt, Håkan Hallberg, Monica Hedlund, Uppsala 1988-1995

MP =
Svenska medeltidspostillor (SSFS 23:1-8), utg. Gustav Edvard Klemming, Robert Geete, Bertil Ejder, Stockholm & Uppsala 1879-1983

Nyberg 1991 =
Tore Nyberg, Birgitta och Maria: Birgittinsk festgåva. Studier om den Heliga Birgitta och Birgittinorden av Tore Nyberg, Uppsala 1991, s. 9-24. Tidigare publ. i Lumen. Katolsk teologisk tidskrift 3 (1960).

Odenius 1957 =
Oloph Odenius, Målaren och djävulen. Legendhistoriska anteckningar kring ett Mariamirakel: Arv 13 (1957), s. 111-158

PL =
Patrologiae cursus completus. Series latina, utg. J. P. Migne, Paris 1844-

SFSS =
Samlingar utgivna av Svenska fornskriftssällskapet

Signelser och besvärjelser =
Signelser och besvärjelser från medeltid ock nytid. Samlade ock utgifna af Emanuel Linderholm: Svenska landsmål ock svenskt folkliv bd 41, Stockholm 1927, 1929

SSSK =
Samlingar och studier till svenska kyrkans historia

Strömberg 1944 =
Bengt Strömberg, Magister Mathias och fransk mendikantpredikan (SSSK 9), Stockholm 1944

Svenska böner från medeltiden =
Svenska böner från medeltiden. Efter gamla handskrifter utgifna af Robert Geete (SFSS 38), Stockholm 1907-09

Thomas 1991 =
Keith Thomas, Religion and the Decline of Magic. Studies in Popular Beliefs in Sixteenth- and Seventeenth-Century England, (orig. 1971; reprinted in Penguin Books), London etc. 1991

Walther 1963-86 =
Hans Walther, Proverbia sententiaeque Latinitatis medii aevi 1-9 (Carmina medii aevi posterioris latina 2), Göttingen 1963-86

Welter 1927 =
J.-Th. Welter, L'exemplum dans la littérature religieuse et didactique du moyen âge, Genève 1973 (réimpression des éditions de Paris-Toulouse 1927)

Westman 1918 =
Knut B. Westman, Reformationens genombrottsår i Sverige, Uppsala 1918

Ångström 1991 =
Inga Lena Ångström, De medeltida altarskåpens och helgonbildernas vidare öden i Sverige under 1500- och 1600-talen: Tro og bilde i Norden i Reformasjonens århundre, Oslo 1991, s. 285-299.

Helena Edgren

Maria i Åbo stift under medeltiden

De flesta forskare som begrundar Marias betydelse och roll i den kristna kyrkan under de gångna tusen åren kan utgå från en mångfald skriftliga källor eller ett omfattande bildmaterial. När det är fråga om ”Maria i Åbo stift under medeltiden” låter detta sig inte göras. I Finland har endast få texter som direkt anknyter sig till Maria-kulten bevarats, och även det sparsamma material som är känt hos oss, härstammar från medeltidens sista decennier och belyser sålunda bara den sista fasen av en lång utveckling. I Finland är man sålunda tvungen att ty sig till annorlunda källmaterial och indirekta konklusioner när man försöker skapa sig en bild av Marias roll i medeltidens andliga liv.

Man kan närma sig frågan på flera olika sätt. Jag skall i det följande dels använda mig av det arkeologiska materialet, dels av de uppgifter vi har om den tidiga kyrkliga organisationen i Finland, de i Finland använda helgonkalendrarna, predikolitteraturen, gudstjänstbruket i Åbo domkyrka och den bild Missale Aboense ger om Maria-kulten samt det folkloristiska materialet. Som avslutning kommer jag ännu att nämna några ord om Jungfru Marias ställning i Finland efter reformationen.

Finland hör till de länder i Europa, som senast tillägnade sig den kristna tron. Hos oss anses den egentliga missionsperioden ha börjat först omkring år 1150, då Sveriges konung Erik den Helige och den engelskfödde biskop Henrik antas ha företagit det så kallade första korståget till Finland. Den kristna tron var dock inte mera en nyhet i 1100-talets Finland. Olika handels-och andra kontakter hade redan Det övriga källmaterialet belyser närmast betydelsen av Maria-kulten under slutet av medeltiden. Så som den kyrkohistoriska forskningens i Finland

Bild 1.
Åbo domkapitels äldsta sigill, post 1296. Enligt Hausen 1900. Diam. 5.5 cm.
The oldest seal of the Diocesan Chapter of Åbo, post 1296. Diam. 5.5 cm. From Hausen 1900.

Bild 2
"Maria orans", silverhänge från Kaukola Kekomäki korstågstida gravfält i Karelen. Nationalmuseet, Helsingfors. Diam. 5.9 cm.
"Maria orans", silver plate pendant from the late prehistoric cemetery of Kekomäki in Kaukola. Nationalmuseum of Finland, Helsinki. Diam. 5.9 cm.

Bild 3.

Ringspänne med texten AVE MARIA GT, från Kaukola Kekomäki gravfält. Nationalmuseet, Helsingfors. Diam. 2 cm.

Ring-brooch with inscription AVE MARIA GT from Kekomäki cemetery in Kaukola. National Museum of Finland, Helsinki. Diam 2 cm.

”grand old man” Aarno Maliniemi nämner i sin studie ”Der Heiligenkalender Finnlands”, har man i Åbo stift säkert redan från begynnelsen celebrerat de fyra äldsta Maria-festerna, Nativitas, Annunciatio, Assumptio och Purificatio. På 1400-talet utökades antalet fester med fyra: Conceptio, Visitatio, Praesentatio och Compassio.[6] Det ökande antalet Maria-fester var naturligtvis inget finskt särdrag, utan följde noggrannt den allmäneuropeiska utvecklingen. Vi kan ändå konstatera, att Praesentatio-festen, som i Åbo stift har graden duplex, enligt Maliniemi saknas i de tryckta svenska kalendarierna. Han antar därför att dess förekomst i Finland vittnar om ett danskt, närmast lundensiskt, eller tyskt inflytande. Samtidigt vittnat den ju också om en djup devotion till Maria. Alla de ovannämnda festerna har som grad antingen duplex eller totum duplex.[7]

I Åbo domkyrkas senmedeltida gudstjänstliv framstår Marias markerade ställning tydligt. De skriftliga källorna tiger om när Jungfru Marias tidegärd har blivit en del av den regelbundna kortjänsten, men senast på 1480-talet hörde de till ordningen. Från 1400-talets sista årtionden har vi också andra exempel på Maria-kultens betydelse. Magnus Särkilaks, som senare blev biskop av Åbo, har under sin tid som domprost i domkyrkan grundat ett allhelgonaltare, som vid sidan av alla helgon också var vigt åt den Heliga Treenigheten samt till minnet av Kristi pina och uppståndelse och Maria himmelsfärd och compassio. Den ena av de mässor som dagligen firades vid altaret, var tillägnad Jungfru Maria, medan den andra varierade beroende på veckodag. Framhävandet av Marias betydelse kan dock också ses på ett bredare, hela riket omfattande plan. I ett av synodalstatuterna givna under biskop Konrad Bitz’ tid, stadgas det för kyrkans och rikets välfärd fyra årliga votivmässor, av vilka den som firades sommartid var en Maria-mässa. Därtill stadgades det att det under ett år också skulle firas mässa för Kristi fem sår och Jungfru Marias Compassio.[8]

Även i den mycket fragmentariskt bevarade medeltida predikolitteraturen i Finland återspeglas Marias särställning. I predikningarna talas det mycket litet om Jesus och betydelsen av hans gärning, men desto mera om Maria och de andra helgonen. Enligt Jaakko Gummerus finns det hela verk, som enbart består av predikningar som förhärligar Jungfru Maria. I synnerhet i dem, men också i andra predikningar, förses hon med ett nästan gränslöst antal gudomliga egenskaper som beskrivs med många-handa liknelser.[9]

Det klaraste beviset på Maria-devotionens betydelse erbjuder dock boken Missale Aboense. Denna Finlands första messobok och äldsta inkunabel trycktes år 1488 i Lübeck i Bartholomaeus Gothans tryckeri,

Bild 4.

Halskors från Taskula gravfält i S.Marie socken, daterat till 1000-talet. Bilden har ansetts föreställa Jungfru Maria, på andra sidan en Kristus-figur. Nationalmuseet, Helsingfors. Höjd 5.7 cm.

Cruciform pendant from Taskula, Maaria parish. Interpreted as depicting the Virgin Mary. A figure of Christ on the reverse. National Museum of Finland, Helsinki. Hight 5.7 cm.

och innehåller de i dagsgudstjänsterna använda läsestyckena, bönerna och psalmerna för hela kyrkoåret.[10]

Verkets historia är såtilvida intressant, att det redan från början trycktes i två olika upplagor. Den ena av dessa är en allmän dominikansk missale, som kunde användas i dominikanordens alla konvent; verkets egentliga namn är också ”Missale secundum ordinem fratrum praedicatorum”. Den andra består av samma grundtext, men med ändringar som var av nöden för att boken skulle kunna användas som Åbo stifts missale. Den för Åbo stift beställda upplagan börjar sålunda med ett förord skrivet av biskop Konrad Bitz och tryckt på ett skilt blad, och också helgonkalendern har utarbetats med tanke på den finska kyrkan och dess särdrag. På samma sätt innehåller bokens ”proprium de tempore” -del mässor också till nordiska helgons ära.[11]

Bokens allmänt dominikanska natur framkommer tydligt också i den del, som är tillägnad Jungfru Maria. I verkets ”proprium de sanctis” -del saknas sålunda Marias conceptio-fest, vars firande dominikanerna motsatte sig. Däremot är de andra Maria-festernas liturgiska program i Missale Aboense betydligt mera omfattande och mångsidigare än de övriga helgon- och festdagarnas.[12]

Klarast framträder dock Marias särställning och popularitet i missalens sekvenser. Missale Aboense innehåller två samlingar av sekvenser, av vilka den första är placerad efter proprium missarum-delen. I dessa sekvenser ingår bara en enda hymn som berör Maria. Efter den första sekvensdelen har placerats en andra samling av sekvensser, som börjar med orden ”Incipiunt sequentiae de sanctis et beata virgine pro ecclesiae Aboensi”. Den är sålunda ett tillägg gjort enligt önskan av de finska beställarna, och i den ingår en stor mängd hymner avsedda att sjungas vid de olika Maria-festerna. Maria-hymner finns i sekvensdelens början bland hymner avsedda för andra helgon, men i synnerhet i slutet, var de sista 11 sekvensserna består enbart av hymner till Marias ära. Maria-hymnernas dominans i den andra sekvensdelen är förkrossande stor, och ett vackert bevis på Maria-kultens styrka, Jungfruns enastående ställning både i liturgin och inom det andliga livet överhuvudtaget. Den andra sekvensdelen och samtidigt hela Missale Aboense slutar med orden ”Finiunt sequentiae pro laude gloriosissime virginis Marie”.[13]

I de ovannämnda Maria-sekvensserna kan man urskilja en klar tendens: alla är till sin karaktär tacksägelse- och jubelhymner. Utan att ämnet är föremål för någon egentlig episk behandling finner man i dem en överväldigande glädje över Marias person, hennes jungfrulighet och hennes ställning som mänsklighetens förbedjerska. Det lidande som också var en del av Marias liv tycks helt och hållet vara bortglömt.[14]

Mycket likartad är den bild av Maria vi får genom det folkloristiska materialet. I de trollformler och besvärjelser som menige man - och sig

Bild 5.
Madonnabild från Korpo kyrka, Åbolands skärgård, daterad till ca 1200. Nationalmuseet, Helsingfors.
The Korppoo Madonna, c. 1200. National Museum of Finland, Helsinki.

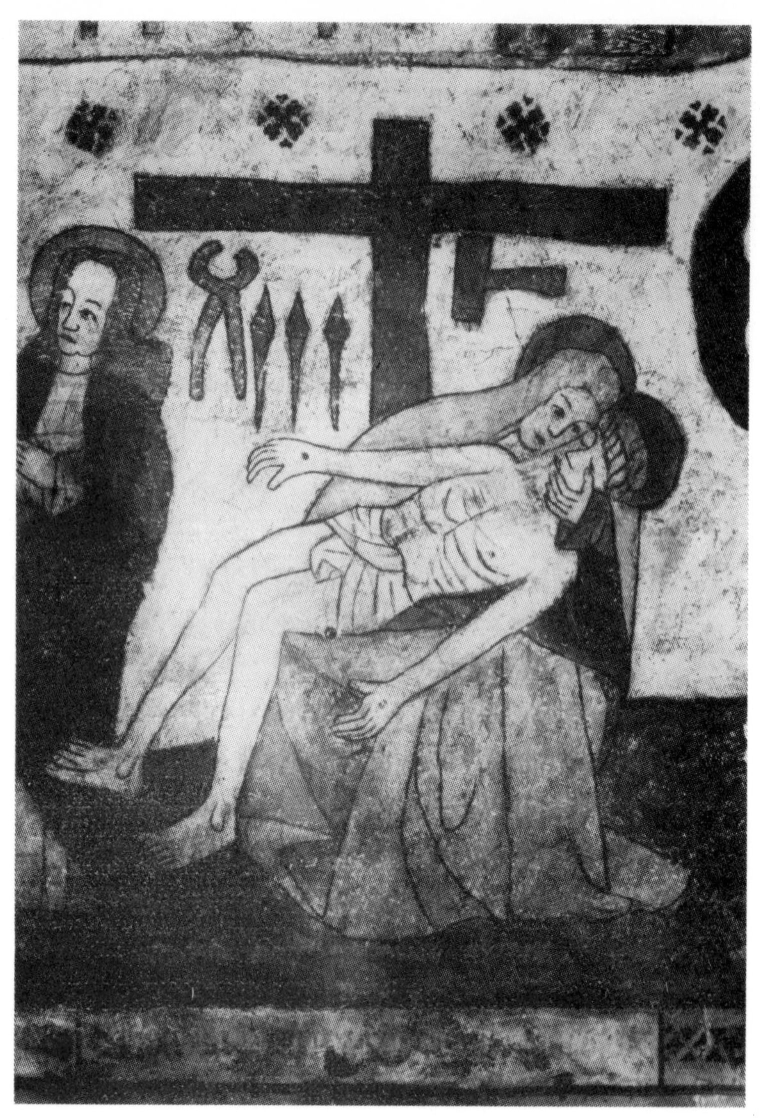

Bild 6.

Pietà, kalkmålning i Lojo kyrka, daterad ca 1513-1516. Foto Kulturhistoriska bildarkivet, Museiverket, Helsingfors.

Pietà, wall-painting in the Church of Lohja, c.1513-1516. Photograph, Archives for Prints and Photographs, National Board of Antiquities, Helsinki.

Bild 7.

Maria hjälper målaren som djävulen försöker fälla från arbetsställningen. Kalkmålning i Lojo kyrka. Foto Museiverket, Helsingfors.

The Painter and the devil, wall-painting in the Church of Lohja. Photograph, National Board of Antiquities, Helsinki

kvinna - tydde till i Finland är Maria nämligen den mäktigaste och starkaste person. Besvärjelserna visar också, att de latinska hymnernas Maria-bild har blivit en del av det vanliga folkets föreställningsvärld: Maria framträder där bl.a. som Jungfru Maria moder (virgo mater Maria), nådefull (gratia plena), och så vidare. I den finska folkdiktningen framstår Maria som en ljuv och blid jungfru-moder, som representerar allt det som är gott. Hon är den som hjälper fiskaren, jägaren och boskapsskötaren, på samma sätt som hon bistår kvinnan som skall föda barn och överhuvudtaget alla de svaga och nödställda. Även om Maria också beskrivs som en "pinoflicka", pinornas moder, det vill säga "Mater dolorosa", en moder som sitter mitt på "Pinoberget", det finska Golgatha, och virar in i sin kappa alla människors smärtor och plågor och gömmer dem i sitt hjärta, så är den finska folkdiktningens allmänna ton ändå precis lika solig som sekvensernas i Missale Aboense. Maria kommer som "en ljuv väninna och älsklig moder med skyndsamma steg till de bedjande människornas skydd och hjälp". De folkliga finska besvärjelserna och bönerna vittnar om en stark tro till hennes gränslösa godhet och hjälpsamhet.[15]

Samma förtröstan på Marias hjälp och gudomliga makt framkommer också i den medeltida kyrkliga konsten. Den äldsta bevarade skulpturen i Finland är en Maria-bild, den så kallade Korppo-madonnan (bild 5) från ca 1200-talet[16]. Bland kalkmålningarna i de finska kyrkorna har Maria en given plats på samma sätt som i den övriga Norden: det finns bilder av Marias födelsehistoria, Bebådelsen, Pietà (bild 6), hennes insomnande och av undren som skedde vid hennes begravning. Därtill har vi också två målningsserier som beskriver hennes underverk: hur hon hjälper målaren som djävulen försöker fälla från arbetsställningen (bild 7), mannen som har slösat bort sin förmögenhet och i sin desperation lovat sig till djävulen, räddar en liten pojke som vågorna håller på att dränka o.s.v.. Alla dessa bilder som är helt unika i Norden och har sina bästa motsvarigheter i senmedeltidens England, vittnar om en tveklös tro på Marias förmåga att så att säga "tvinga" Gud att hjälpa syndarna. Samma tro på Marias autonoma makt framkommer också i de målningar där hon framställs som "skyddsmantelmadonna" (bild 8); där är det klart att hon är mera en Mediatrix: Corredemptrix.[17]

Alla dessa kalkmålningar och skulpturer kan återigen sägas representera det högre sociala skiktets föreställningsvärld och konstproduktion. I Finland har vi dock också annorlunda konstalster, som kan anses representera det folkliga i ordets djupaste mening. Det är de så kallade primitiva målningarna (bild 9) som förekommer i talrika finska kyrkor och som antas vara målade av lokala bygdemästare eller möjligen av de i kyrkorna verksamma murarmästarna. Dessa målningar domineras av helt andra motiv än den yrkesmässiga kyrkokonsten, av magiska tecken,

Bild 8.

Mater misericordiae, kalkmålning i Hattula kyrka, Tavastland, från ca 1513-1516. Foto Museiverket, Helsingfors.

Mater misericordiae, wall-painting in the Church of Hattula, c. 1513-1516. Photograph, National Board of Antiquities, Helsinki.

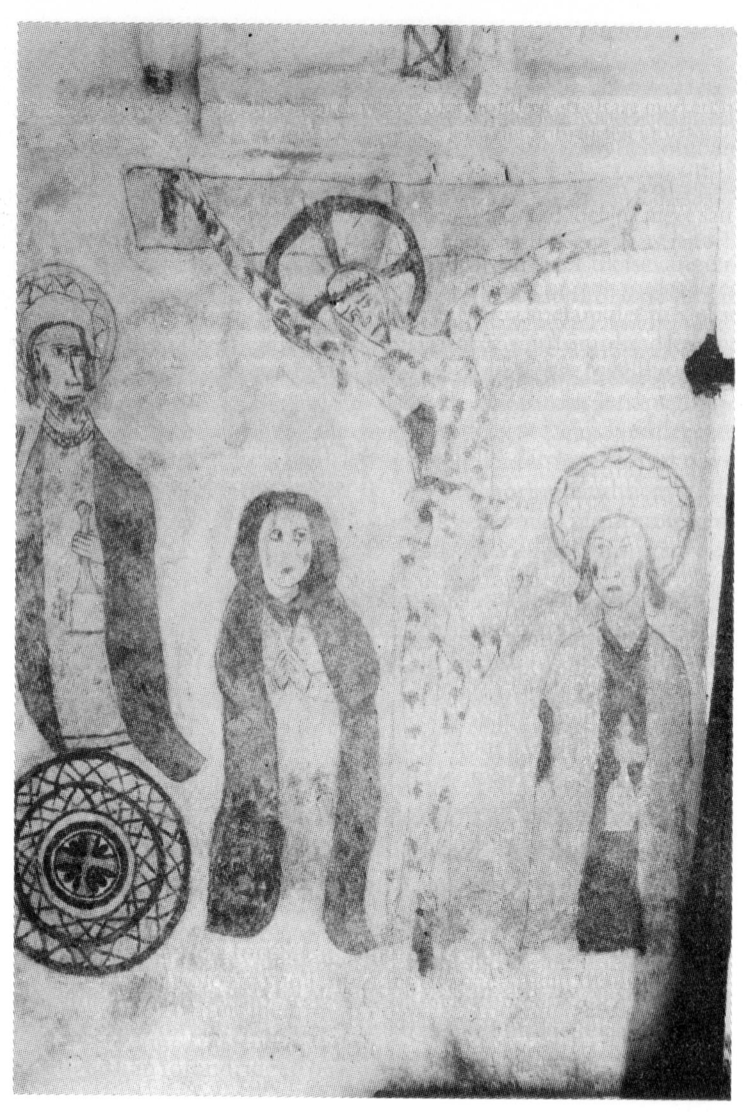

Bild 9.

Korsfästelsescen i Pyttis kyrka, sydöstra Finland, daterad till 1400-talets slut. Foto Museiverket, Helsingfors.

The Crucifixion group, a wall-painting in the Church of Pyhtää, southeastern Finland, from the end of the 15th century. Photograph, National Board of Antiquities, Helsinki.

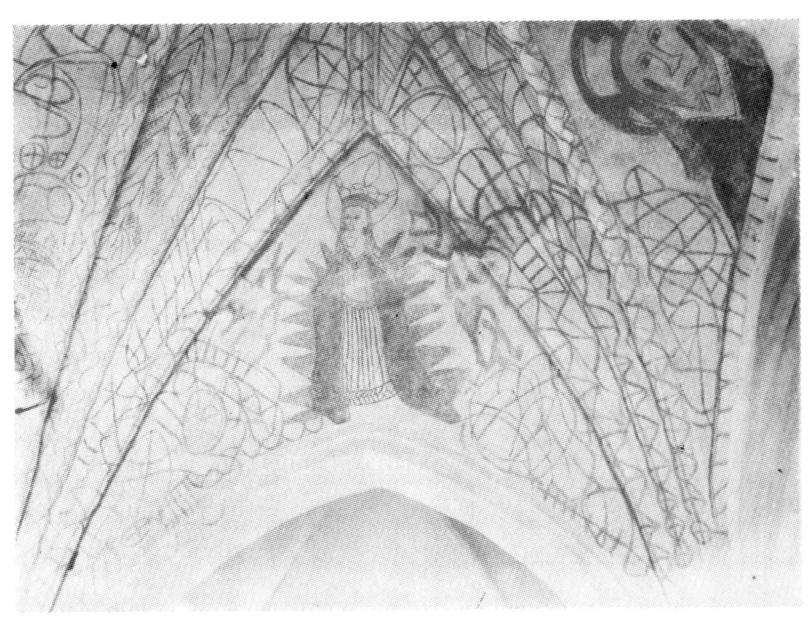

Bild 10.

Apokalyptisk madonna, kalkmålning i Pyttis kyrka. Foto Museiverket, Helsingfors.

The Apocalyptic Madonna, a wall-painting in the Church of Pyhtää. Photograph, National Board of Antiquities, Helsinki

bilder som härstammar från folkliga kalendrar o.s.v., men bland dem finns också talrika Maria-bilder - t.ex. den apokalyptiska madonnan (bild 10) eller olika Maria-monogram.[18] De primitiva målningarna kan på sätt och vis jämställas med folkdiktningen, de berättar i bildform om den föreställningsvärld som vi redan har mött i verbal form, och även i den är Maria med som en av förgrundsgestalterna.

Sammanfattningsvis kan man konstatera, att Jungfru Maria ovedersägligt har haft en speciellt betydande ställning i den medeltida människans tankar och liv i Finland. Kristendomen kom till landet i skydd av Marias vida mantel, och ju längre fram i tiden vi kommer, desto vackrare vittnesbörd om Maria-devotionens djup och omfattning möter vi. Både den djupt kultiverade biskopen i Åbo och den olärda bondekvinnan som med hjälp av besvärjelser försökte behärska sin värld, har i sin nöd vänt sig till Jungfru Maria och sökt hennes hjälp.
Det är sålunda väl förståeligt, att Maria bevarade sin särställning långt efter reformationen. Maria-skulpturerna fick stå kvar i kyrkorna och avlägsnades först när de föll offer för tidens tand. Likaledes bevarade allmogen länge sina gamla sedvanor. Den medeltida traditionen kan sägas ha fortsatt åtminstone i någon form ända fram till 1700-talets slut, Gustaf III:s tid, då en reduktion av antalet festdagar genomfördes i landet[19]. Det var inte så mycket den nya teologin utan det nya nyttotänkandet som slutligen kom med den förändring i Marias ställning, som ledde till att hon allt mera kom i skymundan i den mansdominerade lutherska kyrkan. Om detta har vi t.ex. kunnat läsa i Sven-Erik Brodds studie om Maria-bilden under senare tid[20] och som kanske är en av orsakerna till att det har behövts ett eget Maria-symposium.

Summary

Helena Edgren, Maria i Åbo stift under medeltiden

In Continental Europe the cult of the Virgin Mary can largely be studied from written sources. This is not possible in Finland, where even the small body of known material dates from the very last decades of the Middle Ages, shedding light only on the last stages of a long development. In this paper an outline is presented partly with reference to archaeological data, and partly through material on early ecclesiastical organization, calendars of the saints, sermon books, the order of divine service at the Cathedral of Turku, the cult as described in the Missale Aboense, folklore sources, and church paintings.

It seems clear that the early conversion of the Finns and the establishment of ecclesiastical organization were carried out in the name of the Virgin Mary. She was the patron of the whole new diocese, and also the main church of a locality was always dedicated to her. Archaeological finds indicate that knowledge of the Virgin also reached the common people early in the Middle Ages. Graves in Karelia often contain objects that are related to the cult of the Virgin (fig. 2-4). These artefacts represent both eastern and western types, in evidence of the spread of the new faith into Finland via the Catholic and Orthodox churches.

The late-medieval order of service at the Cathedral of Turku, the Missale Aboense, and sermon texts all show the heightened role of the Virgin Mary and the importance of Marian devotion. The material of folklore studies provides much the same picture The Virgin Mary was the most powerfull and dominant figure in charms, incantations and spells. The overall tone of the sayings is as cheerful as the sequences of the Missale Aboense: the prayers in the Finnish charms speak of her boundless goodness and assistance. The same confidence in her aid is also expressed in medieval church paintings.

It can therefore be understood why the special role and position of the Virgin Mary survived long after reformation. It was not until the reign of King Gustaf III that major changes finally came about.

Noter

[1] Om tidigkristen tid i Finland se Cleve 1943 och 1948, Kivikoski 1955, T.Edgren 1992, Törnblom 1992; om den kyrkliga organisationens uppkomst t.ex. Pirinen, K. 1955 och Taavitsainen 1989.

[2] Köster 1984, 443-445

[3] Pirinen, K. 1991, 82

[4] Rinne 1932, 114; Radloff 1795, 70

[5] Kivikoski 1955, 39-40, Purhonen 1984 och 1987

[6] Malin 1925, 235

[7] Malin 1925, 237-239, Suomi 1979, 40

[8] Pirinen, K. 1956, 472-473

[9] Gummerus 1896, 286

[10] Parvio 1973, Parvio 1988, Suomi 1979

[11] Suomi 1979, 38

[12] Suomi 1979, 38,40

[13] Suomi 1979, 38, 42

[14] Suomi 1979, 44

[15] Haavio 1935, 189-191

[16] Edgren 1991

[17] Temat behandlas omfattande i Edgren 1993

[18] Om de primitiva målningarna i Finland se Stigell 1974 och Edgren 1994

[19] Pirinen,H. 1991, 77

[20] Brodd 1983, 1989

Litteraturförteckning

Tryckta källor och litteratur

Brodd 1983 =
Sven-Erik Brodd, Maria i den luthersk-katolska dialogen. Maria och den lovsjungande kyrkan. Bilaga till Kyrkligt Magasin 1983.

Brodd 1989 =
Sven-Erik Brodd, "Exemplet af en ren och hjertlig fromhet". Kring den moraliska mariabilden hos Johan Olof Wallin. Johan Olof Wallin. En Minneskrift 1989 (red. Håkan Möller). Uppsala 1989.

Cleve 1943 =
Nils Cleve, Skelettgravfälten på Kjuloholm i Kjulo. I. Finska Fornminnesföreningens Tidskrift 44. Helsingfors 1943.

Cleve 1948 =
Nils Cleve, Spår av tidig kristendom i västra Finland: Finskt Museum 1947-48. Helsingfors 1948.

Edgren 1991 =
Helena Edgren, Om Korpomadonnans datering och andra därmed sammanhängande frågor: Finskt Museum 1991. Helsingfors 1992.

Edgren 1993 =
Helena Edgren, Mercy and Justice. Miracles of the Virgin Mary in Finnish Medieval Wall-Paintings. Finska Fornminnesföreningens Tidskrift 100. Helsingfors 1993.

Edgren 1994 =
Helena Edgren, Primitiva målningar?: Bild och känsla från antik till nyantik. Picta 3. Åbo 1994.

Edgren,T. 1992 =
Torsten Edgren, Den förhistoriska tiden: Finlands historia. 1. Helsingfors 1992.

Gummerus 1896 =
Jaakko Gummerus, Jäännöksiä keskiajan saarnakirjallisuudesta Suomessa. Teologinen Aikakauskirja 1896. Helsinki 1896.

Haavio 1935 =
Martti Haavio, Suomalaisen muinaisrunouden maailma. Porvoo 1935.

Hausen 1900 =
Reinhold Hausen, Finlands medelstidssigill. I afbild utgifna af Finlands Statsarkiv. Helsingfors 1900.

Kivikoski 1955 =
Ella Kivikoski, Suomen varhainen kristillisyys muinaistieteellisen aineiston valossa: Novella plantatio. Suomen kirkkohistoriallisen Seuran toimituksia 56. Helsinki 1955.

Köster 1984 =
Heinrich Köster, Die marianische Spiritualität religiöser Gruppierungen: Handbuch der Marienkunde. Herausgegeben von Wolfgang Beinert und Heinrich Petri. Regensburg 1984.

Malin 1925 =
Aarno Malin (Maliniemi), Der Heiligenkalender Finnlands. Finska Kyrkohistoriska Samfundets tidskrift 20. Helsingfors 1925.

Parvio 1973 =
Martti Parvio, Missale Aboense tieteellisenä tutkimuskohteena: Turun historiallinen arkisto 28. Turku 1973.

Parvio 1988 =
Martti Parvio, Ensimmäiset Suomea varten painetut kirjat: Kirja Suomessa. Kirjan juhlavuoden näyttely Kansallismuseossa 25.8.-31.12.1988. Helsingin yliopiston kirjasto. Helsinki 1988.

Pirinen,H. 1991 =
Hanna Pirinen, Neitsyt Maria -aiheiset maalaukset Suomen luterilaisessa kirkkotaiteessa. Teologisen taustan ja kuvasisällön tarkastelua: Suomen Kirkkohistoriallisen Seuran vuosikirja 80-81. Helsinki 1991.

Pirinen, K. 1955 =
Kauko Pirinen, Suomen lähetysalueen kirkollinen järjestäminen: Novella plantatio. Suomen Kirkkohistoriallisen Seuran toimituksia 56. Helsinki 1955.

Pirinen, K. 1956 =
Kauko Pirinen, Turun tuomiokapituli keskiajan lopulla. Suomen Kirkkohistoriallisen Seuran toimituksia 58. Helsinki 1956.

Pirinen, K. 1991 =
Kauko Pirinen, Keskiaika ja uskonpuhdistuksen aika: Suomen kirkon historia. I. Helsinki 1991.

Purhonen 1984 =
The Crucifix from Taskula, Maaria - on the iconographic and stylistic Aspects of a Group of Crucifix Pendants: Iskos 4. Helsinki 1984.

Purhonen 1987 =
Paula Purhonen, Cross Pendants from Iron-Age Finland: Byzantium and the North. Acta Byzantina Fennica. Vol. III. Helsinki 1987.

Radloff 1795 =
Fredric Wilhelm Radloff, Beskrifning öfver Åland. Åbo 1795.

Rinne 1932 =
Juhani Rinne. Pyhä Henrik, piispa ja marttyyri. Suomen Kirkkohistoriallisen Seuran toimituksia XXXII. Helsinki 1932.

Stigell 1974 =
Anna-Lisa Stigell, Kyrkans tecken och årets gång. Tideräkningen och Finlands primitiva medeltidsmålningar. Finska Fornminnesföreningens Tidskrift 77. Helsingfors 1974.

Suomi 1979 =
Vilho Suomi, Missale Aboense ja Marian kultti: Turun Historiallinen Arkisto 33. Turku 1979.

Taavitsainen 1989 =
Jussi-Pekka Taavitsainen, Finnish Limousines. Fundamental Questions about the Organizing Process of the Early Church of Finland: Quotidianum Fennicum. Medium Aevum Quotidianum 19. Krems 1989.

Törnblom 1992 =
Lena Törnblom, Medeltiden: Finlands historia. 1. Helsingfors 1992.

Sven-Erik Pernler

Rosenkransfromhet i senmedeltidens Sverige

Rosenkransen - böneform och hjälpmedel

Benämningen rosenkrans brukas idag dels om ett speciellt hjälpmedel för bön, dels om en särskild böneform. Hjälpmedlet är ett slags bönesnöre med ett antal kulor eller pärlor på. Kulorna skall hjälpa den bedjande att hålla reda på antalet böner. Dvs: för att man skall slippa koncentrera sig på själva antalet, använder man rosenkransen, rosariet, eller radbandet som det ofta kallas, som stöd. Genom att fingertopparna automatiskt och närmast omedvetet stämmer av antalet kulor som på en gammaldags kulram, kan den bedjande helt koncentrera sig på sin bön eller sin meditation. Det som för en utomstående betraktare kan förefalla något mekaniskt, är alltså i själva verket raka motsatsen. Det är inte hjälpmedlet som är väsentligt, utan det som hjälpmedlet möjliggör, i detta fall en intensiv koncentration i själva bedjandet.

Kulorna på en rosenkrans eller ett radband är idag vanligtvis strukturerade så, att de är indelade i grupper om tio, så kallade dekader. Det finns normalt fem sådana tiogrupper på varje band. Mellan dekaderna finns en kula som något skiljer sig från merparten genom sin storlek, sin utformning eller sitt avstånd till omgivande kulor. Varje band har alltså fem sådana "annorlunda" kulor.

I vår tid sker rosenkransbedjandet kanske oftast så, att man väljer ut ett tema, ett ämne, ett så kallat mysterium för meditation och betraktande. Traditionellt brukar man be den så kallade glädjerika rosenkransen måndag och torsdag, den smärtorika rosenkransen tisdag och fredag samt den ärorika rosenkransen onsdag, lördag och söndag. Varje mysterium är indelat i fem olika scenarier. När man ber den glädjerika rosenkransen exempelvis, betraktar man i tur och ordning Marie bebådelse, Marias besök hos Elisabet, Kristi födelse, Kristi frambärande i templet samt Kristi återfinnande i templet. I anslutning till varje sådan scen ber man Fader vår, tio stycken Ave Maria / Hell dig Maria samt Ära vare Fadern, allt medan man markerar och stämmer av antalet med sina fingertoppar.[1] När man bett alla de tre mysterierna en gång, har man alltså bett 3x50 Hell dig Maria, dvs 150 stycken. Det är lika många som det finns psalmer i Psaltaren. Därför har också dessa 150 Hell dig Maria av gammalt kommit att kallas "Jungfru Marias psaltare".[2]

Mångfacetterad fromhet

Det ligger frestande nära till hands att anta, att ord som rosenkrans, rosenkransens mysterier och rosenkransandakt normalt skulle stå för exakt samma sak, exempelvis inom olika ordnar idag, liksom också när benämningarna möter i senmedeltida källor. Så är emellertid inte utan vidare fallet! Rosenkransfromheten under senmedeltiden är, liksom idag, komplex och mångfacetterad. Den är uppbyggd av en rad i och för sig traditionella element, brukade sedan århundraden tillbaka, men de kompositioner, de sätt att bruka olika komponenter på som föreligger, är högst varierande, liksom innehållet i mysterierna, dvs vilka händelser som fokuseras.[3]

Själva benämningen rosenkrans går tillbaka på legender från 1200-talet, vilka berättar om, hur jungfru Maria tagit emot Ave-böner ur de bedjandes munnar och trätt upp dessa böner som rosor på ett snöre.[4]

Ave Maria och Pater noster (Fader vår) tillhörde det kateketiska stoff som alla kristna skulle kunna.[5] Båda dessa böner hade därför vissa avlatsförmåner förknippade med sig, för att stimulera brukandet av dem.[6] Änglahälsningen hade alltsedan 1400-talet ett antal varierande avslutningar, i vilka man anropade Maria om förbön.[7]

Bönesnören hade förekommit och förekom med högst varierande antal kulor. I många fall rörde det sig om paternosterband, dvs hjälpmedel vid bedjandet av ett bestämt antal Fader vår. Antalet pärlor var ibland 33 för att påminna om Jesu levnadsår, ibland 63 för att anknyta till det antal år man förmodade att Maria levt. Den sistnämnda varianten kallades S:ta Birgittas rosenkrans. Men också kedjor med fler eller färre kulor är kända, allt från 200 till 10. De sistnämnda kunde då "förmeras" genom att man successivt förflyttade bandet från finger till finger på ena handen eller båda händerna.[8]

Att be Ave Maria och Pater noster eller bruka någon form av radband var alltså ingenting ovanligt under medeltiden, även om bildframställningar med just radband av olika slag inte är särskilt frekventa förrän under senare delen av 1400-talet.

Kombinationen med 150 Ave Maria och 15 Pater noster tycks däremot inte ha förekommit, eller åtminstone inte ha haft någon spridning, förrän inemot 1400-talet. Denna sammankoppling antages gå tillbaka på Heinrich Kalkar (d. 1408) som var visitator i kartusianorden.[9] I början av 1400-talet fogade så Dominicus Prutenus 50 utsagor om Jesu och Marias liv till en bönekedja om 50 Ave Maria. Pater noster brukades däremot inte i detta sammanhang.[10] Man kan säga, att det är en kombination av dessa två modeller som under loppet av 1400-talet utvecklas mot den form av rosenkransbön som i vår tid är den vanligaste. Men den var ingalunda allenarådande.

Av utomordentlig betydelse för rosenkransfromhetens expansion blev de insatser dominikanen Alanus de Rupe (Alain de la Roche) gjorde. Han föddes i Bretagne o. 1428 och verkade som lektor bland annat vid konventen i Lille, Douai och Gent. Från 1470 var han baccalaureus vid universitetet i Rostock, där han 1473 blev licentiat och senare doktor i teologi.[11] Alanus mottog visioner som inspirerade honom att utbreda rosenkransandakten. År 1470 stiftade han i Douai ett rosenkransbrödraskap för utövandet av denna andakt. Detta brödraskap fick många efterföljare redan under hans livstid, bland annat i Frankrike, Tyskland och Nederländerna.[12]

Alanus litterära verksamhet är helt koncentrerad kring rosenkransen. Framställningen är bitvis starkt emotionellt laddad, antalet mindre trovärdiga påståenden stort. Det förefaller exempelvis som att uppgiften om, att den helige Dominicus skulle ha fått en befallning av jungfru Maria att bruka rosenkransen, härstammar just från Alanus.[13] Men framför allt hade Alanus 1464 fått en uppenbarelse från Maria, att rosenkransen skulle bestå av 150 Ave Maria och 15 Pater noster fördelade på tre kransar, den glädjerika, den smärtorika och den ärorika, kring vars mysterier man skulle meditera.[14] Förutsättningen för en bred, folklig andaktsform var härvid uppfylld: några böcker var inte nödvändiga, och andakten kunde praktiseras enskilt likaväl som gemensamt.

Brödraskap i Strängnäs

Vilken betydelse fick då rosenkransen i Sverige? Hann den få något verkligt rotfäste innan den lutherska reformationen satte in under 1520-talet? Ja, det förefaller faktiskt så. Det är annars svårt att förstå, att Olavus Petri 1523 från predikstolen i Strängnäs domkyrka förkunnade, att Jungfru Marie psaltares brödraskap och andra helgons brödraskap är "friuole", eländiga, värdelösa, eftersom de inte grundar sig på något ställe i den heliga Skrift. Dekanen i domkapitlet, Nicolaus Benedicti Kindbo, vilken rapporterade om detta till biskop Hans Brask i Linköping, anknöt i sin vederläggning till Jak 5: om en enda människas bön kan betyda så mycket inför Gud, hur mycket mer betyder då inte förenade böner av många som slutit sig samman i brödraskap, särskilt som dessa ingår i en hel kedja av bedjande brödraskap?[15]

Det fanns alltså Jungfru Marie psaltares brödraskap också i Sverige.[16] Och det är säkerligen ingen tillfällighet, att just dessa särskilt namnges av Olavus Petri och framhävs i anmälan från dekanen. Ett sådant fanns nämligen i Strängnäs. Det möter i källorna första gången 1507, då biskop Mats Gregerssons bror Folke lät kungöra, att han förstått, att biskopen ville stifta ett Jungfru Marie psaltares brödraskap i sin domkyrka. Av denna anledning och för detta ändamål donerade nu Folke Gregersson en gård.[17] 1509 stiftar så biskop Mats en begängelse, dvs ett anniversarium, för alla kristna själar och särskilt för alla medlemmar i Vår Frus psaltares brödraskap i Strängnäs. Denna begängelse skulle hållas söndagen efter Marie upptagelse (15/8) med allt "klerkeriet" i Jungfru Marie kor fraternitatis.[18] Sannolikt är det detta gille Olavus Petri särskilt har i tankarna vid sin förkunnelse fjorton år senare. Det bör då ha uppnått ett avsevärt medlemstal. Man bör observera, att dessa gillen trots benämningen brödraskap inrymde såväl män som kvinnor.[19]

Brödraskap i Vadstena

Brödraskapet i Strängnäs var inte det första eller enda Jungfru Marie psaltares brödraskap som existerade i det senmedeltida Sverige. Det framgår bland annat av ett brev utfärdat i Vadstena av birgittinmunken Clemens Martini vid tiden för Marie upptagning 1504 och ställt till ett nunnekonvent i Östergötland, med stor säkerhet cisterciessystrarna i Vreta kloster. I detta anför han, att Jungfru Marie psaltares brödraskap nu inskrevs på många orter, i socknar och kloster. Själv hade han just stiftat ett Marie psaltares brödraskap (väl då i Vadstena) som redan fått många medlemmar. Han omnämner, att abbedissan i Askeby för detta ändamål sänt honom namnen på alla systrar där, och att han gärna upptar också Vreta kloster i detta brödraskap. Broder Clemens anför samtidigt att han gärna är dem behjälplig i väntan på färdigställandet av Vår Frus psaltarbok på svenska.[20] Med största sannolikhet rör det sig här om en översättning av den handbok i rosenkransens utövande, som år 1498 tryckts i kartusianklostret Mariefred, alltså Alanus de Rupes De dignitate et utilitate psalterii beate Marie virginis (Om värdet och nyttan av jungfru Marie psaltare).[21] Den fornsvenska översättning som föreligger i en medeltida kopia i en handskrift från Vadstena kloster,[22] kan alltså ha gjorts av Clemens Martini, alternativt av generalkonfessorn Johannes Mathei.[23] Kopian själv utsäger ingenting om översättaren.

Det förtjänar att observeras, att såväl generalkonfessorn Johannes Mathei som biskop Mats Gregersson kommit i kontakt med rosenkransbönen under studier på kontinenten, den förre i Rostock 1471,[24] den senare i Köln,[25] där ett brödraskap redan startåret 1475 fick 5.000 medlemmar. Sju år senare var medlemstalet 100.000.[26] Just svenska studenters vistelse i Rostock och Köln mot slutet av medeltiden bör ha varit av utomordentlig betydelse för rosenkransfromhetens utbredning och expansion i Sverige.

Hur det brödraskap broder Clemens initierade utvecklades, vet vi inte. Kanske fortlevde det för att senare återfinnas inom det psaltarbrödraskap som omtalas i Vadstena från och med 1519. Midsommarafton detta år anger nämligen abbedissan och generalkonfessorn i ett brev, att Mårten Skinnare ville bygga ett kapell på kyrkogården invid stadskyrkans norra mur. Vid detta kapells altare skulle daglig mässa och tidegärd hållas till lov, heder och ära för jungfru Maria, S:ta Anna och alla helgon. Altaret skulle enligt Mårten Skinnare kallas jungfru Marie rosenkrans altare. Till underhåll anslogs hälften av medlen från de offerstockar som skulle uppsättas i och utanför kapellet. Resterande del förbehöll sig klostret för sitt samtycke till att kapellet fick byggas.[27] Inte minst det sistnämnda kan antyda, att ett rosenkransbrödraskap fortlevt inom klostrets hägn, och att intäkterna för klostret från detta brödraskaps medlemmar nu kunde tänkas minska, när ett nytt kapell inrättades utanför klostrets murar. Till den nya stiftelsen skulle en altare- och kapellföreståndare vara knuten.[28]

Av klostret inhandlade Mårten Skinnare också tre tomter i staden, vilka skulle vara rosenkransaltarets egendom. Där skulle han bygga gård och hus, dels för klerker vilka skulle tjäna Gud med mässor inför rosenkransaltaret, dels för fattiga och sjuka som inte hade råd att lösa in sig i stadens helgeandshus och spetal, dels till härbärge för pilgrimer som vallfärdade till den heliga Birgittas kloster och vilorum.[29]

Mårten Skinnare var borgarson, född i Vadstena. Han gjorde sig en avsevärd förmögenhet genom affärer i bland annat Norrland och Mellansverige, och var vid tiden för överenskommelsen om rosenkransstiftelsen i Vadstena borgare i Stockholm.[30] I anslutning till färdigställandet av kapellet och rosenkransgården med dess sjukstuga och pilgrimshärbärge, hade han emellertid återflyttat till sin födelsestad, där han också fick hjälp med projektets genomförande av en annan Vadstena-borgare, Laurens Persson.[31] Den sistnämnde förvärvade 1522 genom köp jordlotter i Orlunda nära Vadstena för jungfru Marie rosenkrans gård och altare.[32] Fyra år senare bodde han själv i rosenkransgården.[33]

Verksamheten stöddes av biskop Hans Brask, som 24/11 1521 utfärdade ett brev till förmån för stiftelsen. Bland annat beviljades fyrtio dagars avlat åt alla som lämnade ekonomiska bidrag.[34] Nyårsaftonen samma år utfärdade borgmästare och råd i Vadstena ett skyddsbrev: alla som ingav sig i jungfru Marie brödraskaps gård, skulle erhålla skattefrihet.[35] 27/2 året därpå, alltså 1522, tog riksföreståndaren Gustav Eriksson kapellet, sjukstugan och härbärget i sitt och rikets hägn.[36]

De sistnämnda tre handlingarna och deras dateringar är värda att observera, då vi också äger en provisorisk matrikel över jungfru Marie psaltares brödraskap i Vadstena från år 1522, vilket uppenbarligen är startåret för det brödraskap som var anknutet till det nya kapellet vid stadskyrkan S:t Per. Matrikeln är successivt upplagd av den tidigare omnämnde munken Clemens Martini och upptar omkring 2.350 namn på bröder och systrar som under detta år upptagits i brödraskapet.[37] Majoriteten, omkring 1.230, är kvinnor. De flesta medlemmar anges endast med dopnamn, och förblir därför egentligen okända för oss. Men i matrikeln namnges exempelvis en präst från Strängnäs, Nicolaus Svenonis, som valt att här låta sig inskrivas trots att ett motsvarande brödraskap fanns i hans egen stiftsstad, låt vara att detta brödraskap var ifrågasatt av Olavus Petri som verkade där. Ytterligare ett antal präster med hemvist utanför Östergötland anges. En kvinna ur adeln, Birgitta Knutz Bitz, är likaså möjlig att identifiera. I ett brev utfärdat i Vadstena 1524 donerar hon ett antal fastigheter i staden till Mårten Skinnares rosenkransstiftelse.[38] Säkerligen bodde hon i Vadstena redan när hon skrevs in i brödraskapet. Fyra namngivna tyskar immatrikuleras 4/8 1522, en tidpunkt då också Gustav Eriksson befinner sig i Vadstena.[39] Men mest intressant att notera, är kanske gillets snabba expansion: cirka 2.350 medlemmar redan under det första året!

Nationella perspektiv mot övernationella

Hur utvecklingen blev i Vadstena under de närmaste åren, vet vi inte mycket om. Men Mårten Skinnares försämrade relationer till Gustav

Eriksson Vasa satte sina spår. Mårten Skinnare stödde exempelvis 1529 det upplopp mot Gustav Vasa som syftade till att återställa den katolska tron och ordningen. När resningen misslyckades, måste han köpa sig nåd av kungen. Vid Gustav Vasas besök i Vadstena i januari 1532 förordnades, att den sjukstuga som Mårten Skinnare inrättat, skulle sammanslås med den gamla spetalen i stadens helgeandshus. Alla donerade ägor och räntor skulle indragas. Mårten skulle inte längre ha disposition eller inseende över sjukstugan, däremot få fribröd till döddagar där, om han så önskade.[40] Det bör observeras, att det kungliga brevet i detta ärende helt undviker att namnge såväl stiftelsen som brödraskapet, vilket sannolikt är symtomatiskt. Gillena i landet hade nämligen efter riksdagen i Västerås 1527 kommit att drabbas hårt av kungens framfart,[41] trots att varken 1527 års recess eller ordinantia hade sagt något om gillena. Sannolikt har kungen velat betrakta gillena som andliga stiftelser, varför också deras egendom kunde konfiskeras.

Skälet till Gustav Vasas hårda framfart mot gillena var säkerligen inte främst deras ekonomiska status, vilken inte sällan synes ha varit relativt obetydlig, utan deras andliga och sociala position. Genom att gillen (och kloster!) allt oftare ingick överenskommelser med varandra om broderskap,[42] hade nämligen ett nätverk, en övernationell böne-och skyddsgemenskap uppstått, som kändes hotfull för realpolitikern Gustav Vasa, särskilt som dessa gillen också på allvar räknade med helgonen som sina förebedjare och hjälpare. Gillena ville dessutom ta ansvar för sina medlemmar inte bara här på jorden, utan också genom böner och mässor sedan de gått ur tiden.[43]

Bland medeltida gillen i den svenska kyrkoprovinsen känner vi ett antal Maria- eller Vårfrugillen. En gillesstadga utger sig exempelvis för att vara gemensam för jungfru Marias gillen i vissa Vårfru-socknar.[44] Den innehåller ett antal stereotyper kända även från andra gillen, men är som stadga betraktad föga mariologiskt inriktad, om man frånser föreskriften att gillesljusen bör brinna i vårfrumässan alla vårfrudagar, jungfru Maria till lov och gillessyskonen, levande och döda, till hugnad och glädje.

Annorlunda förhöll det sig med Jungfru Marie psaltares brödraskap, av vilket det första hade stiftats av Alanus de Rupe i Douai i Flandern (nuvarande norra Frankrike) 1470.[45] Det fanns en avgörande skillnad mellan de sockengillen eller andliga gillen som redan förekom i Norden och de sent tillkomna rosenkransbrödraskapen: medan de förra var lokalt eller regionalt begränsade, sprängde rosenkransbrödraskapen alla geografiska gränser. Man fick del i tusentals och åter tusentals bedjares förbön och omtanke.[46] Det sistnämnda försökte visserligen också andra gillen uppnå genom så kallade broderskapsbrev, alltså förbön gillen emellan eller kloster och gillen emellan. Sådana återförsäkringar kunde också Jungfru Marie psaltares brödraskap bejaka att ingå i. Men i rosenkransbrödraskapen var det så att säga nedlagt i själva grundstrukturen att man syskon emellan skulle uppnå en bedjande gemenskap som sprängde alla gränser.[47] Maria var himmelens drottning, och alla som levde under denna enda och samma himmel hade ansvar för varandra och kunde påräkna hjälp från varandra, inte minst genom himladrottningens förmedling och bistånd som svar på bön. Medlemmarna hade därför att dagligen eller varje vecka bedja en psaltare, de tre mysterierna, samt verka för denna böneforms utbredning.[48]

Det är inte möjligt att avgöra, när brödraskapen i Vadstena och Strängnäs upplöstes. "All gille eller convivia äre afsagde", fastslår den svenska riksdagen 1544.[49] Därmed godkändes också retroaktivt de slutsatser om gillen som Gustav Vasa dragit av 1527 års recess och ordinantia. Även den traditionella omsorgen om de döda förbjöd 1544 års riksdag.

Det är heller inte möjligt att avgöra, hur många rosenkransgillen som totalt fanns i Sverige. Det rika material som en gång i tiden speglade gilleslivet i landet, har i de flesta fall helt utplånats. Inte minst gäller detta omdöme om stadgar, medlemsmatriklar, förbönslistor och inventarier. Då också det skriftliga materialet från svenska kloster i utomordentligt hög grad utplånats, kan vi inte heller den vägen få särskilt mycket av information om gilleslivet, trots att kloster, konvent och gillen hade nära relation till varandra.[50]

Kartusianklostret Mariefred

Ett svenskt klosters stora engagemang för rosenkransfromheten bör särskilt uppmärksammas: Mariefred vid Gripsholm, beläget knappt två mil sydost om Strängnäs.[51] Detta år 1493/94 grundade kartusiankloster, med munkar som utsänts från klostret Marienehe nära Rostock, hade på sitt eget tryckeri och i tre varianter år 1498 tryckt Alanus de Rupes De dignitate et utilitate psalterii beate Marie virginis. Tryckningen hade bekostats av Sten Stures maka Ingeborg Åkesdotter Tott och böckerna hade som gåva översänts till olika kloster och konvent i Europa.[52] I denna skrift från Mariefred fanns bland annat också inbundna en påvlig bulla och ett biskopligt brev vilka bekräftade rosenkransbrödraskapet och de avlater som förlänats åt detta.[53] Möjligen var kartusianerna i Mariefred själva knutna till rosenkransbrödraskapet. Tryckningen av Alanus'arbete synes tala för, att rosenkransandakten redan var känd och praktiserad i Sverige, och att kloster och konvent betraktades som viktiga spridningsvägar för denna andaktsform. Men olika skrifter om rosenkransen synes även ha förekommit i sockenkyrkor och i enskild ägo.[54]

Mariefred kom att bli det första av alla de kloster Gustav Vasa stängde. Klostrets nedläggning 1526 ledde till starka reaktioner i bland annat Dalarna, Västergötland, Östergötland och Småland.

Målningar i kyrkorummet

Ett inte oväsentligt antal rosenkransframställningar i kalkmålning och skulptur är bevarade eller dokumentariskt kända från svenska kyrkor och kloster. De äldsta av dessa har daterats till 1480-talet, alltså avsevärt tidigare än den i Mariefred tryckta handboken och tillkomsten av brödraskapen i Vadstena och Strängnäs.

I Härkeberga och Härnevi kyrkor i sydvästra Uppland finns målade rosenkransframställningar som har daterats till 1480-talets början.[55] De är utförda av Albertus Pictor och hans skola. Målningarna finns i båda fallen på vapenhusets östra vägg, och kan ha varit relaterade till nu försvunna altaren. I Härkeberga står Maria, en ung flicka i en krans av femtio pärlor och fem stora rosor i cirkelform. Inom kransen befinner sig också en ung man som faller på knä inför Jesus eller Gud Fader, medan två män ser på. Den unge mannen håller en rosenkrans mellan sina händer. Från hans läppar utgår böner i form av rosor, vilka Maria tar emot och fäster på den krans hon håller i sin högra hand, dvs handen närmast Jesus/Gud Fader. Maria framstår här som förmedlerska mellan människan och Gud.

Bilden i Härnevi förefaller att ha varit nära besläktad med den i Härkeberga, men är nu svårt skadad. Likheter finns även med rosenkransar i Västergötland och Östergötland vilka tillkommit o. 1487 - 1495 och som tillskrivits Amund målare. Det rör sig om Södra Råda, Gökhem, Korsberga, Ask och Fivelstad kyrkor.[56] Albert och Amund förefaller att ha haft en gemensam utgångspunkt i en legend från 1400-talets andra hälft vari berättas om en munk eller riddare som räddas undan rövare genom att be rosenkransen.[57]

Trefaldighetskyrkan i Uppsala har på sin västvägg en madonna i rosenkransen daterad till o. 1500.[58] Maria är här avbildad med barnet på armen, krona på huvudet och omgiven av en strålkrans. Den cirkelformade rosenkransen består av femtio rosor. De fem större rosorna har framställningar av Kristi fem sår. På ena sidan om kransen knäböjer representanter för kyrkan, på andra konung och världsliga. Möjligen är biskopen i främsta ledet ärkebiskop Jacob Ulfsson, vilken hade nära relationer till kartusianerna i Mariefred, hos vilka han också fick sluta sitt jordeliv.[59] Hans intresse för rosenkransen kan ha medfört, att han blev en av stiftarna för denna framställning i Uppsala.

Vallby kyrka i Uppland har en rosenkransframställning på korets norra vägg.[60] Den har daterats till o. 1520 och visar Maria med barnet på månskäran och i en strålkrans. De femtio + fem rosorna bildar en mandorlaformad krans. Kransen har också här varit omgiven av bedjare med språkband, sannolikt stiftare. Under den period denna andaktsbild var överkalkad, fotsatte socknens kvinnor och män länge att niga och bocka mot platsen för den då icke synliga rosenkransmadonnan.

De hittills nämnda kyrkmålningarna har alla återgivit det lilla rosariet, dvs femtio + fem rosor. Också det stora rosariet, vilket svarar mot rosenkransens tre mysterier, möter i kalkmålningar. Det stora rosariet kan här exemplifieras utifrån Edebo, Harg, Dannemora, Ekeby och Östervåla kyrkor, samtliga i Uppland.

Edebo kyrka har en rosenkrans på norra långhusväggen, en ofta återkommande placering.[61] Den har målats av den så kallade Tierpsskolan o. 1514. Framställningen består av tre kransar, men ena halvan är idag borta på grund av att ett fönster tagits upp i väggen. Varje krans har haft fem medaljonger. De bevarade medaljongerna visar, att den yttersta kransen är den ärorika, den mellersta den smärtofyllda och den inre den glädjerika rosenkransen. Färgerna på kransarna (rödbrun, vit respektive rödbrun) stämmer inte överens med vad som vanligen brukat beteckna ära, smärta och glädje: guld, rött och vitt. Ännu bevarade detaljer utvisar, att Maria med barnet stått inom en strålkrans i framställningens centrum, där nu fönstret befinner sig.

Rosenkransen i Hargs kyrka finns likaså på långhusets norra vägg och är målad av samma skola och vid samma tidpunkt som den i Edebo.[62] På Marias plats i centrum möter idag ett fönster. Målningen är också i övrigt starkt skadad. Motiven i bevarade medaljonger är inte helt identiska med dem i Edebo, vilket bör antyda olika förlagor. För detta talar också, att de två bevarade kransarna bär traditionella färger: vitt och guld för ärokransen (den yttersta) och rött för smärtokransen (den mellersta).

I Dannemora kyrkas kor finner man på norra väggen en stor, helt bevarad framställning av rosenkransen, daterad till 1520-talet.[63] Maria står som den apokalyptiska jungfrun i kransens mitt med barnet på armen. På huvudet bär hon en krona.Tre kransar av rosor omger henne. Över kransarna är femton medaljonger placerade, med bilder från de tre mysterierna. Ärokransen ytterst bär vita rosor med gyllene mittpartier, smärtokransen mellerst röda rosor, medan glädjekransen innerst bär vita rosor med röda mittpartier. På ömse sidor om framställningen knäböjer andliga och världsliga bedjare med påven och kejsaren främst.

Ekeby kyrka har också den på nordväggen en framställning med tre kransar, daterad till 1515-1525.[64] Kransarna består här av pärlor, inte rosor. Liksom i Edebo och Harg har också här ett fönster tagits upp precis på den plats där Maria måste ha varit avbildad. På ömse sidor om kransarna ser man nämligen dels andliga och världsliga bedjare med vapensköldar, dels änglar. Det faktum att fönster vid flera tillfällen fått ersätta Maria i rosenkransen förtjänar att ytterligare uppmärksammas. Är det en slump eller en medveten handling att det blivit så? Rör det sig om en handling av teologisk innebörd eller blott om en pragmatisk ljussättningsåtgärd?

Av rosenkransen på korets norra vägg i Östervåla kyrka återstår endast fragment.[65] Maria syns inte längre. Kransarna har varit ovala, men deras färger är inte bevarade. Målningarna har daterats till o.1525. Man kan fundera över, varför så sena målningar av rosenkransmotiv så ofta är så svårt skadade.

Bland putsmålningar vilka återger människor som brukar radband kan nämnas Harg kyrka, där den heliga Birgitta framställs som en pilgrim med radband i handen.[66] I Dannemora kyrkas vapenhus knäböjer en fattig och en rik man inför Kristus som smärtomannen.[67] Båda har radband i sina händer. I Knivsta kyrka leds en man av djävulen; mannen har ett radband med sexton pärlor i sin hand.[68] I Dingtuna kyrka, Västmanland, finns en kalkmålning av Albertus Pictor från 1480-talet som skildrar Marias insomnande. En av de närvarande apostlarna brukar ett radband vid hennes dödsbädd. I samtliga fall är det omöjligt att avgöra, om banden avses syfta på rosenkransen eller är paternosterband.[69]

En målning i Tortuna kyrka i Västmanland bör också nämnas.[70] På korets norra vägg håller två dominikanpräster upp en stor monstrans. På ömse sidor om denna knäböjer två nunnor samt en man. Mellan de två dominikanerna syns en rosenkrans med ett hjärta i mitten. Under denna scen knäböjer tre bedjare.

Det finns ett stort antal andra motiv vilka på olika vis anknyter till rosenkransen.[71] De kommer dock inte att behandlas här. I stället skall några altarskåp med rosenkransmadonnan uppmärksammas, vilka i detta sammanhang är av särskilt intresse.

Altarskåpens vittnesbörd

Ett altarskåp från Husby-Länghundra, Uppland, är daterat till 1400-talets slut och sannolikt svensktillverkat.[72] Den krönta Maria med barnet står på månskäran. Barnet håller ena handen på Marias bröst och har en druvklase i den andra. I Marias gloria finns en latinsk text: "Heliga Maria, bed för oss." I en av de skulpterade scenerna i skåpets dörrar ser man Josef med ett radband i handen.

Altarskåpet från Västerlövsta, Uppland, är daterat till 1400-talets sista fjärdedel.[73] Maria med krona står med barnet på månen omgiven av strålar och rosor. Var tionde ros har ett hål. Jämför man med ett skåp i Harakers kyrka, Västmanland, är det rimligt att antaga, att bilder av Jesu händer, fötter och hjärta varit fästade i de fem hålen. Skåpets dörrar är målade och visar bedjare, andliga med påve och biskop i spetsen likaväl som världsliga. Samtliga har radband i sina händer.

I Knutby kyrka, Uppland, finns mittpartiet av ett skåp från 1400-talets slut bevarat.[74] Den krönta madonnan står på månskäran i strålglans. Målade rosor kan ännu ses vid månskäran och ovanför glorian, där man också finner ett hjärta. Här har alltså i rosenkransen funnits en framställning av Kristi fem sår.

Vada-skåpet, Uppland, kan dateras till o. 1510.[75] Maria med barnet står på månskäran. Hon har krona på huvudet och är omgiven av strålar. På en mandorla runt henne har funnits femtio + fem rosor. Hennes klädnad bär upprepat orden "O Guds Moder, förbarma dig över mig."

Älvkarleby kyrka, Uppland, har ett altarskåp med den krönta Maria omgiven av strålar och rosenkrans.[76] Barnet på hennes arm håller en öppnad bok. Nedre delen av den krona Maria bär, har likaså rosor.

Rosenkransskåpet från Odensala, Uppland, dateras genom en inskrift till 1514 och är sannolikt svenskt.[77] En latinsk inskrift har följande innehåll: "Bed med from röst för oss, jungfru Maria!" Den apokalyptiska madonnan står inom en krans av rosor, av vilka de fem stora visar Kristi fem sår. Nedanför jungfru Maria knäböjer andliga och världsliga.

Från Danvikens kapell, Södermanland, finns två dörrar som suttit framför predellan på ett altarskåp bevarade.[78] De är daterade till 1500-talets början. På insidan av den ena dörren svävar den apokalyptiska madonnan med barnet i en rosenkransmandorla över ett landskap. Två änglar håller rosenkransen, vilken består av åtta stora rosor och 114 pärlor. Sannolikt har målaren här inte räknat till något visst antal, utan sett det hela som en dekoration.

Ett mariaskåp från Härads kyrka, Södermanland, är svenskt och tillverkat o. 1500.[79] Den apokalyptiska madonnan har sitt barn på armen och krona på huvudet. På den rosenkrans som omger henne finns fyra änglar.

I Valö kyrka, Uppland, finns ett altarskåp tillverkat o. 1515 och importerat från Antwerpen.[80] På månskäran står Maria, omgiven av rosor. På armen bär hon barnet, som har en druvklase i sina händer.

Också Västerås domkyrka, Västmanland, har ett altarskåp från Antwerpen, tillverkat 1515-1520.[81] Det framställer den krönta Maria i mandorla med strålar och rosenkrans. Men här har barnet inte en druvklase i händerna, utan håller i stället ena handen på ett päron. Domkyrkans västfasad har därtill en stenrelief föreställande den apokalyptiska kvinnan med barnet i en krans av rosor, med de fem såren på vapensköldar. En inskrift berättar, att reliefen donerats av domprosten Lubertus Veslo 1515.[82]

Harakers kyrka norr om Västerås är redan omnämnd. Dess skåp rymmer Maria och barnet i strålglans på månskäran. Den omgivande rosenkransen har i de stora rosorna innefattat Kristi fem sår: en hand och en fot finns ännu kvar, medan de övriga tre stora rosorna har tomma hål.[83]

Vadstena kloster hade vid medeltidens slut två rosenkransskåp, ett "in templo", den del av kyrkan som var tillgänglig för allmänheten, och ett "in claustro", den del av kyrkan som var förbehållen munkarna.[84] Dessutom upprättades 1521 ett altare åt jungfru Maria av Rosenkransen i församlingskyrkan S:t Per. Idag är ett rosenkransaltarskåp placerat vid klosterkyrkans nordvägg.[85] Alla rosor i kransen har fallit bort, men i kransen står Maria på månskäran med sitt barn. Nedtill finns andliga och världsliga bedjare. Skåpet är från 1500-talets början, och sammanfaller alltså i tiden med munken Clemens Martinis tillskapande av ett rosenkransbrödraskap knutet till Vadstena.

I klosterkyrkan finns också ett altarskåp med jungfru Marie förhärligande.[86] Det rör sig om ett flandriskt arbete från o. 1520. I mittnischens övre våning svävar Maria i strålglans med barnet på armen. Vid Marias fötter håller en ängel en sköld med Jesu fem sår. På marken ber andliga och världsliga tillsammans. Kring Maria skjuter det ut strålar och flammor i guld, och runt dessa har en gång funnits en krans av gyllene kulor uppträdda på koppartråd. Endast fyra kulor är idag bevarade. Att denna övre, centrala del av skåpet varit en rosenkransframställning kan inte ifrågasättas. Skåpet har stått i S:t Pers kyrka ända till 1829. Det finns därför all anledning att förknippa det med Mårten Skinnares och Laurens Perssons donationer i samband med upprättandet av ett rosenkransaltare i stadens församlingskyrka. Kanske är det donatorerna själva som skymtar som åskådare bakom arkaden i scenens fond? Men: ett rosenkransskåp från Vadstena kloster är alltså idag försvunnet. Kanske har den skulpterade apokalyptiska jungfrun, tillkommen o. 1500,[87] som finns i kyrkan, haft sin plats i detta skåp?

Utbredd fromhet med förankring i ordnarna

Givetvis kan man inte tolka alla här anförda målningar och skåp som uttryck för att där på platsen en gång funnits ett rosenkransbrödraskap. Däremot omvittnar de vilken utbredning rosenkransfromheten hann få under den relativt korta tid den bejakades i det medeltida Sverige. Kanske omvittnar det bevarade materialet också i någon mån var rosenkransbrödraskapen hade medlemmar, men här saknar vi skriftligt källmaterial för en bedömning. Att målningarna och skåpen inte tillkommit av en slump, står dock klart. Mariansk fromhet har också i Sverige vid medeltidens slut i hög grad handlat om rosenkransfromhet.

Därmed blir Olavus Petris och Gustav Vasas agerande mer begripligt. Ty rosenkransfromheten var inte okontroversiell för den nya makteliten, varken under själva reformationstiden eller århundradena därefter. Det visar behandlingen av rosenkransbrödraskapen. Det visar också de skriftliga källorna, som även lär oss att denna fromhet inte omedelbart dog ut i och med att brödraskapen förbjöds.[88] Att rosenkransfromheten var kontroversiell och samtidigt svår att få bukt med visar vidare överkalkningarna av rosenkransmålningar, liksom det faktum att fönster på sina håll huggits upp för att eliminera Maria ur rosenkransens centrum. Samma sak visar de skåp som befriats från rosenkransen, men där Maria överlevt och återanvänts i annan kontext.

Inte minst utifrån sistnämnda erfarenhet bör man undersöka, om inte fler senmedeltida skåp med den apokalyptiska kvinnan bär spår av en rosenkrans. Ett sådant exempel skulle kunna vara skåpet från Sånga kyrka, Ångermanland, där den mandorlaformade trälisten uppvisar hål som kan vara fästpunkter för rosor.[89] Ett annat exempel är ett par altarskåpsdörrar från Delsbo kyrka, Hälsingland, vilka nu förvaras på Hälsinglands museum.[90] Dörrarna dateras till 1500-talets början. Deras utsidor återger bebådelsen. Ängelns språkband bär på latin texten "Hell dig Maria, full av nåd, Herren är med dig, och välsignad", dvs texten är något ofullständig. Marias textband innehåller svaret: "Se Guds tjänarinna, ske mig enligt ditt ord." Man bör observera, att Maria här håller ett radband mellan sina fingrar.

Målningarna på dörrarnas insidor framställer änglar och människor, andliga såväl som världsliga, i bön. Alla vänder de sina ansikten in mot skåpets centrum. Människorna på skåpets mellannivå har radband i sina händer. Längst ner syns människor i skärselden. Man kan fråga sig, vad som en gång funnits i detta skåps centrum. Jo, sannolikt den skulpterade bild av Maria som ännu finns i Delsbo kyrka och som är daterad till samma tid som altarskåpsdörrarna.[91] Bilden föreställer Maria med barnet, stående på månskäran som den apokalyptiska kvinnan. De många radbanden hos de bedjande på dörrarna talar för, att kyrkans nuvarande mariabild en gång varit omgiven av en krans med femtio rosor. Målningarna bekräftar dessutom något grundläggande viktigt, som gång på gång har framskymtat i denna undersökning: rosenkransfromheten var i Sverige inte enbart eller ens främst knuten till dominikan- och franciskanordnarna. Också cistercienser, kartusianer och birgittiner har här aktivt verkat för dess spridande, liksom förmodligen också övriga i landet verksamma ordnar. Det är alltså ingen tillfällighet, att systrar och bröder från ett stort antal ordnar är företrädda bland dem som ber rosenkransen i Delsbo-skåpet; målningarnas framställning svarar mot en faktisk verklighet.

Avveckling och återkomst

Man frågar sig, varför Maria inte fick vara kvar i sin ursprungliga kontext i Delsbo kyrka. Möjligen kan man uppfatta saken så, att rosenkransmadonnorna ansågs mer angelägna att avlägsna än många andra mariamotiv. Den apokalyptiska kvinnan var i sig ett nytestamentligt motiv (Upp 12). Hon kunde därför bejakas, förutsatt att rosenkransen runt henne togs bort. Men kanske fortsatte människor att utöva sin "vidskepelse" och sin "hedendom" i högre grad inför Maria i rosenkransen än inför många andra helgonmotiv, sådana med kyrkans patronus / patrona möjligen undantagna? Folkfromheten ändrar nämligen inte inriktning lika lätt som kyrkliga så kallade reformatorer brukar önska, vilket den ovan nämnda venerationen av den överkalkade rosenkransmadonnan i Vallby varit ett exempel på.

Även om nästan alla andra här nämnda målningar också varit överkalkade och är mer eller mindre skadade, och även om flertalet skåp är illa åtgångna och många befinner sig på museum, blir man något förvånad när man börjar lägga pussel med olika materialgrupper. Påfallande mycket har trots allt bevarats av rosenkransmaterial från det halvsekel då denna fromhet var som mest aktuell i det senmedeltida Sverige, dvs o. 1480 - 1530. Här har endast delar av detta material kunnat redovisas.

Att själva hjälpmedlen, radbanden, inte i någon högre grad är dokumentariskt belagda från den aktuella epoken, är däremot inte särskilt anmärkningsvärt. De möter ju främst i testamenten, förutsatt då att de besitter ett visst ekonomiskt värde, dvs är av dyrbart material.[92] Att rosenkransar inte arkeologiskt påträffats i någon högre grad, är heller inte särskilt märkligt. Många var säkerligen inte sammanhållna av något beständigt material.[93] En del blev kanske med tiden omgjorda eller återanvända till halsband eller andra smycken. Det förtjänar också att observeras, att man faktiskt inte behöver något radband för att kunna be rosenkransen. Dels har man haft den för ögonen i många kyrkor, dels har man fingrar och knogar att räkna på om så behövs. Kanske kan detta också till en del förklara, varför så många rosenkransframställningar återger bedjare utan radband.

I rosenkransen och rosenkransbrödraskapen mötte de lutherska reformatorerna i ett koncentrat mycket av det som de så hett ville bekämpa: omsorgen om de döda genom förböner och mässor, Maria såsom en som förmedlar människors böner till Gud, avlaten / botgöringen som en möjlighet att undgå eller i varje fall reducera tiden i den så kallade skärselden, samt den solidaritet kristna människor emellan som innebar, att de starkare kunde bistå sina svagare medbröder och -systrar också efter deras död.

Den katolska kyrkan å sin sida hade med avlaten som instrument önskat stimulera fromhetslivet, och då inte minst lekfolkets engagemang och andaktsutövning.[94] Kyrkan var angelägen om, att ingen av hennes medlemmar skulle behöva hamna i helvetet, ja att ingen egentligen ens skulle behöva genomgå skärselden på sin väg mot himmelen. Därför var generösa möjligheter att utföra ålagda botgöringar, eller att utbyta dessa i enlighet med avlatsbrevens intentioner, en självklarhet. Kunde frukten av dessa botgöringar sedan komma även andra till del, desto bättre. I detta sammanhang bör man observera, att rosenkransframställningarna ofta inrymmer också andra andaktsmotiv till vilka avlat varit knuten, inte minst då Kristi fem sår.[95]

Ett reellt problem i sammanhanget var de folkliga avlatsförväntningar som var förknippade med bruket av rosenkransbönen. Vad hjälpte det för präster att hänvisa till de tämligen modesta och återhållsamma avlatsbrev som påvar och biskopar utfärdat,[96] när den folkliga fromheten i kopierade, privata bön- och andaktsböcker förespeglades en avlat av storleksordningen 20.000 - 60.000 år, om man bara förstod att kombinera och nyttja rosenkransbönens alla möjligheter?[97] Alanus de Rupe själv var ingalunda främmande för detta tänkesätt.[98] Den man som så hett ivrat och propagerat för rosenkransbönen, blev bland annat därför med tiden något av ett problem. Det var inte endast hans litterära stil som ibland kom att bedömas som svulstig också av hans egna ordensbröder, i samtiden likaväl som senare.[99] Men rosenkransandakten överlevde såväl sin egen ivrigaste förespråkare som alla folkliga avlatshysterier. I vår tid har den gått en ny vår till mötes i ett mångkulturellt och religiöst pluralistiskt Sverige.[100]

Zusammenfassung

Rosenkranzfrömmigkeit im spätmittelalterlichen Schweden

Von ungefähr 1525 an wurde die Kirche in Schweden zu einer nationellen Kirche umgewandelt, getrennt von Rom und mit starkem lutherischem Einschlag. Im Zusammenhang damit wurden in der Praxis Gilden und Bruderschaften, sowie viel von der Spiritualität die diese vertraten verboten. Der Kult der Heiligen zum Beispiel wurde stark beschränkt. In welchem Mass gelang da ein Vorkommen wie die Rosenkranzfrömmigkeit Fuss zu fassen in dem spätmittelalterlichen Schweden vor der lutherischen Reformationens Durchbruch?

Rosenkranzbruderschaften sind quellbelegt von zwei Plätzen in Schweden: Vadstena (1504) und Strängnäs (1507). Der schwedische Reformator Olavus Petri richtete bereits 1523 harte Kritik gegen das letztbenannte. Beide Bruderschaften dürften spätestens im Beginn von 1530 aufgehört haben zu existieren.

Aber bereits bevor wir diese Bruderschaften in den Quellen treffen hat das Kartäuserkloster Mariefred 1498 Alanus de Rupes De dignitate et utilitate psalterii beate Marie virginis in drei Varianten gedruckt. Dieses Buch wird ins Schwedische übersetzt werden im Kloster von Vadstena. Noch früher gab es doch Malereien und Altarschränke mit Maria im Rosenkranz in mehreren Kirchen, vor allem in Uppland. Gemälde und Schränke mit diesem Motiv, sowie auch mit Betenden die den Rosenkranz anwenden, entstanden von den 1480-igern und bis in die Jahre um 1520, ein Zeichen dafür sind, dass marianische Frommheit in Schweden bis an das Ende des Mittelalters in hohem Grad um Rosenkranzfrömmigkeit handelte.

In dieser, und nicht minder in den Bruderschaften, trafen die lutherischen Reformatoren in einem Konzentrat vieles von dem was sie bekämpfen wollten: Fürsorge um die Toten mit Fürbitten und Messen, Maria als Vermittlerin der Bitten der Menschen zu Gott, Ablass / Busse als eine Möglichkeit die Zeit in dem sogenannten Fegefeuer zu verkürzen u.s.w. Die Bruderschaften wurden deshalb früh verboten, während Rosenkranzmalereien und -schränke unter den folgenden Jahrhunderten nacheinander vertilgt wurden, umgebaut wurden oder (in Beziehung gewisser Schränke) bewahrt werden durften. Viele Malereien wurden überkalkt. In gewissen wurden die Bilder von Maria durch ein Fenster ersetzt. Viele Schränke mit apokalyptischen Madonnen wurden "befreit" von dem sie umgebenden Rosenkrantz. Mehrere Schränke sind heute sehr schwer beschädigt. Wieviele Malereien und Schränke ganz verstört wurden, wissen wir nicht.

Auffallend viel Material ist dennoch bewahrt von dem Halbjahrhundert in dem diese Frömmigkeit am meisten aktuell war in Schweden, d. h. die Jahre 1480 - 1530, bedenkt man wie hart die lutherischen Reformatoren Gilden und Klöster ausmerzen werden.

Noter

[1] Se t.ex. Jungfru Maria 1986, s. 36 ff. Oremus 1991, s. 54 ff. Katolsk Bönbok 1994, s. 34 ff.

[2] JMP, s.4, 457 ff. Meersseman 1960, s. 22 ff. Lundén 1963, sp. 24 f.

[3] Beissel 1909, s. 236 ff, 511 ff, 539. Heinz 1977, s. 262 ff. -Svenska böner, s. 240 ff. Se även Scriptores 1843, s. 285 ff.

[4] Beissel 1909, s. 238. - Se målning i Södra Råda kyrka, Värmland, från 1494. Nisbeth 1969, sp. 419.

[5] Kilström 1958, s. 177 ff. Kilström 1963, sp. 355. Pernler 1982, s. 74 ff.

[6] Helander 1956, sp. 284 ff. Kilström 1968, sp. 128 ff.

[7] Helander 1956, sp. 285.

[8] Beissel 1909, s. 238 ff, 549 ff.

[9] Beissel 1909, s. 511 ff. Gjøstein Blom 1969, sp. 416.

[10] Beissel 1909, s. 515 ff. Willam 1948, s. 37. Gjøstein Blom 1969, sp. 416 f.

[11] Gallén 1956, sp. 66 f.

[12] JMP, s. 164 ff, 169 ff, 488 ff, 492 ff, 496 ff. Beissel 1909, s. 540 ff.

[13] JMP, s. 14 ff, 179 ff, 191 ff, 204 ff, 212 ff, 265 ff. Beissel 1909, s. 540 f. Gallén 1956, sp. 66.

[14] JMP, s. 19 ff, 155 ff, 158 ff. Beissel 1909, s. 525, 530, 540.

[15] HSH 17, s. 135 ff. Westman 1918, s. 163 f. Carlsson 1947, s. 3 f. - Nicolaus Benedicti Kindbo hade studerat i bl. a. Rostock. Collmar 1977, s. 179 f. - Se även OPSS 1, s. 557; 2, s. 108.

[16] Något rosenkransbrödraskap är dock inte känt från Stockholm, vilket ofta felaktigt angivits i litteraturen. Jfr Westman 1918, s. 107. Brilioth 1941, s. 716 f.

[17] RA perg 25/1 1507. Carlsson 1959, s. 525. Collmar 1977, s. 108. -Att biskop Kort Rogge 1501 skulle ha stiftat ett Marie psaltares brödraskap i Strängnäs, är en återkommande men felaktig uppgift. Jfr t. ex. Kilström 1992, s. 70.

[18] RA perg 6/1 1509. Carlsson 1947, s. 5. Carlsson 1960, sp. 321 ff.Collmar 1977, s. 108.

[19] JMP, s. 171. Carlsson 1947, s. 3, 32 ff. Schwarz Lausten 1969, s. 420 f.

[20] RA papper o. 15/8 1504. Silfverstolpe 1898, s. 144. Carlsson 1947, s. 6 f. - Om tidig rosenkransfromhet inom cisterciensorden se Heinz 1977, s. 262 ff.

[21] Collijn 1935, s. 164 ff. Clemedson 1989, s. 38 ff.

[22] KB Cod. Holm. A 2. Utgiven av R. Geete 1923-1925. Se JMP.

[23] Carlsson 1947, s. 7 not 3.

[24] JMP, s. XXVI ff, 523. Silfverstolpe 1898, s. 92.

[25] Collmar 1977, s. 104, 107 f.

[26] Beissel 1909, s. 546.

[27] HTU I, s. 1 ff. LBH I, s. 228 f. Carlsson 1947, s. 8 ff.

[28] HTU I, s. 1 ff. LBH I, s. 228 f. Se även HTU I, s. 15.

[29] HTU I, s. 1 ff. LBH I, s. 228 f. Hedqvist 1893, s. 119.

[30] HTU I, s. 4. STb 1504-1514, s. 82, 351. STb 1514-1520, s. 200. SSS 1516-1525, s. 10, 91, 132, 171, 208.

[31] HTU I, s. 6 ff. Carlsson 1947, s. 11.

[32] LBH I, s.210 nr 6.

[33] HTU I, s. 15.

[34] HTU I, s. 6 ff.

[35] HTU I, s. 8 ff.

[36] GIR I, s. 33 f. Carlsson 1947, s. 11.

[37] UUB C 449 fol. 96r - 112r. Carlsson 1947, s. 13 ff, 32 ff.

[38] LBH I, s. 210 nr 7. Carlsson 1947, s. 19 f.

[39] Carlsson 1947, s. 22 ff, 48.

[40] HTU I, s. 21 ff. Se även GIR VIII, s. 19 f. Carlsson 1947, s. 30 f.

[41] Ahnlund 1923, s. 42 ff. Ahnlund 1933, s. 61 f. Collmar 1953, s. 75 ff.

[42] Se t. ex. Pernler 1986, s. 87 f.

[43] Se t. ex. Pernler 1986, s. 70 ff.

[44] Småstycken I, s. 143 ff.

[45] Beissel 1909, s. 540 ff.

[46] JMP, s. 478 ff, 488 ff.

[47] JMP, s. 169 ff. Se även t.ex. DGL I, s. 437.

[48] JMP, s. 492 ff. Schwarz Lausten 1969, sp. 420 f.

[49] SRA I:1, s. 390 ff.

[50] Se t.ex. Pernler 1986, s. 87 f.

[51] Om Mariefreds kloster se Clemedson 1989. Pernler 1994.

[52] Collijn 1935, s. 164 ff. - Konstvetare har gärna sett samman rosenkransmotiv med tiggarordnarnas bildprogram. Se t. ex. Pegelow 1988, s. 192 ff. Men rosenkransfromheten var i Sverige förbunden med betydligt fler ordnar, liksom med ledande kyrkomän.

[53] Den bulla och det brev som ingår är utfärdade av Sixtus IV 1479 respektive biskop Alexander av Forli 1476. Andra bullor angående rosenkransen utfärdades under den här aktuella perioden av Innocentius VIII 1484 och Leo X 1520. - Bullan 1479 i JMP har sin latinska motsvarighet i Magnum Bullarium Romanum 1742, s. 418.

[54] I Ekeby kyrka, Uppland, har funnits en bok rörande läsandet av Pater noster och Ave Maria. Rhezelius (1635), s. 66. Clemens Rytingh ägde o. 1484 en skrift om psalterium virginis. Westman 1918, s. 107 not 2.

[55] Nisbeth 1956, s. 9. Nisbeth 1965, s. 6. Wadström 1980, s. 276. Nilsén 1986, s. 385 f. - Som exempel på tidiga svenska studier om rosenkranskultens återspegling i konsten se Cornell 1917, s. 101 ff. Cornell 1918, s. 182 ff.

[56] Nisbeth 1963, s. 82 ff. Wadström 1989, s. 276 ff. Hernfjäll 1993, s. 127 ff.

[57] Nisbeth 1963, s. 107 f. Wadström 1980, s. 278.

[58] Cornell 1927, s. 48. Wadström 1980, s. 278. Nilsén 1986, s. 388.

[59] Collijn 1935, s. 153.

[60] Kilström 1962, s. 15. Wadström 1980, s. 279. Nilsén 1986, s. 388, 492 f.

[61] Wadström 1980, s. 279, 281. Nilsén 1986, s. 388 f, 480 ff.

[62] Wadström 1980, s. 281 f. Nilsén 1986, s. 387 f.

[63] Norberg 1968, s. 6. Wadström 1980, s. 282, 284 f. Nilsén 1986, s. 387, 479 ff.

[64] Nisbeth 1956, s. 7. Wadström 1980, s. 285 f. Nilsén 1986, s. 387 f.

[65] Kilström 1966, s. 8. Wadström 1980, s. 286. Nilsén 1986, s. 388.

[66] Wadström 1980, s. 287. Nilsén 1986, s. 438.

[67] Wadström 1980, s. 287.

[68] Wadström 1980, s. 287.

[69] Också i det skriftliga materialet är det ofta omöjligt att avgöra huruvida paternosterband eller rosenkrans åsyftas. Cf Gjøstein Blom 1969, sp. 416 f.

[70] Lundblad 1966, s. 6. Wadström 1980, s. 286 f.

[71] Se t.ex. Wadström 1980, s. 292 ff. Nilsén 1986, s. 382, 385.

[72] Wadström 1980, s. 288.

[73] Nisbeth 1966, s. 13. Wadström 1980, s. 288.

[74] Wadström 1980, s. 288.

[75] Wadström 1980, s. 288f.

[76] Trotzig 1978, s. 11 ff. Wadström 1980, s. 290.

[77] Wadström 1980, s. 289. Nilsén 1986, s. 388 f.

[78] Christiansson 1948, s. 18. Wadström 1980, s. 290.

[79] Wettergren 1913, s. 224. Cornell 1917, s. 10. Bohrn 1946, s. 8. Wadström 1980, s. 290.

[80] Tuulse 1955, s. 468 f. Wahlström 1980, s. 289.

[81] Wadström 1980, s. 290 f.

[82] Wadström 1980, s. 292.

[83] Wadström 1980, s. 292.

[84] Jfr tolkning hos Wadström 1980, s. 297. Cf Andersson 1983, s. 11.

[85] Andersson 1983, s. 69 ff.

[86] Wadström 1980, s. 297 ff. Andersson 1983, s. 72 ff.

[87] Andersson 1983, s. 69.

[88] OPSS 1, s. 557; 2, s. 108. Se även teol. lic. C. Pahlmblads uppsats i denna bok, där bl.a. förordet till en bönbok 1553 synes förutsätta, att rosenkransbönen alltjämt är i bruk bland folk.

[89] Wadström 1980, s. 296.

[90] Swartling 1954, s. 73f. Wadström 1980, s. 300 ff.

[91] Swartling 1954, s. 72, 74. Wadström 1980, s. 306.

[92] Se t. ex. Källström 1939, s. 120 ff. Carlsson 1947, s. 1 not 1. -Om inköp till kyrka se Kumla kyrkas räkenskapsbok, s. 91.

[93] Cf Saxtorph 1969, sp. 417 f.

[94] Exempel härpå se Andrén 1975, s. 201 ff, som dock bitvis använder ett olyckligt språkbruk.

[95] Ringbom 1983, s. 6 ff.

[96] JMP, s. 3 ff. Ringbom 1983, s. 8. - Om kyrkans officiella hållning se Poschmann 1951, s. 112 ff.

[97] Ringbom 1983, s. 8 f.

[98] JMP, s. 478 ff. Ringbom 1983, s. 8.

[99] Beissel 1909, s. 541 ff.

[100] Stinissen 1981, s. 108 ff. Jungfru Maria 1986, s. 34 ff. En bok om rosenkransen 1992.

Litteraturförteckning

Otryckta källor

Stockholm

Kungliga Biblioteket (KB)
Cod. Holm. A 2

Riksarkivet (RA)
Papper o. 15/8 1504.
Perg 25/3 1501, 25/1 1507, 6/1 1509.

Uppsala

Uppsala Universitetsbibliotek (UUB)
C 449

Tryckta källor och litteratur samt förkortningar

Ahnlund 1923 =
Nils Ahnlund, Gillena och Gustav Vasa: Hävd och hembygd. Svenska Fornminnesföreningens årsskrift 1923, Stockholm 1923, s. 42-47.

Ahnlund 1933 =
Nils Ahnlund, Från medeltid och vasatid. Historia och kulturhistoria, Stockholm 1933.

Andersson 1983 =
Aron Andersson, Vadstena klosterkyrka II, Inredning, volym 194 av Sveriges kyrkor, konsthistoriskt inventarium, Stockholm 1983.

Andrén 1975 =
Carl-Gustaf Andrén, De medeltida avlatsbreven - instrument för kyrkans verksamhet: Investigatio memoriae patrum. Libellus in honorem Kauko Pirinen. Finska kyrkohistoriska samfundets handlingar 93, Helsinki 1975, s. 201-221.

Beissel 1909 =
Stephan Beissel, Geschichte der Verehrung Marias in Deutschland während des Mittelalters. Ein Beitrag zur Religionswissenschaft und Kunstgeschichte, Freiburg im Breisgau 1909.

Bohrn 1946 =
Erik Bohrn, Härads kyrka. Sörmländska kyrkor 6:79, Eskilstuna 1946.

Brilioth 1941 =
Svenska kyrkans historia...Andra bandet. Den senare medeltiden 1274 -1521 av Yngve Brilioth, Stockholm 1941.

Carlsson 1947 =
Gottfrid Carlsson, Jungfru Marie psaltares brödraskap i Sverige. En studie i senmedeltida fromhetsliv och gilleväsen: Kyrkohistorisk årsskrift, Årg. 47, 1947, Uppsala 1948, s. 1-49.

Carlsson 1959 =
Gottfrid Carlsson, Biskopssäte, domkyrka och kloster. Från äldsta tid till 1563: Strängnäs stads historia. Utg. av Föreningen Strengnenses under red. av Hans Jägerstad, Lund 1959, s. 449-546.

Carlsson 1960 =
Gottfrid Carlsson, Gilleslängder: KLNM 5, Malmö 1960, sp. 321-323.

Cf =
Cf i nothänvisning anger samstämmighet.

Christiansson 1948 =
Hans Christiansson, Danvikens kyrka. Sörmlands kyrkor 8:120, Eskilstuna 1948.

Clemedson 1989 =
Carl-Johan Clemedson, Kartusianklostret Mariefred vid Gripsholm...Sörmländska Handlingar N:r 48, Nyköping 1989.

Collijn 1935 =
Isak Collijn, Kartusianerklostret Mariefred och dess bibliotek: Nordisk tidskrift för bok- och biblioteksväsen, Årg. XXII, Stockholm 1935, s. 147-178.

Collmar 1953 =
Magnus Collmar, Nyupptäckta medeltida gillen i Uppland: Uppland. Upplands Fornminnesförenings årsbok 1953, Uppsala 1953, s. 75-83.

Collmar 1977 =
Magnus Collmar, Strängnäs stifts herdaminne. Del 1. Medeltiden, Nyköping 1977.

Cornell 1917 =
Henrik Cornell, Dominikanskt inflytande på den nordiska bildkonsten under 1400-talet: Tidskrift för konstvetenskap, Årg.2, Lund 1917.

Cornell 1918 =
Henrik Cornell, Norrlands kyrkliga konst under medeltiden, Uppsala 1918.

Cornell 1927 =
Henrik Cornell, Studier över uppländska kyrkmålningar: Upplands Fornminnesförenings Tidskrift, Bd 10, Hft XLI, Uppsala 1927.

DGL I =
Danmarks gamle Landskabslove med Kirkelovene, udg. Johs. Brøndum-Nielsen m. fl. I. København 1920.

En bok om rosenkransen 1992 =
En bok om rosenkransen och dess mysterier. Jungfru Maria Skriftserie nr 8, Jönköping 1992.

Gallén 1956 =
Jarl Gallén, Alanus de Rupe: KLNM 1, Malmö 1956, sp. 66-67.

GIR =
Konung Gustaf den förstes registratur. I-XXIX. Handlingar rörande Sveriges historia. Ser.1, Stockholm 1861-1916.

Gjøstein Blom 1969 =
Ådel Gjøstein Blom, Rosenkrans: KLNM 14, Malmö 1969, sp. 415-417.

Hedqvist 1893 =
Vilhelm Hedqvist, Den kristna kärleksverksamheten i Sverige under medeltiden. Uppsala 1893.

Heinz 1977 =
Andreas Heinz, Die Zisterzienser und die Anfänge des Rosenkranzes: Analecta Cisterciensia 33, Rom 1977, s. 262-309.

Helander 1956 =
Sven Helander, Ave Maria: KLNM 1, Malmö 1956, sp. 284-286.

Hernfjäll 1993 =
Viola Hernfjäll, Medeltida kyrkmålningar i gamla Skara stift. Skrifter från Skaraborgs Länsmuseum nr 16. Skara 1993.

HSH =
Handlingar rörande Skandinaviens historia. I-XL, Stockholm 1816-1860.

HTU I =
Handlingar til uplysning af Svenska historien I, utg. af Eric Michael Fant, Upsala 1789.

Jfr =
Jfr i nothänvisning anger avvikande uppfattning.

JMP =
Jungfru Marie Psaltare utg. af Robert Geete. Samlingar utgifna af Svenska Fornskrift-Sällskapet Häft. 159-161, Uppsala 1923-1925.

Jungfru Maria 1986 =
Jungfru Maria (tidning), Årg. 3, Gränna 1986.

Katolsk Bönbok 1994 =
Katolsk Bönbok. Inledningar av Br Anders Arborelius OCD. Sammanställd av Sigfrid Fredestad, Vejbystrand 1994.

Kilström 1958 =
Bengt Ingmar Kilström, Den kateketiska undervisningen i Sverige under medeltiden. Bibliotheca Theologiae Practicae 8, Uppsala 1958.

Kilström 1962 =
Bengt Ingmar Kilström, Vallby kyrka. Upplands kyrkor 57, Uppsala 1962.

Kilström 1963 =
Bengt Ingmar Kilström, Katekes och katekisation: KLNM 8, Malmö 1963, sp. 354-356.

Kilström 1966 =
Bengt Ingmar Kilström, Östervåla kyrka. Upplands kyrkor 119, Uppsala 1966.

Kilström 1968 =
Bengt Ingmar Kilström, Pater noster: KLNM 13, Malmö 1968, sp. 128-130.

Kilström 1992 =
Bengt Ingmar Kilström, Kort Rogge - renässansbiskop och humanist: Öppna gränser. Ekumeniskt och europeiskt i Strängnäs stift genom tiderna. En samling uppsatser redigerade av Samuel Rubenson, Stockholm 1992, s. 65-71.

KLNM =
Kulturhistoriskt lexikon för nordisk medeltid. 1-22. Malmö 1956-1978.

Kumla kyrkas räkenskapsbok =
Kumla kyrkas räkenskapsbok 1421-1590 med inledande studier utgiven av Jonas L:son Samzelius. Närke. Studier över landskapets natur och odling. N:r IV, Örebro 1946.

Källström 1939 =
Olle Källström, Medeltida kyrksilver från Sverige och Finland förlorat genom Gustav Vasas konfiskationer, Stockholm 1939.

LBH I =
Linköpings bibliotheks handlingar I. Linköping 1793.

Lundblad 1966 =
Torsten Lundblad, Tortuna kyrka. En kort beskrivning, Tortuna 1966.

Lundén 1963 =
Tryggve Lundén, Jungfru Marie psaltare: KLNM 8, Malmö 1963, sp. 24-25.

Magnum Bullarium Romanum 1742 =
Magnum Bullarium Romanum, ed. novissima, T. I, Luxemburgi 1742.

Meersseman 1960 =
G.G. Meersseman, Der Hymnos Akathistos im Abendland II. Spicilegium Friburgense 3, Freiburg/Schw. 1960.

Nilsén 1986 =
Anna Nilsén, Program och funktion i senmedeltida kalkmåleri. Kyrkmålningar i Mälarlandskapen och Finland 1400-1534. KVHAA, Stockholm 1986.

Nisbeth 1956 =
Åke Nisbeth, Härnevi kyrka. Upplands kyrkor 97, Uppsala 1956.

Nisbeth 1963 =
Åke Nisbeth, Mäster Amund och långhusmålningarna i Södra Råda: En bok om Södra Råda gamla kyrka, Uppsala 1963.

Nisbeth 1965 =
Åke Nisbeth, Härkeberga kyrka. Upplands kyrkor 81, Uppsala 1965.

Nisbeth 1966 =
Åke Nisbeth, Västerlövsta kyrka. Upplands kyrkor 67. Andra, omarbetade upplagan, Uppsala 1966.

Nisbeth 1969 =
Åke Nisbeth, Rosenkrans: KLNM 14, Malmö 1969, sp. 418-420.

Norberg 1968 =
Rune Norberg, Dannemora kyrka. Upplands kyrkor 130, Uppsala 1968

OPSS =
Olavus Petris samlade skrifter I-IV, Uppsala 1914-1917.

Oremus 1991 =
Oremus. Svensk katolsk bönbok. Fjärde, fullständigt omarbetade upplagan. Omtryck 1991, Stockholm 1991.

Pegelow 1988 =
Ingalill Pegelow, Sankt Martin i svensk medeltida kult och konst, Stockholm 1988.

Pernler 1982 =
Sven-Erik Pernler, Predikan ad populum under svensk medeltid: Predikohistoriska perspektiv. Studier tillägnade Åke Andrén, Stockholm 1982, s. 73-95.

Pernler 1986 =
Sven-Erik Pernler, S:ta Katarina-gillet i Björke: Gotländskt Arkiv 1986, Visby 1986, s. 67-91.

Pernler 1994 =
Sven-Erik Pernler, ”Marie fred” - ett kloster i ofärdstider: Signum 1994, s. 17-21.

Poschmann 1951 =
Bernhard Poschmann, Busse und Letzte Ölung: Handbuch der Dogmengeschichte. Hrsg. von M. Schmaus... Bd IV/3, Freiburg 1951.

Rhezelius (1635) =
Monumenta Uplandica. Reseanteckningar från åren 1635, 1636, 1638. Utg. av C.M. Stenbock och O. Lundberg. Upplands fornminnesförenings tidskrift 7: Bihang, Uppsala 1915-1917.

Ringbom 1983 =
Sixten Ringbom, Bild och avlat. II. Smärtomannen, Rosenkransen och Jomfrun i solinne: ICO 4/1983, Uppsala 1983, s. 1-16.

Saxtorph 1969 =
Niels M. Saxtorph, Rosenkrans: KLNM 14, Malmö 1969, sp. 417-418.

Schwarz Lausten 1969 =
Martin Schwarz Lausten, Rosenkransbroderskab: KLNM 14, Malmö 1969, sp. 420-421.

Scriptores 1843 =
Scriptores Svecici medii aevi cultum culturamque respicientes II, ed. J.E. Rietz, Lund 1843.

Silfverstolpe 1898 =
Carl Silfverstolpe, Klosterfolket i Vadstena. Personhistoriska anteckningar, Stockholm 1898.

Småstycken I =
Småstycken på Forn svenska, samlade af G.E. Klemming. Ser. I, Stockholm 1868-1881.

SRA I =
Svenska riksdagsakter I, utg. af E. Hildebrand och O. Alin, Stockholm 1887-1888.

SSS =
Stockholms stads skottebok 1516-1525, utg. av J.A. Almquist, Stockholm 1935.

STb =
Stockholms stads tänkeböcker, utg. av E. Hildebrand m. fl., Stockholm 1917-1933.

Stinissen 1981 =
Wilfrid Stinissen, Maria i Bibeln - i vårt liv. Serie Karmel Nr 10, Tågarp 1981.

Svenska böner =
Svenska böner från medeltiden efter gamla handskrifter utgifna af Robert Geete, Stockholm 1907-1909.

Swartling 1954 =
Ingrid Swartling, Delsbo kyrka. Hälsinglands kyrkor 5, Uppsala 1954.

Trotzig 1978 =
Aina Trotzig, Altarskåpet: Från medeltid till nutid. Minnesskrift vid Älvkarleby kyrkas 500-års jubileum 1978, Älvkarleby 1978, s. 11-24.

Tuulse 1955 =
Armin Tuulse, Valö kyrka. Sveriges kyrkor, konsthistoriskt inventarium. Uppland II:4, Stockholm 1955.

Wadström 1980 =
Inger Wadström, Rosenkransmadonnan i det medeltida Mellansverige: Katolsk årsskrift 1980, Stockholm 1980, s. 257-306.

Westman 1918 =
Knut B. Westman, Reformationens genombrottsår i Sverige, Stockholm 1918.

Wettergren 1913 =
Erik Wettergren, Studier från Strängnäsutställningens afdelning för måleri: Utställningen av äldre kyrklig konst i Strängnäs 1910 I, Stockholm 1913.

William 1948 =
F.M. Willam, Die Geschichte und Gebetschule des Rosenkranzes, Wien 1948.